Kaisha

• L'ENFANT DES QUATRE MONDES •

• L'ENFANT DES QUATRE MONDES •

TOME 2

Élisabeth Camirand

Éditeur : François Doucet
Révision linguistique : Isabelle Veillette
Correction d'épreuves : Nancy Coulombe, Katherine Lacombe
Illustration de la couverture : Daniel Kordek
Conception de la couverture : Mathieu C. Dandurand
Mise en pages : Sébastien Michaud
ISBN papier 978-2-89752-646-7
ISBN PDF numérique 978-2-89752-647-4
ISBN ePub 978-2-89752-648-1
Première impression : 2015
Dépôt légal : 2015
Bibliothèque et Archives nationales du Québec
Bibliothèque Nationale du Canada

Éditions AdA Inc.
1385, boul. Lionel-Boulet
Varennes, Québec, Canada, J3X 1P7
Téléphone : 450-929-0296
Télécopieur : 450-929-0220
www.ada-inc.com
info@ada-inc.com

Diffusion

Canada :	Éditions AdA Inc.
France :	D.G. Diffusion
	Z.I. des Bogues
	31750 Escalquens — France
	Téléphone : 05.61.00.09.99
Suisse :	Transat — 23.42.77.40
Belgique :	D.G. Diffusion — 05.61.00.09.99

Imprimé au Canada

Participation de la SODEC. SODEC

Nous reconnaissons l'aide financière du gouvernement du Canada par l'entremise du Fonds du livre du Canada (FLC)
pour nos activités d'édition.
Gouvernement du Québec — Programme de crédit d'impôt pour l'édition de livres — Gestion SODEC.

**Catalogage avant publication de Bibliothèque et Archives nationales du Québec et Bibliothèque
et Archives Canada**

Camirand, Élisabeth, 1992-

   Kaïsha
   Sommaire : t. 1. L'enfant des trois mondes -- t. 2. L'enfant des quatre mondes.
   Pour les jeunes de 13 ans et plus.
   ISBN 978-2-89752-643-6 (vol. 1)
   ISBN 978-2-89752-646-7 (vol. 2)
I. Camirand, Élisabeth, 1992- . Enfant des trois mondes. II. Camirand, Élisabeth, 1992- . Enfant des quatre mondes.
III. Titre.

PS8605.A523K34 2015   jC843'.6   C2015-940557-2
PS9605.A523K34 2015

CONTINENT OUEST

e Passage
e l'Aveugle

Aro

La rivière Netti
Sanneyt

Azanei

Les MONTAGNES
OUEST

TERRE DES
BANNIS

Le Passage

Mer maudite

Les Frères
de l'ours

OCÉAN
LIBRE

Les
Chasseurs
d'étoiles

Les Aigles sauvages

Baie du Chien

OCÉAN
NOIR

Les Guerriers du vent

Les Tueurs
de loups

Les Prieurs du
soleil-levant

Les Chasseuses
de daims

Les Filles de la terre

Golfe du
fleuve Hathi

La FORÊT

Le fleuve Hathi

Les
Péninsulaires

Les Descendants
de Hathi

Les Fils
de Trekeru

Les Danseurs
de la lune

Les
Tisseurs d'eau

Les Cultivateurs
du Sud

Zone
commerciale
- neutre

LÉGENDE

🌲 Forêt

⋀⋀ Montagne

⋀⋀⋀ Pic

⬤ Étendue d'eau

----- Frontière

La MER
(Territoire inconnu)

CONTINENT EST

Le Trident-Ouest

Le Trident-Est

Niverr

Le Passage
de l'Aveugle

Banemish

Erwem

Gamon

Les MONTAGNES EST

Mer Grise

Marseya

Jumelle du Nord

Baie du Nord

La Pointe
de l'Est

Jumelle du Sud

Mosca

La rivière Nordique

Baie de
l'Ours

Abel

Les PLAINES

Le fleuve Argent

Argenté-le-Bel

Mer des
Quatre Baies

La Rivière-aux-truites

Horizon-Rouge

Riou

Émeraude

OCÉAN
NOIR

OCÉAN
LIBRE

La Veine

Verroni

Le Serpent

Arignon

Village des Lavandes

Turigna

Turquoise

Frontière

Mer Houleuse

Zone
neutre

Mer Turquoise

Capitale

Dja-Im

Gi-Ber

Kyro-Pem

Ke-Miib

Tek-Mar

Nyam-Te

Le DÉSERT

Tu-Seim

Sim-Jar

Jou-Gen

Dja-Gaï

LÉGENDE

Forêt

Montagne

Pic

Mer du Sud

Han-Suï

Baie des
Cristaux

Étendue d'eau

Peu importe ce qu'on pourra vous dire,
les mots et les idées peuvent changer le monde.
— Tiré du film *La Société des poètes disparus*

TROISIÈME MONDE :

Les Montagnes

1

L'aube n'était pas encore là. La toile noire du ciel se nuançait de gris à l'est, et l'océan se révélait peu à peu sous la clarté naissante du jour. Le remous de ses eaux berçait doucement un navire, unique embarcation visible à l'horizon. Le clapotis des vagues contre la coque se mêlait à la brise saline, qui gonflait les voiles bleues du vaisseau et le faisait glisser silencieusement toujours plus vers l'avant.

Il n'y avait presque personne à cette heure sur le pont, sauf la vigie et le marin à la barre, qui demeuraient éveillés alors que tous dormaient dans leur cabine. Mais ce matin-là, avec eux, il y avait une jeune fille.

Elle était montée sur le pont quelques minutes auparavant et avait lentement marché jusqu'à l'avant du navire. Ni la vigie ni l'homme à la barre n'avaient posé de questions sur sa présence à cette heure. Ils avaient l'habitude de la voir se lever la nuit. Et cette nuit, encore, elle n'avait pas pu trouver le sommeil.

Elle était maintenant appuyée contre le bastingage et laissait son regard errer sur l'océan pour s'empêcher de trop penser. Ses longs cheveux noirs tombaient sur son dos et glissaient sur ses épaules, encore ébouriffés par son oreiller. Elle portait une tunique et un pantalon gris qui s'harmonisaient au bleu pur de ses iris. Quoiqu'on lui avait proposé de porter une robe, comme toutes les femmes, elle avait insisté pour porter l'habit des hommes, le seul dans lequel elle se sentait à l'aise.

Elle tenait à la main une lettre cent fois réécrite et raturée, mais qui jamais ne lui semblait juste.

Kaïsha soupira, laissant de côté la quiétude de l'océan pour reporter ses yeux et son attention sur sa missive. Elle la déroula à nouveau, la relut pour la énième fois, et encore une fois, elle n'en fut toujours pas satisfaite.

Il s'agissait d'une lettre adressée au Sénat des Plaines. Kaïsha y expliquait comment, alors qu'elle était l'esclave du général To-Be-Keh, chef des armées de la nation du Désert, elle avait découvert les plans funestes que réservaient l'empereur et ses seigneurs au reste du monde, en commençant par les Plaines. Kaïsha leur expliquait qu'elle était née dans les Plaines, que sa famille y vivait, et qu'il était urgent que les dirigeants de son pays se préparassent à affronter l'assaut du Désert.

Bien sûr, elle omit volontairement de préciser qu'elle n'était pas réellement une enfant des Plaines, encore moins qu'elle était en vérité une enfant de deux mondes, car autrement, sa missive perdrait toute chance d'être simplement lue.

Dans ce monde divisé en cinq grandes nations (les Plaines, les Montagnes, la Forêt, la Mer et le Désert), un mur d'indifférence, d'ignorance et de peur s'était toujours dressé entre chacun des peuples. À l'exception des échanges commerciaux, il n'y avait, pour ainsi dire, aucun lien de quelque nature que ce fût entre les cinq nations, et cela semblait entrer dans l'ordre des choses. Tellement dans l'ordre des choses que s'il advenait qu'un enfant d'un monde se liât d'amitié avec un enfant d'un autre monde, il était poussé à mettre fin à cette relation jugée malsaine. Des amants provenant de deux mondes différents étaient immédiatement séparés. Ceux qui s'opposaient à cette ligne de pensée étaient réprouvés.

Dans ce contexte, lorsque l'évènement (rarissime) de la naissance d'un enfant de deux mondes se produisait, cet enfant devenait dès son premier battement de cœur une immondice aux yeux de tous, car son existence même était contre nature. Partout dans le monde, les enfants de deux mondes étaient rejetés, opprimés, délaissés, lorsqu'ils n'étaient pas réduits à l'esclavage ou simplement tués. Les plus chanceux d'entre eux arrivaient à cacher leur identité et vivaient avec la peur constante qu'un jour, leur véritable nature fût découverte.

Durant les treize premières années de sa vie, Kaïsha avait fait partie de ces rares fortunés. Abandonnée à la naissance par sa mère, une femme de la Forêt nommée Kaïley, elle avait été adoptée dans les Plaines par Espérance, la meilleure des mères qui fût. Cette femme généreuse et aimante l'avait élevée comme sa propre enfant, parmi d'autres orphelins qui formaient sa famille. Espérance avait toujours su que Kaïsha était une enfant de deux mondes, et ce fait ne l'avait pas empêchée de l'aimer de tout son cœur, ce qui faisait déjà de cette femme quelqu'un d'unique et d'incroyablement ouvert d'esprit. Elle avait caché à Kaïsha sa véritable identité, du moins jusqu'à ce que celle-ci fût assez vieille pour pouvoir accepter un tel fardeau.

Kaïsha sourit tristement en repensant à la détresse qu'elle avait ressentie, deux ans plus tôt, lorsqu'Espérance lui avait révélé que sa mère et son père provenaient de deux mondes différents. Elle avait été terrassée, se haïssant elle-même pour ce qu'elle était, tout en étant farouchement désireuse de retrouver la femme de la Forêt qui l'avait abandonnée. Cette femme qui, avant de partir pour ne jamais revenir, lui avait laissé pour seuls souvenirs son prénom et les boucles d'oreilles en forme de têtes de loup que Kaïsha n'enlevait jamais.

Kaïsha en avait tellement voulu à Kaïley! Elle en avait même presque voulu à Espérance de lui avoir dit la vérité. Si elle n'avait jamais su qui elle était vraiment, Kaïsha n'aurait jamais quitté son village à treize ans pour s'aventurer dans le vaste monde à la recherche de ses parents. Jamais elle n'aurait pris la mer, jamais elle n'aurait été capturée par des pirates et jamais elle ne serait devenue une esclave.

À cette pensée, Kaïsha dut s'asseoir. Elle s'en voulait de ressasser ces sombres souvenirs. Des images de sang, de cris, et cette sensation horrible de terreur et d'angoisse lui remontaient à la gorge comme des serpents. Il lui fallait se rappeler que le navire sur lequel elle se trouvait actuellement n'était pas *La Belcoque*, qu'ils ne se feraient pas attaquer par des pirates et qu'elle était en sécurité. Mais il y avait longtemps que Kaïsha n'avait pas connu le goût de la sécurité, et ses instincts de survie étaient toujours prêts à prendre le dessus sur sa raison. Elle posa instinctivement sa main sur son poignard, bien à l'abri dans son fourreau. Il s'agissait d'un cadeau de Mak qu'elle espérait ne jamais avoir à utiliser, mais elle était rassurée de le savoir à portée de main.

Sa peur des pirates était l'une des inquiétudes qui l'empêchaient de trouver le sommeil la nuit. Mais, plus que tout, c'était sa missive, sa mission, qui occupait toutes ses pensées.

— Déjà debout? demanda une voix non loin d'elle.

Kaïsha leva les yeux et sourit à Ko-Bu-Tsu, sa meilleure amie, qui s'approchait d'elle avec sa grâce habituelle. Elle serrait autour de ses épaules une couverture de laine, tandis que sa robe grise tournoyait avec le vent. Dans la lumière pâle de l'aurore, sa peau et ses cheveux blancs prenaient une lueur rosée et étaient d'une beauté opalescente. Au milieu de l'océan, bien des marins auraient pu la prendre pour un esprit des eaux. Pourtant, même après deux mois en mer, les hommes à bord du navire la regardaient encore avec perplexité, incertitude ou crainte. Ce qui les effrayait le plus, c'était ce reflet rouge qui scintillait dans ses yeux clairs. Pour bien des gens, ce feu qui dansait dans ses pupilles donnait à son regard une aura maléfique. Il était vrai que Ko-Bu-Tsu avait une apparence unique au monde et, malheureusement, ce monde avait bien du mal à accepter la différence.

Kaïsha, elle, n'avait jamais eu peur de Ko-Bu-Tsu, pas même la première fois qu'elles s'étaient rencontrées, ou plutôt, étaient tombées l'une sur l'autre, près d'un an auparavant. Elle l'avait trouvée envoûtante, d'une beauté inégalable, mais certainement pas effrayante. Lorsqu'on regardait plus loin que la couleur de ses yeux et de ses cheveux, on pouvait voir la tristesse constante qui l'habitait depuis sa naissance, lorsque ses propres parents l'avaient enfermée et rejetée, dégoûtés par elle. Cette tristesse, Kaïsha la voyait encore, parfois, voiler le regard de son amie, lorsque celle-ci se perdait dans ses sombres pensées. Dans ces moments-là, seul Zuo savait lui redonner le sourire.

Ko-Bu-Tsu n'attendit pas que Kaïsha l'invitât et vint s'asseoir à côté d'elle, le dos appuyé sur le bastingage.

— Je ne trouve pas le sommeil, expliqua Kaïsha.

— À cause de ta lettre ? demanda Ko-Bu-Tsu en désignant de la tête le parchemin froissé que Kaïsha serrait.

Kaïsha opina. Ko-Bu-Tsu tendit la main et Kaïsha lui donna le parchemin pour qu'elle le lût. Elle n'avait pas à le demander ; elles se comprenaient sans avoir à dire le moindre mot. Les yeux de Ko-Bu-Tsu volèrent sur les lignes et ses sourcils se froncèrent, signe de sa concentration. Elle eut bientôt fini sa lecture et hocha la tête d'un air satisfait.

— C'est très bien, Kaïsha, approuva-t-elle en lui remettant la lettre. Vraiment très bien. Tu es convaincante et juste assez alarmante pour qu'ils prennent ceci au sérieux sans croire que tu es paranoïaque.

— Je crains pourtant qu'ils ne se donnent pas la peine d'accorder de l'importance aux avertissements d'une fille de quinze ans, soupira Kaïsha.

— Pourquoi leur dirais-tu ton âge ? répliqua Ko-Bu-Tsu. Tu ne la leur remettras pas en mains propres, alors pourquoi prendre la peine de leur mentionner que tu as quinze ans ? Laisse-les croire que tu en as dix de plus, et ils te prendront au sérieux. Ils te devront leur vie pour ce service que tu leur rends, alors cesse de t'inquiéter.

Kaïsha soupira.

— Que la Grande Mère t'entende, car il s'agit aussi de ma nation. S'ils ne me prennent pas au sérieux, ma famille sera en danger.

— Nous avons le temps de voir venir, l'apaisa Ko-Bu-Tsu. Tu as bien dit que mon père prévoyait cinq ans avant qu'ils soient suffisamment armés ? Alors, nous avons cinq ans devant nous pour nous y préparer. Tu ne régleras pas le sort du monde aujourd'hui !

Elle avait raison, comme toujours. Mais Kaïsha ne pouvait ignorer ce grondement, au plus profond de son être, qui l'enjoignait à agir. Elle sentait le danger, tapi dans l'ombre, prêt à l'attaquer dès que ses défenses seraient baissées. Elle se sentait vulnérable, avec son petit poignard comme seule arme, alors qu'elle voulait protéger le monde entier. C'était une tâche lourde à porter pour une seule personne.

Heureusement, elle n'était pas seule. Ko-Bu-Tsu et Zuo, ses meilleurs amis, sa nouvelle famille, étaient déjà prêts à la suivre dans cette folie. Ils le lui avaient clairement fait comprendre dès la première nuit à bord du navire lorsque, tapis dans un coin avec une lanterne allumée, ils discutaient pendant que tous dormaient.

Lorsque Kaïsha leur avait conseillé de retrouver une vie normale tandis qu'elle partirait seule de son côté, elle n'avait pas eu le temps de terminer sa pensée que Ko-Bu-Tsu l'avait interrompue :

— Oublie ça, lui avait-elle ordonné avec détermination. Nous avons quitté notre prison ensemble, nous allons rester ensemble.

Zuo avait approuvé avec vigueur.

— Nous allons te suivre, Nisha, lui avait-il affirmé avec son sourire chaleureux. Peu importe où tu iras, nous ne te laisserons jamais seule.

Kaïsha les avait trouvés sots de sacrifier aussi facilement leur possibilité de se bâtir une vie tranquille, alors qu'elle ne pouvait leur offrir qu'un futur mouvementé et incertain. Paradoxalement, cela lui avait procuré tant de bonheur qu'elle n'avait pu que leur sourire et les prendre dans ses bras, les remerciant du fond du cœur.

Il était prévu que le navire ne fît qu'une seule escale, au cours du voyage, pour faire le plein de provisions. Il s'agissait d'un petit port commercial ouvert aux nations, situé au nord des Plaines, dans une baie dominée par deux très belles Cités-États qu'on appelait les Jumelles.

— Nous avons un comptoir commercial dans le port, leur expliqua Zuo. Papa a déjà fait parvenir un faucon à leur administrateur, il nous accueillera à notre arrivée.

Cyam, le père de Zuo, était un explorateur, fonction hautement estimée dans les Montagnes, de ce que Kaïsha en comprenait. Il était en outre chef de l'expédition qui était chargée de récupérer Zuo, lorsque celui-ci était esclave dans le palais du général. Cyam dirigeait l'équipage avec la dextérité d'un chef d'orchestre et avec une assurance calme. Maintenant que la crainte d'avoir perdu son fils en territoire étranger l'avait quitté, il s'avérait un homme bien plus agréable que la première impression qu'il avait faite à Kaïsha et Ko-Bu-Tsu. Il demeurait un homme taciturne et peu enclin à la plaisanterie, mais un sourire franc naissait parfois sur ses lèvres, et il se montrait bon avec tous ceux qui se trouvaient sous sa responsabilité.

Il en était même venu à apprécier Kaïsha, son dédain pour sa nature condamnée s'étant progressivement transformé en acceptation un peu résignée. Il hochait la tête avec satisfaction lorsqu'il la voyait s'informer sur tous les aspects du fonctionnement du navire. Ce qu'il ne savait pas (et Kaïsha ne tenait pas à en faire la publicité), c'était que sa soif d'apprendre ne lui venait pas d'un intérêt soudain pour la navigation ou d'une envie d'élargir le champ de ses connaissances. Elle était guidée par la peur qu'un accident arrivât et qu'elle dût diriger le bateau. Ne pouvant maîtriser les flots ni ses dangers, du moins voulait-elle être la mieux préparée pour les affronter.

Lorsqu'elle apprit qu'ils feraient escale en territoire des Plaines, Kaïsha sut aussitôt qu'elle tenait la chance d'avertir les siens du danger que représentait le Désert. Elle en avait informé Zuo et Ko-Bu-Tsu, puis s'était aussitôt mise à la rédaction de sa lettre.

Il ne lui restait maintenant que quelques heures avant qu'ils atteignissent le port.

— As-tu parlé à Cyam de ce que contient cette lettre ? demanda Ko-Bu-Tsu, qui regardait les matelots monter sur le pont, maintenant que le soleil avait fait son apparition.

— Oui, mais il a du mal à me croire, répondit Kaïsha. Il affirme qu'il est inconcevable qu'une nation décide de rompre la paix, mais il m'a quand même promis d'essayer de m'obtenir un entretien avec les dirigeants des Montagnes.

— Pour quoi faire? demanda Ko-Bu-Tsu. Ce sont les Plaines qui sont en danger. Et si elles se font attaquer, ni les Montagnes ni aucune nation ne viendra les secourir.

— Je le sais, soupira Kaïsha. C'est ce que je crains le plus et c'est justement pour ça que je dois leur parler. Ils doivent comprendre que la menace les concerne aussi. Si le Désert s'empare des Plaines, l'empereur ne s'arrêtera pas. Sa soif de pouvoir ne fera que grandir et ce sont toutes les nations qui seront en danger.

— Tu ne peux pas sauver le monde, Kaïsha, raisonna Ko-Bu-Tsu avec sa froide logique. Nous allons faire de notre mieux pour que les Plaines repoussent l'attaque, et si nous sommes chanceux, mon père et l'empereur reviendront à la raison et tout rentrera dans l'ordre.

— Mais si ce n'était pas le cas…, commença Kaïsha.

— Si ce n'est pas le cas, la coupa Ko-Bu-Tsu, résolue, alors nous irons chercher Espérance et les enfants, et nous les emmènerons là où ils seront protégés. Arrête de t'en faire, je t'en prie. Tu te demandes l'impossible! Tu es une enfant de deux mondes, ne l'oublie pas.

Kaïsha voulut répliquer, mais Ko-Bu-Tsu leva la main pour l'en empêcher.

— Tu sais que je ne te juge pas, ni ne considère que tu es inférieure à qui que ce soit, se défendit-elle. Mais les gens ne réfléchissent pas comme toi et moi. Cyam t'a promis d'essayer d'obtenir pour toi une audience avec leurs dirigeants, soit. Mais est-ce que cela veut dire qu'ils t'écouteront? J'en doute. Et puis, as-tu vraiment réfléchi à l'accueil que te feraient les autres nations si tu débarquais tout bonnement en affirmant être là pour les protéger? Nul n'a jamais réussi à atteindre la nation de la Mer, et les hommes de la Forêt sont reconnus pour leurs méthodes draconiennes en matière d'étrangers. Tu te ferais tuer avant même d'avoir ouvert la bouche !

Kaïsha baissa la tête, morose. Ko-Bu-Tsu avait raison, bien sûr.

— Que dois-je faire, alors ? demanda-t-elle, découragée.

— Prendre ton mal en patience, répondit gentiment Ko-Bu-Tsu. Tu fais déjà tout ce dont tu es capable pour protéger les Plaines. Tu devras t'en contenter pour le moment. Je te le répète : nous avons encore le temps.

Elles gardèrent un moment le silence, chacune préoccupée par ses propres pensées. Le navire s'éveillait lentement, les membres de l'équipage sortirent peu à peu sur le pont et, bientôt, une silhouette menue fit son apparition. Le garçon, grand pour son âge, lança une œillade à la ronde avant d'apercevoir ses amies et se diriger vers elles.

— Bonjour ! s'exclama-t-il en se laissant tomber entre elles.

— Bonjour, Zuo, répondirent en cœur Kaïsha et Ko-Bu-Tsu.

Comme d'habitude, Zuo débordait d'énergie et son sourire pouvait illuminer la journée de quiconque le croisait. C'était là sa force, comme le raisonnement était celle de Ko-Bu-Tsu.

— Bien dormi ? demanda-t-il en s'étirant.

— Plutôt, répondit Ko-Bu-Tsu.

— Comme un bébé, ajouta Kaïsha.

Zuo les regarda tour à tour avec scepticisme et ses yeux se posèrent sur la lettre de Kaïsha. Il comprit aussitôt et lui offrit un sourire réconfortant. Kaïsha ne put s'empêcher de lui sourire à son tour, en lui ébouriffant les cheveux au passage.

Cyam Steloj fit son apparition sur le pont et toutes les têtes se tournèrent vers lui. Il inspecta du regard l'équipage, puis se tourna vers le capitaine du navire, un homme tout petit, mais qui imposait le respect à tout le monde.

— Combien de temps avant que nous atteignions notre escale ?

— Six heures, monsieur, répondit aussitôt le capitaine. Peut-être sept.

— Très bien, approuva Cyam avant de s'adresser à l'équipage. Mesdames, messieurs, notre voyage touche à sa fin. Ce soir, nous dormirons en territoire neutre et demain, nous reprendrons la route jusqu'à notre nation bien-aimée. D'ici deux semaines, nous serons chez nous !

L'équipage et les explorateurs accueillirent cette nouvelle par des cris de joie et des hourras. Les yeux de Zuo devinrent scintillants et il porta instinctivement les yeux vers l'horizon.

— Nous arrivons à la maison..., murmura-t-il. Enfin.

Kaïsha et Ko-Bu-Tsu échangèrent un regard. La joie de Zuo était réconfortante à voir, contagieuse même. Mais elles ne pouvaient partager son sentiment de rentrer à son foyer. Le foyer de Kaïsha devrait l'attendre encore un peu. Elle avait une occasion unique de voir la nation des Montagnes et, surtout, de pouvoir parler avec leurs dirigeants. Elle devait la prendre. Ko-Bu-Tsu, quant à elle, avait fui sa demeure et ne pourrait plus jamais y retourner. Elle était donc habitée de sentiments plus complexes. Elle devait se trouver un nouveau foyer, mais qui l'accueillerait ?

Après que Cyam eut dicté ses instructions au capitaine et que les matelots se furent remis à la tâche, un homme incroyablement grand et massif s'avança vers le trio d'un pas énergique.

— Bonjour, les inséparables ! tonna-t-il d'un ton enjoué. Kaïsha, Cyam voudrait te dire un mot.

D'un même mouvement, Kaïsha, Ko-Bu-Tsu et Zuo se levèrent. Mak éclata de rire.

— Inséparables, répéta-t-il en leur faisant signe de le suivre dans la cabine du capitaine.

Cyam était installé derrière un massif bureau de bois et transcrivait quelques notes sur un rouleau de parchemin lorsqu'il les vit entrer. Il fit un signe à Mak et celui-ci ferma la porte.

— Je ne vous retiendrai pas longtemps, annonça-t-il. Je voulais savoir si vous aviez terminé la missive dont vous m'aviez parlé.

— Je crois que oui, répondit Kaïsha en lui tendant sa lettre. Vous pouvez la lire si vous le désirez. J'espère qu'elle est convenable.

Comme Ko-Bu-Tsu, il déroula le parchemin et le parcourut attentivement des yeux.

— Ceci est en effet alarmant, commenta-t-il en levant les yeux de la missive. Êtes-vous vraiment sûre de tout ce que vous avancez ?

— Oui, affirma Kaïsha avec conviction. Je l'ai entendu de mes propres oreilles.

Cyam hocha la tête plusieurs fois et plaça le parchemin dans un petit coffre de bois portant le sceau officiel de sa nation ; trois montagnes pointues entre lesquelles serpentaient des traits représentant le vent. Les sceaux officiels servaient lors des échanges commerciaux et lors des très rares communications entre les différentes nations. Quelques semaines auparavant, Kaïsha ne savait même pas que de tels sceaux existaient, mais Mak le lui avait appris. Il lui avait expliqué qu'il y avait, en de rares occasions, des communications internations, même si les différents dirigeants n'en faisaient pas la publicité. Il lui avait même montré une étampe du sceau des Plaines, et Kaïsha avait été émue lorsqu'elle avait pris le parchemin sur lequel était tracé un large cercle, dans lequel on voyait distinctement un champ se découpant dans l'horizon, avec sa terre labourée et quelques épis qui sortaient du sol. Le dessin était simple, minimaliste, et pourtant Kaïsha pouvait parfaitement se représenter le matin se levant sur les champs, la douceur matinale, l'air encore chargé d'humidité et les premiers rayons du soleil qui striaient le sol de leur chaleur.

Kaïsha sortit de ses pensées lorsque Cyam claqua le couvercle du coffre.

— L'administrateur de notre comptoir a un passeport pour entrer dans les Plaines en tant qu'ambassadeur des Montagnes, expliqua Cyam. Il pourra donner cette lettre au représentant des Jumelles en ton nom. Mais ensuite... nous ne pourrons rien faire de plus.

— C'est déjà un début, dit Kaïsha avec optimisme. Mon peuple est ouvert et accueillant. Je suis sûre qu'ils n'ignoreront pas l'appel de l'une des leurs.

Cyam pinça les lèvres et sembla se retenir de dire quelque chose. Il lança un regard à Zuo, qui le lui rendit en fronçant les sourcils. Kaïsha n'avait pas besoin de plus amples explications.

— Vous êtes mal à l'aise, constata-t-elle simplement.

Cyam la regarda avec surprise avant de se ressaisir.

— Vous me pardonnerez, mais il en serait de même pour tout le monde.

Kaïsha acquiesça.

— Je le sais. Mais il vous faudra quand même vous habituer à ce fait : mon sang vient peut-être de la Forêt et de la Mer, mais mon cœur et mon âme ont été forgés dans les Plaines. À tout prendre, je suis bien plus une enfant des Plaines que de n'importe quelle autre nation. Il en est ainsi.

Cyam ne répondit pas, mais s'inclina profondément. En vivant parmi les explorateurs, Kaïsha avait fini par comprendre que chez le peuple des Montagnes, les mots étaient choisis avec soin et le silence était souvent préféré aux conversations futiles. Une révérence signifiait plus que n'importe quelle excuse ou explication.

Kaïsha savait qu'il lui fallait répondre à cette marque de respect et elle inclina la tête.

— Nous avons un autre sujet à aborder, déclara Cyam en passant son regard de Kaïsha à Ko-Bu-Tsu. Je crois ne pas me tromper en affirmant que vous venez avec nous dans notre nation ?

Il les fixait d'un regard pesant, et Kaïsha, Ko-Bu-Tsu et Zuo échangèrent un regard. Cyam n'eut pas à attendre leur réponse.

— C'est ce que je pensais, soupira-t-il. Savez-vous, jeunes filles, dans quoi vous vous embarquez ?

Elles ne répondirent pas. Cyam hocha la tête et massa son front de ses doigts.

— Vous ne serez pas les bienvenues dans les Montagnes. Nous étudions les autres nations, mais cela ne veut pas dire que nous les acceptons sur notre territoire. Les maîtres risquent fort probablement de vous expulser sitôt que vous aurez mis les pieds dans notre nation.

Kaïsha et Ko-Bu-Tsu gardèrent un moment le silence. Kaïsha savait que Cyam disait vrai, mais ce fut Ko-Bu-Tsu qui parla :

— Dans les Montagnes ou ailleurs, ça ne changera rien. Kaïsha et moi ne serons jamais les bienvenues nulle part.

Zuo et Kaïsha se tournèrent vers elle d'un même mouvement. Ko-Bu-Tsu avait parlé d'une voix calme et neutre, mais les derniers mots s'étaient coincés dans sa gorge et ses yeux n'arrivaient pas à dissimuler la détresse qui l'habitait. Elle commençait à prendre conscience d'un fait que Kaïsha avait déjà assimilé depuis deux ans : elles étaient des exclues.

Même Cyam prit conscience de la peine de la jeune fille et il se fit plus rassurant.

— Jamais votre vie ne sera en danger chez nous, cela est certain. Mais il est plus que probable que l'on vous bannira. Je vous promets de tout faire pour vous permettre de demeurer, sous ma tutelle. Étant un explorateur, ils me permettront peut-être cette faveur, surtout aux vues des circonstances exceptionnelles qui vous ont menées à connaître mon fils, et à votre participation dans sa libération. Néanmoins, je vous préviens que si votre désir est de vivre dans notre nation, je ne peux vous garantir en aucun cas que vous parviendrez à vous faire accepter. Vous ne serez sans doute jamais traitées comme nos égales et même si cela finissait par arriver, vous aurez à travailler plus que quiconque pour obtenir ce droit, et vous devrez vous battre constamment pour le garder.

Kaïsha sourit.

— C'est déjà très généreux à vous de nous offrir l'hospitalité. Je serais honorée de voir comment l'on vit dans les Montagnes. Mais je ne pense pas m'y établir. J'ai d'autres projets.

— Pareillement pour moi, ajouta Ko-Bu-Tsu. J'ai l'intention de voir le monde. Mais… pour le moment, je veux seulement rester auprès de Kaïsha et Zuo.

Cyam approuva et les laissa repartir. Sitôt qu'ils furent hors de la cabine, Zuo prit le bras de Ko-Bu-Tsu et la força à se tourner vers lui. Il scrutait son visage, les sourcils froncés.

— Quelque chose t'effraie, constata-t-il, presque comme une accusation.

Kaïsha fut surprise par son affirmation, mais encore plus par la réaction de Ko-Bu-Tsu. Ses joues pâles se teintèrent de rose et elle retira violemment son bras de l'étreinte de Zuo.

— Ça ne te regarde pas ! s'exclama-t-elle avec colère en s'éloignant à grands pas.

Stupéfaite, Kaïsha la regarda partir et lança un regard interrogateur à Zuo.

— Elle est terrifiée, répondit celui-ci à sa question muette. C'est écrit dans ses yeux.

— Elle a raison d'avoir peur, affirma Kaïsha avec tristesse. La vie qui l'attend n'est souhaitable pour personne.

— J'aimerais trouver le moyen de lui rendre le sourire, murmura Zuo en ne lâchant pas Ko-Bu-Tsu du regard, alors qu'elle était appuyée sur le bastingage à contempler la mer avec une infinie tristesse.

— Nous le voudrions tous les deux, lui répondit Kaïsha. Mais c'est un combat qu'elle seule peut gagner.

❄ ❄ ❄

Lorsque le soleil amorça sa descente vers l'ouest, la vigie s'écria enfin :

— Terre à l'horizon !

Tous se précipitèrent pour observer la mince ligne noire qui se détachait à peine entre le ciel et la mer, représentant la première lande qu'ils voyaient depuis deux mois. Une frénésie s'empara de l'équipage, comme s'ils avaient le pouvoir, par leur activité, de commander le vent et de faire avancer le navire plus vite encore.

Kaïsha sentit l'émotion l'envahir, alors qu'elle contemplait le continent. Elle n'avait pas mis les pieds dans les Plaines depuis deux ans et la joie qu'elle ressentait dépassait les mots.

— Je n'ai jamais vu les Plaines, dit Zuo, à côté d'elle. À quoi ça ressemble ?

— C'est la plus belle des nations, indiqua Kaïsha en souriant. Partout où porte le regard, tu peux voir les champs, les boisés, les lacs. Les enfants des Plaines sont bons et généreux, à l'image de la Mère nourricière qui les soigne en son sein. Chaque ville et chaque village offrent un paysage, une odeur et une lumière différente, mais l'accueil des gens qui y vivent ne change jamais. C'est le plus bel endroit au monde.

Ko-Bu-Tsu posa une main sur son épaule tandis que Zuo la regardait avec tristesse.

— Ils te manquent, n'est-ce pas ?

— Un peu, avoua-t-elle, cachant mal le tremblement dans sa voix.

— Alors, écris-leur, dit Ko-Bu-Tsu.

— Quoi ? s'enquit Kaïsha, surprise.

— Écris une lettre à ta famille, continua-t-elle. Dis-leur que tu vas bien, mais que tu ne peux pas rentrer tout de suite. Et ordonne-leur de partir vers le nord.

Kaïsha fixa Ko-Bu-Tsu avec étonnement. Pourquoi n'y avait-elle pas pensé plus tôt ? Elle était tellement obsédée par l'idée de prévenir le Sénat qu'elle n'avait même pas songé à avertir sa propre famille ! Elle se tourna vers Ko-Bu-Tsu.

— Aide-moi à l'écrire.

2

L e bateau atteignit le port commercial des Jumelles peu avant le coucher du soleil. Tels des phares, les cités Jumelles se dressaient sur la côte et entre elles, la baie du Nord accueillait les marins de tous les horizons et de toutes les nations. Le port était petit, mais grouillant d'activité. Kaïsha repéra facilement les navires des Plaines, reconnaissables par leurs grandes dimensions et leurs voiles de toile beige. Quelques navires des Montagnes étaient également accostés, tous petits à côté de ceux des Plaines. Kaïsha eut un mouvement de recul lorsqu'elle vit un long et haut navire de bois clair portant la marque du Désert.

Ko-Bu-Tsu l'aperçut également, et Kaïsha vit ses poings se serrer et ses jointures blanchir.

Sur le quai, un homme âgé portant une longue robe bleu nuit les attendait. Lorsqu'il vit Cyam s'avancer vers lui, il s'inclina profondément.

— Monsieur Steloj, soyez le bienvenu, l'accueillit-il avec déférence.

— Administrateur Fehal, je suis heureux de vous revoir, répondit Cyam en s'inclinant à son tour. Vous vous souvenez de mon fils, Zuo.

— Est-ce vraiment le petit Zuo? s'étonna le vieil homme en s'inclinant devant l'intéressé, qui lui répondit par une révérence et un large sourire. Je me souviens de toi comme un bambin qui tenait à peine sur ses jambes. Tu es presque un homme! Ton père m'a écrit à ton sujet. Je suis profondément navré des épreuves que tu as dû traverser. Mais j'ai foi que la sagesse des anciens transforme cette souffrance en expérience, et que tu en ressortes non pas affaibli, mais plus fort et plus sage que jamais.

— Je vous remercie, administrateur, pour votre sollicitude, dit Zuo avec déférence. Permettez-moi de vous présenter mes amies, sans qui je ne serais pas aussi bien portant aujourd'hui.

Il se tourna vers Kaïsha et Ko-Bu-Tsu, et celles-ci s'abîmèrent dans une profonde révérence, les yeux baissés.

— Voici Kaïsha, continua Zuo, et Ko-Bu-Tsu.

— Mesdemoiselles, les salua l'administrateur en s'inclinant devant elles.

Kaïsha nota le trouble qui était passé dans son regard et la raideur de ses gestes alors qu'il s'inclinait. Cyam devait l'avoir prévenu de la nature «spéciale» de ses invitées. Kaïsha se demanda à quel point le père de Zuo pouvait avoir de l'influence pour forcer les siens à les traiter, Ko-Bu-Tsu et elle, avec la même déférence que l'un des leurs.

Une fois relevé, l'administrateur se désintéressa des jeunes pour se tourner vers Cyam, qui lui tendit le coffret contenant la missive de Kaïsha.

— Cette lettre doit être acheminée au Sénat des Plaines dans les plus brefs délais. Son contenu ne devra être connu de personne sauf eux. Puis-je compter sur vous?

— Faites-moi confiance, lui assura l'ambassadeur en prenant le coffret avec révérence. Je demanderai un entretien avec le représentant des Jumelles dans le mois et ce sera livré en mains propres.

Kaïsha retint un sourire. L'ambassadeur ne montrerait sans doute pas autant de respect s'il savait que le contenu du coffret était son œuvre à elle.

— Mes hommes commenceront le ravitaillement de votre navire immédiatement, déclara l'ambassadeur à Cyam. Nous avons quelques caisses de vivres bien de chez nous. J'ai pensé qu'après autant de temps, votre équipage et vous-même seriez heureux de goûter à quelque chose de familier.

— Je vous en suis reconnaissant, le remercia Cyam.

— C'est tout naturel, monsieur. Permettez-moi de vous guider vers vos chambres pour la nuit. Nous avons préparé le dortoir pour votre équipage et un dîner bien chaud l'attend. Pour vous-même et votre fils, vous me feriez un immense honneur si vous acceptiez de partager ma table ce soir.

— Ce serait un plaisir.

— Et Nisha et Ko-Bu? demanda soudainement Zuo.

L'administrateur et Cyam se tournèrent d'un même mouvement vers lui. L'administrateur semblait profondément mal à l'aise et Cyam fronça les sourcils.

— Zuo, l'administrateur a la générosité de nous inviter à sa table. Est-ce à toi de décider qui mange dans sa demeure?

Mak se glissa derrière Zuo et posa une main sur son épaule.

— Ne t'en fais donc pas, les demoiselles mangeront avec moi. Je ne suis pas de mauvaise compagnie, non?

Kaïsha vit la préoccupation de Zuo, la désapprobation de son père et le malaise grandissant de l'administrateur, et elle décida d'entrer dans le jeu de Mak.

— Bien sûr que non! s'exclama-t-elle d'une voix faussement enjouée, bien que ses talents de comédienne fussent piètres. Zuo, va avec ton père. Vous devez avoir tant de choses à vous raconter sur… sur la maison. Je sais que tu t'ennuies de chez toi, et tu auras l'occasion d'en parler toute la soirée.

Zuo la regarda avec étonnement et tristesse. Kaïsha ne se laissa pas émouvoir.

— Allez, va ; Ko-Bu-Tsu et moi serons très bien avec Mak. Il nous racontera des histoires sur ses voyages. Tu sais combien j'adore les histoires !

Zuo semblait être tout sauf convaincu. Il se tourna vers Ko-Bu-Tsu pour l'interroger du regard, mais celle-ci suivit Kaïsha.

— Tu ferais mieux d'y aller, insista-t-elle avec douceur.

— Je pourrais manger avec vous…, murmura-t-il, piteux.

— Je te l'interdis, répliqua gentiment Kaïsha. Va avec ton père maintenant. Allez !

Sous son ordre, il capitula. Il s'avança vers Cyam d'un pas traînant tandis que Mak donnait une petite tape d'encouragement dans les dos de Kaïsha et Ko-Bu-Tsu. Cyam accueillit son fils avec des sentiments partagés et l'administrateur sembla plus que soulagé. Les trois s'éloignèrent dans les rues du port tandis que l'un des hommes de l'administrateur s'inclinait vers Mak.

— Par ici, je vous prie.

Kaïsha, Ko-Bu-Tsu et Mak le suivirent, accompagnés de l'équipage et des explorateurs. Sur le chemin, Kaïsha se pencha légèrement vers Ko-Bu-Tsu.

— Dis-moi la vérité : es-tu déçue par cet accueil ? lui chuchota-t-elle.

— Non, répliqua Ko-Bu-Tsu sans cesser de fixer la route devant elle. Je préférerais manger avec les porcs plutôt que d'endurer les hypocrisies et les regards de ceux qui se croient supérieurs à moi.

Kaïsha hocha la tête.

— Nous nous comprenons parfaitement.

Ils arrivèrent devant une petite demeure entourée d'une cour et d'une palissade en bois. Leur guide frappa à la porte et un autre homme, portant les mêmes habits que lui et ayant les traits caractéristiques des Montagnes, leur ouvrit.

— Le dortoir se situe au deuxième et la cuisine est à votre droite en entrant, leur indiqua le guide en les laissant passer devant lui pour pénétrer dans la petite cour. Reposez-vous bien, mesdames, messieurs.

Ils pénétrèrent tous dans la grande pièce servant de cuisine, où des cuisiniers s'inclinèrent avant de les inviter à prendre place à la longue table trônant au milieu. Ils s'installèrent et des plats de toutes sortes furent mis à leur disposition. Kaïsha se rendit compte avec ravissement qu'il s'agissait, pour la plupart, de plats typiques des Plaines.

— Goûte à ça! commanda-t-elle à Ko-Bu-Tsu en lui servant un bol de soupe aux légumes. C'est le plat le plus réconfortant du monde!

Ko-Bu-Tsu eut un sourire en coin, mais elle ne répliqua rien et avala la soupe sans se plaindre.

— Ce doit être un heureux jour pour toi, Kaïsha, déclara alors Mak, assis en face d'elle. Revoir ton foyer après tout ce temps.

Kaïsha lui sourit. Mak était le seul, hormis Zuo et Ko-Bu-Tsu, à parler des Plaines comme étant sa nation. Il comprenait que, peu importe le sang qui coulait dans ses veines, elle était, dans son cœur, une enfant des Plaines. Pour cela, Kaïsha lui était reconnaissante.

— Ce n'est pas tout à fait mon foyer, répondit-elle en baissant les yeux sur sa propre soupe, qui lui rappelait la chaleur d'un feu ronflant dans une cheminée de pierre, remplissant une petite masure de son parfum. Mais il me rappelle à son souvenir. Je me sens chez moi, ici.

— Les Jumelles sont sans doute l'un des plus beaux ports que j'aie vus dans ma vie, constata Mak en souriant. Chaque saison, elles revêtent un nouvel aspect et, la nuit, elles guident les bateaux en perdition. Ce n'est pas pour rien que les Plaines ont la réputation d'être la plus accueillante des nations.

Lorsqu'ils eurent fini leur repas, la plupart des matelots sortirent prendre un verre à la taverne la plus proche, tandis que d'autres partirent se coucher ou allèrent errer quelque part dans le port. La nuit avait jeté son manteau noir sur le ciel et une brume montant de la mer envahissait les ruelles. Dans la noirceur, les cités Jumelles, de part et d'autre de la baie, scintillaient comme deux astres. Ko-Bu-Tsu et Kaïsha sortirent, enveloppées dans de grandes capes pour se protéger de la brise fraîche qui les englobait.

— Bon sang, il fait si froid! grogna Ko-Bu-Tsu. Où allons-nous?

— Porter ma lettre au centre postier le plus près, répondit Kaïsha.

— Comment vas-tu le trouver?

— Il y en a un dans chaque Cité-État. Du reste, laisse-moi faire.

Kaïsha se sentait en confiance, maintenant qu'elle était de retour en territoire ami. Elle ne craignait pas qu'on l'arrêtât, ou que quelqu'un pût lui faire du mal. Elle n'était plus une esclave, elle était libre et elle était dans sa nation. Elle était en sécurité.

Elle rabattit son capuchon sur sa tête et fit signe à Ko-Bu-Tsu d'en faire autant. Elles avancèrent silencieusement sur le pavé, jusqu'à ce qu'elles atteignissent la limite du port, où une route se séparait en deux, chaque avenue menant à une Cité-État. Un homme, adossé à une charrette, patientait sur le bord de la route. Lorsqu'il vit les deux jeunes filles, il s'inclina poliment devant elles.

— Mesdemoiselles, les salua-t-il. Comment se porte votre foyer?

Ko-Bu-Tsu resta interdite devant cette demande qui lui était inconnue, mais Kaïsha sourit et s'inclina à son tour.

— Il se porte bien, je vous remercie. Et le vôtre ?

— Très bien, très bien ! Désirez-vous un transport pour vous rendre à l'une de nos belles Cités ? La route est longue à pied, et il commence à se faire tard.

— Votre offre est généreuse, mais je n'ai rien pour vous payer, admit Kaïsha. Auriez-vous toutefois la gentillesse de m'indiquer où je puis trouver le bureau de poste le plus près ?

— Prenez le chemin de la Jumelle du Sud, répondit l'homme. Lorsque vous aurez passé les tours (vous verrez, elles marquent l'entrée de la ville), prenez la troisième avenue à droite. Vous ne pouvez pas la manquer, elle mène directement au centre-ville. Sur la place de la Lune, vous trouverez le centre postier.

Les jeunes filles s'inclinèrent et commencèrent l'ascension de la route pavée qui contournait la baie.

— Comment faites-vous pour vivre avec une pareille température ? s'indigna Ko-Bu-Tsu en resserrant sa cape autour de ses épaules.

— C'est une question d'acclimatation, expliqua Kaïsha. Et nous nous habillons chaudement. Tu n'as rien vu encore. Nous ne sommes pas encore en automne. Si tu voyais comme la nature est belle lorsqu'elle est sur le point de s'endormir pour l'hiver !

Elles marchèrent un moment dans un silence seulement interrompu par le remous des vagues contre le rivage, quelque part au loin, et par le sifflement du vent dans les arbres.

— Vous vous saluez toujours aussi poliment, dans les Plaines ? demanda soudain Ko-Bu-Tsu.

Kaïsha laissa échapper un rire.

— Je crois, oui. C'est dans nos coutumes de nous informer de la famille d'autrui, savoir si tout le monde va bien. Ce n'est pas nécessairement la manière... disons... officielle de se présenter, mais c'est celle qui est la plus courante.

— Et... vous le faites tous ? Les puissants comme les pauvres ? l'interrogea à nouveau Ko-Bu-Tsu, la curiosité perçant sa voix.

— La notion de puissants et de pauvres est très différente ici de celle du Désert, expliqua lentement Kaïsha, pensive. Nous n'avons pas la hiérarchie sociale que vous avez. Ici, nous considérons que tous les hommes et toutes les femmes naissent égaux. S'ils acquièrent du pouvoir, c'est par leur propre talent et leur propre volonté, et non pas grâce à leur sang.

— Pas de classes sociales, donc, réfléchit Ko-Bu-Tsu.

— Non. Du moins... pas aussi définies que les vôtres... ni aussi éloignées les unes des autres. Bien sûr, nous avons nos représentants, et il y a des gens beaucoup mieux nantis que d'autres ; si tu voyais le village dans lequel j'ai grandi ! Mais... tu ne verras jamais un enfant des Plaines mourir de faim dans la rue. Il y aura toujours une bonne âme pour lui porter du pain et de l'eau. En plus, je sais que certaines Cités-États ont fait bâtir des maisons de soin pour les démunis et les malades, mais je ne sais pas lesquelles.

Tout en parlant, elles finirent par atteindre les « tours » dont l'homme à la charrette parlait. Il s'agissait de deux postes de vigie très élevés, au-dessus desquels brûlaient deux énormes feux qui devaient être visibles à des lieues à la ronde. Derrière elles s'étendait la ville de Jumelle du Sud, un labyrinthe serré de rues entrecroisées et de maisons collées les unes aux autres, formant de longs rubans de briques et de pierres. Dans le sud des Plaines, les maisons étaient souvent faites de bois et leurs fenêtres étaient habituellement larges pour aérer les pièces durant l'été. Ici, dans le nord du pays, la température était plus fraîche et le vent soufflait constamment sur la côte, si bien que les habitations étaient toutes en pierre et les fenêtres étaient étroites et peu nombreuses. Kaïsha et Ko-Bu-Tsu passèrent entre les tours et s'engagèrent dans une large avenue éclairée, sur laquelle déambulaient quelques badauds.

— Troisième avenue. C'est ici, indiqua Kaïsha en bifurquant.

— J'aurais aimé que ma nation ressemble plus à celle-ci, murmura Ko-Bu-Tsu en regardant ses pieds.

Kaïsha se mordit les lèvres et posa une main sur son épaule.

— Ne t'illusionne pas trop, Ko-Bu. J'aime ma nation parce que j'y ai grandi, mais elle a ses défauts comme les autres.

— Mais il est connu qu'elle est la plus accueillante des cinq.

Kaïsha hésita à répondre à cette affirmation. Elle voyait où son amie voulait en venir.

— Peut-être…, commença-t-elle. Mais pas assez pour accepter quelqu'un comme toi ou moi.

Ko-Bu-Tsu ferma les yeux en entendant ces paroles. Lorsqu'elle les rouvrit, ils étaient froids et impénétrables. Elle redevenait la fille de pierre que même Kaïsha ne pouvait décoder. Ses émotions étaient enfouies loin en elle et son visage était un masque de pierre.

Elles trouvèrent facilement le centre de la poste : une immense volière d'où entraient et sortaient une multitude d'oiseaux. Pour la plupart, il s'agissait de faucons, prisés pour leur vitesse et leur robustesse. Ils pouvaient voler longtemps et supporter presque tous les climats. Les faucons postiers étaient élevés spécialement pour porter toute sorte de charges et toujours atteindre leur destination. Il y avait également d'autres volatiles, comme des aigles ou des cigognes, et parfois, on pouvait voir s'envoler une espèce rare, comme un albatros noir ou un cygne des lacs. Ces espèces étaient souvent des oiseaux postiers privés, appartenant à une riche famille ou au bureau d'un représentant.

Kaïsha remit sa lettre au responsable de la poste, qui la roula et l'inséra dans un étui. Il y inscrivit l'adresse d'Espérance et lorsqu'il demanda à Kaïsha l'adresse de l'expéditeur, celle-ci hésita. La seule façon pour une lettre de traverser les frontières était si elle passait par une ambassade, et Kaïsha n'était pas sûre que l'ambassadeur des Montagnes accepterait de faire transférer une lettre lui étant adressée. Elle n'avait pourtant pas d'autre choix et elle l'indiqua au responsable de la poste. Ce dernier lui lança un regard perplexe en entendant le nom des Montagnes, mais il n'insista pas et l'inscrivit sur la lettre. Il l'attacha ensuite à la patte d'une petite buse nerveuse. Il laissa l'oiseau s'envoler d'un coup d'aile brusque jusqu'à l'ouverture aménagée dans le toit. Kaïsha regarda l'oiseau s'éloigner dans le ciel jusqu'à ce qu'il ne fût plus qu'un point perdu parmi les étoiles. Son cœur se serra à l'idée qu'Espérance reçût sa lettre, qu'elle la lût et qu'elle sût que sa fille allait bien. Elle imaginait Furtif, si impulsif, qui voudrait sans doute prendre la première carriole pour venir la rejoindre dans le nord.

« Il va falloir patienter encore un peu, pensa-t-elle, la gorge serrée. Ensuite, je rentrerai à la maison. »

Kaïsha et Ko-Bu-Tsu reprirent le chemin du port, et Kaïsha admira la vue en hauteur qu'offrait la cité. Un peu en aval, le port ressemblait à un petit village endormi, où l'on pouvait parfois distinguer une ombre passant devant une torche. La mer, comme un immense tapis sombre, s'étendait jusqu'à l'horizon, sa surface scintillant sous la lumière de la lune. Un peu au nord, de l'autre côté de la baie, la Jumelle du Nord était le miroir de sa Cité sœur, à l'exception de la sombre bâtisse noire qui se détachait dans la nuit. Le bâtiment ressemblait à une forteresse, mais Kaïsha n'aurait pas pu en jurer. Elle le montra à Ko-Bu-Tsu, qui haussa les épaules, et arrêta un homme qui allait entrer dans une taverne, à l'orée de la ville.

— Pardonnez-moi, s'excusa-t-elle. Quel est cet endroit, là-bas ? Ce château de pierre ?

— Ce n'est pas un château, mademoiselle, indiqua l'homme en jetant un regard sombre vers la forteresse. C'est la prison du nord. Vous, avec l'accent du sud, vous n'en avez sans doute jamais entendu parler, hein ?

Kaïsha avoua n'avoir jamais vu de prison de sa vie.

— Il n'y en a que deux dans tout le pays, vous savez, expliqua l'homme, compréhensif devant son ignorance. Une à Émeraude, à l'est, et une ici. Je peux vous dire que les malfrats qui sont là-dedans ont mérité leur sort. Excusez-moi, on m'attend.

Et il s'en fut dans la taverne. Kaïsha regarda à nouveau la prison et pensa ironiquement qu'elle ressemblait un peu au palais du général To-Be-Keh. Elle surprit le regard de Ko-Bu-Tsu, tourné dans la même direction.

— Est-ce que ça te manque ? demanda-t-elle sans réfléchir.

Ko-Bu-Tsu eut un sourire ironique.

— Il semblerait que cet endroit nous ait fait penser à la même chose.

Kaïsha se rendit compte de sa bourde et s'excusa.

— Je ne voulais pas ramener de mauvais souvenirs à ta mémoire.

— Je n'ai pas beaucoup de beaux souvenirs, de toute façon, répliqua Ko-Bu-Tsu. Alors, ça ne change rien.

Kaïsha garda le silence tandis qu'elles s'engageaient sur le chemin descendant vers le port. À mi-distance, elle leva les yeux vers le ciel et contempla les étoiles. Elles scintillaient sur la toile noire des cieux comme d'autant de phares pour l'âme. En les regardant, Kaïsha se sentait à la fois apaisée et triste. Elles lui rappelaient son enfance, lorsqu'elle se couchait dans les herbes hautes avec Furtif pour les regarder. Elle se souvenait de ce qu'il lui avait dit sur les étoiles de la terre, celles que seuls ceux qui comprenaient le monde différemment pouvaient voir.

Elle baissa les yeux sur les lumières du port et cessa de marcher.

— Qu'y a-t-il ? demanda Ko-Bu-Tsu en s'arrêtant elle aussi.

Kaïsha n'était pas sûre de pouvoir exprimer ce qu'elle ressentait, aussi balbutia-t-elle :

— Vois-tu les étoiles ?

— Les étoiles ? répéta Ko-Bu-Tsu, interloquée, en levant les yeux vers le ciel. Oui, je les vois. Pourquoi ?

— Pas celles-là. Celles de la terre…

— De quoi parles-tu ?

— C'est…, hésita Kaïsha. C'est une leçon que mon frère m'a apprise, il y a longtemps. Nous étions tous orphelins et différents des autres enfants du village. Nous avions une mère qui nous aimait, et nous étions une famille aussi unie qu'il était possible de l'être, mais je me suis toujours sentie… différente. Comme si je n'étais pas à ma place. Je crois que Furtif ressentait la même chose.

Ko-Bu-Tsu resta silencieuse, attendant que Kaïsha continuât. Cette dernière quitta la route et s'approcha de la falaise qui entourait le port.

— Il était mon grand frère, expliqua-t-elle. Et je crois qu'il voulait me rassurer. Alors, un jour, il m'a amenée sur le toit d'une maison et il m'a enseigné que ceux qui étaient différents, comme nous, étaient capables de voir et comprendre des choses que les autres étaient incapables de saisir. Là où les gens ne voient des étoiles que dans le ciel, nous, nous pouvons voir les étoiles de la terre.

Kaïsha se sentit soudain ridicule, de parler ainsi d'étoiles comme d'un sujet profond, alors qu'il n'y avait aucun sens dans ce qu'elle disait.

— Je sais que c'est enfantin… et peut-être que ça ne veut rien dire pour toi… ce que je veux dire, en fait, c'est…

— Je crois que j'ai compris, la coupa doucement Ko-Bu-Tsu. Elle avait le regard fixé sur le port, mais l'ombre d'un sourire était apparue sur ses lèvres. Avait-elle vraiment compris ? Compris que ce qu'elle voyait comme des tares chez elle n'en était pas ? Et surtout, qu'elle n'était pas seule ? Kaïsha n'osait vérifier. Elles reprirent leur route en silence, puis Ko-Bu-Tsu, sentant sans doute l'hésitation de Kaïsha, déclara doucement :

— Je n'ai pas beaucoup de souvenirs heureux. Mais j'ai l'intention d'en créer.

Kaïsha sourit.

Elle avait compris.

❊ ❊ ❊

Lorsqu'elles eurent regagné l'entrepôt qui leur servait de logis pour la nuit, elles furent accueillies par Mak, qui les attendait dehors.

— Vous voilà enfin ! gronda-t-il. Vous savez que ça fait plus de deux heures que vous êtes parties ?

— Est-ce que ça pose un problème ? s'inquiéta Kaïsha.

— Pas pour moi, mais le petit s'est endormi à force de vous attendre.

Surprises, les filles découvrirent Zuo, étendu les bras en croix sur une paillasse, la bouche grande ouverte, profondément endormi.

— Que fait-il là ? s'étonna Ko-Bu-Tsu.

— Il est venu ici dès que leur dîner s'est terminé. Il vous cherchait, mais vous étiez parties vous promener, alors il vous a attendues, puis il est tombé de sommeil, le pauvre.

Kaïsha regarda Zuo avec affection. Ainsi donc, il était revenu pour elles. Son père ne devait pas en être très content, mais tant pis. Elle s'allongea à côté de lui et ramena ses bras près de son corps pour faire de la place. Elle leva la tête vers Ko-Bu-Tsu, qui n'avait pas bougé.

— Viens, l'invita-t-elle.

Ko-Bu-Tsu hésita.

— Si tu veux, tire une paillasse jusqu'ici, l'encouragea Kaïsha. Il est venu exprès pour nous, nous n'allons pas le laisser seul !

Ko-Bu-Tsu sembla débattre dans sa tête, puis apporta finalement une paillasse qu'elle colla à la leur et vint se coucher derrière Kaïsha.

— Tu es peut-être un peu trop familière avec lui, l'avertit-elle, l'air hésitante, en se couchant. N'oublie pas qu'il est un garçon.

Kaïsha fut surprise par une telle réflexion.

— Mais il est encore un enfant, objecta-t-elle. Il n'a que treize ans.

— À treize ans, les filles deviennent des femmes, répliqua Ko-Bu-Tsu. Et il grandit très vite.

Kaïsha demeura désorientée. Zuo était comme son petit frère, jamais elle ne pourrait considérer…

Mais un doute vint s'insinuer dans son esprit. Minuscule comme une fourmi, mais juste assez présent pour la déranger. Elle se coucha, mais pour la première fois, elle mit une distance entre Zuo et elle, avec un pincement au cœur.

❋ ❋ ❋

Cyam ne fut pas très enchanté du comportement de son fils, mais n'en montra rien le lendemain matin. Seule sa mâchoire crispée trahit ses pensées. Le ravitaillement ayant été fait durant la nuit, ils furent prêts à lever l'ancre à l'aube. L'ambassadeur salua Cyam et Mak à grand renfort de courbettes, souhaita le meilleur à Zuo et tiqua au moment de s'incliner vers Ko-Bu-Tsu et Kaïsha. Un seul regard de Cyam lui imposa toutefois le silence et il exécuta une révérence dans les normes.

Kaïsha huma une dernière fois l'air marin mélangé au parfum des pins, essayant de l'enfermer quelque part dans sa mémoire et son cœur. Elle savait qu'elle ne sentirait plus ces effluves avant un bon moment. Elle espéra de tout son cœur que ce deuxième départ ne ressemblât en rien au premier.

3

L e navire fila avec le vent du large, longeant la côte ouest des
Plaines, qui se modifiait au fur et à mesure qu'ils progressaient vers le nord. Tout comme l'argile qui se moule sous les doigts
de l'artiste, le paysage se transformait, passant des forêts d'épinettes denses à une étendue plus épurée, puis à la toundra.

Un matin, en montant sur le pont, Kaïsha les vit enfin se des-
siner au loin ; à travers l'épais brouillard, elle aperçut des formes
sombres et monumentales, qui devinrent de plus en plus précises à
mesure qu'ils approchaient. Les majestueuses montagnes s'étendaient au-delà de l'horizon. Elles ressemblaient à d'immenses
palissades, comme si elles protégeaient la frontière du monde
terrestre.

Lorsqu'il les vit, Zuo laissa échapper des larmes de joie et
Cyam l'entoura de ses bras, aussi ému que son fils.

— Je ne m'étais pas rendu compte à quel point la maison me
manquait, chuchota Zuo entre deux sanglots.

— Ta mère nous accueillera, le réconforta Cyam. Elle se meurt
de chagrin depuis plus d'un an, maintenant. Ta présence lui redon-
nera vie.

— Pourquoi ne vous a-t-elle pas accompagnés ? demanda
poliment Kaïsha.

— Elle le voulait, répondit Cyam. Elle a tout fait pour faire
partie de l'équipage, mais le Conseil des maîtres lui a ordonné de
rester. Son savoir est trop précieux pour la laisser risquer sa vie.

— Le Conseil des maîtres?

— Ils sont les dirigeants de notre Commune, au plan administratif et législatif. Nous devons leur obéir en tout, sans quoi l'harmonie qui régit notre nation serait en péril. Cela s'applique même à Junn.

— Junn? demanda Ko-Bu-Tsu.

— Ma mère, expliqua Zuo en essuyant ses dernières larmes.

Il se dégagea doucement de l'étreinte de son père et se tourna vers Kaïsha et Ko-Bu-Tsu.

— J'aurais dû vous expliquer plus tôt. Dans les Montagnes, nous avons sept Communes et chacune est dirigée par un Conseil, lui-même présidé par un sage. Le sage est élu par la population et demeure en poste pour deux années, mais il doit être un maître pour être éligible. Le sage et le Conseil administrent chaque Commune, mais les dirigeants suprêmes sont les guides.

— Les guides? répéta Kaïsha, fascinée.

— Un homme et une femme, choisis parmi les sages, anciens ou en poste, et par les sages. Ils occupent leurs fonctions jusqu'à leur mort. Ils sont considérés comme le père et la mère de la nation. Ils nous protègent par leurs connaissances et leur sagesse.

— Attends une seconde, l'arrêta Ko-Bu-Tsu. Tu as parlé de «maîtres», qui peuvent devenir des sages… mais qui sont les maîtres?

— Ce sont des hommes et des femmes qui se sont distingués par leur intelligence, leur sagesse et leur contribution à l'éternelle quête du savoir, indiqua Cyam. Laissez-moi vous expliquer : notre nation est fondamentalement basée sur la recherche de connaissances et l'accroissement du savoir de chaque individu. Bien sûr, ce n'est pas tout le monde qui fait de ce but sa priorité, ni que ce soit dans ses intérêts. Ainsi, notre société est divisée en deux : la Tête et le Corps. Ceux qui appartiennent au Corps sont tous les habitants dont les talents servent au bon fonctionnement technique de la Commune : les métiers manuels, l'entretien des Cités, l'approvisionnement en nourriture... vous voyez le portrait. Ceux de la Tête, en revanche, dédient leur vie à l'enrichissement de notre culture et ils enseignent leur savoir aux générations suivantes. Parmi eux, ceux qui se distinguent le plus sont nommés maîtres.

— Donc..., dit Ko-Bu-Tsu, vous dites que seuls ceux qui travaillent dans la... Tête... sont admissibles pour devenir des maîtres et potentiellement diriger la Commune ?

— Exact, approuva Cyam.

— Et ceux du Corps ? Vous les discriminez ? demanda-t-elle, perplexe.

Cyam la dévisagea avec incompréhension et fronça les sourcils.

— Mademoiselle, vous devez comprendre que le travail accompli dans la Tête est, et de loin, plus important que le labeur simple et redondant que le Corps exécute. Bien sûr, un citoyen né dans le Corps peut devenir membre de la Tête, s'il se montre assez persévérant et qu'il poursuit des études de deuxième cycle. C'est sans doute le plus noble but de chaque enfant des Montagnes. Par contre, très rares sont ceux de la Tête qui voudraient descendre au Corps. Nul ne pourrait préférer le labeur manuel à la quête du savoir.

— Oh, je vois... j'espère que vous vous en souviendrez, lorsque les travailleurs du Corps cesseront de vous nourrir ou de s'occuper de l'entretien de vos Cités, répliqua Ko-Bu-Tsu avec agressivité avant de tourner les talons et de s'éloigner d'eux.

Kaïsha ne comprit pas la réaction de son amie. Elle partageait son point de vue, le peuple des Plaines étant attaché à la terre et à sa culture, bien plus qu'aux choses de l'esprit, mais elle ne s'expliquait pas sa colère. Zuo lui lança un regard aussi interloqué et courut pour rejoindre Ko-Bu-Tsu, qui était descendue sous le pont.

— Je crains avoir blessé votre amie, constata calmement Cyam.

— C'est ce qu'il semble… Je crois que le fonctionnement de votre société la choque. Personnellement, je ne peux pas non plus dire que j'approuve votre système, mais je suis votre invitée sur vos terres. Je m'y conformerai.

— Et je vous le conseille fortement, acquiesça Cyam. L'endroit où vous m'avez demandé de vous amener vous sera hostile, je vous en ai déjà prévenue. Votre meilleure chance d'être acceptée parmi nous, en concevant que cela soit possible, est de garder un profil aussi bas que possible. Vous devriez en avertir votre amie, sans quoi elle se mettra dans une situation très difficile.

Kaïsha acquiesça en silence et descendit sous le pont rejoindre ses amis. Zuo semblait désemparé alors que Ko-Bu-Tsu affichait un air de froide colère.

— Allez, explique-toi, l'incita simplement Kaïsha.

— Elle refuse, plaida Zuo. Je t'en prie, Ko-Bu, je déteste quand tu es comme ça !

— Je préserve tes sentiments, ça devrait te suffire, grinça Ko-Bu-Tsu en lui faisant dos.

Zuo voulut répliquer, mais y renonça. Il leva les yeux vers Kaïsha, l'air malheureux.

— Tu fais de la peine à Zuo, gronda Kaïsha en contournant Ko-Bu-Tsu pour lui faire face. Parle ; qu'est-ce qui t'a tant offusquée ?

Ko-Bu-Tsu lutta encore un moment, mais finit par marmonner, pleine de rancœur :

— Ils sont comme dans le Désert. Ils ne sont pas mieux que l'empereur !

— Pourquoi tu dis ça ? murmura Zuo, surpris et peiné.

— Tu ne vois donc pas ? s'exclama-t-elle en se tournant vers lui. Ils exploitent les travailleurs et glorifient ceux qui ne savent rien faire de leurs dix doigts ! Je serais prête à parier que ceux de la Tête sont mieux nantis que ceux du corps, n'est-ce pas ?

Zuo ne répondit pas. À l'évidence, il n'avait jamais eu l'occasion de se poser ce genre de questions auparavant. Il était complètement désemparé, à la recherche d'une réponse, mais n'en trouvait aucune satisfaisante. Devant son mutisme, Ko-Bu-Tsu cracha :

— Je le savais. Le monde est barbare, peu importe où l'on va, peu importe la nation ! Les hommes sont tous les mêmes.

— Réfléchis à ce que tu dis, l'avertit Kaïsha. Tous les hommes ne sont pas aussi horribles que ceux que tu as connus. N'oublie pas que j'ai grandi dans une famille aimante bien que je sois une enfant de deux mondes.

Elle passa une main autour des épaules de Zuo, abattu.

— Et pense aussi à Zuo, qui est un pur enfant des Montagnes et, pourtant, il nous a acceptées toutes les deux telles que nous étions.

Ko-Bu-Tsu les regarda tour à tour, regrettant visiblement sa montée de colère, mais hésitant à concéder le point. Ce fut finalement Zuo qui murmura :

— Dans les Montagnes, nous n'avons pas d'esclaves. Et nous n'enfermons pas nos enfants comme des monstres.

Cet argument heurta Ko-Bu-Tsu de plein fouet. Comme si sa colère s'était brisée, ses épaules tombèrent et son visage n'afficha plus que regret et tristesse. Zuo hésita, puis avança et prit

Ko-Bu-Tsu dans ses bras. Elle renversa doucement sa tête pour l'appuyer sur celle de Zuo.

— Pardonne-moi, chuchota-t-elle, presque aussi malheureuse que lui. Je ne critiquerai plus les Montagnes, c'est promis.

Kaïsha fut heureuse de les voir s'étreindre sans rancune, mais elle s'inquiétait pour Ko-Bu-Tsu : son tempérament vif et la douleur qui l'habitait pourraient lui coûter très cher si elle n'arrivait pas à se maîtriser.

— Tu vas devoir apprendre à contenir ta colère, Ko-Bu, l'avertit-elle.

— Je sais…, marmonna cette dernière. Mais c'est plus fort que moi, les mots sortent tout seuls !

— Alors, ne dis rien. Contente-toi de hocher la tête et attends que nous soyons seuls pour déverser ton ressentiment, parce que les gens que nous allons bientôt rencontrer ne seront pas aussi indulgents que Cyam et Mak.

— Qu'est-ce qu'ils pourraient me faire ? s'inquiéta-t-elle, l'inquiétude assombrissant son visage.

— Tu n'as pas à avoir peur, affirma Zuo avec confiance. Personne ne te fera de mal ; nous n'utilisons jamais la violence contre nos gens.

— Mais je ne suis pas de «vos gens», murmura Ko-Bu-Tsu.

Zuo demeura interdit quant à cette constatation. Comment savoir de quelle façon le peuple des Montagnes réagirait par rapport à des étrangères, elles de surcroît ?

— Je ne sais pas ce qui pourrait arriver, admit Kaïsha. Mais dans le désert, on m'a battue pour avoir donné mon opinion, alors je préfère ne pas imaginer. J'ai appris à tenir ma langue à la dure ; essaye de ne pas avoir à passer par là.

❉ ❉ ❉

Ils jetèrent l'ancre près d'une rive rocailleuse et grise. Un vent froid s'infiltrait sous les capes et leur rougissait le nez. En retrait sur la grève se dressait une petite masure de pierre d'où s'échappaient des volutes de fumée blanche par la cheminée. Une silhouette se tenait devant et, lorsque le navire fut immobilisé, elle entreprit de mettre à l'eau un large canot dans lequel elle prit place et vint à leur rencontre. Lorsqu'elle fut assez proche, Kaïsha constata qu'il s'agissait d'une vieille femme, grande et robuste, dont les longs cheveux blancs étaient retenus par une série de tresses complexes qui s'entrecroisaient. Les membres de l'expédition de Cyam, en plus de Kaïsha, Ko-Bu-Tsu et Zuo, descendirent dans le canot alors que le capitaine et son équipage continueraient vers le nord, là où le port des Montagnes se trouvait.

— Nous amarrons nos navires dans une baie où il est possible de les entreposer, mais nous descendons ici, car c'est le chemin le plus rapide pour atteindre notre Commune, leur expliqua Mak lorsqu'ils s'installèrent à bord du canot.

Sans un mot, la vieille femme pointa le fond de l'embarcation et les explorateurs prirent les rames qui s'y trouvaient pour se mettre au travail. L'embarcation fila vers le rivage, le vent sifflant dans les oreilles de Kaïsha et lui rappelant les jours humides d'automne, quand le froid rentrait dans la maison malgré le feu qui ronflait dans l'âtre. Assise tout près de la vieille femme, elle fut tentée de la saluer, mais ne sachant pas comment faire, ni si ce serait bien vu, elle abandonna l'idée. La vieille dame dut remarquer son hésitation, car elle tourna son regard vers elle et inclina la tête. Kaïsha prit aussitôt l'occasion pour en faire autant. La vieille femme l'observa un moment avec intensité, puis haussa un sourcil. Elle tourna alors son regard vers Ko-Bu-Tsu, qui avait pris garde à cacher son visage sous un capuchon, mais une mèche de cheveux blancs glissa sur sa cape et la vieille femme la vit aussitôt. Elle tourna la tête vers Cyam et lui lança un regard interrogateur.

Celui-ci avait suivi toute la scène et ne dit rien, mais il lança à la vieille femme un regard sévère et cette dernière baissa aussitôt la tête. Kaïsha déglutit. Ce regard inquisiteur ne lui disait rien de bon, mais elle n'en montra rien.

La barque frotta les galets lisses qui recouvraient la grève et ils débarquèrent sur la plage. Sitôt que son pied eut touché le sol rocailleux, Zuo sembla renaître. Kaïsha pouvait presque sentir la chaleur qui s'emparait de lui, cette extase de retrouver sa terre natale. Il rayonnait.

Au-delà de la grève, un chemin de terre serpentait entre des collines mousseuses jusqu'à se perdre dans la brume.

— C'est par là que nous allons ? demanda Ko-Bu-Tsu à Zuo.

— Oui, répondit-il. C'est le chemin le plus facile et le plus sûr.

— Et nous allons faire ça à pied ? s'étonna Ko-Bu-Tsu, l'air vaguement inquiète.

Zuo éclata de rire.

— Mais non, ça prendrait une éternité ! Nous voyageons à pied seulement pour une journée, le temps d'atteindre la volière, puis nous faisons le reste du voyage à dos d'aigle.

Kaïsha cligna des yeux et dut demander à Zuo de répéter tant elle était sûre d'avoir mal compris.

— À dos de *quoi* ?

— D'aigle, répéta patiemment Zuo. Mais nos aigles à nous ne sont pas minuscules comme ceux que vous avez dans le sud. Vous verrez par vous-mêmes.

Sur ce, il les gratifia d'un clin d'œil complice et les laissa aussi sceptiques l'une que l'autre.

Les explorateurs ressortirent peu de temps après avec chacun de lourds sacs d'expédition. Mak s'approcha de Kaïsha, Ko-Bu-Tsu et Zuo avec trois sacs de toile identiques.

— Voilà pour vous trois! dit-il joyeusement. Faites-y attention, il y a là-dedans tout ce qui vous est nécessaire pour notre petite ascension.

— Nous partons maintenant? s'étonna Ko-Bu-Tsu. Je pensais que nous prendrions au moins un peu de repos...

— Pas le temps, répondit Mak. La température est douce, le ciel est calme et nous en avons pour la journée à grimper, alors autant le faire de jour.

Kaïsha attrapa son sac et y jeta un coup d'œil. Outre des gourdes d'eau, il y avait une besace remplie de miches de pain et de biscottes dont elle ne connaissait pas la nature, un petit couteau, une couverture et des sortes de crochets attachés à des lanières de cuir.

— Mak, qu'est-ce que c'est? demanda-t-elle en sortant les étranges instruments.

— Des griffes! répondit joyeusement Mak. Tu passes tes poignets dans les lanières et tu te sers de la griffe pour grimper les pentes trop raides.

Kaïsha passa ses mains dans les courroies et observa l'effet de tenir ses griffes. Elle admira l'ingéniosité du système et se demanda quand elle pourrait les utiliser.

— C'est impressionnant, remarqua-t-elle.

— Ça, ce n'est rien, intervint Zuo. Si tu voyais nos cylindres, c'est bien plus pratique pour faire une ascension.

— Qu'est-ce qu'un cylindre? demanda Ko-Bu-Tsu.

Zuo répondit d'un rire.

— Je te réserve la surprise.

Les explorateurs se mirent en route rapidement, Cyam à l'avant et Mak en fin de queue, accompagné de ses «inséparables». Le vent s'engouffrait dans leurs capes et Kaïsha serra le lourd tissu contre elle pour se protéger du froid. Ko-Bu-Tsu, capuchon sur la tête, semblait endurer encore plus difficilement la température, elle qui n'avait alors connu que la chaleur étouffante du désert. Quant à lui, Zuo avançait d'un pas joyeux en leur pointant sans cesse une plante, un animal ou une colline qui portait un nom particulier, ou qui avait une certaine histoire. Kaïsha fut fascinée par l'étendue de ses connaissances. Il savait que les pétales de telle fleur argentée pouvaient soulager la fièvre. Il pouvait reconnaître un oiseau à son vol et un lièvre par la forme de son terrier.

— Mais d'où sais-tu tout ça ? le questionna Kaïsha après avoir entendu un long exposé sur le cycle d'hibernation des ours tachetés.

— De mon cours d'histoire naturelle, répondit négligemment Zuo. C'est obligatoire au premier cycle, mais ce n'est pas vraiment ce qui me passionne, alors j'arrêterai de l'étudier au deuxième cycle.

— Qu'est-ce que c'est que les cycles ? demanda Ko-Bu-Tsu, grelottante.

— Nos cycles d'éducation. Le premier commence à trois ans et fini à douze. C'est notre éducation générale, si tu veux. Au deuxième cycle, nous devenons des apprentis. Ceux qui veulent travailler dans le Corps choisissent le métier qu'ils veulent faire et ils entrent en formation avec un instructeur, et ceux qui veulent continuer dans la Tête se spécialisent dans un champ d'études jusqu'à leur majorité. Une fois adulte, ils entrent dans le troisième cycle et choisissent dans quel domaine ils veulent travailler. Ils sont alors pris en charge par un maître et ils terminent leur formation.

— C'est fascinant, déclara Kaïsha. Notre système scolaire n'est pas aussi pointu dans les Plaines…

— Je sais, constata Zuo. Mais je ne pense pas que ce soit grave… Enfin, je veux dire… vous apprenez ce que vous avez besoin de savoir, et vous n'avez pas l'air plus malheureux que nous.

Kaïsha sourit. Zuo avait une vision si optimiste de la vie ! Si le peuple des Plaines était heureux, alors pourquoi se poser des questions ? Kaïsha se rendit alors compte qu'il était en fait le plus sage d'eux trois, pour penser ainsi sans jamais poser de jugement.

— Et toi, Zuo ? demanda alors Ko-Bu-Tsu. Tu veux étudier dans quel domaine ?

Zuo eut alors une réaction inattendue : il rougit, baissa les yeux, les leva vers son père, qui était loin devant, puis les baissa à nouveau. Ses lèvres se serrèrent et il se mit à jouer avec ses mains. Mak, qui les observait, leva un sourcil de surprise, mais, sans dire un mot, il les distança subtilement, comme s'il savait que Zuo ne s'exprimerait pas devant lui. Il avait raison, car Zuo attendit qu'il fût assez loin pour murmurer :

— J'aimerais devenir un archer.

— Mais... c'est une excellente idée ! s'exclama Kaïsha, surprise par le malaise de Zuo. Tu es incroyablement doué, tu serais un brillant archer !

Zuo lui sourit, l'air à la fois touché et contrit. Kaïsha ne comprenait toujours pas pourquoi il semblait si perturbé et s'apprêta à lui demander ce qui n'allait pas lorsque Ko-Bu-Tsu posa une main impérieuse sur son épaule. Kaïsha se tourna vers elle et constata que Ko-Bu-Tsu la toisait sévèrement. Comme Zuo, elle ne semblait pas non plus voir quoi que ce fût de réjouissant dans le fait de vouloir devenir archer. Voyant l'incompréhension de Kaïsha, elle soupira :

— Tu ne saisis pas ? Allons, c'est pourtant évident, constata-t-elle simplement. Les archers doivent faire partie du Corps.

Kaïsha comprit alors et leva instinctivement la tête vers Cyam, qui dirigeait le groupe avec autorité.

— Oh non, fit-elle avec tristesse.

— Il ne me laissera jamais, soupira Zuo. Pas parce que c'est dans le Corps… enfin, il n'aimerait pas ça, mais il veut surtout que je devienne un explorateur ou un professeur…

Ils marchèrent un moment en silence, chacun plongé dans ses propres pensées, puis Ko-Bu-Tsu dit lentement :

— Tu sais… Kaïsha a choisi sa propre destinée lorsqu'elle a quitté son foyer et j'ai choisi la mienne en vous suivant. Le temps viendra pour toi de choisir ton propre destin à ton tour, et cette décision ne sera celle de personne d'autre que toi.

Zuo leva les yeux vers elle, puis les tourna vers l'horizon, pensif.

— Ni toi, ni Nisha n'avez suivi le chemin auquel on se serait attendu de vous, constata Zuo avec lenteur.

Il leva alors les yeux vers le ciel et sourit, optimiste.

— Peut-être que je pourrai en faire de même avec mon propre destin.

4

Ils voyagèrent toute la journée, grimpant progressivement à travers les monts, s'enfonçant de plus en plus loin dans le territoire des Montagnes. Après plusieurs heures de marche, Kaïsha était rompue, ses jambes lui faisaient mal et elle peinait à garder les yeux ouverts. Ce n'était toutefois rien comparé à Ko-Bu-Tsu, dont chaque pas semblait être un calvaire. Zuo était lui aussi fourbu, mais tenait encore bon. Ils avaient englouti leur collation quelque part en milieu de journée et leur estomac criait à nouveau famine, alors que le ciel s'assombrissait de plus en plus.

— Est-ce que nous allons grimper encore longtemps comme ça ? demanda finalement Ko-Bu-Tsu, à bout de force.

— Non…, répondit Zuo, dont l'énergie commençait à faillir. Nous y sommes presque.

Il avait raison. Moins d'une heure plus tard, ils atteignirent le creux d'un petit vallon, où la seule construction visible (la première qu'ils voyaient depuis leur départ ce matin-là) était une sorte de grande étable surmontée d'une tour. Tous les explorateurs soupirèrent de soulagement en la voyant apparaître au loin.

— Ce n'est pas trop tôt ! s'exclama Mak d'un air satisfait.

Ils commencèrent leur descente vers l'étable et, en approchant, Kaïsha entendit distinctement d'étranges cris leur parvenant de l'intérieur.

— Tu as dit que nous continuions le voyage comment ? demanda-t-elle à Zuo en tentant de masquer son inquiétude.

— Tu vas voir par toi-même, répondit celui-ci en riant.

Kaïsha et Ko-Bu-Tsu échangèrent un regard et pensèrent la même chose : cela ne leur disait rien de bon.

Lorsqu'ils arrivèrent à la hauteur de l'étable, deux femmes sortirent pour les accueillir. Grandes, altières, elles avaient ces mêmes yeux gris et ce même maintien qui caractérisait les gens des Montagnes. Lorsqu'elles furent à la hauteur du groupe, elles s'inclinèrent profondément devant Cyam.

— Explorateur Cyam, le salua la première, la sagesse des anciens est avec vous.

— Et avec vous, répondit Cyam en s'inclinant à son tour.

— Nous attendions votre arrivée, enchaîna la seconde. Tout est à votre disposition pour vous restaurer et prendre du repos.

— Je vous remercie, mais nous ne resterons qu'une heure, tout au plus. Je désire regagner la Commune le plus vite possible.

Kaïsha crut qu'elle avait mal entendu, mais à voir l'expression de Zuo et de Ko-Bu-Tsu, elle dut se rendre à l'évidence que non. Mak illustra parfaitement son sentiment en rugissant :

— Partir ce soir ? Cyam, as-tu perdu la raison ? Il fera bientôt nuit et l'équipe est épuisée !

Ses propos furent accueillis par des hochements de tête de la part des explorateurs, mais Cyam resta de marbre.

— J'ai dit ce soir, répliqua-t-il avec fermeté avant de suivre les deux femmes dans l'étable.

Résignés, les explorateurs le suivirent d'un pas morne et Mak haussa les épaules. Cyam était le chef de mission, ils devaient se soumettre à son jugement.

— Allez, les inséparables, dit-il, résigné. Venez au moins vous réchauffer et prendre quelque chose à manger.

— Zuo…, soupira Ko-Bu-Tsu en suivant Mak, je t'aime beaucoup, mais ton père est complètement fou.

Zuo éclata de rire avant de répliquer :

— Tu crois qu'il est cinglé ? Tu n'as pas encore rencontré ma mère.

Lorsque Kaïsha pénétra dans l'étable, son souffle fut coupé par ce qu'elle vit : il y avait deux rangées de stalles deux fois plus grandes que celles utilisées pour les chevaux et dans chacune d'elle, il y avait un aigle, mais des aigles comme elle n'en avait jamais vus !

Ils étaient gigantesques. Ils étaient étonnamment aussi hauts qu'un cheval, mais tellement plus imposants ! Leur bec jaune acéré avait la puissance de trancher n'importe quelle chair et leurs yeux perçants fixaient intensément les nouveaux arrivants, si bien que Kaïsha préféra détourner la tête. De temps à autre, l'un d'eux déployait ses ailes pour se dégourdir, fendant l'air et créant une bourrasque impressionnante.

— Nous allons nous rendre à ta Commune… sur ces choses ? demanda Ko-Bu-Tsu, la voix tendue.

— Exact ! se réjouit Zuo. Ils sont dressés pour se rendre où nous voulons et revenir ici lorsque leur mission est terminée.

— Et c'est sécuritaire ? ne put s'empêcher de demander Kaïsha, aussi nerveuse que Ko-Bu-Tsu.

— Absolument ! affirma Mak en passant sa main sur la nuque d'un aigle qui ferma les yeux d'aise. Ces petites bêtes sont douces comme des agneaux et puissantes comme des tigres des glaces ! Les aigles sont notre principal moyen de transport entre les Communes.

Kaïsha acquiesça, mais une petite voix dans sa tête lui chuchota que ces bêtes semblaient tout sauf douces et inoffensives. Ce sentiment se renforça lorsqu'elle vit l'une des gardiennes de l'endroit lancer des morceaux de viande à un aigle. Il les attrapa d'un coup de bec brusque pour ensuite consciencieusement en déchiqueter la chair avant de l'avaler. Sentant ses jambes ramollir, Kaïsha préféra garder les yeux baissés et avança directement vers la pièce du fond. Les explorateurs et Cyam s'y trouvaient déjà et ils étaient maintenant assis à même le sol, chacun dévorant un morceau de pain, de fromage ou de ce qui semblait être du poisson grillé. L'odeur fit saliver Kaïsha et lui rappela à quel point elle avait faim. Elle agrippa au hasard une tranche de fromage dans laquelle elle planta les dents et fut aussitôt surprise par son goût très doux. Les fromages que l'on obtenait dans les Plaines étaient souvent forts, alors que celui qu'elle mangeait en ce moment était léger, comme si elle goûtait un nuage. C'était une nouvelle sensation pour ses papilles gustatives, qui avaient trop longtemps connu pour seule nourriture la bouillie de céréale qu'on lui servait dans le Désert…

À cette seule pensée, sa poitrine se trouva prise dans un étau qui la compressa si fort qu'elle crut suffoquer. L'instant suivant, l'étau avait disparu et elle respira librement. Elle jeta un coup d'œil autour d'elle pour voir si sa panique avait été perçue, mais tout le monde, incluant Ko-Bu-Tsu et Zuo, était trop occupé à manger pour se soucier d'elle. Kaïsha ferma les yeux un moment et se força à respirer lentement. Des images traversaient sa tête comme d'autant d'épines qui la transperçaient, mais elle finit par obliger son esprit à oublier, à taire ces peurs qui l'assaillaient.

« Je dois penser à autre chose ! » s'ordonna-t-elle en reposant son repas.

— Dis, Zuo, commença-t-elle en se tournant vers l'intéressé, qui leva la tête, la bouche pleine de pain. Est-ce que ta Commune est très grande ?

— Ba dant gue fa, bafouilla-t-il en avalant sa dernière bouchée. Pardon, pas tant que ça, se reprit-il. Elle est plutôt grosse, mais il y en a deux bien plus imposantes sur le continent de l'ouest.

— C'est vrai… vous êtes la seule nation à être établie sur les deux continents…

— C'est très pratique pour les explorateurs et pour le commerce, d'après ce qu'on m'a dit, expliqua Zuo.

— Est-ce que vous êtes souvent en contact avec vos autres Communes ? demanda Ko-Bu-Tsu en se joignant à leur conversation.

— Oh oui ! Les jeunes adultes sont même encouragés à partir vivre dans une autre Commune, histoire que nous ne finissions pas par nous reproduire entre cousins.

Il éclata alors de rire et Ko-Bu-Tsu lui tapa le bras avec une fausse remontrance.

— Tu n'as pas honte de dire ce genre de choses ?

— Oh, mais c'est vrai ! Les Communes sont grandes, mais nous finissons par connaître tout le monde et ça peut devenir malsain. Je ne m'en souviens pas, mais il paraît que quand j'avais un an, nous avons vécu presque une année entière bloqués dans la Commune à cause d'une avalanche terrible, et les gens auraient fini par s'entretuer si nous n'avions pas réussi à dégager toutes les sorties et les moyens de transport. Cette année-là, il y a eu plus de migration d'habitants que jamais depuis un siècle.

— J'ai beau essayer de l'imaginer, je n'arrive pas à concevoir comment vos villes sont faites, admit Kaïsha. Pourtant, tu m'en as souvent parlé.

— Ce n'est pourtant pas compliqué ! rit Zuo. Nous vivons dans la montagne. Ça nous protégeait des envahisseurs, autrefois. Maintenant, c'est principalement pour nous préserver du froid.

Zuo lui avait souvent raconté que les sept grandes villes des Montagnes se trouvaient sous le sol, mais Kaïsha n'avait jamais réussi à s'imaginer comment une telle chose pouvait être possible. Son esprit avait fini par créer une version nordique des habitations souterraines du Désert, abris exigus creusés dans le sol et protégés des intempéries par une mince couche de terre. Elle avait hâte de voir ce qu'il en était réellement.

Ils discutèrent alors d'autres choses et mangèrent à leur faim jusqu'à ce que Cyam se levât, mettant fin à toutes les conversations.

— Mesdames, messieurs, préparez-vous. Nous partons.

L'image des aigles voraces et géants revint brusquement à l'esprit de Kaïsha, qui avait réussi à les oublier jusque-là. Elle déglutit et essaya de cacher au mieux la peur sourde qui l'habitait. Elle se leva et s'apprêta à suivre les explorateurs hors de la pièce lorsque Cyam les appela :

— Kaïsha, Ko-Bu-Tsu, venez ici je vous prie.

Kaïsha, Zuo et Ko-Bu-Tsu se retournèrent d'un même mouvement et, devant le regard inquisiteur de son fils, Cyam soupira et dit :

— Reste si tu le désires, Zuo. Ce que j'ai à vous dire n'a rien de confidentiel.

Kaïsha remarqua toutefois que Mak, resté lui aussi en arrière, affichait un air grave. Si ce que Cyam avait à leur dire n'avait rien de secret, il semblait que ce n'était pas non plus de bon augure. Justement, il leur jeta un regard sévère avant de dire :

— Maintenant, écoutez-moi tous les trois. Je vous ai déjà répété que le monde dans lequel vous allez entrer n'a aucune envie de vous accueillir. Même toi, Zuo, tu risques ta réputation, en plus de celle de ta mère et la mienne, par la même occasion, en emmenant des étrangères dans la Commune, et pas n'importe lesquelles.

Le visage de Ko-Bu-Tsu se crispa, Kaïsha attendit, sur la défensive, et Zuo lança un regard de défi à son père.

— Du calme, cessez de réagir aussi mal lorsqu'on vous fait remarquer ce que vous êtes, soupira Cyam en levant les mains en signe d'apaisement. Vous entendrez cela bien assez souvent dans votre vie. Ce que je veux dire, c'est que je ne sais pas si vous serez même capables d'entrer dans la Commune ; c'est pour cette raison que j'ai insisté pour que nous partions ce soir. Peu de gens nous verront arriver et je pourrai au moins vous garantir une nuit sans problèmes. Mais demain, je n'aurai pas le choix de vous présenter à nos dirigeants. Si, alors, ils vous refusent parmi nous, il me faudra vous ramener ici. Ma question est donc : avez-vous un plan ?

La question de Cyam les prit de court. Zuo et Ko-Bu-Tsu se tournèrent tous les deux vers Kaïsha, comme si elle détenait la clé du problème. Kaïsha réfléchit un moment et la réponse la plus évidente lui vint à l'esprit.

— Je repartirai avec Ko-Bu dans les Plaines. Ma famille nous accueillera. Ensuite, nous verrons.

— Je pars avec vous, décida aussitôt Zuo.

— Ne t'emballe pas si vite ! s'exclama Kaïsha pour éviter un nouveau conflit père-fils. Rien ne nous dit que ça se passera mal demain. Et pense un peu à ta mère, qui t'attend depuis trop longtemps. Tu dois la retrouver.

En disant cela, elle vit Espérance, debout devant le seuil de leur maison, le regard triste et inquiet. Avait-elle reçu sa lettre ? Kaïsha priait tous les dieux du monde pour qu'elle l'eût reçue, pour qu'elle sût qu'elle allait bien. En regardant Zuo, elle vit la même tristesse dans ses yeux, la même anxiété, la même attente. Il savait qu'elle avait raison, mais il était déchiré entre des sentiments opposés. Il baissa les yeux, pour les relever brusquement et s'exclamer, déterminé :

— Je les forcerai à vous accepter !

— Ça, c'est parler comme un homme ! rugit Mak en éclatant de rire, apaisant l'atmosphère du même coup. De toute façon, vous n'avez pas à vous en faire trop. Si la situation s'envenime, je serai là.

Juste à voir sa stature, comparée à celle des autres hommes des Montagnes, Kaïsha ne douta pas un moment que Mak serait en mesure d'imposer le respect à n'importe quel réfractaire. Prenant le relais, Kaïsha rit à son tour.

— Ça me rassure ! dit-elle avec un entrain un peu forcé. Mais je suis sûre que tout ira bien.

Elle se tourna vers Zuo et lui offrit un sourire qu'elle espérait convaincant. Il rit aussi et elle se sentit mieux.

— Ne perdons pas de temps, les intima Cyam. Allons-y.

Ils sortirent tous de la pièce à la suite de Cyam, et Kaïsha remarqua alors l'expression figée sur le visage de Ko-Bu-Tsu. Plus blanc qu'un linge, son corps était parcouru d'une tension palpable. Kaïsha posa une main sur son épaule et elle sursauta. Le regard qu'elle lui lança était à la fois agressif et apeuré.

— Ça va aller, lui chuchota Kaïsha d'une voix rassurante.

— Je vais bien, laisse-moi, répliqua-t-elle en se dérobant à son étreinte.

— Personne ne te fera de mal, essaya à nouveau Kaïsha.

— Ça, tu n'en sais rien ! cria Ko-Bu-Tsu avant de se ressaisir, voyant les regards curieux qu'elle venait de s'attirer. Cyam veut être rassurant, continua-t-elle du bout des lèvres, mais il ne sait pas ce qui va arriver, lui non plus. C'est évident qu'il a peur, lui aussi. Qu'est-ce qui va m'arriver quand ils vont me voir ? Quand ils vont voir *ça* ?

Elle abaissa le capuchon qu'elle gardait toujours relevé et ses épaisses boucles blanches déferlèrent sur ses épaules comme d'autant de cascades argentées. Ko-Bu-Tsu approcha alors son visage de Kaïsha pour que celle-ci pût voir parfaitement ses iris, perles bleues aux reflets rouges, ces reflets que sa propre famille avait associés au démon et qui la hantaient.

— Que feront-ils, Kaïsha, lorsqu'ils verront mes yeux ? Ma peau ? Ils croiront que je suis possédée ? Ou ils m'enfermeront pour m'étudier ? Je n'aurais jamais dû venir ! J'aurais dû partir loin, dans la forêt, et me bâtir un chez-moi à l'abri des autres !

D'un geste rageur, elle rabattit son capuchon sur sa tête, et son visage disparut dans l'ombre. Des larmes de rage coulèrent sur ses joues.

— Personne ne te fera rien, répéta Kaïsha avec conviction, parce que je ne les laisserai jamais faire !

Elle accompagna ses paroles d'un tapotement sur sa dague qui ne quittait jamais sa ceinture. Ko-Bu-Tsu renifla et un demi-sourire apparut sur ses lèvres.

— Tu tuerais pour moi, Kaïsha ? s'étonna-t-elle presque avec scepticisme.

— Pour toi, pour Zuo et pour ma famille, ma main n'hésitera jamais, déclara Kaïsha, qui n'en pensait pas moins.

Ko-Bu-Tsu leva alors les yeux avec un air amusé, malgré les striures de larmes sur sa peau.

— Tu es drôle lorsque tu fais ta sérieuse combattante pleine d'honneur, rit-elle avec une nuance de sarcasme.

— Eh ! rit Kaïsha à son tour, tu pourrais au moins le respecter !

— Oh, pardonnez-moi, Madame la guerrière! ironisa Ko-Bu-Tsu.

Elles rirent en rejoignant le groupe d'explorateurs. Ils avaient fait sortir les aigles de leur stalle et étaient maintenant dehors. Sous la lumière de la lune, ils avaient tous un air un peu fantomatique, telles des ombres sortant de la terre. Si Kaïsha était nerveuse à l'idée de monter sur ces bêtes, cet aspect spectral ne l'aida pas du tout à se calmer.

— Kaïsha! l'appela Mak en s'approchant d'elle, une large laisse de cuir à la main et un aigle gigantesque à sa suite. Tu embarques avec moi.

— Je n'aurai pas à chevaucher une de ces choses seule? s'exclama Kaïsha en poussant un soupir de soulagement.

— Bien sûr que non, la rassura Mak. Il faut de l'entraînement pour monter un aigle. Ne t'en fais pas, avec moi, tu es en sécurité.

— Et moi? demanda Ko-Bu-Tsu, sur ses gardes.

— Tu vas monter avec Pael, répondit Mak en faisant signe à ce dernier de s'approcher. Tu vas voir, il est très bon cavalier.

Pael était un explorateur très timide, qui n'ouvrait presque jamais la bouche, sauf pour acquiescer à un ordre qu'il recevait. Il était toutefois quelqu'un de très doux et l'un des rares à n'avoir jamais posé un regard de jugement sur Ko-Bu-Tsu ou Kaïsha. Au contraire, lorsqu'il regardait Ko-Bu-Tsu, il semblait toujours la trouver fascinante. Lorsqu'il arriva à leur hauteur, il s'inclina devant chacun d'eux avant d'offrir sa main à Ko-Bu-Tsu.

— Mademoiselle, permettez, murmura-t-il de sa voix chevrotante.

Ko-Bu-Tsu semblait encore très intimidée par l'aigle immense, qui la regardait d'un œil perçant, mais elle sembla rassurée de chevaucher avec Pael. Une partie de la tension qui l'habitait disparut et elle donna sa main avec confiance au jeune explorateur qui l'aida à monter sur la bête, avant de prendre lui-même place derrière elle. Ko-Bu-Tsu lança un regard un peu paniqué à Kaïsha, qui avait elle-même de la difficulté à feindre le calme. Heureusement, ils furent aussitôt rejoints par Cyam et Zuo, tous deux bien installés sur leur monture.

— Prêtes? demanda Zuo d'un air ravi.

Indéniablement, l'idée de mettre sa vie entre les mains d'un volatile géant et de quitter le plancher des vaches ne semblait pas l'inquiéter autant que ses amies.

— Un instant, un instant, Monsieur le pressé! rit Mak en se tournant vers Kaïsha.

Caricaturant le geste de Pael, il exécuta une courbette avant de tendre sa main à Kaïsha et susurrer :

— Madame me ferait-elle l'honneur?

Kaïsha ne put s'empêcher d'éclater de rire devant ses pitreries et répondit d'une voix mielleuse :

— Oh, puisque vous insistez!

Mak répondit d'un rire franc avant de la soulever de terre comme si elle ne pesait rien et de l'installer sur le dos de l'aigle. En une enjambée, il fut derrière elle et empoigna les rênes. Kaïsha avait déjà monté des chevaux, mais elle n'était pas du tout habituée à cette sorte de selle et il lui fallut un moment pour trouver une position confortable. Ne sachant pas vraiment où prendre appui, elle en agrippa le bord et espéra qu'il n'y aurait pas trop de secousses. L'aigle se mit à bouger et son cœur fit un bond. Elle ferma les yeux et essaya de se calmer, mais il était trop tard : son cerveau était passé en mode survie.

— Bien, dit simplement Cyam lorsque tous les explorateurs furent sur un aigle. Allons-y.

D'un ample mouvement du bras, Cyam fit claquer ses rênes et l'aigle que Zuo et lui chevauchaient se mit à s'ébrouer avant de déplier lentement les ailes. Malgré la crainte que ces bestioles lui inspiraient, Kaïsha dut admettre qu'elles frappaient l'imagination. Sous la clarté bleue de la lune, l'aigle s'épanouissait comme une ombre, étirant vers le ciel ses ailes interminables. Puis, elles se mirent à fouetter l'air, aussitôt imitées par celles de tous les aigles.

Kaïsha eut un hoquet de surprise en voyant sa propre monture déployer ses ailes tels deux immenses bras et se mettre à battre le vent furieusement. Il ne suffit alors à Cyam que d'un petit coup de rênes, et son aigle, suivi par tous les autres, prit son élan et quitta le sol. Kaïsha sentit Mak entourer sa taille d'une main tandis que l'autre maintenait fermement les rênes de l'aigle qui n'attendait que le signal pour décoller à son tour. Kaïsha se rendit compte seulement à ce moment-là qu'elle tremblait comme une feuille.

— Accroche-toi, fillette ! cria Mak pour couvrir le bruit du vent.

Kaïsha serra si fort le bord de la selle que ses jointures lui firent mal, mais elles étaient le cadet de ses soucis. Un instant plus tard, leur aigle se pencha vers l'avant pour un ultime élan (Kaïsha sentit son cœur arrêter de battre) et prit son envol.

Kaïsha ne cria pas. Comment aurait-elle pu ? Elle avait cessé de respirer ! Son cœur bondit dans sa poitrine comme si elle tombait dans le vide et cette terrible sensation de vertige prit possession d'elle l'espace d'une seconde, qui lui parut une éternité. Elle garda son regard fixé sur le plumage sombre de sa monture, persuadée que si elle regardait ailleurs, elle tomberait aussitôt et ce serait la fin. Le vent la fouettait de toutes parts, faisant danser ses cheveux autour d'elle et l'obligeant à plisser les yeux pour éviter qu'ils ne s'asséchassent et qu'elle ne se mît à verser des larmes. Un sifflement aigu résonnait dans ses oreilles et elle pouvait sentir la pression exercée par l'aigle qui, par la force de ses ailes, les poussait toujours plus haut vers les cieux.

Elle n'arrivait pas à savoir combien de temps avait passé depuis qu'ils avaient quitté le sol. Cela aurait pu être une seconde comme une heure ; son esprit avait perdu la notion du temps. Ce fut le froid de l'altitude qui la sortit de son effroi. En voulant resserrer sa cape, elle fut forcée de retirer une main du bord de la selle. Ses doigts étaient engourdis et elle eut tout le mal du monde à ramener sa main vers elle. Elle osa alors lever les yeux et resta bouche bée.

La nuit couvrait les couleurs de son ombre, mais la lune éclairait juste assez pour que Kaïsha pût voir ce que peu de gens auraient jamais l'occasion d'admirer. Ils étaient une vingtaine d'aigles à sillonner les cieux, chacun transportant un ou deux cavaliers. Telles des ombres silencieuses, malgré le sifflement du vent, ils fendaient l'air glacé de la nuit avec pour seule compagnie la voûte étoilée et les pics montagneux, silhouettes noires découpées sur une toile scintillante. Même en rêve, Kaïsha n'aurait jamais pu imaginer un tel spectacle. C'était envoûtant tellement c'était beau. Elle en oublia même le froid et sursauta lorsque Mak lui tapota l'épaule en lui glissant une paire de mitaines en fourrure dans la main. Il avait apparemment lui aussi remarqué la blancheur inquiétante de ses jointures et elle le remercia d'un hochement de tête avant de mettre (prudemment) les moufles. Prenant son courage à deux mains, elle osa jeter un coup d'œil au sol, mais redressa vite la tête, prise de vertige. Elle préféra reporter son regard sur le firmament qui lui rappelait ses contes d'enfant.

Un aigle s'approcha d'eux et Kaïsha vit Zuo lui adresser de grands signes de la main, un sourire fendu jusqu'aux oreilles. Kaïsha lui renvoya son salut et vit rapidement Ko-Bu-Tsu, non loin. Le vent avait rejeté sa capuche, et sa cascade de cheveux blancs virevoltait dans le vent, si bien que Pael devait avancer la tête au-dessus de son épaule pour ne pas avoir la vue obstruée.

Même dans la pénombre, Ko-Bu-Tsu réussissait à scintiller comme une perle, seul éclat blanc dans une mare d'encre. Sa peau, opalescente, semblait plus irréelle que jamais. Kaïsha se demanda si les autres pouvaient voir la beauté qu'elle observait chez son amie. Elle remarqua alors comment Zuo la contemplait et elle sourit. Au moins, elle n'était pas la seule.

Ils parcoururent les airs très longtemps. Kaïsha grelottait de plus en plus et Mak finit par ouvrir son large manteau pour l'abriter. Il était si grand que Kaïsha n'eut aucun mal à se faufiler sous les larges pans de tissu et à les refermer sur elle. Elle remarqua que Cyam avait quant à lui prévu le coup pour son fils et celui-ci portait une cape plus épaisse. Quant à Ko-Bu-Tsu, de ce que Kaïsha pouvait voir, Pael lui avait offert son écharpe, mais elle était indéniablement congelée malgré ses vêtements chauds.

Kaïsha commençait à se demander combien de temps encore ils auraient à voyager ainsi, mais la réponse arriva avant même qu'elle eût complété sa pensée. Presque invisibles, mais immanquables dans la pénombre, des points lumineux minuscules brillaient au loin. Pendant un instant, Kaïsha crut qu'il s'agissait d'étoiles, mais c'était impossible, la silhouette distincte d'une montagne leur servait de toile de fond. Elle comprit alors qu'il s'agissait réellement de lumières (de lumières humaines!) et l'excitation, accompagnée de l'angoisse, se mit à vibrer dans sa poitrine. En percevant cette nouvelle civilisation, encore invisible dans l'ombre, Kaïsha ressentit quelque chose de nouveau. Elle avait peur, mais rien qui s'apparentait à la terreur sourde qui avait accompagné son arrivée dans le Désert. La présence de Cyam et de Mak dans l'expédition y était pour quelque chose. Mais il n'y avait pas que cela… Kaïsha avait moins peur et c'était aussi en partie grâce à elle-même. Elle avait assez côtoyé la mort et la souffrance pour savoir jusqu'où elle était prête à se battre avant d'abandonner, et cette confiance lui donnait un courage nouveau. Elle arrivait à considérer cette nouvelle expérience comme une aventure et non plus une épreuve. Sa curiosité prit le dessus sur ses inquiétudes. Sans qu'elle s'en fût aperçue, ils avaient commencé à perdre de l'altitude. Ils étaient bien en aval du pic enneigé et ils faisaient face à une paroi rocailleuse de la montagne, tandis que les aigles glissaient sur le vent et s'inclinaient doucement en direction des lumières qui devenaient de plus en plus précises. Kaïsha ne put toutes les compter (il devait y en avoir des centaines), mais elle remarqua qu'elles étaient presque toutes à égale distance, formant des rangées presque parfaites sur tout un pan de la montagne. S'agissait-il donc de la Commune ? Ces lumières marquaient-elles l'entrée des demeures des citoyens des Montagnes ? Pourtant, Kaïsha ne voyait aucun chemin les liant les unes aux autres, ni aucune structure qui pût témoigner qu'une ville était bâtie ici. Comment pouvaient-ils survivre dans cet endroit sans nourriture, sans chaleur, sans source d'eau ?

Les aigles cessèrent leur descente et se dirigèrent vers un emplacement plus éclairé que le reste. Ils étaient maintenant très près de la montagne et Kaïsha examina l'endroit où ils se dirigeaient. Elle vit alors qu'il s'agissait d'un immense plateau, sans aucun doute creusé et aplati par les hommes, entouré d'une rampe de pierre sur laquelle des fanaux brûlaient en éclairant largement autour d'eux.

— Prépare-toi, fillette, annonça Mak. Nous atterrissons !

Par pur réflexe, Kaïsha empoigna le bord de la selle de toutes ses forces, attendant l'impact. L'aigle se posa toutefois en douceur sur les dalles de pierre, s'ébroua et ramena ses ailes contre son corps.

Il fallut un moment à Kaïsha pour se rendre compte qu'ils étaient arrivés. Ils avaient survécu au vol à dos d'aigle ! Bien sûr, pour Mak et les autres explorateurs, c'était tout naturel, mais pour Kaïsha, c'était un pur exploit ! Elle balaya l'endroit du regard et trouva rapidement Ko-Bu-Tsu, dont l'aigle atterrissait à l'instant. Le visage crispé, elle avait fermé les yeux et ne les rouvrit que lorsque Pael lui tapota gentiment le bras. Surprise, elle ouvrit les paupières et cligna des yeux plusieurs fois en découvrant l'endroit. Kaïsha en fit de même, explorant la place qui aurait pu contenir son village au complet. Le sol était parfaitement lisse, composé de larges dalles de pierre rectangulaires. Sur trois côtés, le plateau était délimité par une rampe et la lumière des fanaux empêchait de voir ce qu'il y avait de l'autre côté. Le dernier côté donnait sur le flanc de la montagne, et dessus était incrusté un immense portail, dont les portes monumentales étaient faites de bois, de métal...

Et de verre !

Kaïsha savait que le verre coûtait très cher, dans les Plaines. Seuls les gens aisés pouvaient se permettre de faire vitrer leurs fenêtres et jamais elle n'avait vu de verre comme celui-là : les différents panneaux étaient colorés et joints les uns aux autres par des tiges de fer, créant des œuvres complexes et magnifiques. Sur la porte de droite, on pouvait voir une femme, les mains au-dessus de la tête, tenant au creux de ses paumes ce qui semblait être une perle. Sur la porte de gauche, un homme tenait dans ses mains un ouvrage dans lequel il écrivait. Derrière le couple se profilaient des montagnes, dont les couleurs passaient de l'ocre au blanc. Plus encore, ces dessins semblaient vibrer de vie, car quelque chose les éclairait de l'intérieur, faisant danser ses rayons sur chaque parcelle de verre.

Mak aida Kaïsha à descendre et elle chancela à ses premiers pas sur la terre ferme, ses jambes manquant d'assurance. Malgré tout, son regard demeura rivé sur l'œuvre de verre. Sans s'en rendre compte, elle fit quelques pas dans sa direction.

— C'est beau, n'est-ce pas ? dit Zuo en arrivant derrière elle, un large sourire aux lèvres.

— Magnifique, répondit Kaïsha, toujours fascinée.

— À droite, c'est Onoa et à gauche, c'est Ismaé. Ce sont les premiers guides. Onoa reçoit le don de la connaissance et Ismaé l'immortalise pour les futures générations.

— C'est magnifique…, répéta Kaïsha. Mais, Zuo… où sommes-nous au juste ?

Zuo afficha un air conspirateur. Il attendit que Ko-Bu-Tsu fût elle aussi descendue de sa monture pour les rejoindre. Interdite, elle jetait sans cesse des coups d'œil à gauche et à droite.

— La balade s'est bien passée ? lui demanda Zuo avec une pointe de malice dans la voix.

— Un vrai rêve, répondit Ko-Bu-Tsu avec sarcasme. Comment peut-on survivre à cette température ? Je vais mourir congelée si ça continue !

— Ne t'en fais pas, nous allons rentrer nous réchauffer, la rassura Zuo.

Kaïsha reporta son regard vers l'immense portail. Qu'est-ce que ces portes cachaient ? Zuo avait dit qu'ils vivaient dans la montagne…

Kaïsha tourna alors la tête et prit connaissance de l'immensité du mont sur lequel ils se trouvaient, et la surface qu'occupaient les innombrables lumières qu'ils avaient vues à leur arrivée. Se pouvait-il que cette montagne renfermât réellement… une ville ?

Zuo remarqua son expression de stupéfaction et il lui adressa un nouveau regard complice. Il se dirigea alors vers le portail, Kaïsha et Ko-Bu-Tsu sur ses talons. Toutefois, au lieu d'atteindre les deux immenses portes (comment auraient-ils pu les ouvrir, de toute manière ?), il bifurqua vers une petite arche creusée à même la pierre, tout juste à côté du portail, mais masquée par l'ombre.

Derrière eux, les explorateurs avaient fini de décharger les aigles de leurs fardeaux. Un seul explorateur était demeuré en selle et lorsqu'il en donna le signal, son aigle (suivi par tous les autres) déploya à nouveau les ailes pour s'envoler. Ils ne prirent toutefois pas le même chemin par lequel ils étaient arrivés. Ils glissèrent plutôt vers le flanc de la montagne pour disparaître au tournant. Les autres explorateurs rejoignirent Kaïsha, Zuo et Ko-Bu-Tsu.

— Où vont les aigles? demanda Ko-Bu-Tsu.

— À la volière, répondit Mak. Ils ont bien le droit de se reposer, les pauvres! Et nous aussi, d'ailleurs. Je suis épuisé, pas vous?

Kaïsha aurait été bien incapable de répondre pour elle-même. Elle sentait le froid qui s'infiltrait sous ses vêtements, la faisant grelotter, et elle savait que la fatigue y était aussi pour quelque chose. Elle avait les membres engourdis, la tête lourde et elle savait qu'elle pourrait s'endormir sur le sol si elle s'y allongeait. Pourtant, la nervosité gardait ses yeux grands ouverts et son attention vive. Elle ne voulait pas dormir maintenant, elle voulait être à l'affût de tout ce qu'elle allait voir.

— Nous allons tous nous reposer, indiqua Cyam en dépassant Kaïsha, Zuo et Ko-Bu-Tsu pour se planter devant la petite porte sous l'arche.

Il y frappa à plusieurs reprises, suivant un certain rythme très complexe, comme s'il composait une chanson. Lorsqu'il baissa le bras, un silence l'accueillit, mais il fut de courte durée. Une petite fenêtre s'ouvrit et Cyam échangea quelques politesses avec la personne cachée de l'autre côté. Il ne fallut qu'un moment avant que la porte ne s'ouvrît, découvrant un jeune homme nerveux qui s'inclina profondément devant Cyam avant de s'écarter pour ne laisser qu'un trou béant s'enfonçant dans les ténèbres.

Cyam avança sans hésitation et disparut dans l'ouverture. Les autres explorateurs avancèrent à leur tour et Kaïsha comprit qu'ils n'avaient pas le choix d'entrer eux aussi. Elle avait beau savoir que personne parmi ceux présents ne lui voulait du mal, ses jambes résistaient et il lui était pénible de marcher vers cette noirceur qui semblait vouloir l'engloutir.

Zuo glissa alors une main dans la sienne. Kaïsha sursauta, tant elle était nerveuse. Elle le vit alors, souriant, son autre main dans celle de Ko-Bu-Tsu. Cette dernière semblait aussi tendue que Kaïsha. Derrière son visage de marbre, ses yeux trahissaient ses craintes. Kaïsha s'imposa alors le calme. Elle devait se montrer forte, car c'était elle qui avait voulu venir ici. Elle prit une grande inspiration et sourit à Zuo. Ce dernier lui rendit son sourire avec confiance et il les entraîna dans les ténèbres de la montagne.

Le cœur de Kaïsha manqua un bond lorsqu'ils furent engloutis par la noirceur. Au loin, une faible lueur leur indiquait le chemin à suivre, mais autrement, ils étaient aveugles. S'aidant de sa main libre, Kaïsha tâtonna dans le vide jusqu'à ce qu'elle entrât en contact avec la paroi brute du mur. Elle s'étonna de la texture. C'était complètement plat et lisse, alors qu'elle s'attendait à quelque chose de rocailleux et rude. Elle continua à marcher vers la lumière en laissant ses doigts glisser sur le mur.

— Je ne comprends pas…, murmura Ko-Bu-Tsu. Il n'y avait rien derrière les immenses portes ? Pourquoi nous retrouvons-nous dans ce réduit ?

— C'est l'entrée de service, expliqua Zuo. Nous n'ouvrons le grand portail que lorsque la température le permet, ou pour faire sortir les grosses charges. Le reste du temps, nous utilisons cette entrée.

— Vous ne vivez pas que sous la terre…, se rendit compte Kaïsha, abasourdie. L'ensemble de votre cité est *dans* la montagne.

Même dans le noir, elle sentit le sourire de Zuo. Ils arrivèrent au bout du tunnel et Kaïsha n'en crut pas ses yeux.

5

Une faible lumière bleutée les accueillit et l'endroit où ils débouchèrent était si vaste que, l'espace d'une seconde, Kaïsha crut qu'ils étaient de nouveau dehors. Mais ce qui s'étalait sous ses yeux n'était en rien semblable à tout ce qu'elle avait pu voir dans sa vie.

Ils étaient dans une salle immense et ronde, si vaste qu'on pouvait à peine distinguer ce qu'il y avait de l'autre côté et si haute que cela donnait le vertige. En levant les yeux, Kaïsha sursauta. Il y avait des centaines de minuscules lunes sur la voûte de roc, chacune illuminant faiblement la place. Comment était-ce possible? Quelle était cette sorcellerie? À peine formula-t-elle ces questions qu'un autre phénomène attira son attention : tirant sa source du point le plus élevé de la voûte, un filet d'eau coulait telle une chute, tombant dans une immense coupe toute de marbre blanc sculptée. Cela, en plus de ces lunes étranges qui donnaient l'impression de se trouver dehors sous les étoiles, conférait à cet endroit improbable un aspect mystique, surnaturel. En tournant la tête, Kaïsha vit le grand portail et ses portes closes. Deux hommes montaient la garde, ou plutôt somnolaient devant les portes. Celui qui leur avait ouvert le chemin se tenait non loin d'eux, attendant sans doute qu'ils fussent partis pour reprendre sa garde.

— Par la Grande Mère…, murmura Kaïsha, complètement fascinée.

— Bienvenue chez moi, dit simplement Zuo, la fierté perçant sa voix.

— C'est incroyable, balbutia Ko-Bu-Tsu, béate. Comment…, ajouta-t-elle en pointant les petites lunes flottant au plafond.

— Des miroirs, expliqua simplement Zuo, chassant du même coup une partie de la magie. Vous en verrez partout ici, c'est notre principale source de lumière. Il y en a dans toutes les Grandes places. Venez !

Kaïsha se rendit alors compte qu'ils étaient restés plantés à l'entrée du tunnel et bloquaient l'accès aux autres explorateurs qui, patients, n'avaient pas dit un mot. Elle s'écarta brusquement pour les laisser sortir à leur tour et les vit pousser des soupirs d'aise, tous heureux d'être enfin de retour chez eux. Certains restèrent un moment pour bavarder, mais la plupart d'entre eux saluèrent Cyam avant de s'éloigner vers différentes extrémités de la pièce pour disparaître dans l'un des nombreux tunnels qui communiquaient avec cet endroit. Certains de ces corridors étaient au niveau du sol, d'autres étaient surélevés et nécessitaient un escalier creusé à même le roc pour les atteindre. En regardant attentivement, Kaïsha aperçut un escalier qui longeait le mur circulaire jusqu'à parcourir la moitié de la salle et qui comportait une vingtaine d'entrées réparties un peu partout sur sa longueur. Certaines ouvertures dans la pierre comportaient un balcon de bois, d'autres, plus petites, étaient couvertes par des pans de tissu, comme des rideaux à une fenêtre. En était-ce ? Y avait-il des gens qui habitaient de l'autre côté ? À cette heure tardive, la Grande place était complètement vide, mais qu'en était-il le jour ? À quoi pouvait ressembler la vie dans ces grottes ? C'était tout bonnement incroyable.

— Je n'aurais jamais pu croire qu'une cité entière pouvait se trouver sous la terre, s'étonna-t-elle en continuant d'explorer la pièce du regard.

— Et pourtant, c'est la meilleure vie qu'on puisse avoir! s'exclama Mak. Ici, il ne pleut pas, il ne fait jamais froid, nous ne manquons de rien et nous sommes à l'abri des prédateurs. Que demander de mieux?

Zuo rayonnait face à l'émerveillement de ses amies. En regardant autour de lui, ses lèvres se mirent soudain à trembler. Sans avoir besoin d'explication, Kaïsha et Ko-Bu-Tsu le prirent d'un même mouvement dans leurs bras et Zuo laissa couler des larmes de joie.

— La Commune me manquait, murmura-t-il entre deux sanglots.

Kaïsha lui caressa les cheveux comme elle l'avait fait si souvent dans le Désert. Ko-Bu-Tsu le serra plus fort encore et chuchota :

— Tout va bien maintenant, tu es en sécurité.

Kaïsha et elle échangèrent un regard. Zuo était maintenant parmi les siens et plus rien de mal ne pourrait lui arriver. Ce n'était pas encore le cas pour elles, par contre. Mais ni l'une ni l'autre ne voulait montrer son inquiétude devant lui.

— Venez, nous rentrons à la maison, dit soudain Zuo en se libérant de leur étreinte, son énergie retrouvée.

— Attends, Zuo, l'arrêta Cyam, tandis qu'il saluait les derniers explorateurs.

Lorsqu'il ne resta plus que lui et Mak, les deux hommes échangèrent une accolade amicale et se souhaitèrent la bonne nuit. Mak fit un clin d'œil en direction de Kaïsha, Zuo et Ko-Bu-Tsu et lança :

— Nous nous reverrons bientôt, les inséparables. Et bienvenue dans les Montagnes, les filles!

Puis, il disparut dans un tunnel non loin de l'entrée. Cyam les rejoignit d'un pas ferme et il les dépassa pour se diriger vers un autre tunnel, auquel on accédait par une volée de marches. Kaïsha, Zuo et Ko-Bu-Tsu le suivirent.

— Maintenant, soyez discrets, les intima Cyam avec autorité. Les gens dorment et il serait bien malséant de marquer votre arrivée par une mauvaise première impression, n'est-ce pas ? À ces mots, Kaïsha sentit son ventre se tordre. Elle jeta un coup d'œil à Ko-Bu-Tsu. Cette dernière gardait son regard fixe et un visage de marbre, mais elle avait pâli.

— Ma femme ne sait pas que vous êtes avec moi. En fait, elle ne sait même pas que nous rentrons ce soir. Pour éviter toute possibilité d'être rattrapés par les troupes du général To-Be-Keh, nous avons limité notre communication avec la Commune. Alors, voici ce que nous allons faire : nous entrons, vous deux allez dormir dans la chambre de Zuo et je vais aller voir Junn.

Alors qu'il parlait, ils étaient entrés dans le corridor, éclairé par de simples lampes à huile accrochées aux murs, et Kaïsha fut fascinée par sa profondeur. Si tous les couloirs reliés à la Grande place étaient tels que celui-ci, alors la Commune devait ressembler à une sorte de fourmilière, avec la Grande place comme point central et tous les corridors s'enfonçant dans les profondeurs de la montagne. À mesure qu'ils avançaient, Kaïsha remarqua que de nombreuses portes étaient incrustées dans le mur, mais toutes étaient du même côté : celui le plus proche de l'extérieur de la montagne.

Ils atteignirent finalement une porte identique aux autres, dans le bois massif de laquelle était gravée l'inscription *21*. Cyam sortit de sa poche une clé dorée très longue et étroite qu'il enfonça dans la serrure. Cette dernière émit une série de déclics à mesure que Cyam tournait la clé et finalement, le claquement du verrou résonna. Cyam poussa doucement la porte et Kaïsha pénétra pour la première fois chez Zuo.

Ils se trouvaient dans une grande pièce très élégante, avec des tapis sur le plancher de pierre grise et des tapisseries aux murs. Il y avait des cartes du monde absolument partout : sur les murs, sur les tables et même sur le plancher. Deux larges divans se faisaient face au centre de la pièce, une table basse entre les deux. Tout autour, il y avait d'étranges objets hétéroclites qui trônaient sur des socles et Kaïsha devina qu'il devait s'agir de souvenirs des différents endroits que Cyam et sa femme avaient visités. À gauche, une arche donnait sur une autre pièce qui semblait être la cuisine et à droite, un escalier menait à l'étage supérieur. Enfin, au fond de la pièce, un épais rideau de velours rouge foncé cachait une ouverture, sans doute un garde-manger ou une armoire.

À nouveau, les larmes montèrent aux yeux de Zuo lorsqu'il inspira profondément.

— Maman a fait de la soupe, vous sentez? demanda-t-il à la ronde d'une voix qui suggérait que ce parfum était le plus doux qui eût jamais existé.

Kaïsha sourit. Elle pouvait très bien imaginer ce que Zuo ressentait. Elle-même n'aurait pas réagi autrement si elle venait de mettre les pieds dans sa maison d'enfance pour y sentir les effluves si familiers du foyer et de la cuisson.

Ko-Bu-Tsu fit quelques pas dans la pièce, regardant autour d'elle avec curiosité. Seule une lampe à huile était encore allumée comme veilleuse sur une table, éclairant faiblement l'endroit, mais autrement tout était plongé dans la pénombre. Zuo retira sa cape et Kaïsha se rendit alors compte qu'effectivement, il faisait relativement chaud dans ces grottes. Elle se demanda comment cela était possible et s'apprêta à lui poser la question lorsqu'un grand fracas la fit sursauter. Ne comprenant pas d'où le bruit était venu, elle regarda autour d'elle à la recherche d'un danger, pour ne rencontrer que le regard étonné de Ko-Bu-Tsu, Zuo et Cyam. Ils entendirent alors un grincement, celui d'une porte qu'on ouvrait, puis le claquement d'un pas de course résonna quelque part au-dessus d'eux. Ko-Bu-Tsu cria de stupeur lorsqu'une ombre apparut dans l'escalier, pourtant vide un instant auparavant.

— ZUO! éclata une voix stridente alors que l'ombre dévalait littéralement les marches pour dépasser Ko-Bu-Tsu sans la voir et foncer sur Zuo, qui tomba sous le choc.

— MAMAN! cria-t-il alors qu'il disparaissait sous des épaisseurs de tissu.

Des pleurs et des rires fusèrent dans la pénombre, alors que Junn Steloj retrouvait enfin son fils après plus d'un an et demi de séparation. Même si elle n'avait jamais vu cette femme de sa vie, Kaïsha pouvait sentir ce qu'elle ressentait : cette explosion d'émotions et l'inquiétude toujours tapie qui, enfin, quittait les méandres de sa tête et de son cœur. Toutes les peurs qu'elle n'avait jamais osé formuler tant elles étaient intolérables, elle les pleurait alors qu'elle couvrait son fils de baisers et de caresses. Pour Zuo, c'était comme enlever le masque de l'adulte qu'il s'était forcé à porter pour se montrer courageux et fort. Dans les bras de sa mère, il retrouvait enfin la sécurité et il se sentait enfin libre de retomber dans l'enfance qu'on lui avait arrachée. Kaïsha ressentait toutes ces émotions en même temps qu'eux, elle les vivait à travers eux, comme si elle-même retrouvait son foyer. À travers cette femme qui enserrait Zuo en pleurant et riant, c'était Espérance que Kaïsha imaginait, et elle dut retenir une vague de larmes qui lui montèrent aux yeux. Elle tourna la tête et vit Cyam, qui n'avait pas bougé d'un poil. Stoïque comme une statue, il regardait sa femme et son fils en pleurant silencieusement. Soudain, Kaïsha le vit d'un œil nouveau. Ses épaules s'étaient allégées de tous les poids qu'il avait portés sans le dire, les inquiétudes qu'il avait lui-même gardées secrètes, les peurs, peut-être. Maintenant que sa famille était à nouveau unie, il pouvait enfin baisser la garde. Ses traits s'étaient détendus et Kaïsha vit soudain à quel point la ressemblance entre le père et le fils était frappante.

Ko-Bu-Tsu aussi regardait Junn et Zuo, mais il n'y avait ni soulagement, ni bonheur sur son visage. Elle les regardait avec curiosité, comme si c'était la première fois qu'elle assistait à un tel phénomène. Plus encore, elle ne semblait pas comprendre ce qui se déroulait sous ses yeux. Elle ne dit rien, se contentant de les observer silencieusement.

Au sol, Junn s'était redressée et attira Zuo vers elle.

— Oh, mon trésor, mon petit démon des glaces, j'ai eu tellement peur! Tellement peur! Ils m'avaient dit qu'ils t'avaient retrouvé, mais ils ne disaient rien d'autre! Ni où tu étais, ni si tu allais bien! Oh, mon chéri, je suis si heureuse de voir que tu vas bien!

Zuo était incapable de répondre. Il n'arrivait qu'à rire, hoqueter et pleurer.

— Montre-moi ton visage, l'intima Junn en se levant sans voir Kaïsha, Ko-Bu-Tsu ou Cyam, uniquement concentrée sur son fils. Viens ici sous la lumière... Oh mon trésor, tu es maigre! Est-ce qu'ils t'affamaient? Est-ce que tu es tombé malade? Mais tu as l'air d'être en santé... Oh, tu as été tellement courageux! Je suis si contente de te retrouver, mon Zuo!

Elle éclata à nouveau en sanglots et serra Zuo contre elle, si fort que rien n'aurait pu les séparer. Kaïsha, Ko-Bu-Tsu et Cyam respectèrent en silence ce moment de retrouvailles que Zuo et sa mère avaient tant attendu. Finalement, Cyam sortit de son mutisme et fit quelques pas vers sa femme. Cette dernière leva la tête comme si on la sortait d'un rêve, se rendant tout à coup compte qu'ils n'étaient pas seuls. Elle éclata à nouveau en sanglots et leva une main vers Cyam, qui s'avança plus encore. Junn passa le bras derrière sa nuque et l'attira vers elle, enfouissant son visage dans son cou, Zuo entre eux. Ils étaient enfin tous les trois réunis. Cyam eut une discrète toux qui ne trompa personne et embrassa sa femme sur le front et les joues, lui caressant les cheveux tandis qu'il pressait son autre main sur l'épaule de son fils.

— Cyam..., murmura Junn, la voix chevrotante. Où était-il? Où l'ont-ils envoyé?

— Dans une famille, répondit Cyam. Comme domestique.

— Des bourgeois? demanda Junn, avec cette fois une nuance de curiosité et d'espoir dans la voix.

— Non. Des nobles.

Junn hoqueta d'horreur et se dégagea de l'étreinte de son mari pour se pencher vers Zuo, qui gardait la tête baissée. Avec une extrême douceur, mais des yeux qui trahissaient sa consternation, Junn prit le menton de Zuo et le força à la regarder. Ils n'eurent rien à se dire. Junn fouilla les yeux de son fils et y lut tout ce qu'elle avait à savoir. Elle eut alors l'air extrêmement malheureuse et porta une main à sa bouche tandis qu'elle caressait presque pieusement la joue de Zuo.

— Est-ce qu'ils l'ont fait? demanda-t-elle à Zuo d'une voix chevrotante.

Zuo ne répondit rien, mais ses lèvres se mirent à trembler.

— Oh, Zuo! gémit Junn avec agonie.

Aussi doucement que s'il avait été un œuf sur le point de se fendre, elle fit tourner Zuo sur lui-même et détacha sa chemise pour révéler son épaule droite. Kaïsha comprit ce qu'elle cherchait et porta par réflexe sa main à sa propre épaule au moment où Junn laissa échapper un gémissement horrifié. Kaïsha savait parfaitement ce qu'elle imaginait à cet instant et le souvenir de la douleur la saisit aussi brusquement que si l'on venait d'appliquer à nouveau le fer chauffé à blanc sur sa chair. Zuo leva les yeux vers elle et

Kaïsha sut qu'il pensait à la même chose. Machinalement, elle se mit à masser la chair boursouflée de son omoplate qu'elle pouvait atteindre, la petite portion du disque solaire avec une lance en son centre. La marque du général.

Kaïsha sursauta lorsqu'une main fraîche vint se placer sur la sienne, au-dessus de son épaule. Ko-Bu-Tsu ne lui sourit pas, mais Kaïsha comprit son intention et apprécia son geste plein de compassion. Elle était la fille du général. Le sceau de sa famille, cette famille qu'elle avait fuie, était gravé dans la chair de ses amis. Que ressentait-elle, derrière son masque impénétrable ?

— Oh, mon trésor, mon Zuo, gémit Junn. Qu'est-ce qu'ils t'ont fait ?

— Ça va, maman…, murmura Zuo, la voix chevrotante. Ça ne me fait plus mal depuis longtemps. Je te jure, ajouta-t-il avec plus d'assurance. Je vais très bien !

Junn fut sur le point de répliquer quelque chose, mais Cyam intervint.

— Il va bien, Junn. Je l'ai moi-même examiné et il n'aura pas d'autres séquelles physiques de… de cette… mauvaise expérience.

Le regard que lui lança Junn fut si noir que Kaïsha se demanda comment il faisait pour rester droit.

— Euphémisme, je sais, admit-il immédiatement. Mais il va bien, je te l'assure. Tu auras tout le loisir de l'examiner à la lumière du jour demain, mais pour l'heure, nous avons quelque chose de plus important sur les bras, Junnie…

Il se déplaça d'un pas pour laisser apparaître Kaïsha et Ko-Bu-Tsu, toutes deux restées dans l'ombre. Junn se rendit soudain compte de leur présence et une expression de totale surprise apparut sur son visage. Ainsi, elle rajeunissait de dix ans et Kaïsha remarqua qu'elle avait les mêmes mimiques que son fils.

— Je... oh! balbutia-t-elle en se relevant maladroitement, puis en replaçant les plis de sa robe de nuit, soudainement embarrassée. Je ne savais pas que nous avions de la visite... Mesdemoiselles?

— Kaïsha... et Ko-Bu-Tsu, les présenta Zuo, plus à l'aise à présent.

Ko-Bu-Tsu lança un regard à Kaïsha. Son capuchon était baissé sur son visage, mais Kaïsha était assez proche pour voir la question dans ses yeux. Elle lui fit un signe presque imperceptible et elles avancèrent toutes deux dans la faible lumière. En les voyant plus clairement, l'expression de Junn Steloj changea radicalement. Une forte curiosité se peignit sur son visage et elle se mit à les dévisager de la tête aux pieds, si bien que Kaïsha se sentit mise à nue sous son intense regard. Elle comprit comment Ko-Bu-Tsu pouvait se sentir lorsque Mak avait parlé d'elle comme d'un «sujet d'étude».

— Kaïsha..., répéta alors Junn en la regardant directement, ce qui fit sursauter Kaïsha d'avoir été reconnue sans présentation. Et Ko-Bu-Tsu, ajouta-t-elle en regardant l'intéressée, qui baissa la tête. Fascinant!

De toutes les réactions, c'était sans doute celle à laquelle Kaïsha s'attendait le moins. Junn semblait plus excitée qu'effrayée ou méfiante, ce qui était contraire à toute personne normale. Elle agrippa une chandelle et l'approcha brusquement du visage de Kaïsha. Cette dernière sursauta, mais Junn l'ignora. Elle la dévisagea intensément, puis ses sourcils se soulevèrent d'étonnement.

— Une enfant de deux mondes... Ça alors, constata-t-elle avec intérêt.

— Comment..., s'exclama Kaïsha, bouche bée.

— Simple comme bonjour, répondit Junn en balayant l'air de la main. Ces yeux bleu vif et félins, ces cheveux noirs et épais... Tu as des traits caractéristiques de la Mer, mais tu es petite et ta peau est pâle, donc enfant de deux mondes, naturellement. Si je me permettais, j'examinerais tes mains et tes pieds, mais je peux déjà voir à la forme de ton visage que tu n'es pas du Désert, comme cette demoiselle…

Elle indiqua d'un hochement de tête Ko-Bu-Tsu, qui hoqueta de surprise. Junn ignora sa réaction et continua :

— Il nous reste donc deux nations : les Plaines ou la Forêt, conclut-elle. La question qui demeure est donc : laquelle ?

Stupéfaite, Kaïsha dévisagea la mère de Zuo. Elle était vraiment une drôle de femme, avec son visage juvénile, ses cheveux en bataille et ses grands yeux gris qui la fixaient avec curiosité. On n'aurait jamais pensé à associer un visage aussi innocent à la redoutable intelligence qu'il recelait. Mais par-dessus tout, Kaïsha était bouleversée par son attitude envers elle. Elle se rappela alors Zuo, qui n'avait pas été dégoûté, lui non plus, lorsqu'il avait compris ce qu'elle était. À l'époque, Kaïsha croyait que son ouverture d'esprit provenait uniquement de sa jeunesse et de leur situation précaire. Maintenant qu'elle avait rencontré sa mère, sa vision des choses devint différente.

— La Forêt, répondit Kaïsha avec franchise. Par ma mère, ajouta-t-elle en plaçant une mèche de cheveux derrière son oreille pour dévoiler la tête de loup argentée qui brillait à son lobe.

— Fascinant…, répéta Junn avant de s'intéresser à Ko-Bu-Tsu. Et toi… toi, tu es unique.

Ko-Bu-Tsu fronça les sourcils et s'éloigna d'un pas, sur la défensive, comme chaque fois que l'on mentionnait sa nature étrange. Junn ne sembla pas s'en offusquer le moins du monde.

— Je n'ai jamais vu un cas semblable, mais j'en ai entendu parler. Nous appelons ça le syndrome du givre, même s'il n'y a aucun lien, bien entendu. Toutefois, je devine que chez toi, le nom que l'on te donne n'est pas aussi clément.

Ko-Bu-Tsu garda le silence, les mâchoires crispées. Là où Kaïsha était fascinée par la perspicacité de Junn, Ko-Bu-Tsu y voyait une menace. Personne ne parla, n'osant pas intervenir. Finalement, Junn abandonna l'idée d'obtenir une réponse de Ko-Bu-Tsu et son regard revint sur Kaïsha, avant de se tourner vers Zuo et Cyam, restés derrière.

— Cyam, si tu as ramené des étrangères à la Commune, c'est que tu dois avoir une bonne raison, dit-elle à son mari.

Cyam haussa les épaules.

— Demande à ton fils, c'est lui qui a insisté.

— Ce sont mes meilleures amies, maman! s'exclama Zuo en lançant au passage un regard choqué à son père. Nous nous sommes enfuis ensembles de... de là où nous étions.

Il ne voulut pas en dire plus et baissa la tête. Un éclair de douleur traversa les yeux de Junn lorsqu'elle entendit son fils mentionner le Désert. Cette fois, par contre, elle se reprit rapidement et s'adressa à Kaïsha :

— Tu étais...

Le mot lui vint difficilement.

— ... une esclave, toi aussi?

Kaïsha détestait ce terme de toute son âme, mais elle s'y était accoutumée et les angoisses ne l'assaillirent pas avec autant de force qu'auparavant.

— Oui, répondit-elle le plus calmement possible.

— Et toi? demanda Junn en regardant Ko-Bu-Tsu.

Cette dernière entrouvrit les lèvres, pour ensuite les serrer avec tension. Seuls ses yeux trahissaient sa profonde tristesse. Comment dire à cette femme qu'elle était la fille de l'homme qui avait fait de Zuo un esclave? Zuo intervint plus rapidement.

— Elle était prisonnière. Comme nous, expliqua-t-il simplement.

Junn fut sur le point de dire quelque chose, mais son regard passa de Ko-Bu-Tsu à son fils, et elle se retint. Il était pourtant évident que la curiosité la démangeait.

— Je ne peux qu'essayer d'imaginer les tourments que vous avez vécus, déclara-t-elle enfin, la voix lourde. Vous m'avez ramené mon fils et, pour cela, vous avez ma reconnaissance et mon amitié. Vous êtes les bienvenues chez moi.

Elle se tourna alors vers Cyam.

— Personne ne sait qu'elles sont ici, n'est-ce pas ?

— Personne, sauf les membres de l'expédition, répondit Cyam d'un air grave. Nous ne pourrons pas les cacher plus longtemps que cette nuit. Demain à la première heure, j'irai demander un entretien avec le sage.

Junn acquiesça, pensive.

— La situation va devenir très délicate… Mais pour l'heure, vous devez vous reposer, ajouta-t-elle en s'adressant à nouveau à Kaïsha et à Ko-Bu-Tsu. Nous avons des matelas, vous pourriez dormir dans la chambre de Zuo…

Elle se tourna vers son fils, mais les mots ne sortirent pas. Son corps entier projetait son envie de prendre Zuo dans ses bras, de le toucher, de s'assurer qu'il était vraiment là. Cyam le comprit immédiatement.

— Je crois qu'un seul matelas suffirait, Junn, dit-il d'un air détaché. Zuo dormira avec toi dans notre lit, Kaïsha et Ko-Bu-Tsu prendront son lit et je dormirai sur le matelas.

— Oh ! fit Junn, tentant de cacher à quel point cette idée lui plaisait. Non, c'est idiot, je pourrais prendre le matelas, depuis combien de temps n'as-tu pas dormi dans un vrai lit, Cyam ?

— Je serai très bien sur un matelas, l'assura l'intéressé en posant sur sa femme un regard très doux, que Kaïsha ne lui avait jamais vu.

Junn prit un air contrit, mais finit par sourire à Cyam, qui sourit à son tour en l'embrassant.

— La question est réglée, déclara-t-il. Zuo, montre à tes amies ta chambre. Je vais sortir le matelas.

— D'accord! s'exclama Zuo, sa bonne humeur revenue et amplifiée, maintenant qu'il était de retour sous son toit. Venez! indiqua-t-il à Kaïsha et Ko-Bu-Tsu. Je vais vous montrer!

Il s'élança vers les marches et Kaïsha se demanda comment il pouvait encore avoir de l'énergie dans les jambes alors qu'elle-même était sur le point de s'écrouler de fatigue. Elle le suivit tout de même, tâtant le mur de roc pour s'y retrouver dans la pénombre.

Ils aboutirent dans un couloir étroit uniquement éclairé d'une lampe au mur et Zuo se dirigea vers la porte du fond.

— Voilà ma chambre! déclara-t-il avec un grand sourire en les laissant entrer.

La chambre de Zuo était petite, mais pleine à craquer. Un large lit à baldaquin trônait au fond de la pièce et une multitude de coffres, boîtes, dessins et cartes en rendaient l'accès difficile. Il était impossible de distinguer les objets dans la pénombre, mais un mince rai de lumière bleutée filtrait à travers des persiennes en bois, vissées à ce qui semblait être une fenêtre creusée dans le roc.

— Comment est-ce possible? demanda Kaïsha en pointant la fenêtre. D'où vient la lumière?

— Mais… de dehors, répondit Zuo comme si c'était la chose la plus évidente du monde.

— Mais nous sommes au creux d'une montagne! C'est encore un effet de miroirs?

— Mais non! rit Zuo. Regarde!

Il fila entre les coffres et les boîtes avec aisance et ouvrit les persiennes pour montrer à Kaïsha ce qu'elles cachaient. La lumière crue de la lune sembla aussi forte qu'un rayon de soleil lorsqu'elle pénétra dans la pièce. Fascinée, Kaïsha avança prudemment et vit qu'il s'agissait réellement d'une fenêtre vitrée, composée de plusieurs carreaux de verre taillés et tenus les uns aux autres par des baguettes de fer, de la même manière que les vitraux du grand portail. La chaleur ambiante à l'intérieur embuait les carreaux et lorsque Kaïsha y passa sa manche, elle vit la lune, brillante dans le ciel noir, qui éclairait la silhouette des autres monts aux alentours et les enveloppait d'une lueur fantomatique. Ko-Bu-Tsu les rejoignit et resta elle aussi coite devant ce spectacle. Zuo jouit un moment de leur réaction avant d'expliquer :

— La plupart des maisons sont juste sous la surface de la montagne, pour que nous puissions avoir de la «vraie» lumière chez nous. Les jours de grand vent, nous fermons toutes les persiennes parce que le verre peut se briser. Par contre, nous pouvons aussi les ouvrir. Regardez !

Il ouvrit le loquet et un puissant vent s'engouffra dans la pièce, les frigorifiant tous les trois du même coup. Kaïsha aima toutefois l'air frais qui lui frappa le visage, contrastant avec la forte odeur minérale qui se dégageait des murs. Saisie d'une impulsion, elle s'appuya sur le bord de la fenêtre et passa sa tête au-dehors. Le froid était omniprésent, l'englobant de son manteau glacé. Le vent dansa dans ses cheveux et ses poumons s'emplirent de l'air du nord. Elle était suspendue au-dessus d'un gouffre de ténèbres et la hauteur vertigineuse l'étourdit. En regardant autour d'elle, elle vit l'origine des points lumineux qui les avaient guidés plus tôt dans la soirée, alors qu'ils chevauchaient les aigles. C'était les lampes accrochées aux fenêtres ou aux balcons, qui illuminaient faiblement une partie de la montagne et servaient de guide aux voyageurs, sans doute. Tout autour d'elle, il n'y avait que du roc et de la mousse, seule plante pouvant résister à cette température. Au-dessus d'elle, très loin en hauteur, la neige éternelle ornait le pic de la montagne de son bonnet blanc. Lorsqu'elle rentra la tête à l'intérieur, elle grelottait et souriait comme une enfant.

— Zuo, c'est incroyable! s'exclama-t-elle, enivrée.

— Je suis content que tu aimes, Nisha, dit Zuo avec un large sourire, touché. Je voulais tellement que vous vous plaisiez ici, toutes les deux.

Ko-Bu-Tsu garda la mâchoire crispée, mais ne dit rien. Zuo ne fut pas dupe et perçut aussitôt son malaise. Il vint alors glisser sa main dans la sienne. Ko-Bu-Tsu sursauta. Elle n'arrivait jamais à résister à son sourire si chaleureux et cette fois n'y fit pas exception. Il était le seul à savoir apaiser son cœur tourmenté. Là où il fallait à Kaïsha des trésors d'imagination et de paroles rassurantes pour la calmer, il ne suffisait à Zuo que d'un sourire ou un regard, et Ko-Bu-Tsu se détendait.

Elle lui sourit et tapota maladroitement son épaule.

— Bon… euh… alors, voilà, voilà, balbutia Zuo en tentant maladroitement de changer de sujet. Nisha, prends la pierre, là, juste sur la table. Tu peux allumer la lampe à côté de toi?

Kaïsha trouva la pierre noire et tranchante et la frotta contre l'autre pierre insérée à la base de la lampe. Les étincelles atteignirent la mèche huilée et une douce lumière orangée illumina la chambre de Zuo, mettant en évidence le désordre qui y régnait.

— Merci! dit Zuo. Alors, voilà ma chambre… Je ne me rappelais pas à quel point c'était en désordre! Euh… si vous voulez vous changer, je crois que ma mère a des robes de chambre. Attendez.

Il sortit en courant de la chambre, laissant les filles seules pour apprivoiser leur nouvel environnement.

— Ah! Zuo m'a parlé de cette carte, indiqua Kaïsha en repérant un large morceau de parchemin accroché au mur, sur lequel les nations avaient été maladroitement esquissées.

— Est-ce une carte du monde? demanda Ko-Bu-Tsu, intriguée.

— Oui, dessinée par Zuo, répondit Kaïsha en s'en approchant.

La carte était effectivement très rudimentaire, comparée à celle que Kaïsha avait déjà vue dans le palais de l'empereur du Désert, une éternité auparavant. En souriant, elle pointa le sud des Plaines.

— Voilà ma maison.

— J'aimerais beaucoup la voir, un jour, dit Ko-Bu-Tsu.

— Je t'y emmènerai, c'est promis.

Il y eut un grattement à la porte et Junn Steloj apparut dans l'embrasure. Elle s'était remise de ses émotions et était maintenant beaucoup plus calme et en maîtrise d'elle-même.

— Bonsoir, pardon de vous déranger... Zuo m'a dit que vous aimeriez vous changer... Vos vêtements sont assez sales et je suppose que vous aimeriez prendre un bain?

— Un bain? répéta Kaïsha, surprise.

Elle n'avait pris qu'un véritable bain au cours des deux dernières années, avant le Concile. Dans le Désert, les esclaves se lavaient avec une serviette rugueuse et un savon acide une fois par semaine, juste pour enlever une couche de saleté, mais c'était tout. Et depuis qu'ils s'étaient enfuis, l'hygiène personnelle se limitait à une bassine d'eau froide et savonneuse dans laquelle ils trempaient un linge pour se frictionner le corps.

— Vous avez sans doute envie de dormir, remarqua Junn, mais nous avons une salle d'eau à l'étage et vous pourrez faire votre toilette demain matin. Je vous ai apporté des robes de chambre, des serviettes et des éponges. Vous pouvez me laisser vos vêtements, je les ferai nettoyer. Je peux vous prêter mes propres vêtements en attendant que l'on vous en fasse faire, si cela vous va, bien entendu.

Kaïsha était tellement bouche bée qu'elle n'arriva pas à placer un mot de remerciement. C'était trop d'honneur! Elle connaissait à peine cette femme, elle était étrangère dans cette nation et on la traitait comme une invitée et non comme une intruse! Heureusement, Ko-Bu-Tsu compensa son mutisme.

— Nous vous sommes très reconnaissantes, la remercia-t-elle en s'inclinant, tandis que Kaïsha avait encore les yeux ronds comme des billes. Nous ne serons pas un fardeau pour vous et votre famille.

— Allons, allons! s'exclama Junn en riant. Vous êtes les bienvenues chez nous et j'espère que vous vous sentirez le plus à l'aise possible.

Elle s'avança et donna à chacune une longue robe blanche en coton léger, semblable à celle qu'elle-même portait.

— Vous n'aurez qu'à me laisser vos vêtements demain.

Zuo se glissa alors dans la pièce et vint se coller contre sa mère, qui l'entoura de ses bras avides.

— Est-ce que vous avez tout? demanda-t-il, surexcité. S'il vous manque quelque chose, je serai dans la chambre juste à côté.

— Je crois que ça va aller, le rassura Kaïsha. Merci infiniment pour votre accueil, Madame Steloj. C'est plus que nous n'aurions pu espérer.

— Ce n'est rien du tout, ma chérie. Maintenant, allez prendre un peu de repos. Nous nous verrons demain.

— Bonne nuit, les filles! les salua Zuo en sortant, suivi par sa mère.

Kaïsha et Ko-Bu-Tsu se retrouvèrent à nouveau seules, avec pour unique compagnie le sifflement du vent provenant de la fenêtre. Ko-Bu-Tsu alla la fermer et, après un léger claquement, le silence revint. Mais ce n'était pas un silence oppressant, comme Kaïsha y était habituée. Ce n'était pas non plus un silence inquiétant, qui renfermait quelque menace, mais un silence paisible, enveloppant, bercé par la lumière diffuse et orangée de la lampe au mur. Dans le calme de cette chambre d'enfant, où la lumière de la lune se mêlait à celle du feu, Kaïsha se rendit compte qu'il y avait dans son corps une tension qui s'était installée si profondément qu'elle était devenue une seconde nature. Et ce soir, Kaïsha se mit à la ressentir, car c'était la première fois depuis plus de deux ans qu'elle se sentait en *sécurité*. Cette constatation la frappa à un point tel qu'elle en eut un haut-le-cœur. Elle plaqua la main contre sa bouche pour s'empêcher de restituer son repas et des larmes lui brûlèrent les yeux.

— Kaïsha! s'exclama Ko-Bu-Tsu en se précipitant vers elle. Tu es toute pâle! Quelque chose ne va pas?

— Au... au contraire! rit Kaïsha en essuyant ses joues humides, la voix chevrotante. Tout va bien, justement!

6

Lorsque Kaïsha ouvrit les yeux, il lui fallut un petit moment avant de se rappeler où elle se trouvait. Le soleil pointait à travers les persiennes et la chambre de Zuo baignait dans la faible lumière du matin, des grains de poussière flottant paresseusement dans les rayons. Kaïsha tourna la tête et vit que Ko-Bu-Tsu dormait encore à poings fermés, son beau visage libre de tout trait soucieux et ses boucles blanches auréolant son visage. Kaïsha ferma ses yeux et poussa un soupir d'aise. Ce lit était l'endroit le plus confortable dans lequel elle avait dormi de toute sa vie. Le matelas épousait parfaitement ses formes, lui donnant l'impression de reposer sur un nuage cotonneux. La couette épaisse l'enserrait tel un cocon douillet. Kaïsha n'avait pas aussi bien dormi depuis des années et elle voulait s'imprégner de tout le bonheur que lui procurait ce simple instant de pur confort. Elle s'étira comme un chat heureux sous le soleil et chaque mouvement fut comme une caresse.

Le soir précédent, elle avait pleuré comme une enfant devant une Ko-Bu-Tsu désemparée. Elle avait laissé sortir toute la peur, l'amertume et la rage qui lui enserraient le cœur depuis trop longtemps et elle se sentait à présent vidée, mais en paix. Bien des choses lui faisaient encore peur, des menaces lointaines qu'elle n'oubliait pas, mais pour le moment, sa vie n'était pas directement en danger, et c'était la chose la plus rassurante qu'elle avait jamais ressentie.

Lentement, pour ne pas réveiller Ko-Bu-Tsu, Kaïsha se glissa hors du lit. Les rideaux du baldaquin n'avaient pas été tirés et pendaient mollement aux quatre coins du lit. Le sol était frais lorsqu'elle y mit les pieds, mais l'air ambiant était étonnamment chaud, surtout lorsqu'on savait qu'une mince couche de roc les séparait du froid glacial au-dehors. Même si l'odeur minérale lui piquait encore un peu le nez, elle n'y portait presque plus attention. Elle se glissa entre les innombrables boîtes, tables, livres et rouleaux qui jonchaient la chambre de Zuo et sortit dans le corridor.

Dépourvu de fenêtre, le couloir était sombre et ne tirait sa lumière que des escaliers, tout au bout. Kaïsha avança doucement et, lorsqu'elle passa devant la chambre principale, elle remarqua que la porte était entrouverte. Elle y jeta un rapide coup d'œil. Sur le lit, Junn dormait en serrant Zuo contre elle, si étroitement qu'il semblait qu'elle ne le laisserait jamais partir. Zuo, quant à lui, avait tout simplement l'air d'un bienheureux. Au sol, sur une épaisse paillasse, Cyam dormait d'un sommeil lourd.

Kaïsha se fit aussi discrète que possible et descendit les escaliers en longeant le mur. À gauche, de l'autre côté d'une arche de pierre, on pouvait voir les cendres encore fumantes dans le foyer de la cuisine et de douces odeurs d'épices aromatisaient l'air. Dans le salon, la seule source de lumière provenait d'un rai vif et nettement découpé dans la fente entre les lourds rideaux sur le mur du fond. Curieuse, Kaïsha s'y rendit et les écarta pour voir ce qu'il y avait derrière. Ce fut une erreur, car les rayons aveuglants du soleil réfléchis sur la neige lui transpercèrent la rétine et firent danser devant ses yeux une multitude de taches blanches, sans qu'elle pût distinguer quoi que ce fût. De surprise, Kaïsha lâcha le tissu et se frotta les yeux en maugréant. Une fois sa vue revenue, elle releva la tête et resta bouche bée devant le paysage.

Les rideaux ne masquaient pas une fenêtre, mais une porte. Cette dernière donnait sur un petit balcon et, au-delà, les montagnes au pic enneigé s'alignaient les unes derrière les autres de façon hétéroclite, jusqu'à couvrir l'horizon. Le monde semblait être limité par ces barrières naturelles et rien n'existait plus entre le bleu du ciel sans nuage et la blancheur de la neige. Kaïsha ouvrit la porte et un courant d'air froid s'engouffra dans la maison, mais elle le sentit à peine. Le parfum d'automne était sublime à respirer. C'était un air pur, ponctué par l'arôme de la mousse et de la pierre. Le vent était tombé et seule une légère brise chantait entre les monts, accompagnée parfois du chant d'un aigle. C'était tellement paisible ! Très loin en aval, la verdure reprenait ses droits sur le roc. Des animaux se promenaient comme d'autant de fourmis dans l'herbe et Kaïsha était incapable de reconnaître un seul d'entre eux.

Elle resta longtemps sur le balcon, à admirer le paysage, jusqu'à ce que le froid eût raison de sa résistance et que ses dents se missent à claquer bruyamment. Elle capitula et retrouva la chaleur de la maison. En regardant autour d'elle, elle remarqua que les murs et le plafond n'étaient pas uniformes comme elle l'avait d'abord cru. Ils étaient percés, çà et là, de nombreuses bouches d'aérations. Certaines semblaient creusées par l'humain, mais d'autres semblaient très anciennes. En approchant sa main de la bouche la plus proche, elle sentit un courant d'air chaud lui caresser la peau. C'était donc cela la source de la chaleur, et non uniquement l'isolation du roc ! Mais d'où cet air chaud provenait-il ? Elle n'eut pas le loisir de s'interroger davantage, car une voix ensommeillée l'appela du haut des escaliers.

— Kaïsha ? fit Ko-Bu-Tsu en descendant, les yeux encore pleins de sommeil, les cheveux emmêlés tombant sur ses épaules.

— Je suis là, Ko-Bu, répondit Kaïsha.

— Ah…, marmonna Ko-Bu-Tsu en se frottant les yeux. Je me suis réveillée et tu n'étais pas là. Je me demandais…

Elle releva la tête et s'éclaircit la gorge avant de finir :

— Je me demandais juste où tu étais passée.

— Je visitais. Regarde dehors ; c'est magnifique !

Ko-Bu-Tsu s'approcha de la porte vitrée en plissant les yeux, puis ils s'élargirent de stupeur lorsqu'ils virent le paysage. Elle resta un long moment silencieuse à admirer les montages comme Kaïsha.

— C'est la première fois que je contemple vraiment la neige, admit-elle finalement, d'un air songeur. C'est magnifique. L'hiver n'existe pas chez moi.

— Chez moi si, mais il est différent, expliqua Kaïsha en laissant dériver son regard sur la blancheur immaculée du lointain. Il est plus tempéré, il change d'un mois à l'autre et il n'est jamais exactement le même d'année en année, même si tous les hivers se ressemblent. Parfois il pleut, parfois il fait subitement tellement froid qu'on perd des animaux. Parfois il est très doux, comme un automne qui refuse de finir.

— Ici, il est toujours pareil, dit une voix enrouée derrière elles.

Les filles se retournèrent et virent Zuo les rejoindre, l'air aussi ensommeillé que Ko-Bu-Tsu quelques minutes plus tôt.

— Vous parlez fort, rit Zuo pour simple explication.

Il les rejoignit et se planta entre elles, souriant devant le paysage qu'il connaissait depuis sa naissance.

— À la hauteur de la Commune, la neige fond en été et nous descendons aux lacs pour en profiter et nous amuser. Mais l'hiver est toujours présent sur les pics des montagnes. C'est à l'opposé du Désert.

En disant cela, il se retourna vers Ko-Bu-Tsu et la fixa intensément. Kaïsha ne savait pas ce qu'il voulait impliquer. Que le Désert était mauvais ? Que Ko-Bu-Tsu devait s'attendre à un choc des cultures ? Ou peut-être, simplement, qu'elle était vraiment loin de sa prison, désormais ?

Ko-Bu-Tsu sembla avoir mieux saisi que Kaïsha les intentions de Zuo, parce qu'elle lui sourit en hochant la tête.

Peu de temps après, Cyam et Junn descendirent à leur tour. Tandis que Cyam se mit à préparer le déjeuner, Junn conduisit Kaïsha et Ko-Bu-Tsu à la salle d'eau.

— Voilà ! indiqua Junn en poussant la porte, dévoilant une petite pièce dépourvue de fenêtre.

En son centre trônait une large baignoire creusée à même le sol et finement sculptée, ainsi que quelques étagères remplies de fioles, de savons et de serviettes.

Junn alla chercher dans l'étagère deux fioles, un savon et deux serviettes qu'elle déposa à côté du bain en expliquant :

— La fiole violette contient un savon pour vos cheveux et la fiole verte, un lait purificateur. Nous nous occuperons plus tard de vos ongles et de votre coiffure, mais l'important est de vous décrasser de toute cette poussière au plus vite.

Kaïsha rougit et baissa les yeux vers ses mains. Elle avait cessé d'y porter attention, mais maintenant que Junn le soulignait, elle constata à quel point son hygiène s'était dégradée dans les dernières années : ses ongles étaient cerclés de noir et incrustés de terre, sa peau était craquelée et rude, en plus d'être recouverte d'une permanente couche de poussière et de sueur. Ses cheveux ayant presque toujours été coiffés en natte, ils n'étaient pas en mauvais état, mais ils avaient perdu leur lustre d'antan et étaient maintenant ternes et huileux.

Juste à cette pensée, elle eut envie de se secouer. Était-elle vraiment en train de se soucier de son apparence? Mais quelle idiotie!

Elle avait survécu là où tous auraient péri, elle avait lutté quotidiennement pour sa survie et elle avait traversé un continent complet, mais elle allait réellement se laisser juger pour l'allure de sa coiffure ou l'état de ses ongles?

— Est-ce si important de se bichonner? demanda-t-elle à Junn avec défi. Si nous devons rencontrer vos dirigeants, je crois qu'un simple lavage pourrait les contenter.

Junn la regarda avec un mélange d'amusement et de pitié.

— Je crains que non. Vous découvrirez bientôt que, dans les Montagnes, un mot d'ordre prime sur tous les autres : l'étiquette. Notre peuple n'a pas survécu tout ce temps sous les monts sans faire preuve de discipline, de volonté, mais aussi de perfectionnisme et de respect. Pour nous, le respect se montre dans l'attitude, mais aussi dans l'allure, la démarche, les vêtements et la façon de parler. Les hommes des Montagnes sont en maîtrise de tout, de leurs instincts à ce qu'ils mettent dans leur bouche. Ainsi, présenter une allure parfaite ne peut pas nuire à vos chances de faire bonne impression.

Kaïsha ne répliqua pas, mais sa désapprobation devait se lire sur son visage. Par contre, contrairement à elle, Ko-Bu-Tsu sembla ravie de pouvoir enfin débarrasser sa peau et ses cheveux de la crasse accumulée au fil des mois. Il était vrai qu'avant leur fuite, elle avait toujours vécu dans le confort et le luxe, et chaque partie de son corps était traitée avec délicatesse. Contrairement à Kaïsha, elle était complètement étrangère à la rude vie des champs et au dur labeur.

Junn tira alors sur une chaînette attachée au mur, qui longeait la paroi rocheuse jusqu'au plafond où il bifurquait pour rejoindre un mécanisme complexe qui s'enclencha sous la tension de la chaîne. Après quelques cliquetis, un jet d'eau sortit brusquement d'une sorte de trompe en cuivre pour s'échouer dans la baignoire, qui commença lentement à se remplir. Sous la chaleur du jet, d'épaisses volutes de vapeur se dégagèrent du bain.

— Si vous voulez refroidir l'eau, tirez celle-là, indiqua Junn en montrant la deuxième chaînette d'une série de trois, la première étant celle pour l'eau chaude.

Elle pointa ensuite la troisième en ajoutant :

— Pour arrêter l'eau, vous tirez celle-ci.

Elle les laissa seules après avoir allumé quelques lampes à huile et, bientôt, la pièce fut baignée dans une étrange lueur orangée, sculptée par les volutes de vapeur. Sans autre cérémonie, Ko-Bu-Tsu retira sa chemise de nuit. À quinze ans, elle avait un corps long et svelte, sa poitrine était ferme et ses hanches formaient une belle courbe ronde. Sa peau d'albâtre contrastait avec la pierre sombre et ses iris devenaient rouges au contact de la lumière. En retirant sa propre chemise de nuit, Kaïsha ne put s'empêcher de se comparer avec la stupéfiante beauté de Ko-Bu-Tsu. Elle-même avait beaucoup grandi ces derniers temps et elle avait maintenant presque atteint sa taille adulte. Son corps était resté menu et athlétique, mais ses courbes n'avaient pas la volupté de celles de Ko-Bu-Tsu. Sa poitrine à elle était petite et ses hanches, étroites. Bien que des poils fussent apparus sur son sexe quelques années plus tôt, son corps tenait encore davantage de celui d'une jeune fille alors que Ko-Bu-Tsu avait celui d'une femme.

Ko-Bu-Tsu n'attendit pas un instant de plus et immergea son corps dans les eaux sombres de la baignoire en poussant un soupir d'aise. Kaïsha tira sur le cordon pour arrêter l'eau et rejoignit son amie. L'eau était brûlante et sa peau se mit à rougir, mais bientôt elle s'y habitua et ne ressentit rien d'autre qu'un profond bien-être. Elle avait oublié à quel point l'eau chaude pouvait être une

bénédiction ! Son corps se détendit complètement et les filles passèrent un long moment dans le silence le plus complet à apprécier
pleinement l'extase d'un simple bain.

— Ça faisait longtemps…, murmura Ko-Bu-Tsu, les yeux clos,
un sourire au bord des lèvres.

— Très longtemps, approuva Kaïsha.

Lentement, pour profiter le plus longuement possible de la
chaleur, Kaïsha et Ko-Bu-Tsu prirent les serviettes et les savons,
puis se mirent au travail pour décrasser chaque parcelle de peau.
L'eau du bain devint rapidement trouble, au fur et à mesure que la
poussière, la terre et la crasse décollaient de la peau des filles.
Kaïsha frotta le dos de Ko-Bu-Tsu et celle-ci le lui rendit. Lorsqu'il
n'y eut plus une trace de saleté sur leur peau et que celle-ci fut
entièrement rougie sous l'assaut des serviettes, elles s'attaquèrent à
leur chevelure. Kaïsha ne s'était pas rendu compte à quel point les
siens avaient poussé : ils lui atteignaient presque les hanches. Il
faudrait qu'elle pensât à les couper pour ne pas être gênée dans ses
mouvements. Ceux de Ko-Bu-Tsu, même mouillés, ne perdaient
pas totalement leurs boucles et collaient sur sa peau.

Soudain, un grand raffut se fit entendre à l'extérieur. Ko-Bu-Tsu
et Kaïsha échangèrent un regard étonné, tandis que des cris résonnaient tout près.

— Qu'est-ce qui se passe ? demanda Ko-Bu-Tsu.

— Je n'en ai aucune idée, répondit Kaïsha, mais je pense que
nous ferions mieux de sortir.

Elle allongea le bras pour prendre une serviette lorsqu'un mar-
tèlement de pas se fit entendre dans les escaliers. L'instant suivant,
la porte de la salle s'ouvrit à la volée et des gardes, vêtus de leur
armure et leur lance pointée sur elles, firent leur entrée. Ko-Bu-Tsu
hoqueta de terreur en masquant sa nudité, alors que Kaïsha fut
tellement prise par la surprise qu'elle demeura un instant figée,

avant de reprendre ses esprits et d'agripper la serviette pour les couvrir, elle et Ko-Bu-Tsu. Impassible, un garde s'avança et dit :

— Par ordre du sage, premier maître du Conseil et législateur de la Commune d'Erwem, vous êtes en état d'arrestation.

7

— Cette façon de procéder est inacceptable ! s'exclama Junn, outrée. Vous nous devez des explications !

— Mille excuses, Maître Steloj, répondit le capitaine des gardes, impassible. Mais le sage a ordonné que lui soient amenées les deux étrangères sans délai.

Kaïsha et Ko-Bu-Tsu, impuissantes, assistaient à l'échange entre les parents de Zuo et le capitaine. Entourées de gardes, on leur avait seulement permis d'enfiler leur robe de nuit avant de les conduire vers la sortie, où Zuo les attendait, résolu, bloquant la porte. Junn et Cyam s'étaient également interposés et tentaient de raisonner avec les hommes de la garde.

— Je suis le chef de l'expédition qui a ramené ces jeunes filles ici, expliqua Cyam. À ce titre, je porte la responsabilité de leur présence et exige de savoir le nom de mon accusateur. Qui a dit au Conseil que ces jeunes filles étaient chez moi ?

— Vous aurez à faire face au jugement du Conseil lorsque votre tour viendra, soyez-en assuré, répondit le capitaine. Pour ce qui est de l'informateur, il désire garder l'anonymat et il a communiqué directement avec le sage à la première heure ce matin. Le Conseil, pour l'instant, n'est au courant de rien. C'est pourquoi il nous est ordonné de ne pas attendre et d'emmener ces intruses devant le sage lui-même. La suite n'est pas de notre ressort.

Kaïsha écoutait attentivement tout ce qu'ils se disaient et se maudissait d'avoir laissé sa dague dans la chambre de Zuo. La fine robe de nuit était la seule chose qu'elle avait sur le dos, et son corps trempé faisait coller le tissu sur sa peau. De ses cheveux mouillés ruisselaient des filets d'eau qui formaient une flaque à ses pieds nus. Ko-Bu-Tsu et elle grelottaient alors que les hommes qui les cerclaient portaient tous une épaisse tunique bordée de fourrure grise. Lorsque Zuo le vit, il s'écria de colère :

— Vous les traitez comme des criminelles ! Non, c'est pire ! Vous ne feriez même pas ça à un criminel d'ici !

— Justement, elles ne sont pas d'ici, rétorqua le capitaine.

Sans plus attendre, il força le chemin et sortit de la maison, ses hommes sur ses talons, et Kaïsha et Ko-Bu-Tsu obligées d'en faire de même. Kaïsha voulut lutter, mais Ko-Bu-Tsu posa une main sur son bras et secoua la tête. Elles entendirent Zuo pousser un juron et, un instant plus tard, il se faufila entre les gardes et se plaça derrière elles en leur jetant une couverture de laine sur les épaules. Kaïsha et Ko-Bu-Tsu se serrèrent l'une contre l'autre sous l'épais tissu et longèrent le corridor assombri, suivies par Zuo et entourées de leur escorte. Seuls deux gardes demeurèrent en arrière pour empêcher Cyam et Junn de les suivre. Kaïsha entendit la mère de Zuo lancer un appel désespéré à son fils et la mâchoire de ce dernier se crispa douloureusement, mais il ne fit pas demi-tour et demeura avec ses amies.

L'air était tiède, mais le sol était froid et lisse, et Kaïsha peinait à garder l'équilibre, ses pieds mouillés n'arrêtant pas de glisser. Zuo le vit et lui prit le bras par-dessus la couverture. Kaïsha lui offrit un sourire peu convaincant, mais Zuo fit semblant de ne pas le remarquer et sourit lui aussi, alors que ses yeux étaient apeurés.

Ils traversèrent la Grande place, encore vide à cette heure, sauf pour quelques vendeurs à leur étal qui commençaient à déballer des sacs contenant ce que Kaïsha devinait être des marchandises qu'ils vendraient aujourd'hui. Ils les dévisagèrent à leur passage, mais l'escorte qui les accompagnait se resserra pour les cacher des regards indiscrets. Kaïsha remarqua que l'éclairage sous le dôme de pierre avait changé. Au lieu de la clarté bleutée de la lune, l'endroit baignait dans une douce nuance de rose, d'orange et de jaune, pas aussi chaude qu'au coucher du soleil, mais encore teintée du froid de la nuit mourante. En levant les yeux, Kaïsha vit les miroirs au plafond faire leur travail, emplissant ce faux ciel de centaines de petits soleils naissants.

Bientôt, ils s'engouffrèrent dans un nouveau tunnel, au plafond si haut que Kaïsha n'arrivait pas à le distinguer. Ils s'enfoncèrent profondément dans un labyrinthe de couloirs sinueux et Kaïsha fut incapable de savoir s'ils étaient au cœur de la montagne ou au bord de la paroi rocheuse. Elle fut cependant certaine qu'ils arrivaient dans une partie importante de la ville, car un tapis avait remplacé le roc sous leurs pieds, les lampes aux murs étaient nombreuses et serties de pierres précieuses, et les murs eux-mêmes étaient recouverts de gravures et de tapisseries qui semblaient antiques. Durant le trajet, personne ne dit un mot et Kaïsha n'avait aucune idée de ce qui les attendait. Ils débouchèrent sur une vaste pièce, qui avait des allures de jardin et qui donnait accès à une unique et massive porte de bois. Kaïsha sut alors qu'ils se trouvaient devant les appartements du sage de la Commune.

Deux hommes gardaient la porte. Kaïsha remarqua que, malgré une armure scintillante et un air austère, ils n'étaient que très légèrement armés. En fait, ils n'étaient là que pour l'apparence de sécurité, pensa-t-elle alors que ces derniers s'approchaient des doubles portes pour les ouvrir dans un même mouvement. Le garde derrière Kaïsha lui donna une petite poussée et ils entrèrent tous dans un hall blanc, brillamment éclairé par la lumière du jour et celle des chandeliers. Un immense tapis couvrait le plancher de marbre et des portraits s'alignaient aux murs. Tous représentaient un homme ou une femme, vêtus de la même longue robe grise et étroite, avec dans une main un livre et dans l'autre, ce qui semblait être une sphère de verre.

— Mes amis, soyez les bienvenus, les accueillit une voix tout près.

Kaïsha sursauta et se tourna pour voir un homme de grande taille, portant la même tunique grise que les gens dans les portraits, s'avancer vers eux. Il avait les mêmes cheveux noirs et longs que tous les hommes des Montagnes, retenus en catogan par un fin ruban argenté, et ses yeux gris pâle les dévisageaient avec un intérêt poli. Malgré son sourire, Kaïsha nota avec perplexité que son regard était froid comme la glace.

À la vue de cet homme, tous les gardes s'inclinèrent avec respect. Même Zuo fit aussitôt une révérence et seules Kaïsha et Ko-Bu-Tsu demeurèrent debout, interdites. L'homme ne sembla pas s'en formaliser pour autant et vint leur faire face. Pendant un moment, nulle parole ne fut échangée. Kaïsha pouvait entendre chaque respiration et trouvait que la sienne était soudain bien bruyante.

— Je suis navré que l'on ait dû vous faire venir aussi tôt, et sans plus d'avis, dit soudain l'homme en regardant leurs chemises de nuit et leurs cheveux mouillés. Mais vous comprendrez, j'en suis sûr, que les circonstances sont exceptionnelles.

Ni Kaïsha ni Ko-Bu-Tsu ne répondirent. Toutes deux pensaient à l'humiliante façon dont les gardes les avaient sorties du bain. Zuo serra les poings, mais gardait les yeux rivés sur le sol, trop intimidé par l'homme. Ce dernier, sentant le malaise, ajouta :

— Je ne me suis pas encore présenté, veuillez me pardonner. Je me nomme Maen, je suis le sage de cette Commune. Et vous êtes ?

— Kaïsha, et voici Ko-Bu-Tsu, répondit Kaïsha sans le quitter du regard.

— Une enfant de deux mondes et une fille du Désert, commenta simplement Maen.

Kaïsha sentit ses joues s'empourprer.

— Cela est-il si apparent, monsieur ?

— Pour un œil expérimenté, oui, répondit-il d'une voix doucereuse. Mais je n'ai aucun mérite en ce sens. Celui qui m'a informé de votre présence ici m'a également dit qui vous étiez. C'est par courtoisie que je vous ai demandé de vous présenter et non par réelle nécessité.

— Je vois, répondit Kaïsha. Et pouvons-nous savoir qui nous devons remercier de nous avoir rapportées à vous ?

— Je crains que cette information ne soit pas pertinente pour vous, indiqua Maen avec un demi-sourire. Il va sans dire qu'il a fait son devoir, en dénonçant la présence d'étrangères sur notre territoire, contrairement au chef de cette expédition.

— Laissez mon père en dehors de ça ! s'écria soudain Zuo, avant que le rouge ne lui montât à la figure et qu'il ne baissât à nouveau la tête.

— Ne craignez rien, petit homme, le rassura Maen. Nous aurons une discussion, votre père et moi, mais aucune action ne sera prise avant qu'il ait pu s'expliquer.

— Il n'a pas à s'expliquer, répliqua Kaïsha. La faute est nôtre. Nous lui avons demandé de venir en ces lieux et il a tenté de nous en dissuader. Seul son amour pour son fils l'a empêché de nous séparer.

— Eh bien, puisque nous en venons à ce sujet, je souhaite particulièrement savoir pourquoi vous avez fait tout ce trajet, mesdemoiselles, précisa Maen en les fixant intensément. Notre communauté n'a pas accueilli d'étrangers depuis des siècles, et ceci, lorsque ce sera su, provoquera une commotion parmi nos citoyens.

Kaïsha planta son regard dans celui du sage. Elle était incapable de deviner ses intentions, mais elle était certaine qu'il n'était pas un homme de confiance.

— Notre histoire est longue, monsieur, répondit-elle avec précaution. Nous laisseriez-vous au moins nous habiller convenablement avant de tout vous expliquer ? L'air est frais et nous risquons de tomber malades si nous demeurons ainsi.

Le sage afficha un air surpris, comme s'il venait juste de se rendre compte qu'elles grelottaient, alors que Kaïsha savait pertinemment qu'il l'avait déjà remarqué.

— Bien sûr ! acquiesça-t-il en s'inclinant. Veuillez excuser mon manque de courtoisie.

Il claqua des doigts et une servante apparut aussitôt en s'inclinant devant lui.

— Monsieur ?

— Grishen, amène ces jeunes gens avec toi et prépare-les comme il se doit. Rends-les présentables pour le Conseil.

— Bien, monsieur.

— Attendez ! intervint Kaïsha, prise au dépourvu. Pourquoi ne pas nous laisser repartir chez Cyam ? Nous y avons des vêtements, je suis sûre que cela sera suffisant.

Maen lui lança un regard acéré, et un sourire mielleux se peignit sur ses lèvres. Kaïsha se mordit la langue. Il n'était pas dupe et elle s'était trahie.

— Non, non, non, mademoiselle, dit-il d'un ton doucereux. Vous ne partirez pas tant que toute cette histoire ne sera tirée au clair. Emmenez-les.

Kaïsha ne put rien ajouter. Les gardes les poussèrent dans le dos et tous les trois furent emmenés à la suite de la servante qui les fit traverser une série de pièces, toutes plus belles et vastes les unes que les autres, jusqu'à ce qu'ils aboutissent dans une chambre drapée de tentures qui les fit se figer sur place tous les trois : cette chambre était décorée dans le style du Désert.

Kaïsha aurait pu jurer qu'on les avait emmenés dans cette pièce particulière pour les intimider. Zuo, Ko-Bu-Tsu et elle échangèrent des regards ; tous étaient devenus livides.

— Kaïsha, quelle était cette idée de demander à s'habiller ? demanda Ko-Bu-Tsu entre ses dents. J'ai l'impression que nous allons avoir plus de problèmes que nous en avons déjà.

— Je pensais pouvoir gagner du temps, admit Kaïsha. En retournant chez Zuo, nous aurions laissé le temps à Cyam de venir s'expliquer...

— Qu'est-ce que nous faisons maintenant ? demanda Zuo en détaillant la chambre avec inquiétude.

— Nous attendons... et nous nous préparons, répondit Kaïsha en serrant les poings.

La servante fit signe aux gardes de les laisser, ce qu'ils firent à contrecœur en jetant des regards mauvais à leurs prisonniers.

— Nous restons derrière la porte, prévint le capitaine d'un air menaçant en les fixant tous les trois. Il n'y a qu'une sortie à cette chambre ; si vous essayez quoi que ce soit...

Il ne finit pas sa phrase, laissant son regard noir appuyer ses paroles en sortant. Des filles et des garçons de chambre entrèrent avant qu'il fermât la porte, apportant tissus et coffrets dans leurs bras. Kaïsha fut fascinée de voir ces enfants des Montagnes, tous si semblables à ses yeux, avec leurs cheveux noirs et leurs yeux gris pâle, qu'ils gardaient baissés.

— Mesdemoiselles, si vous permettez, leur dit la servante plus âgée avec beaucoup de politesse malgré son regard dégoûté, vous passerez derrière ce paravent. Les jeunes filles ici présentes vous habilleront de façon convenable. Monsieur, ajouta-t-elle à l'intention de Zuo, vous connaissez les conventions ; nous avons plusieurs habits, choisissez celui qui vous sied le mieux.

Sans leur laisser plus de temps, on sépara Kaïsha et Ko-Bu-Tsu de Zuo et on les traîna derrière le paravent où les filles de chambre, sans un mot, commencèrent à étaler sur les fauteuils différents modèles de robes, tous plus raffinés les uns que les autres. Les robes semblaient être coupées dans un tissu plutôt épais, comme du velours, et plusieurs d'entre elles étaient bordées de fourrure. Une jeune fille, pas plus vieille que Kaïsha et Ko-Bu-Tsu, leur fit un petit signe de la main pour les inviter à faire leur choix, sans oser lever les yeux. Ko-Bu-Tsu lança à Kaïsha un regard intrigué, puis s'avança vers une robe bleu nuit.

— Ko-Bu, intervint Kaïsha en lui tirant la manche, prend celle-là.

Elle lui pointa une longue robe d'un argenté si pâle qu'elle était presque blanche. Ko-Bu-Tsu fronça les sourcils.

— Tu crois vraiment que c'est une bonne idée ?

— Je crois, oui. Je pense que tu ne devrais pas te cacher. Sers-toi de ta différence et accentue-la. Tu les intimideras bien plus.

Elle lui sourit et Ko-Bu-Tsu la fixa un moment avant de hocher lentement la tête.

— Je ne sais pas si tes idées vont nous sauver ou causer notre perte.

— Je ne sais pas non plus, admit Kaïsha.

Ko-Bu-Tsu prit la robe argentée et, aussitôt, une fille de chambre fut à ses côtés pour l'aider à la revêtir.

— Est-ce que tu comptes provoquer toi aussi ? demanda Ko-Bu-Tsu.

Kaïsha regarda chaque robe. Elles étaient vraiment très belles. Elle n'aurait sans doute jamais l'occasion de porter des vêtements aussi fins. C'était beaucoup trop luxueux pour elle. Elle sourit. Ce type de luxe n'était pas pour elle.

Soudain, elle eut une pensée fugace, mais vive comme une brûlure : et si ça tournait mal ? Et s'ils avaient à se battre ? La dernière chose qu'elle voudrait, ce serait de s'empêtrer les jambes dans des pans de tissus inutiles. Les yeux froids du sage s'imposèrent dans son esprit et un frisson lui parcourut l'échine. Non, assurément, pas de robe. Elle sortit du paravent et s'adressa à la jeune fille de chambre qui gardait les yeux baissés.

— Je voudrais un pantalon, s'il vous plaît. Et peu importe ce que vous avez pour le haut.

L'espace d'une seconde, la jeune fille leva les yeux pour la regarder en face avec surprise, pour les baisser aussitôt en rougissant violemment. Ko-Bu-Tsu se tourna vers Kaïsha avec un sourire entendu. En pleine détresse, la jeune fille de chambre finit par bégayer, d'une toute petite voix :

— N... non, vous ne pouvez pas... v... vous devez prendre une... une robe... Vous devez !

— Merci, mais non merci, lui répondit Kaïsha avec assurance. J'attendrai le temps qu'il faudra.

Prise au dépourvu, la jeune fille lança à nouveau un regard intimidé à Kaïsha avant de s'éloigner rapidement pour parler vivement avec la servante plus âgée. La servante tourna brusquement la tête vers Kaïsha et la dévisagea avec incompréhension et scepticisme. Elle prit une grande respiration et parla doucement à la jeune fille, qui hocha la tête et sortit rapidement de la chambre. Kaïsha ne savait pas si sa demande avait été acceptée, mais la servante ne vint pas la voir et les autres filles de chambre ne s'intéressèrent pas à elle, s'occupant uniquement de Ko-Bu-Tsu. Deux filles s'affairaient à la coiffer, piquant dans ses boucles blanches des perles et des chaînes délicates. Ko-Bu-Tsu, manifestement habituée à être vêtue par d'autres, se laissa faire sans dire un mot.

Zuo apparut soudainement à côté de Kaïsha, vêtu d'une robe pour homme rouge foncé. La coupe étroite mettait en valeur sa taille menue et il semblait un peu plus grand.

— Zuo! s'exclama Kaïsha en le voyant arriver. Je ne t'ai jamais vu aussi élégant.

— Merci, répondit-il, gêné. Mais toi, qu'est-ce que tu vas mettre?

— Je vais le savoir bientôt…

Elle entendit alors la porte s'ouvrir et se fermer à nouveau, et la jeune fille timide qui était partie plus tôt était de retour avec, dans les mains, un paquet de tissu bleu gris. Elle le remit à Kaïsha en s'inclinant sans rien dire, mais cette fois elle osa lever les yeux pour la fixer avec curiosité. Kaïsha la remercia avec un sourire et déballa le paquet.

— Ah! s'exclama-t-elle. C'est parfait! Merci, ajouta-t-elle à l'intention de la jeune fille, qui rougit de plus belle et s'inclina à nouveau.

Elle étala devant elle un pantalon ajusté, une étroite veste sans manches d'un bleu gris et une large ceinture grise coupée dans un tissu épais et rigide. La fille de chambre avait même réussi à lui trouver des sous-vêtements.

— Parfait, répéta-t-elle.

Zuo observa le vêtement avec un drôle de regard, comme s'il le reconnaissait. Il lança ensuite un regard à la fille de chambre, qui rougit à nouveau comme une pivoine avant de se retirer.

— Quelque chose ne va pas? demanda Kaïsha.

— Oh, non, la rassura Zuo. Mais avec cet habit… disons que tu ne passeras pas inaperçue.

Kaïsha voulut lui demander ce qu'il entendait par là, mais Zuo s'était déjà éloigné pour lui permettre de se changer librement. Elle n'insista pas et retourna derrière le paravent, à l'abri des regards, où elle se délesta de sa chemise de nuit pour revêtir la tenue. Le pantalon était bien coupé et elle aima que le tissu fût si ajusté, lui laissant une grande liberté de mouvement. Elle mit la veste et l'attacha sur le devant, puis serra la ceinture à sa taille. Elle jeta un coup d'œil au miroir sur pied qui était posé contre le mur et sourit en se voyant. D'aucuns auraient dit qu'elle était habillée comme un homme ou comme une paysanne, et pourtant, jamais un vêtement n'avait été aussi approprié pour elle.

Lorsqu'ils furent prêts, les gardes vinrent les chercher et, sans un mot, ils emmenèrent Kaïsha, Ko-Bu-Tsu et Zuo hors de la chambre, puis hors des appartements du sage.

— Je ne comprends pas, déclara Zuo aux gardes. Je croyais que le sage voulait nous parler.

Peut-être était-ce parce que Zuo était un fils des Montagnes qu'un des gardes accepta de briser le silence pour lui répondre :

— Il est trop tard pour ça. Le Conseil a été averti et les maîtres ont exigé une rencontre immédiate. Le sage n'a pas eu le choix. Nous vous emmenons à la Coupole.

— Qu'est-ce que la Coupole ? demanda Ko-Bu-Tsu.

— La salle du Conseil, répondit Zuo. Ils y tiennent leurs réunions, et c'est là qu'on va si on a des requêtes à leur formuler.

— Alors, le sage s'est fait damer le pion, constata Kaïsha. J'ai le sentiment que c'est à notre avantage.

— Comment ça ? s'enquit Zuo.

— Parce qu'ainsi, il ne sera pas le seul à nous entendre plaider notre cause. Si ça avait été le cas…

À la vue du regard mauvais que lui lançait un des gardes, elle baissa la voix.

— … il aurait eu une avance sur nous.

— Qu'est-ce que tu veux dire par là ? chuchota Ko-Bu-Tsu, tandis que Zuo se penchait pour entendre.

Kaïsha hésita à répondre devant les gardes et leurs oreilles indiscrètes. Elle fit signe aux deux autres qu'elle leur expliquerait plus tard.

Ils empruntèrent une série de couloirs larges comme des rues, et Kaïsha se rendit compte, en levant les yeux, qu'il s'agissait réellement d'une avenue à l'intérieur ! Des façades de maisons étaient sculptées dans la roche et des fenêtres y étaient percées. Kaïsha vit même des silhouettes se mouvoir derrière les rideaux. Contrairement à leur arrivée précédente, ils n'eurent pas à traverser la Grande place. Le chemin qu'ils avaient emprunté les mena à un hall large comme le centre d'un village, et deux hautes portes en bois, cintrées d'une solide arche en pierre, se dressaient au fond. En les voyant arriver, les gardes qui en surveillaient l'entrée frappèrent le sol de leur lance et le bruit résonna dans le hall en entier. Presque aussitôt, les portes du hall s'ouvrirent et Kaïsha, Ko-Bu-Tsu et Zuo firent leur entrée dans la Coupole.

8

Kaïsha fut un instant aveuglée par l'éclat de lumière qu'un miroir au plafond réfléchissait sur elle. Lorsque sa vue lui revint, elle se figea un instant de stupeur.

La Coupole portait son nom avec justesse. À l'image de la Grande place, le plafond décrivait une large courbe, donnant à l'endroit la forme d'un dôme parfait. Toutefois, les murs étaient entièrement gravés de sculptures complexes. Chaque parcelle de roc avait été travaillée et la Coupole formait une immense fresque, aussi impressionnante qu'intimidante. Au-dessous, fixées sur eux, des centaines de paires d'yeux s'étaient tournées.

Kaïsha déglutit à la vue des maîtres qui, perchés sur des estrades longeant le mur tout autour de la pièce, les dévisageaient intensément. Certains les regardaient avec méfiance, d'autres, avec dégoût. Seuls quelques-uns leur adressaient un coup d'œil intéressé ou curieux. La rumeur du brouhaha qui s'échappait de la Coupole avant qu'ils n'entrassent fit place à un silence de mort. Seul le murmure d'un ruisseau osait se faire entendre, mais Kaïsha n'arrivait pas à voir d'où il provenait.

— Mesdemoiselles, monsieur, soyez les bienvenus, les accueillit une voix mielleuse.

Kaïsha la reconnut aussitôt et vit le sage, trônant dans un large fauteuil cramoisi au plus haut de la plus haute estrade, au fond de la salle, directement face à l'entrée. Il affichait un air serein et bienveillant, mais ses yeux lançaient des éclairs glacials et Kaïsha sut aussitôt qu'elle avait eu raison. Le sage avait voulu les avoir sous sa poigne dès leur arrivée et ainsi avoir le dessus sur toute action qu'ils auraient entreprise. Maintenant que le Conseil était averti et qu'ils devaient se montrer en public, il avait perdu cette chance.

Lentement, Kaïsha, Ko-Bu-Tsu et Zuo s'avancèrent vers le milieu de la pièce, large espace vide encerclé par les tribunes. Ainsi plantée au centre de la Coupole, sous le regard de tous les maîtres demeurés silencieux, Kaïsha se sentit petite et vulnérable, et cette sensation la frustra plus qu'elle l'aurait imaginé. Levant la tête haute, elle dévisagea chaque maître, homme et femme, les mettant au défi de croiser son regard. Peu le firent, mais beaucoup fixèrent son habillement avec dédain, à sa grande satisfaction. Parmi les rares qui répondirent à son appel silencieux, elle vit une femme assez forte lui adresser un regard étonnamment amical, un vieil homme la scruter avec curiosité et un autre la regarder franchement, avec des yeux sombres et durs, des yeux de pierre. Kaïsha eut du mal à détacher son regard de cet homme, parce que de tous ceux ici, il était le seul qu'elle n'arrivait pas à déchiffrer. Il la regardait comme s'il la connaissait, ou la reconnaissait, et pourtant, Kaïsha aurait pu jurer qu'ils ne s'étaient jamais rencontrés.

Le sage se leva alors de son siège et le silence tomba sur la salle. Kaïsha détacha son regard de l'homme aux yeux de pierre pour se tourner vers Maen. Ce dernier leva les mains de façon cérémonieuse, puis déclara :

— Le Conseil d'Erwem a été convoqué d'urgence ce jour d'hui afin de se pencher sur une question qui ne saurait souffrir d'aucun délai : la présence sur notre territoire d'étrangères. Un tel phénomène ne s'est pas produit depuis des siècles, et c'est pourquoi les raisons de leur présence parmi nous devront être étudiées avec le plus grand sérieux, ainsi que leurs implications pour notre peuple.

Les maîtres approuvèrent en silence, continuant d'observer Kaïsha, Ko-Bu-Tsu et Zuo avec dédain ou curiosité. Le sage sembla satisfait d'avoir ainsi le Conseil sous sa coupe, et son sourire mielleux s'agrandit encore lorsqu'il s'adressa poliment aux étrangères :

— Pourriez-vous vous avancer et décliner votre nom et votre nation, s'il vous plaît ?

Kaïsha comprit tout de suite l'intention du sage de la diminuer en l'obligeant à exposer sa nature condamnée, et elle voulut lui montrer qu'il ne lui faisait pas peur en s'avançant la première, mais une main se posa sur son épaule avant même qu'elle ne fît le premier pas. Surprise, elle se tourna pour voir Zuo, l'air déterminé, s'avancer devant le sage et clamer haut et fort :

— Zuo Steloj, enfant des Montagnes.

Un murmure parcourut la salle. Il était évident que les maîtres savaient qui il était, puisque c'était pour le retrouver qu'une expédition avait été envoyée dans le Désert. Pourtant, il s'était présenté à eux comme un étranger, au même titre que ses amies, qui étaient les récipiendaires de tous ces regards méfiants. Ko-Bu-Tsu s'avança alors à son tour et annonça, d'une voix plus douce, mais qui ne tremblait pas :

— Ko-Bu-Tsu de Tek-Mar, enfant du Désert.

Cette fois, les maîtres ne cachèrent pas leur curiosité et dévisagèrent tous Ko-Bu-Tsu avec des réactions partagées. Plusieurs se mirent à parler entre eux sans même prendre la peine de murmurer tout en pointant ses cheveux blancs. Ko-Bu-Tsu baissa les yeux sous cette pression et serra les poings, endurant leur jugement en silence.

Kaïsha ne voulut pas la laisser subir cette épreuve plus long-temps et s'avança à son tour pour leur donner un sujet de conver-sation qu'ils préféreraient de loin à la couleur des yeux et des cheveux de Ko-Bu-Tsu. Elle balaya l'assemblée du regard et lorsqu'elle fut sûre que les maîtres avaient reporté leur attention sur elle, elle dit d'une voix forte :

— Kaïsha du village des Lavandes...

Le sage lui lança un regard flamboyant qu'elle soutint lorsqu'elle termina :

— ... enfant de deux mondes.

Un murmure stupéfait parcourut la salle. De toute évidence, tous attendaient le moment où ce sujet serait abordé, mais ne s'at-tendaient sûrement pas à ce que ce fût elle qui brisât la glace. Même Ko-Bu-Tsu et Zuo la regardèrent avec surprise. Le sage, quant à lui, afficha un rictus.

— Vous ne niez donc pas votre nature ? l'interrogea-t-il d'un ton accusateur.

Kaïsha le dévisagea avec défi. Quel était donc son plan ? Encore une heure plus tôt, il les accueillait avec courtoisie et notait qu'elle était une enfant de deux mondes comme si c'était banal. Maintenant, il agissait comme s'ils se rencontraient pour la pre-mière fois, et la regardait avec dégoût. C'était un autre homme qu'elle avait sous les yeux et Kaïsha fut alors sûre qu'il s'agissait du véritable Maen. Celui de ce matin, dans son palais blanc et avec ses manières amicales, n'était qu'un masque. Elle répondit à sa ques-tion avec aplomb :

— Non, je ne la nie pas.

— Je vois, répondit le sage, son rictus toujours accroché aux lèvres, avant de s'adresser brusquement à Zuo : Je suppose, Monsieur Steloj, que vous étiez vous-même au courant que votre compagne de voyage est une enfant de deux mondes ?

Zuo sursauta d'être ainsi le centre de l'attention. Blanc comme Ko-Bu-Tsu, l'air apeuré, son corps frêle tremblait comme une feuille. Mais lorsqu'il répondit, sa voix était assurée :

— Oui, je le savais.

— Et pourtant, continua aussitôt le sage, le ton accusateur et le regard flamboyant, vous avez fait entrer cette chose dans l'enceinte sacrée d'Erwem, votre propre Commune natale ? Sans parler de cette créature…, ajouta-t-il en jetant un regard dédaigneux à Ko-Bu-Tsu dont les joues blanches se teintèrent d'un rose pâle sous l'insulte.

Zuo, désemparé, était incapable de répondre à cette accusation. Il chercha de l'aide du regard, mais les maîtres étaient tous muets, attendant la suite avec intérêt. Le sage compléta sa tirade en lui demandant :

— Pour quelle raison avez-vous commis un tel acte, Monsieur Steloj ?

Zuo le fixa avec incompréhension avant de répondre la chose la plus naturelle pour lui :

— Parce que ce sont mes amies.

Un nouveau murmure traversa l'assemblée. Kaïsha remarqua que plusieurs maîtres étaient attendris par l'innocence et la douceur naturelle de Zuo. En son for intérieur, Kaïsha se sentit rassurée. Si les choses tournaient mal pour Ko-Bu-Tsu et elle, au moins Zuo avait de bonnes chances de s'en sortir indemne. Au regard qu'elle échangea avec Ko-Bu, elle comprit que celle-ci pensait la même chose.

Le sage Maen devait avoir lui aussi remarqué le changement d'atmosphère, car il laissa tomber, les dents grinçantes :

— Peut-être vaudrait-il mieux faire venir le père de cet enfant. Après tout, il est le responsable de l'expédition qui a ramené les étrangères. Il répondra de ses actes.

— Non ! cria Zuo avec terreur.

Les maîtres murmurèrent entre eux et plusieurs hochèrent la tête. Le sage eut alors un rictus satisfait et pour Kaïsha, ce fut trop.

— ÇA SUFFIT ! tonna-t-elle, sa voix couvrant toutes les autres, amplifiée par le dôme de la Coupole.

Le silence tomba aussitôt. Les maîtres dévisagèrent tous Kaïsha, mais cette fois, il y avait plus de surprise que de colère dans leurs regards. Kaïsha se sentit complètement gauche devant cette assemblée dont elle venait de réclamer l'attention. Maintenant qu'elle l'avait, elle ne savait pas quoi dire. Elle balaya la salle du regard. Tous attendaient qu'elle parlât. Même Maen avait laissé tomber son air arrogant pour la stupéfaction.

— Je sais que notre présence ici vous déplaît, déclara Kaïsha avec lenteur, voulant être sûre que chacun de ses mots trouvât leurs oreilles et essayant de paraître calme et sereine. Je sais aussi que ce que je suis, et ce que Ko-Bu-Tsu est, vous dégoûte et vous effraie.

Un murmure désapprobateur parcourut alors l'assemblée et Kaïsha dut hausser le ton pour se faire entendre :

— Si nous vous avons manqué de respect de quelque façon que ce soit, nous nous en excusons, continua-t-elle avec aplomb.

Elle regarda alors Maen droit dans les yeux et compléta :

— Mais, personnellement, je ne m'excuserai jamais d'être qui je suis.

Une rumeur traversa les bancs, mais cette fois, Kaïsha perçut une différence. Certaines voix étaient encore haineuses et dégoûtées, mais d'autres étaient surprises et même (était-ce possible ?) intéressées. Kaïsha osa jeter un coup d'œil. Tout le monde la regardait, mais beaucoup, à son grand étonnement, affichaient un air curieux. Soudain, elle se sentit moins un objet de haine qu'un objet d'étude, comme si elle était un spécimen d'une plante rare que plusieurs maîtres auraient aimé examiner. Cette sensation n'était pas vraiment plus agréable que la précédente, mais elle y vit tout de même une amélioration. Elle regarda Ko-Bu-Tsu. Cette dernière la fixait avec inquiétude. Kaïsha savait qu'elle essayait de lire en elle, de deviner où elle voulait en venir. Kaïsha elle-même ne le savait pas vraiment. Elle improvisait pour les sortir de ce pétrin, mais elle avançait à l'aveuglette.

En regardant Ko-Bu-Tsu, Kaïsha la vit soudain différemment. Sous son masque insondable, Ko-Bu était encore une enfant terrifiée, qui ne connaissait presque rien du monde et qui n'avait nulle part où aller. Kaïsha se tourna alors vers les maîtres et s'adressa cette fois à l'assemblée :

— Maîtres, je m'appelle Kaïsha, et en vérité, je suis l'Enfant des trois mondes.

Des murmures stupéfaits accueillirent sa déclaration, mais elle les ignora et continua :

— Je suis née d'une femme de la Forêt et d'un homme de la Mer, mais j'ai été élevée dans les Plaines, que je considère comme ma maison et ma nation. Ma mère adoptive m'a caché ma nature jusqu'à mes treize ans.

Évoquer Espérance fut comme un coup de couteau. La douleur fut si vive que Kaïsha ne put continuer pendant un instant. Elle ne s'était pas rendu compte à quel point sa mère lui manquait ; c'était presque insupportable.

Personne, ni les maîtres ni le sage, ne brisa le silence. Ils étaient tous pendus à ses lèvres et attendaient qu'elle reprît la parole. Kaïsha inspira profondément, chassa le visage aimant d'Espérance de sa tête et continua :

— Je suis partie à la recherche de mes parents la même année, mais j'ai été enlevée sur le chemin et j'ai été vendue comme esclave dans le Désert. L'homme qui m'a achetée se trouvait être le général des forces armées du Désert. C'est en étant son esclave que j'ai fait la connaissance de Ko-Bu-Tsu et de Zuo. Elle était sa prisonnière et lui, esclave comme moi.

De nouveaux murmures montèrent et des regards passèrent de Kaïsha à Ko-Bu-Tsu. Personne ne semblait s'être demandé qui elle était et d'où elle venait, mais maintenant, ils la regardaient avec intérêt. Kaïsha reprit :

— Vous connaissez la suite. Une expédition menée par le père de Zuo a été envoyée pour le sauver, mais il a refusé de partir sans Ko-Bu-Tsu et moi.

De nouveaux regards se dirigèrent vers Zuo.

— Il est vrai que Ko-Bu-Tsu et moi aurions pu partir de notre côté, mais si nous avons fait tout ce chemin jusqu'ici, c'est que nous avons quelque chose d'important à vous dire, souligna Kaïsha avec toute la gravité dont elle était capable pour capter leur attention.

Elle semblait avoir réussi, car un silence lourd tomba autour d'elle. Son cœur se mit à battre encore plus rapidement et elle ne sentait plus ses jambes, mais elle dit :

— Maîtres, je sais que notre présence ici vous déplaît. Pour ma part, après avoir délivré le message pour lequel je suis venue jusqu'à vous, je suis prête à repartir dans l'heure et quitter votre nation à jamais.

Ko-Bu-Tsu et Zuo émirent aussitôt des protestations, mais Kaïsha les ignora et poursuivit, d'une voix plus forte :

— Je m'y engage sur mon honneur, si c'est votre désir. Mais je vous demande humblement de laisser Ko-Bu-Tsu rester ici chez les Steloj. Elle n'a plus de famille et nulle part où aller. Je vous supplie de lui offrir l'hospitalité.

— Kaïsha! s'exclama Ko-Bu-Tsu, stupéfaite. Qu'est-ce que tu fais ?

— Tu n'es pas sérieuse ? s'alarma Zuo en lui prenant le bras.

— Arrêtez, leur lança Kaïsha d'un ton plus sec qu'elle l'aurait voulu. Ko-Bu, tu seras bien plus heureuse ici avec Zuo qu'à me suivre sur les routes.

Ko-Bu-Tsu voulut répliquer, mais Maen l'interrompit :

— Excusez-moi, mais avant de négocier quoi que ce soit, quel est ce message que vous tenez tant à nous transmettre ?

Kaïsha remarqua que si sa voix était toujours froide comme la glace, il n'affichait plus cet air mauvais. Il avait maintenant l'air grave et sérieux et elle vit enfin en lui le dirigeant de la Commune d'Erwem. Kaïsha s'adressa directement à lui, profitant de cette occasion peut-être unique qu'elle aurait que le sage la prît au sérieux :

— Lorsque j'étais dans le Désert, j'ai été témoin d'une rencontre entre l'empereur et ses seigneurs.

Sa gorge était sèche et sa langue, pâteuse. Elle déglutit.

— Ils planifient une invasion. Sur toutes les nations.

Maen la regarda avec incompréhension. Seul le doux bruit du ruisseau invisible résonna sous la Coupole. Soudain, une femme d'âge mûr, assise non loin de Kaïsha, s'avança sur son siège et lui demanda :

— Voulez-vous dire que la nation du Désert planifierait... une guerre ?

Kaïsha se tourna vers elle. « Guerre. » Ce mot appartenait à la mythologie, pas à la réalité. Combien de siècles s'étaient écoulés depuis la dernière fois que ce terme avait eu sa raison d'être ? Oh, on disait que dans la nation de la Forêt, les tribus passaient leur temps à s'attaquer les unes les autres, mais pouvait-on parler là de « guerre » ? Le seul terme semblait sortir des abysses du passé, une réalité que personne ne connaissait sur cette Terre. Pourtant, Kaïsha affronta le regard de la maître et acquiesça :

— Oui, madame.

— C'est absurde! s'exclama alors un homme aux sourcils broussailleux si épais qu'ils cachaient ses yeux. Maître Friya, vous n'allez pas croire les inepties de cette enfant dont la seule existence est une insulte! Il est évident qu'elle a inventé cela pour nous berner!

Plusieurs voix s'élevèrent pour approuver les paroles de l'homme, mais la maître nommée Friya ne détacha pas ses yeux de Kaïsha et répondit avec gravité :

— Vous croyez, Maître Pentu? Moi, je vois la vérité dans les yeux de cette enfant.

Kaïsha s'accrocha à cette femme comme à une bouée. Il fallait qu'ils la croient!

— Je suis d'accord avec maître Friya, déclara alors un homme au visage long et aux paupières lourdes. Pourquoi nous mentirait-elle? Elle aurait intérêt à capter notre attention si elle désirait notre hospitalité, or, elle vient d'offrir de quitter notre nation en échange de cette information.

— Elle le ferait pour son amie, répliqua un autre maître à sa droite. Regardez-la donc! Elle a la pâleur de la mort et les yeux rouges de la braise! Je ne sais pas ce qu'elle est, mais elle ne survivrait pas deux jours sous les mains de superstitieux comme ces naïfs des Plaines ou ces sauvages de la Forêt!

— Depuis quand le Désert voudrait-il attaquer une autre nation? se scandalisa alors une maître à l'air pincé. Nous vivons en paix depuis plus d'un millénaire, pour quelle ridicule raison une nation voudrait-elle la briser?

— Je vous assure que c'est la vérité! cria Kaïsha pour couvrir toutes les voix qui s'élevaient dans une cacophonie assourdissante. Ils le prévoient depuis plusieurs générations. Ils sont en train de développer des armes et ils entraînent des soldats. L'empereur veut agrandir son royaume en détruisant toutes les nations. Pour lui, les seuls humains qui méritent de vivre sont les hommes du Désert. PAR LA GRANDE MÈRE, REGARDEZ COMMENT ILS TRAITENT LEURS ESCLAVES ! Elle avait crié si fort et avec tant de colère que tous les maîtres se turent. Kaïsha sentit une larme couler sur sa joue et elle l'essuya machinalement. Comment pouvaient-ils être aussi aveugles ?

— Les gens du Désert n'ont pas de respect pour les autres nations, continua-t-elle avec colère. Pour eux, nous ne servons qu'à leur fournir des matériaux et de la main-d'œuvre. Ils n'hésiteront pas une seconde à tout mettre à feu et à sang, croyez-moi !

D'un geste brusque, elle abaissa le col de sa veste pour dévoiler son omoplate droite, où le sceau du général était imprimé à jamais dans sa chair. Surpris et consternés, les maîtres se penchèrent sur leur siège pour constater de leurs propres yeux la marque de cruauté qu'un humain pouvait laisser sur un autre. Plusieurs murmures horrifiés furent échangés.

Kaïsha se tourna alors vers Ko-Bu-Tsu. La fille du Désert pleurait en silence, de colère et de honte. Elle appartenait à ce peuple qui la rejetait. Elle était du côté des victimes comme de celui des bourreaux. Zuo baissa la tête, les yeux encore remplis des horreurs passées. Kaïsha leva la tête vers les maîtres et déclara d'une voix forte :

— Nous avons tous les trois été victimes de leur cruauté. Nous savons de quoi ils sont capables.

Un très long silence suivit sa dernière phrase. Aucun maître n'osait dire quoi que ce fût. Chacun d'eux semblait prendre sur lui le poids de la révélation de Kaïsha. Certains semblaient atterrés, d'autres secouaient la tête en déni. Quelques-uns semblaient tout simplement perdus. Le sage avait perdu ses couleurs, mais ce fut avec une voix calme qu'il demanda finalement :

— Pourquoi avoir fait tout ce chemin pour nous dire cela, Enfant des trois mondes ?

Kaïsha releva la tête et s'adressa à lui pour la première fois avec douceur :

— Parce qu'il est encore temps d'agir. Il faut prévenir tout le monde, toutes les nations, et se préparer à les affronter.

— C'est impossible, fit remarquer Maen.

— Non, c'est possible ! répliqua Kaïsha avec plus de conviction qu'elle n'en ressentait vraiment. La preuve, c'est que nous sommes ici et que vous nous avez entendus.

Maen la dévisagea encore un moment en silence, puis poussa un soupir profond qui sembla le vider de toute son énergie. Soudain, il semblait plus vieux de dix ans. Il se massa le front d'une main, visiblement dépassé par les évènements.

— Sage ? avança soudain maître Friya de sa voix calme.

— Oui, Maître Friya ? répondit ce dernier.

— Je suggère que le Conseil se réunisse demain pour discuter de cette situation unique. Laissons-nous le temps de réfléchir à tout cela et de retrouver notre calme avant d'aborder à nouveau le sujet.

— C'est une excellente idée, concéda le sage.

— Que faisons-nous d'elles ? demanda un autre maître, un homme tout petit au visage de souris.

Le sage passa son regard de Kaïsha à Ko-Bu-Tsu, puis enfin sur Zuo, avant de déclarer :

— Ces jeunes filles ont fait un très long chemin pour délivrer ce message. Jusqu'à ce que nous ayons la confirmation de vos dires, Enfant des trois mondes, je vous autorise, vous et la fille du Désert, à demeurer parmi nous.

Kaïsha sentit son cœur se gonfler de joie dans sa poitrine et Ko-Bu-Tsu lui lança un regard plein d'espoir à travers ses larmes, mais le sage ajouta, la voix dure et glaciale :

— Prenez bien en note ceci, toutefois : si vous commettez le moindre impair, si, pour quelque raison que ce soit, vous entachez la vie de notre Commune ou si vous causez du tort à même un seul de nos citoyens, vous serez immédiatement chassées de notre nation. Est-ce clair ?

— Absolument, répondit aussitôt Kaïsha.

De nouveaux murmures s'élevèrent des gradins, où les maîtres d'Erwem commentaient entre eux la décision sans appel de leur sage. Beaucoup secouaient la tête avec aversion, mais Kaïsha nota un bon nombre de visages moins antipathiques. La maître dénommée Friya eut même un discret hochement d'approbation.

— Je me lève contre cette décision, déclara soudain une voix grave au milieu des gradins.

Le cœur de Kaïsha manqua un battement et elle fit volte-face pour voir qui avait parlé. Presque sans surprise, elle vit le maître aux yeux de pierre, celui qui l'avait regardée comme s'il la connaissait, se lever lentement de son siège pour faire face à l'assemblée, qui s'était aussitôt tue pour le laisser parler.

Kaïsha remarqua que cet homme était plus jeune qu'elle l'avait cru de prime abord. Il ne devait pas avoir plus de quarante ans, mais ses traits étaient creusés et ses yeux étaient cernés, comme s'il avait vieilli prématurément. L'homme la regarda avec une franche hostilité avant de se tourner vers le sage.

— Je pense qu'il s'agit d'une grave erreur que de laisser des étrangers franchir nos frontières. Ils ont une nature mauvaise et sont semeurs de chaos. Je prédis le malheur de cette Commune si ces intruses demeurent parmi nous.

— Je connais votre opinion sur les étrangers, Maître Saï, répondit calmement Maen. Tout comme je connais ses fondations. C'est pour cette raison que je rejette votre opposition pour manque d'objectivité.

De quelles fondations parlait-il ? Kaïsha essaya de scruter le visage de maître Saï, mais celui-ci demeura fermé et sombre. Seule sa mâchoire se crispa en signe de colère tandis qu'il s'inclinait devant la décision du sage et reprenait sa place, silencieux comme une tombe. Kaïsha essaya de croiser son regard, mais il l'évita avec application et garda les yeux fixés sur Maen. Ce dernier se leva à son tour de son fauteuil, aussitôt imité par tous les maîtres, dans un raclement de chaises bruyant et répété par l'écho de la Coupole.

— Maîtres d'Erwem, s'il n'y a pas d'autres objections, je vais officialiser mon jugement, déclara Maen d'un ton solennel.

Aucun maître n'émit le moindre son et le sage hocha la tête. Il leva haut les mains devant lui et, paumes tournées vers l'extérieur, il déclara :

— Que les anciens nous guident et nous apportent leur sagesse en ce jour où le sage d'une Commune des Montagnes rend un jugement. Moi, Maen, sage de la Commune d'Erwem et défenseur du savoir des anciens, je déclare ceci : Ko-Bu-Tsu, fille du Désert et Kaïsha, Enfant des trois mondes, reçoivent aujourd'hui la permission de vivre en nos terres, sous la tutelle des enfants des Montagnes Cyam et Junn Steloj, considérés comme responsables de leur présence parmi nous. Qu'elles soient traitées, et se comportent, en concordance avec nos lois, nos coutumes et nos croyances. Toute personne portant atteinte à ce droit sera jugée et punie. Ce privilège leur sera accordé aussi longtemps que le Conseil d'Erwem le jugera bon. En cas de décision contraire, il sera demandé aux deux personnes concernées de quitter ces lieux et cette nation sur l'heure. Par les pouvoirs qui me sont conférés par nos guides et par la Commune d'Erwem, j'autorise ce jugement et le rends applicable à l'instant.

9

Sitôt après avoir annoncé son jugement, le sage Maen mit fin à la séance et les maîtres se levèrent pour quitter la Coupole. Kaïsha, Zuo et Ko-Bu-Tsu demeurèrent figés au milieu de la salle, encore incertains de ce qu'ils venaient d'entendre. Kaïsha chercha un regard ou une approbation quelque part, mais les maîtres qui passaient près d'eux ne leur accordèrent pas la moindre attention. Redevenu aussi froid qu'avant, Maen leur tourna le dos et disparut derrière une porte dérobée. Ce fut seulement lorsqu'elle vit maître Friya, plus loin, lui adresser un petit hochement de tête accompagné d'un sourire, que Kaïsha comprit qu'ils avaient vraiment réussi et poussa un long soupir de soulagement. Toute la tension dans son corps fondit d'un coup et elle se sentit aussi épuisée que si elle avait couru pendant des heures.

— C'est… c'est fait ? demanda Ko-Bu-Tsu, l'air incertaine.

— Je crois…, dit Zuo en regardant les derniers maîtres sortir par les doubles portes.

Ils étaient à présent seuls. Le murmure du ruisseau se faisait à présent mieux entendre et en regardant pour la première fois de près, Kaïsha en vit l'origine : c'était, à l'instar de la Grande place, de l'eau qui coulait d'un puits aménagé au plus haut de la Coupole. Mais ici, cette eau était recueillie et dirigée vers un labyrinthe de rigoles aménagées à même la pierre du mur. Ces minuscules ruisseaux coulaient ainsi tout autour de la Coupole, telles les racines d'un arbre, et leur musique résonnait dans l'air. Kaïsha comprit pourquoi cette salle était sacrée : elle avait l'impression d'être au cœur d'un être vivant.

Soudain, l'une des portes s'ouvrit et la jeune servante à qui Kaïsha avait demandé plus tôt des pantalons passa la tête dans l'ouverture. Les voyant seuls, elle entra et s'avança timidement vers eux, un bol rempli de fruits dans les mains.

— J'ai pensé que vous auriez faim…, dit-elle avec une petite voix, gardant les yeux baissés.

Kaïsha se rendit soudain compte qu'effectivement, elle mourait de faim. Zuo saisit une pomme trônant au milieu des autres fruits et s'exclama :

— Ouah ! C'est trop gentil, merci !

La jeune fille rougit et adressa un sourire timide à Zuo.

— C'est vrai qu'avec tout ça, j'en avais oublié ma faim, souligna Ko-Bu-Tsu en saisissant une orange. Comment faites-vous pour faire pousser de tels fruits dans ce climat ?

— Dans les serres, répondit la jeune fille avec un petit sourire fier.

Elle se tourna vers Kaïsha et demanda d'une voix gentille :

— Vous voulez quelque chose ?

Kaïsha décida à cet instant que cette fille lui plaisait. Toute menue, avec ses grands yeux de hibou qui lui donnaient l'air perpétuellement étonnée, elle attirait déjà la sympathie. C'était toutefois sa timide gentillesse qui toucha Kaïsha. Elle lui offrit son plus beau sourire en piochant une poire dans le bol.

— Merci, c'est vraiment généreux de ta part.

— Ce n'est rien, répondit aussitôt la jeune fille en rougissant.

Elle baissa un instant les yeux au sol, l'air gênée, avant de les relever vers Kaïsha.

— Ce n'était vraiment pas correct, la façon dont ils vous ont traitées, dit-elle soudain avec timidité. Même si vous êtes des étrangères, vous avez été invitées par un explorateur d'Erwem. Ils auraient dû attendre que l'explorateur vous présente, mais un des membres de son équipe était tellement révolté à l'idée qu'on vous laisse entrer qu'il a couru avertir la milice dès que vous êtes arrivés. J'ai entendu les autres femmes de chambre en parler.

Kaïsha hocha lentement la tête.

— Je m'attendais à ce genre de traitement.

— Moi aussi, acquiesça Ko-Bu-Tsu. En fait, j'ai été surprise que nous puissions entrer hier sans nous faire arrêter.

Zuo secoua la tête, l'air grave.

— Cette intolérance est terrible. Quand nous vivons ici, nous pensons que le peuple des Montagnes est le plus évolué de tous, mais au fond, nous sommes aussi fermés d'esprit que les autres nations.

Ko-Bu-Tsu lança un regard peiné à Zuo. Il répétait à présent ce qu'elle-même avait prédit quelques jours plus tôt, mais l'amertume dans sa voix rendait la chose pire encore. La jeune fille aux grands yeux fit une moue contrariée, puis murmura :

— Vous ne me dégoûtez pas…

Kaïsha sentit une petite flamme jaillir dans sa poitrine.

— Merci, dit-elle avec chaleur. Comment t'appelles-tu ?

— Nihiri, répondit l'intéressée, maintenant plus à l'aise.

Elle hésita un moment, puis lança :

— J'ai vraiment admiré ce que vous avez fait tout à l'heure. Vous avez tenu tête au sage et à nos coutumes en vous habillant comme ça, et maître Friya m'a dit en sortant que vous aviez affronté le Conseil à vous toute seule… C'est la première fois que je rencontre quelqu'un comme vous ! Surtout que vous êtes…

Nihiri s'interrompit et se mordit la lèvre, comme regrettant d'en avoir trop dit. Kaïsha comprit tout de suite et décida de ne pas laisser tomber ce sujet, puisqu'il était mis sur la table.

— Nihiri, tu sais ce que je suis, n'est-ce pas?

Nihiri eut l'air mal à l'aise. Elle baissa les yeux et hésita avant de répondre :

— Vous êtes une enfant de deux mondes.

— L'Enfant des trois mondes, corrigea Kaïsha. Est-ce que cela te gêne? Tu peux me tutoyer.

Nihiri était visiblement troublée. Elle fixa ses souliers un bon moment avant de murmurer :

— J... je ne sais pas, je n'ai jamais vu un enfant de deux mondes avant... C'est... un peu étrange...

Elle releva alors la tête, l'air plus décidée :

— Mais, je veux dire, vous, euh! Tu... tu n'es pas bizarre! Tu as l'air normale, je veux dire! Tu n'es pas comme on dit que les enfants de deux mondes sont... euh, pardon, de trois mondes...

Elle leva ses grands yeux dans ceux de Kaïsha et conclut, un peu maladroitement :

— Je ne te méprise pas. Au contraire, j'aimerais être ton amie, ici.

Il avait sûrement fallu beaucoup de courage à Nihiri pour même formuler la pensée d'être amie avec une enfant de deux mondes. Pourtant, elle l'avait demandé comme une faveur. Kaïsha se sentit bouleversée. Elle était toujours sur le qui-vive, prête à se défendre contre la prochaine menace, solidaire avec Ko-Bu-Tsu et Zuo. C'était ça, sa réalité. Mais Nihiri, cette jeune fille à peine plus jeune qu'elle, avec ses grands yeux étonnés et son sourire timide, l'avait approchée en toute innocence, sans arrière-pensée ni calcul, sans avoir peur d'elle ou la mépriser. Kaïsha eut envie de pleurer.

— Elle est comme Zuo, pensa-t-elle à voix haute en se tournant vers Ko-Bu-Tsu.

— Pardon ? firent Zuo et Nihiri d'une même voix, ce qui fit éclater Kaïsha et Ko-Bu-Tsu de rire.

Cette dernière lança un regard amusé à Zuo et hocha la tête.

— Oui, je vois parfaitement ce que tu veux dire. Ils sont aussi naïfs l'un que l'autre.

Le regard intrigué que leur lancèrent les intéressés ne fit que confirmer ses dires. Kaïsha eut un nouveau rire et tapota gentiment la tête de Nihiri, comme elle l'aurait fait à Petite-Orge, dans une autre vie.

— Je serais honorée d'être ton amie, déclara-t-elle avec douceur.

Le visage de Nihiri s'éclaira d'un grand sourire. Elle regarda tour à tour Kaïsha, Ko-Bu-Tsu et Zuo et demanda, les yeux pleins d'espoirs :

— Est-ce que vous accepterez de me raconter vos aventures ? J'aimerais tellement savoir à quoi ça ressemble dans le Désert !

— Je pensais que les Montagnes avaient le plus vaste regroupement d'informations sur les nations, remarqua Ko-Bu-Tsu en se tournant vers Zuo. Ce n'était pas ce que tu nous avais dit ?

— C'est vrai, acquiesça Zuo, mais seuls les habitants de la Tête ont accès à tous les documents. Les habitants du Corps connaissent les informations de base ; vous savez, le climat, la faune, la flore... mais c'est à peu près tout.

— Mais... c'est ridicule ! s'offusqua Ko-Bu-Tsu, choquée. Pourquoi cette séparation ?

Zuo haussa les épaules, impuissant.

— Je ne sais pas vraiment, admit-il. À l'école, tous les enfants reçoivent la même éducation. On nous apprend quelles sont les cinq nations, quelle est la nature de nos relations, la base, quoi. En théorie, seuls ceux qui entreprennent des études de deuxième cycle ont accès aux documents conservés dans la grande bibliothèque des archives, là où on trouve tous les rapports de tous les explorateurs à travers l'histoire. Mais, ceux qui atteignent les études supérieures le font justement pour devenir membres de la Tête, alors...

— C'est ainsi fait pour donner aux chercheurs de la Tête l'accès au plus vaste champ de connaissances possible, afin qu'ils puissent s'y instruire et, à leur tour, l'enrichir le temps venu. C'est un prêté pour un rendu, compléta humblement Nihiri. Pour nous, les habitants du Corps, ces connaissances sont inutiles à notre compréhension du monde.

— Inutiles? s'exclama Kaïsha, abasourdie. Au contraire! Vous êtes probablement la seule nation qui s'intéresse aux autres, vous devriez tous avoir accès au plus d'information possible. Nous devons apprendre à nous connaître, surtout si...

Kaïsha serra les lèvres. Elle n'était pas certaine que parler de la menace du Désert était la chose la plus sage à faire devant Nihiri. Pas encore, du moins.

— Ne nous juge pas aussi durement, Nisha, intervint Zuo. Je sais que tu aimerais voir les nations s'unir, mais tu dois te rendre compte que ce que tu demandes relève presque du miracle. C'est comme espérer voir un nourrisson marcher et parler dès le jour de sa naissance. Tu dois d'abord lui apprendre comment faire, et lui laisser le temps d'absorber cette connaissance, avant de le voir exécuter quoi que ce soit.

Kaïsha demeura interdite devant cette réflexion pleine de bon sens.

— Bon sang, Zuo, soupira Ko-Bu-Tsu avec un sourire. Parfois, j'oublie que tu n'as que treize ans.

— Je ne suis plus un enfant, rétorqua Zuo en se bombant le torse.

— Non, approuva Kaïsha en lui passant une main dans les cheveux. Aucun de nous ne l'est plus.

Nihiri eut un sourire gêné.

— Moi, je n'ai que onze ans...

— Ton âge ne veut rien dire, répliqua Ko-Bu-Tsu. Tu as entendu ce que Zuo a dit tout à l'heure? C'était bien plus sage et sensé que ce que la plupart des vieux imbéciles du Conseil ont déblatéré.

— Oh, par les anciens, ne dites pas ça! s'étouffa Nihiri en plaquant les mains sur sa bouche, les yeux ronds. Il ne faut pas parler contre les maîtres, leur rôle est sacré.

— Sacré ou pas, ils sont bornés, pleins de préjugés et ils ne nous feront pas la vie facile, s'obstina Ko-Bu-Tsu. Vous avez vu comment ce vieil homme au visage de souris m'a regardée? Comme si j'étais... j'étais...

Ko-Bu-Tsu ne finit pas sa phrase, mais pinça durement les lèvres et détourna rageusement le visage. Zuo posa une main compatissante sur son épaule.

— Je suis désolée si on vous a maltraitée, s'excusa à nouveau Nihiri avec prudence. Mais, si vous m'y autorisez, j'aimerais vous aider à avoir une vie plus facile, ici.

— Comment? s'enquit Kaïsha, intéressée.

— Mon père est le premier fournisseur en vêtements dans le troisième palier, où j'habite. Il connaît tout le monde et tout le monde l'aime, parce qu'il fait de très beaux vêtements pour un bon prix et qu'il fait beaucoup de retouches gratuitement. J'aimerais vous le présenter. Il pourrait parler en votre faveur à tous ses clients. Ce n'est peut-être pas beaucoup, mais ce serait un début.

— Ton père est tailleur..., répéta Kaïsha avant de saisir. C'est lui qui a fait les vêtements que je porte?

Nihiri acquiesça avec un sourire qui semblait presque espiègle, et Zuo laissa échapper un rire.

— Il était très sceptique quand je lui ai décrit ce que tu voulais. Personne ne porte de pantalons, sauf les paysans ou lors des activités qui ne permettent pas le port de robe. Ce que tu portes actuellement est une tenue de combat de Batalans.

— De quoi ? demanda Kaïsha.

— De Batalans, répéta Zuo. Ce sont les disciples d'une forme de combat traditionnel à mains nues qu'on appelle la Danse de la lune. Et tu portes leur tenue de combat.

Kaïsha comprit soudain et un étrange sentiment, mélange d'effroi et de puissance, l'envahit.

— C'est pour ça que tu as dit que je ferais une grande impression. Vous m'avez laissée entrer dans cette salle en tenue de combat ?

— C'est ce que j'ai dit à mon père, expliqua Nihiri en rougissant, embarrassée. Mais il a simplement répondu : « Si cette fille a déjà l'audace d'affronter le Conseil, qu'elle le fasse en beauté. » Mon père est quelqu'un... d'original. Mais je vous assure qu'il serait heureux de faire votre connaissance à tous les trois et de vous aider à vous intégrer. C'est un homme bon.

Kaïsha échangea un regard avec Ko-Bu-Tsu et Zuo. Elle-même n'était pas venue ici pour gagner la faveur du peuple des Montagnes, elle savait déjà cette cause perdue. Mais pour Ko-Bu-Tsu... elle n'était pas une enfant de deux mondes. Avec un peu de chance, les gens d'ici pourraient peut-être l'accepter comme l'une des leurs et elle trouverait enfin une maison. Pour cela, ça valait la peine d'essayer.

— Nihiri, commença Kaïsha en souriant, nous serions honorés de rencontrer ton père. Mais avant, nous devons retrouver les parents de Zuo, ils doivent être morts d'inquiétude.

Les yeux de Zuo s'écarquillèrent d'un coup et il se frappa le front de la paume. Apparemment, il avait momentanément oublié que ses parents les attendaient encore.

— C'est vrai, nous traînons, alors qu'ils ne doivent même pas savoir ce qui se passe ! se rendit-il compte.

— Je suis désolée, se déplora Nihiri, rougissante. Je vous ai fait perdre du temps. Permettez-moi de vous reconduire…

— C'est très gentil à toi, Nihiri, mais ne te dérange pas pour nous, répondit gentiment Kaïsha. Et tu ne nous as pas fait perdre de temps, au contraire, c'est un véritable plaisir de trouver une âme amicale en ces lieux.

Sous le compliment, Nihiri rougit de plus belle.

— Ça me ferait plaisir de vous accompagner. Madame Grishen m'a donné congé après votre départ de ce matin et je n'ai pas d'école, alors je suis libre.

— Très bien alors, allons-y, compléta Zuo.

Tous les quatre se dirigèrent vers la sortie de la Coupole pour se retrouver dans le couloir vide, à l'exception des gardes qui étaient toujours plantés de part et d'autre du portail. Lorsqu'ils passèrent à côté, l'un d'eux fit soudain signe à Nihiri.

— Si j'étais vous, je ne les accompagnerais pas plus loin.

— Pourquoi donc ? demanda Nihiri, sans méfiance.

Le garde échangea un regard avec son collègue, visiblement mal à l'aise.

— Les hérauts ont fait leur travail, répondit-il sans rien ajouter.

Nihiri lui lança un regard interrogateur, mais le garde semblait ne pas vouloir préciser sa pensée, alors ils continuèrent leur chemin.

— Qui sont les hérauts ? demanda Ko-Bu-Tsu.

— Des annonceurs, expliqua Zuo. Lorsqu'un évènement important arrive ou que le Conseil rend un jugement, les hérauts ont le devoir de le répéter partout dans la Commune. Généralement, ils se cantonnent aux Grandes places et le bouche-à-oreille fait le reste, d'autant plus que les déclarations officielles sont aussi affichées sur des pancartes un peu partout.

— Intéressant comme système de communication, observa Ko-Bu-Tsu.

— Oui, c'est assez efficace, confirma Nihiri. Par contre, plus on habite des paliers éloignés, plus l'information prend du temps à se rendre. Les habitants du palier Cinq reçoivent souvent les nouvelles une semaine après tout le monde.

— Qu'est-ce que sont les paliers exactement ? s'enquit Kaïsha en se joignant à la conversation.

Nihiri la regarda avec surprise avant de se tourner vers Zuo.

— Tu ne leur as pas dit ?

— Je n'ai pas exactement eu le temps, s'excusa Zuo.

Il voulut continuer, mais ils venaient d'atteindre la Grande place et Kaïsha se rendit alors compte de deux choses : les hérauts avaient vraiment fait leur travail et ils auraient dû prendre un autre chemin.

La gigantesque salle n'avait plus rien à voir avec l'endroit paisible et endormi par lequel ils étaient passés quelques heures plus tôt. C'était maintenant une place de marché bruyante et noire de monde. L'endroit était plein à craquer d'étals, de passants, et même de carrioles, tirées par des sortes de bœufs au pelage épais. Le seul endroit libre était l'immense fontaine centrale, dans laquelle tombait l'éternelle pluie du plafond, telles les cordes d'une immense harpe. Kaïsha avait l'impression de rêver.

Les gens le plus près d'eux les virent et se turent aussitôt, bientôt imités par leurs voisins les plus proches et ainsi de suite jusqu'à ce que, telle l'onde d'une vague invisible, la salle entière se plongeât dans un silence de mort. Même les bêtes cessèrent de mugir, comme si elles sentaient que quelque chose n'était pas normal.

Tous les visages, absolument tous, étaient rivés sur eux. Kaïsha ne s'était jamais autant sentie observée de sa vie. Combien y avait-il de personnes? Cinq cents? Mille? Elle n'arrivait même pas à figurer le nombre de têtes à la chevelure noire qui la dévisageaient comme un seul homme. À côté d'elle, elle sentit Ko-Bu-Tsu se raidir et Nihiri se mettre à trembler comme une feuille. Pauvre petite! Elle qui était pleine de bonnes intentions, elle devait à présent bien le regretter.

Le seul qui semblait avoir encore son sang-froid était Zuo. Étonnamment calme, il parcourut la salle du regard. Sans dire un mot, il prit alors la main de Kaïsha. Par réflexe, elle le serra fort, comme si c'était elle qui voulait le rassurer, alors que c'était bien l'inverse. À la vue de ce simple geste, une vague de murmures et de surprise parcourut à nouveau la foule. Le seul contact entre l'enfant des Montagnes et l'étrangère eut l'effet d'une onde de choc pour ces gens qui assistaient à ce phénomène sans doute pour la première fois. Lentement, toujours sans quitter des yeux la foule, Zuo prit la main de Ko-Bu-Tsu. Ils restèrent ainsi, tous les trois, à affronter l'attaque muette de milliers de regards qui leur étaient lancés. Kaïsha ne savait pas où Zuo voulait en venir, mais elle n'osait bouger et elle préféra attendre et voir ce qu'il avait en tête. Comme s'il l'avait entendue, Zuo se pencha très lentement vers elle et chuchota :

— Prends la main de Nihiri et allons-y. Je ne sais pas si nous aurons une autre chance.

Kaïsha ne se le fit pas répéter et agrippa la main de Nihiri, qui sembla émerger de sa stupéfaction, tout comme Ko-Bu-Tsu, qui déglutit avec difficulté. Le quatuor descendit les quelques marches qui les séparaient du plancher et, guidés par Zuo, qui connaissait son chemin, ils traversèrent rapidement la Grande place dans un silence presque total. À mesure qu'ils avançaient, les gens reculaient pour ne pas leur bloquer la route. Était-ce par crainte ou par dégoût? Kaïsha n'aurait pu le dire. Lorsqu'ils furent à mi-chemin, une vague de murmures commença à s'élever derrière eux et elle s'amplifia à chacun de leurs pas. Lorsqu'ils atteignirent l'entrée de la rue menant chez Zuo, Kaïsha avait l'impression qu'elle venait de traverser un immense désert cuisant et qu'elle trouvait enfin de l'ombre. Elle ne se tourna même pas pour voir les centaines de têtes qui la suivaient du regard, dans un brouhaha devenu presque insupportable.

— Que vient-il de se passer, Zuo? lâcha soudain Ko-Bu-Tsu lorsqu'ils furent assez éloignés pour parler sans être entendus.

— Je ne pourrais pas vraiment l'expliquer, admit ce dernier. J'ai juste pensé que je devais leur montrer que vous êtes des nôtres.

— Mais comment as-tu su qu'ils ne nous empêcheraient pas de passer? lui demanda Kaïsha en essuyant la sueur qui perlait sur son front.

— Personne ne se bat ici, murmura Nihiri, encore sous le choc. Ils n'auraient même pas su quoi faire s'ils nous avaient bloqué le chemin.

— Ils avaient sans doute plus peur que vous ne les attaquiez qu'autre chose, compléta Zuo en gloussant. Je ne sais pas si tu le sais, Nisha, mais tu es assez intimidante quand tu es sur tes gardes!

Kaïsha lui lança un regard étonné. Elle ne voyait pas en quoi elle pouvait paraître intimidante pour qui que ce fût, désarmée et chétive, mais si c'était l'image qu'on lui attribuait, elle en profiterait certainement.

— Retournons chez toi, pressa-t-elle Zuo. Tes parents doivent être morts d'inquiétude.

— Bonne idée.

Les quatre amis longèrent le couloir résidentiel le plus rapidement et discrètement possible, craignant une nouvelle rencontre avec quelqu'un des Montagnes. Lorsque la porte menant chez Zuo apparut dans leur champ de vision, Kaïsha eut un frisson de mauvais augure. De part et d'autre de la porte grande ouverte, des gardes faisaient le guet, stoïques.

— Je n'aime pas ça, souffla-t-elle à Ko-Bu-Tsu, qui répondit d'un froncement de sourcils.

— Que se passe-t-il ? demanda Zuo aux gardes.

Eux ne répondirent rien, mais une voix stridente provint de l'intérieur :

— ZUO !

Junn Steloj apparut en coup de vent dans l'entrebâillement et voulut sortir, aussitôt retenue par les gardes. Elle ne put que tendre un bras désespéré vers son fils, qui l'agrippa aussitôt. Le visage de Junn était strié de larmes.

— Maman ! Qu'est-ce qui se passe ?

— Oh, Zuo, j'avais tellement peur ! Kaïsha, Ko-Bu-Tsu, vous allez bien aussi ? Où vous ont-ils emmenés ? Ils refusent de me dire quoi que ce soit et ils ont emmené Cyam !

— Rassure-toi, Junnie, je suis là aussi, déclara une voix grave derrière eux.

Tous sursautèrent et firent volte-face pour voir Cyam Steloj, l'air fatigué mais heureux, arriver à leur hauteur.

— Papa ! s'exclama Zuo. Où étais-tu ?

— Tu vas bien ? renchérit Junn, toujours retenue par les gardes et essayant tant bien que mal de les rejoindre.

— Tout va bien, ne vous en faites pas. Rentrons d'abord, nous discuterons ensuite.

Il s'adressa alors aux deux gardes en brandissant un parchemin scellé.

— Voici des ordres du sage. Vous pouvez cesser votre vigile.

L'un des gardes saisit le document, le décacheta et le parcourut longuement du regard avant de finalement abdiquer. Il hocha brièvement la tête, salua Cyam, qui acquiesça en retour, et les deux hommes quittèrent leur poste, non sans jeter des coups d'œil sceptiques à Kaïsha et Ko-Bu-Tsu. Junn se précipita dans les bras de son mari, mais celui-ci la poussa gentiment à l'intérieur, avant d'inviter les jeunes à les suivre. Lorsqu'ils furent tous à l'abri des regards indiscrets, Cyam se permit un long soupir avant de se laisser choir sur l'un des fauteuils.

— Premièrement, permettez-moi de vous féliciter, annonça-t-il à l'adresse de Kaïsha, Ko-Bu-Tsu et Zuo. Je n'aurais jamais cru que vous puissiez convaincre le Conseil de vous accorder l'hospitalité des Montagnes à vous seuls. Pour être franc, je pensais que nous en avions pour des semaines de négociation avant de vous permettre de seulement vous montrer en public. Comment avez-vous fait?

— C'est Kaïsha, répondit simplement Zuo, comme si cette seule réponse permettait de tout expliquer.

Kaïsha secoua la tête.

— Je n'ai rien fait d'autre que dire la vérité. C'est le Conseil qui a décidé d'être clément. Je n'ai aucun autre mérite.

— Peu importe, balaya Cyam de la main, le fait est que vous avez produit là un petit miracle. Félicitations.

— Mais où étais-tu, si tu n'étais pas avec eux? s'enquit Junn, le bras autour des épaules de Zuo.

— Ils m'ont emmené dans les appartements du sage, expliqua Cyam. Ils m'ont fait attendre jusqu'à ce que le sage revienne du Conseil. Je m'attendais à des accusations pour avoir fait entrer des étrangers, mais au lieu de cela, il a juste soupiré avant de me résumer rapidement ce qui s'était passé, puis il m'a demandé de vous surveiller et il m'a congédié. J'étais juste derrière vous lorsque vous avez fait votre entrée spectaculaire dans la Grande place.

— Quelle entrée spectaculaire ? demanda Junn. De quoi parles-tu ?

— Disons simplement que tout le monde sait à présent que nos invitées sont ici, et qu'elles ne passeront pas inaperçues. Mais méfiez-vous, ajouta-t-il soudain avec gravité à l'adresse de Kaïsha et de Ko-Bu-Tsu. Maen est un homme intelligent et si je ne sais qu'une chose sur lui, c'est qu'il ne fait jamais rien qui ne peut lui rapporter. S'il vous a autorisé aussi facilement à vivre ici, c'est qu'il a une idée derrière la tête, ou qu'il s'attend à quelque chose en retour. Ne baissez pas votre garde.

D'un même mouvement, Kaïsha et Ko-Bu-Tsu acquiescèrent.

— Et la personne qui a dénoncé notre présence ? demanda alors Ko-Bu-Tsu. Qui était-ce ?

Cyam soupira.

— Je ne sais pas. Le sage refuse de me le dire. Je demanderai à Mak de faire ses recherches, il est meilleur que moi là-dedans. Mais, même si je découvre qui est le délateur, je ne pourrai rien faire contre lui. Aux yeux du sage et du Conseil, il a fait son devoir, et je suis en faute, alors…

Kaïsha baissa les yeux et serra le poing de frustration. Ko-Bu-Tsu et elle devaient beaucoup à Cyam pour les avoir amenées dans la Commune, et le seul remerciement qu'il recevait était un blâme des siens, tandis qu'une personne qui leur avait voulu du mal disparaissait dans l'ombre sans conséquence. Cyam aperçut l'ombre sur son visage et il la rassura :

— Lève la tête, Kaïsha. La situation a tourné de façon bien plus positive que tout ce à quoi je m'attendais, alors réjouissons-nous. Et puis, même si je ne puis punir personnellement le délateur, rien ne dit que sa réputation au sein de l'Ordre des explorateurs n'en souffrira pas. La justice trouve toujours son chemin, ne t'en fais pas.

L'ambiance devint plus légère après cela. Rassurée d'avoir retrouvé son fils et son mari, Junn proposa de préparer le repas et invita Nihiri à rester à dîner. La jeune fille, intimidée, refusa poliment et expliqua qu'elle devait retourner chez elle. Elle les salua tous en s'inclinant, avant de s'en aller. Cyam et Zuo suivirent Junn à la cuisine pour l'aider, et Kaïsha allait en faire de même lorsqu'elle remarqua l'air sombre de Ko-Bu-Tsu. Cette dernière n'avait rien dit ou presque depuis qu'ils avaient quitté la Coupole. Elle se tenait maintenant près de la fenêtre et laissait son regard errer au-delà des monts enneigés.

— Ça va ? demanda Kaïsha en s'approchant.

— Non, répondit simplement Ko-Bu-Tsu sans la regarder. Mais ça pourrait être mille fois pire, alors c'est bon.

— Dis-moi.

Ko-Bu-Tsu ne répondit pas tout de suite. Dans la lumière blanche du jour, ses iris brillaient comme des rubis et sa peau semblait être faite de lumière. Mais sa beauté était assombrie par la tristesse dans ses yeux.

— C'était très noble, ce que tu as fait tout à l'heure… Te sacrifier pour que je puisse demeurer ici… Mais, Kaïsha, tu sais aussi bien que moi qu'ils ne nous accepteront jamais, finit-elle par dire, doucement, les yeux rivés vers l'horizon comme s'il pouvait lui apporter des réponses. Même si on leur en donne l'ordre, ils nous détesteront toujours. C'est dans leur nature. Toi et moi, nous ne ferons jamais partie de leur monde.

— Zuo nous a acceptées dans son monde, souligna Kaïsha pour la convaincre.

À sa surprise, Ko-Bu-Tsu émit un petit rire triste.

— Zuo est un cas d'exception. Sa mère et lui sont bizarres même pour des gens normaux, tu le sais comme moi. Ils ne comptent pas.

— Et Cyam? Et Mak, et Nihiri? répliqua Kaïsha.

— Ils disent nous accepter, ils sont aussi gentils et conciliants qu'ils le peuvent, je le sais. Mais tu sais comme moi qu'ils ne nous considèrent pas comme faisant partie des leurs. Il y aura toujours un mur entre nous.

Kaïsha soupira.

— C'est peut-être vrai. Mais que veux-tu que nous y fassions, Ko-Bu?

Ko-Bu-Tsu la regarda avec lassitude.

— Rien, admit-elle comme si la simplicité des faits la surprenait elle-même. C'est juste qu'avant, je pensais que le mur qui me séparait des autres était celui de ma chambre. Maintenant je dois admettre une vérité qui est plus difficile à accepter : le mur sera toujours là, parce que je le porte en moi.

Elle se tourna à nouveau vers la fenêtre et murmura :

— Je pensais que je serais libre si je quittais ma demeure. Mais je suis encore prisonnière.

10

Kaïsha n'avait que quinze ans et, pourtant, elle avait le sentiment d'avoir déjà vécu deux vies. Dans la première, elle avait été une enfant timide dans un village anonyme, dont le monde se résumait à l'horizon qu'elle pouvait voir de sa maison perchée sur la colline. Dans la deuxième, elle avait été une esclave. Elle avait connu la douleur et la cruauté, et son existence n'avait pas valu plus que la poussière qu'elle balayait sur les planchers. Aujourd'hui, elle avait l'impression d'entrer dans une troisième vie et dans celle-ci, elle était introduite à une nouvelle forme d'existence : celle d'être un objet de curiosité.

Durant les deux premières semaines qui suivirent leur arrivée dans les Montagnes, Kaïsha et Ko-Bu-Tsu ne pouvaient faire deux pas dehors sans entendre des chuchotements à leur passage et être les cibles de tous les regards. Les ordres du sage furent respectés : personne ne leur fit du mal, ni même ne leur barra la route. En fait, nul n'osait s'adresser directement aux étrangères. Malgré tout, leur présence s'accompagnait inévitablement d'une onde de murmures échangés, tel le bourdonnement d'un essaim d'abeilles. C'était une expérience encore plus désagréable que le fait d'être ignorée, et cela affecta énormément Ko-Bu-Tsu, si bien qu'elle finit par ne plus sortir de la maison de Zuo. Elle préférait passer la journée seule dans leur chambre, un ancien débarras que Cyam avait nettoyé pour leur aménager un espace personnel.

Kaïsha n'aimait pas plus que son amie ce traitement, mais elle avait connu pire, et elle était bien déterminée à ne pas se laisser intimider. C'était pourquoi elle passa ses journées à explorer la Commune d'Erwem, qui était si immense qu'elle pensa ne jamais être capable d'en explorer tous les recoins.

Elle découvrit très vite que la Grande place n'était pas le point central de la Commune, contrairement à ce qu'elle avait imaginé. Il y avait en fait deux autres grandes salles similaires et toutes donnaient sur l'extérieur. Celle par laquelle ils étaient arrivés deux semaines plus tôt était la Grande place du sud, mais il y avait également celle de l'est et celle de l'ouest, situées sur d'autres versants de la montagne. Le dédale de couloirs qui formait la Commune les reliait toutes les trois.

La deuxième surprise qu'elle eut fut sa découverte des paliers. Erwem n'était pas une cité qui s'étendait sur un seul plan, comme n'importe quelle ville des Plaines ou du Désert. À la stupéfaction de Kaïsha, il s'avéra que la ville était bâtie à l'horizontale *et* à la verticale. Telle une gigantesque maison, la Commune elle-même était faite en étages. Celui sur lequel Zuo et sa famille vivaient était le palier Deux, lieu de résidence de tous les citoyens d'Erwem dont le métier était plus intellectuel que manuel, tels les professeurs, les ingénieurs ou les explorateurs. Au-dessus d'eux, le palier Un était le lieu de résidence de tous les maîtres et de tous ceux qui faisaient partie de l'élite des Montagnes. Ce palier et le palier Deux constituaient la Tête de la Commune. En dessous, il y avait trois autres paliers où vivaient les habitants du Corps, ainsi que des champs et des fermes alimentés par la lumière des miroirs et des rivières souterraines, ce que Nihiri appelait les « serres ». Cela donnait un total de cinq paliers pour la Commune d'Erwem. Zuo expliqua à Kaïsha qu'on passait d'un palier à l'autre par des escaliers ou par d'étranges machines que les habitants appelaient les «cylindres». Il s'agissait en fait de larges plateformes, maintenues par un complexe assemblage de câbles, et qui se mouvaient à la verticale grâce à un système de poulies. Cette ingénieuse invention permettait aux marchands et aux paysans de véhiculer leur marchandise, leurs charrues et leurs animaux, alors que cela aurait été difficile, voire impossible à faire dans un escalier.

Seule la résidence du sage couvrait à elle seule deux paliers, soit le Deux et le Trois. Il en était fait ainsi, car le sage se devait d'être le lien entre la Tête et le Corps de sa Commune. Kaïsha découvrit d'ailleurs assez vite que ces deux paliers étaient les plus fréquentés, car c'était là que se trouvaient la majorité des commerces, ateliers, salons et forges, alors que les Grandes places du palier Deux abritaient les marchés, foires, bals et représentations publiques, lorsqu'elles ne servaient pas simplement de carrefour.

Ce fut Zuo qui expliqua tout cela à Kaïsha lors de leurs premières excursions. Il désirait l'accompagner non seulement pour lui faire visiter, mais aussi par souci de prudence : pour éviter que quiconque s'en prît à elle, affirmait-il. Kaïsha devina cependant un autre de ses buts. À l'instar de leur premier «bain public» dans la Grande place, Zuo voulait montrer ses amies à ses concitoyens. Il voulait que les gens s'habituassent à les voir, mais surtout, à les voir en compagnie de l'un des leurs. Kaïsha ne vérifia pas sa théorie auprès de Zuo, car elle n'en eut pas besoin : que ce fût voulu ou non, cette stratégie s'avéra efficace. Lorsque Zuo l'emmena visiter le palier Trois pour la première fois, il la présenta à presque tous les commerçants qu'il connaissait. Sans surprise, la majorité d'entre eux avaient de l'affection pour le fils Steloj et furent plus qu'heureux d'apprendre son retour et sa bonne santé. Lorsque vint le temps de leur présenter sa nouvelle amie, ces mêmes commerçants affichèrent d'abord un visage choqué en la dévisageant, leur regard passant de son accoutrement à ses yeux bleus, mais ils s'efforcèrent presque tous de cacher leur gêne pour lui souhaiter la bienvenue. Deux d'entre eux allèrent même jusqu'à s'incliner brièvement devant elle en la remerciant d'avoir pris soin de l'un des leurs. Si Kaïsha avait compris une chose sur la politesse dans les Montagnes depuis son arrivée, c'était que la révérence était la formule de politesse par excellence. Plus on respectait une personne, plus on s'inclinait bas. Le fait que ces commerçants se fussent inclinés devant elle, même si ce n'était à peine plus qu'un hochement de tête, était éloquent.

Si les manœuvres de Zuo pour la montrer un peu partout furent le premier pivot pour intégrer Kaïsha à sa communauté, le deuxième fut orchestré par Nihiri. Comme promis, elle présenta Kaïsha et Ko-Bu-Tsu à sa famille. Il fallut à Kaïsha et Zuo beaucoup d'effort et de persuasion pour convaincre Ko-Bu-Tsu de sortir, et elle n'y consentit que lorsque Junn lui offrit un manteau comportant un capuchon assez large pour cacher son visage. Bien sûr, lorsqu'ils furent dehors, tous les passants savaient qui se cachait sous la cape, du simple fait qu'elle était accompagnée de Kaïsha. Cette dernière, au contraire, ne faisait rien pour se cacher, avec sa tunique, ses pantalons, ses longues bottes et ses cheveux retenus en queue de cheval. Parmi les habitants d'Erwem, qui portaient tous (hommes et femmes) de longues robes et dont les cheveux étaient élégamment coiffés, elle faisait tache.

Nihiri les accueillit avec un large sourire devant l'atelier de son père, au-dessus duquel elle vivait avec sa famille.

— Je suis heureuse que vous ayez pu venir, nous vous attendions pour passer à table !

— Nous ne voudrions pas déranger, maugréa Ko-Bu-Tsu sous son capuchon.

— Au contraire, tout le monde vous attend, venez !

Le ton et le sourire de Nihiri étaient trop enjoués pour être totalement honnêtes. Kaïsha se demanda à quel point elle avait insisté auprès de sa famille pour les présenter et à quel point ils seraient bienvenus. Ils traversèrent la boutique, longue et étroite pièce dont les murs étaient couverts d'étagères elles-mêmes pleines à craquer de tissus de toutes les couleurs et de toutes les textures. Ils passèrent ensuite dans l'arrière-boutique, puis empruntèrent l'étroit escalier menant aux appartements de la famille. Une odeur de bouillon flottait dans l'air lorsqu'ils entrèrent dans le salon, qui servait également de salle à manger et de cuisine. Une femme au visage anguleux et aux yeux très grands (manifestement la mère de Nihiri) était en train de déposer une marmite sur la table à manger. Elle leva brièvement les yeux vers eux, pinça les lèvres et retourna à ses chaudrons comme si elle ne les avait pas vus. Elle fut aussitôt imitée par une petite fille qui devait être la sœur de Nihiri. En revanche, son père, un homme au visage bourru et à la large carrure, vint à leur rencontre avec un sourire franc, accompagné du plus bel homme que Kaïsha eut jamais vu. Elle entendit le père leur souhaiter la bienvenue, et elle s'entendit elle-même lui répondre, mais son attention était fixée sur le frère aîné de Nihiri.

Il avait un visage aux angles très doux, malgré des pommettes hautes et une mâchoire bien définie. Sa peau était claire et pâle comme un rayon de lune et ses yeux gris avaient une sorte d'éclat, que Kaïsha n'aurait pu expliquer, mais qui la fascinait. Le jeune homme posa les yeux sur elle et sourit ; un sourire sincère, Kaïsha le sentit tout de suite. Elle se sentit alors intimidée par ce regard et préféra baisser les yeux, en se demandant ce qui lui prenait. Elle se força à retourner son attention sur le père de Nihiri, alors que celui-ci disait :

— Mon nom est Edelar Silko, et vous connaissez déjà ma petite Nini, n'est-ce pas ? déclara-t-il en laissant échapper un rire bourru tout en désignant Nihiri.

Cette dernière, en l'entendant prononcer son surnom, rougit comme une pivoine.

— C'est bien Nini, de nous ramener des curiosités à la maison !
Quand elle était petite, elle trouvait toujours des drôles de bêtes
dans les coins et elle les cachait dans sa chambre.

— Papa ! s'outra Nihiri tandis que son frère aîné secouait la
tête en soupirant.

— N'en soyez pas vexés, je vous en prie, dit alors le frère de
Nihiri en s'adressant à eux pour la première fois. Il ne veut pas dire
de mal. Je n'ai pas eu l'occasion de me présenter : Odel Silko.

Kaïsha trouva que son nom avait la même douceur que son
visage. Elle leva les yeux pour rencontrer les siens et sourit.

— Enchantée, Odel. Je suis Kaïsha. Ne vous en faites pas, nous
ne sommes pas du tout offensés.

Ko-Bu-Tsu émit un grincement qui exprima clairement qu'elle
n'était pas de son avis, mais Kaïsha l'ignora.

— Oh non, je ne voulais pas être offensant, se défendit Edelar
Silko. Mais que voulez-vous, nous n'avons jamais vu de gens
comme vous ici, vous êtes assez célèbres dans le palier Trois. Mais
je parle, je parle ! Entrez, installez-vous à table et racontez-nous
comment deux phénomènes tels que vous ont croisé la route d'un
petit homme des Montagnes comme lui !

Alliant le geste à la parole, Edelar leur fit signe d'entrer et ils se
dirigèrent vers la table à manger. La mère de Nihiri et sa sœur
prirent place sans les attendre, affichant un air pincé. Nihiri invita
Zuo et Ko-Bu-Tsu à s'installer à côté d'elle tandis qu'Odel, courtois, désigna une place libre à Kaïsha et s'assit sur la chaise d'à côté.
Kaïsha sentit ses joues s'empourprer et elle se demanda si c'était la
vapeur du chaudron qui trônait au centre de la table qui lui donnait chaud.

— Comment trouvez-vous notre Commune ? demanda poliment Odel en lui servant un bol de ragoût.

— Impressionnante, répondit Kaïsha. Je n'avais jamais rien
vu de tel auparavant.

— Et d'où venez-vous exactement ? la questionna alors Edelar, curieux.

— Des Plaines, expliqua Kaïsha.

La mère de Nihiri émit alors un sifflement dubitatif.

— J'en doute, laissa-t-elle échapper, telle une morsure.

Kaïsha se tourna vers elle, prête à entendre l'insulte. Sans rien en laisser paraître, elle afficha un air de surprise polie en lui demandant :

— Qu'est-ce qui vous fait dire cela ?

La femme sursauta, comme si elle ne s'attendait pas à ce que Kaïsha osât s'adresser directement à elle. Ses joues s'empourprèrent et elle lança un regard de biais à son mari avant de relever la tête et de fixer Kaïsha avec un dégoût non dissimulé.

— Vous êtes une enfant de deux mondes, déclara-t-elle comme si elle lançait une accusation. Tout le monde le sait : vous ne venez de nulle part.

Un silence lourd s'installa autour de la table. Nihiri rougit jusqu'à la racine des cheveux, sa petite sœur fixait Kaïsha avec méfiance, Edelar semblait vouloir être ailleurs et Odel baissa les yeux, mal à l'aise. Kaïsha lança un rapide coup d'œil à ses amis. Zuo fixait la mère de Nihiri, choqué, tandis que Ko-Bu-Tsu semblait n'attendre qu'un signe d'elle pour se lever et partir.

Kaïsha soupira. Elle planta alors son regard dans celui de la mère de Nihiri, qui recula presque sur son siège, surprise.

— Vous avez tort, déclara-t-elle alors calmement.

La femme la fixa, interloquée. Tous attendaient qu'elle finît sa pensée.

— Je suis une enfant de deux mondes, continua Kaïsha. Par mon sang, je viens de la Forêt et de la Mer. Mais je suis née et j'ai grandi dans les Plaines.

— Comment est-ce possible ? laissa échapper Odel en se tournant vers elle, surpris.

Kaïsha trouva du réconfort dans sa curiosité exempte de jugement et elle lui répondit directement :

— Parce que ma mère naturelle y a accouché. Elle m'a laissée aux soins d'une femme extraordinaire qui est devenue, et reste, ma mère de cœur.

— Et cette femme… savait ce que vous étiez ? demanda alors Edelar, la curiosité l'emportant sur son malaise.

— Oh oui, répondit Kaïsha en souriant tristement. Elle le savait et aujourd'hui, elle doit regretter de me l'avoir dit, car si elle ne l'avait pas fait, je n'aurais jamais quitté mon foyer et ma nation.

Un silence de mort accueillit ses paroles. La mère de Nihiri, interdite, n'osa dire un mot. Le silence s'éternisa et Kaïsha commença à regretter d'être venue lorsqu'un rire gras secoua l'atmosphère :

— Ah bien ça, c'est bien dit ! tonna Edelar en frappant la table de son poing. Nini, tu as bien fait de nous amener ces trois-là, ils sont fascinants ! Mais racontez-moi maintenant comment vous vous êtes rencontrés, tous les trois…

Le reste de la soirée se déroula dans une atmosphère plus légère. Kaïsha et Zuo parlèrent pour la plus grande partie, se séparant leur histoire en racontant des passages tour à tour. Quelques fois, Ko-Bu-Tsu prit la parole, souvent pour corriger une anecdote ou pour préciser un point que Kaïsha ou Zuo avaient négligé. La famille de Nihiri écouta avec attention leurs aventures. Même sa petite sœur sembla se trouver malgré elle fascinée par leurs histoires. Seule sa mère s'excusa brièvement dès qu'elle eut fini de manger pour quitter la pièce et disparaître pour le reste de la soirée. Lorsqu'il commença à se faire tard, Kaïsha, Zuo et Ko-Bu-Tsu prirent congé de leurs hôtes. Sur le pas de la porte, Nihiri s'inclina profondément.

— Je suis désolée pour l'attitude de ma mère plus tôt. Elle ne voulait pas que vous veniez, mais je ne pensais pas qu'elle vous manquerait de respect.

— Ce n'est pas grave, lui assura Kaïsha. Ce n'est pas une surprise non plus.

— C'est juste... difficile pour elle, confessa Nihiri en baissant les yeux. Elle a peur de ce que les voisins vont penser, que nous ayons laissé les étrangers entrer dans notre maison. Mon père, lui, est plus qu'heureux, parce que les rumeurs vont lui amener des clients à la boutique et il m'a juré qu'il leur parlerait de vous en bien.

— Remercie-le de notre part, dit Zuo avec reconnaissance.

Nihiri lui sourit.

— Mon père a beaucoup de respect pour les Steloj. Il sera heureux de pouvoir les aider, même avec ses humbles moyens.

— Tout comme moi, ajouta Odel en apparaissant derrière sa sœur.

Il se tourna vers Kaïsha et lui offrit un sourire chaleureux.

— Votre histoire est réellement fascinante et elle mérite d'être connue, même si tous ne pensent pas comme ça. Si vous acceptez, je pourrais vous aider à la partager plus largement.

— Que voulez-vous dire? demanda Kaïsha, le cœur battant.

— Je suis actuellement un cours d'histoire des cultures de deuxième cycle au Collège des études supérieures d'Erwem, expliqua Odel.

Il fit alors une courte pause, puis il ajouta, l'air embarrassé :

— J'aimerais devenir moi-même enseignant d'histoire naturelle, mais pour y parvenir, je dois devenir membre de la Tête et cela demande des études de troisième cycle...

Il se reprit alors :

— Si vous étiez invitée à venir donner une conférence dans ma classe, accepteriez-vous ?

Kaïsha resta muette face à l'invitation. Son instinct lui avait soufflé que ce jeune homme était un être bon et comme plusieurs fois auparavant, elle avait vu juste. Odel lui offrait une occasion en or de communiquer avec les gens des Montagnes et, qui plus est, avec des gens étant à peine plus âgés qu'elle, des jeunes avec qui elle pourrait parler presque d'égal à égal, des jeunes qui n'étaient peut-être pas encore soumis aux préjugés et dont l'esprit était encore ouvert.

— Ce serait un honneur, Odel, lui répondit-elle avec chaleur.

Ce dernier lui rendit son sourire et hocha la tête.

— Je dois encore convaincre notre professeure, mais c'est une maître à l'esprit ouvert ; elle a été exploratrice pendant une vingtaine d'années avant de devenir enseignante.

Il se tourna alors vers Ko-Bu-Tsu et ajouta :

— Si vous acceptez également, ce serait un honneur que de vous recevoir dans notre cours.

Ko-Bu-Tsu garda un visage de marbre. Elle demeura silencieuse un moment avant de murmurer :

— J'y réfléchirai.

Odel n'insista pas et s'inclina respectueusement pour leur souhaiter une bonne soirée. Avant de disparaître dans l'embrasure de la porte, il offrit un dernier sourire à Kaïsha en concluant :

— C'est un plaisir de vous avoir rencontrée.

Et Kaïsha, comme une idiote, n'eut pas d'autre réponse que de s'incliner maladroitement.

Nihiri leur souhaita la bonne nuit à son tour et Kaïsha, Zuo et Ko-Bu-Tsu prirent la route pour remonter au palier Deux et rentrer à la maison.

— C'était… intéressant, comme soirée, indiqua Zuo en brisant le premier le silence. J'espère que vous pourrez vraiment aller dans une classe du Collège, ce serait génial !

— Je n'irai pas, trancha Ko-Bu-Tsu.

Kaïsha se tourna vers elle, surprise.

— Pourquoi pas ? C'est une incroyable occasion !

Ko-Bu-Tsu fronça les sourcils, sombre.

— Non, c'est une occasion pour eux de nous étudier. Je refuse de me soumettre à leur examen. Tu ne t'en rends pas compte juste parce que tu es tombée sous le charme de cet Odel.

Pour la première fois, Kaïsha sentit la colère monter en elle contre Ko-Bu-Tsu.

— Même si c'était le cas, s'exclama-t-elle, exaspérée, c'est gagnant-gagnant ! S'ils en apprennent plus sur nous, ils pourraient être moins portés à nous détester. Tu te méfies tellement des gens que tu refuses de voir qu'il est possible qu'ils soient gentils !

Ko-Bu-Tsu voulut répliquer, mais Kaïsha la coupa en tranchant :

— Si tu veux rester enfermée dans ta chambre pour le reste de tes jours, très bien ! Je n'insisterai plus pour t'en faire sortir. Tu n'auras que toi-même à blâmer si personne ne t'accepte jamais !

Ko-Bu-Tsu s'arrêta net sous la surprise. Aussitôt, Kaïsha regretta d'avoir parlé ainsi, mais le mal était fait. Zuo les regarda toutes les deux, l'air déconcerté.

— Les filles…, commença-t-il, hésitant. Ne vous disputez pas, je vous en prie. Il y a déjà bien assez de personnes qui nous détestent, nous ne pouvons pas commencer à nous battre entre nous. Nous devons garder nos coudes serrés.

Ko-Bu-Tsu garda son regard vissé sur celui de Kaïsha. Celle-ci y voyait la surprise, la colère, mais surtout la peine. Kaïsha voulut s'excuser, mais Ko-Bu-Tsu parla avant elle :

— Tu as raison, Zuo, dit-elle d'une voix blanche, sans quitter Kaïsha des yeux. Nous devons rester soudés. N'en parlons plus.

Ils reprirent leur chemin dans un silence pesant. Ko-Bu-Tsu n'affichait aucun sentiment, Kaïsha se sentait terrible et Zuo passait son regard d'une à l'autre, ne sachant sur quel pied danser. Lorsqu'ils atteignirent enfin la maison des Steloj, Kaïsha se sentit soulagée, le poids de leur malaise devenant insupportable.

Ils furent accueillis par Junn et Cyam, tranquillement installés au salon, chacun absorbé par sa lecture.

— Comment s'est passée votre soirée? demanda Junn lorsqu'elle les vit entrer.

— Bien, bien, répondit Zuo en s'efforçant d'agir comme si de rien n'était.

Junn ne fut pas dupe et leur lança un regard interrogateur, mais ne posa aucune question. Cyam baissa alors le livre qu'il tenait et s'adressa à son fils de but en blanc :

— J'ai parlé avec ton instructrice ce matin. Tu pourras reprendre tes cours et elle a accepté de te donner des cours supplémentaires pour que tu rattrapes ton retard.

— Je reprends déjà l'école? s'exclama Zuo, sous le coup de la surprise. Mais je viens de rentrer à la maison! Et puis, je ne peux pas, je dois rester avec Kaïsha et Ko-Bu-Tsu!

Il se tourna vers sa mère en quête de soutien, mais même cette dernière secoua la tête, bien qu'elle semblait désolée.

— Tu as près d'un an et demi de retard sur tes camarades. Tu ne peux pas te permettre d'en accumuler plus, maintenant que tu es de retour. Tu sais à quel point tes cours sont importants.

Zuo, en véritable enfant des Montagnes, baissa les yeux, vaincu par cet argument.

— Très bien, murmura-t-il.

— Allons, nous pourrons nous débrouiller seules, tenta de le rassurer Kaïsha. Et puis, tu pourras tout nous raconter le soir venu. J'aimerais beaucoup savoir ce que tu apprends dans tes cours.

Zuo leva les yeux vers elle et lui offrit un sourire en coin, vaincu. Il savait ce qu'elle tentait de faire en disant ça, mais il embarqua dans le jeu.

— Je serai un professeur impitoyable, prévint-il.

— J'en suis certaine, rit Kaïsha.

— Parlant de professeur…, hésita Zuo.

Il lança un regard vers Ko-Bu-Tsu, qui demeura impassible. Zuo hésita encore un instant, puis lâcha le morceau :

— Un étudiant du Collège a invité Kaïsha à donner une conférence dans un de ses cours.

— Oh! fit Junn, ravie. Quelle belle idée! T'a-t-il invitée au nom de son instructrice? demanda-t-elle alors à Kaïsha.

— Euh, non, répondit cette dernière, peu à l'aise d'en discuter devant Ko-Bu-Tsu. C'était son initiative, il m'a dit qu'il en parlerait à son enseignante.

— Oh, je vois…, dit Junn. T'a-t-il dit son nom?

— Non, seulement le nom de son cours… étude des cultures, je crois.

— Ah, oui, c'est un cours de base…, réfléchit Junn à voix haute. Il doit s'agir de maître Anyel, je vais essayer de lui parler demain.

— Vous travaillez au Collège? demanda Kaïsha, surprise, se rendant compte qu'elle ne savait même pas ce que la mère de Zuo faisait de ses journées.

— Oui, soupira Junn en riant. Depuis qu'ils ne veulent plus que je parte en expédition, l'enseignement s'est imposé.

— C'est vrai… Cyam nous avait dit que vous ne pouviez pas venir chercher Zuo avec lui, se souvint Kaïsha. Mais pourquoi ne vous laisse-t-on pas partir?

Junn haussa les épaules en soupirant et Cyam répondit à sa place.

— Parce que Junn est une maître. Le Conseil ne veut pas laisser ses membres aller risquer leur vie au-dehors.

— Vous êtes une maître? s'exclamèrent Kaïsha et Ko-Bu-Tsu d'une même voix, cette dernière sortant de son mutisme sous la surprise.

— Je ne vous l'avais pas dit? s'enquit Zuo, surpris.

— Non, tu as oublié de nous mentionner ce petit détail, lui répondit Kaïsha, encore sous le choc.

Elle reporta son regard vers Junn.

— Si vous êtes une maître, comment se fait-il que vous n'étiez pas au Conseil lorsqu'ils nous y ont emmenés?

— Parce que je vous avais accueillies sous mon toit, expliqua Junn. Un maître ne peut pas siéger pour une cause qui le concerne, c'est interdit. Et les gardes me retenaient à la maison de toute façon…

Kaïsha fouilla dans sa mémoire à la recherche de tout indice qui aurait pu lui indiquer que la mère de Zuo était une maître et elle se rappela les mots que Cyam avait utilisés, des mois plus tôt, pour expliquer son absence dans l'expédition. Il avait dit qu'elle était trop «précieuse» pour quitter la Commune. Kaïsha avait alors cru qu'il s'agissait de l'inquiétude d'un mari pour sa femme, mais ses paroles prenaient maintenant un tout autre sens. Elle comprit en même temps pourquoi tant de personnes semblaient connaître Zuo dans la Commune.

— Comment se fait-il que vous n'habitiez pas le palier Un? s'étonna alors Ko-Bu-Tsu, prise par la curiosité. Tous les maîtres y résident, non?

— C'est vrai, soupira Junn. Mais je n'ai jamais voulu de tous ces privilèges dont les maîtres jouissent. Je ne voulais même pas être maître au départ. J'aimais voyager, voir le monde, vivre dans ma petite maison avec mon mari et mon fils. C'est tout ce que je voulais. Lorsque j'ai été nommée maître, j'aurais dû déménager dans le palier Un et devenir professeure, mais j'ai négocié pour continuer mon métier d'exploratrice. Seulement, depuis que Zuo s'est fait enlever...

Elle ne put finir sa phrase. Elle lança seulement un regard terriblement coupable à son fils, qui vint lui prendre la main en réconfort. Junn soupira et conclut en souriant :

— Ils ont refusé que je reparte. C'est tout. Alors depuis, j'enseigne au Collège. Si Anyel est bien l'instructrice de l'élève qui t'a invitée, je suis sûre que je pourrai la convaincre d'accepter.

Le retour sur ce sujet ramena le malaise qui planait entre Kaïsha, Zuo et Ko-Bu-Tsu. Cette dernière baissa les yeux pour qu'on ne pût la déchiffrer, mais Kaïsha perçut la peine dans son visage et la culpabilité lui reprit à la gorge.

— Sur ces bonnes paroles, vous devriez aller vous coucher, tous les trois, trancha Cyam, les sortant de leur silence. Il se fait tard.

Ko-Bu-Tsu fut la première à approuver et elle monta en coup de vent au premier étage.

— Est-ce qu'elle va bien ? s'enquit Junn.

— Oui, oui, elle est seulement fatiguée, éluda Kaïsha en la suivant.

Lorsque Zuo et elle furent rendus au premier étage, Zuo posa une main sur le bras de Kaïsha.

— Parle à Ko-Bu-Tsu. Elle est blessée, mais elle a surtout peur d'avoir perdu ton soutien. Nous sommes ses deux seuls amis dans le monde, les deux seules personnes en qui elle peut avoir confiance. Nous devons la protéger d'elle-même.

Kaïsha fut stupéfaite par la sagesse et la justesse des propos de Zuo. Elle acquiesça.

— J'ai laissé mes émotions parler et j'ai été stupide. Je vais faire de mon mieux pour réparer mon erreur.

Zuo approuva et, après lui avoir souhaité la bonne nuit, il disparut dans sa propre chambre. Kaïsha se retrouva seule devant la porte fermée de la sienne et hésita à frapper. Finalement, elle ouvrit et trouva Ko-Bu-Tsu, en train d'enfiler sa robe de nuit. Kaïsha avait promis à Zuo de corriger sa faute, mais maintenant qu'elle en avait la chance, elle ne savait pas quoi dire. Elle ne pensait pas moins ce qu'elle avait dit plus tôt. Ko-Bu-Tsu était en train de s'emmurer elle-même, loin du monde extérieur. Kaïsha voulait l'en empêcher, mais comment?

— Je suis désolée, fut tout ce qu'elle trouva à dire, figée sur le pas de la porte.

Ko-Bu-Tsu interrompit son mouvement, puis se tourna lentement vers Kaïsha. Il n'y avait plus de colère dans ses yeux, juste une grande tristesse.

— Je sais, Kaïsha, dit-elle lentement. Je ne t'en veux pas.

Elle disait cela, mais Kaïsha sentit que quelque chose s'était brisé chez son amie. Elle se sentit affreusement mal, mais elle n'arriva pas à ajouter quoi que ce fût. Il n'y avait peut-être rien d'autre à dire. Elle se changea rapidement et se coucha de son côté du lit; à côté, Ko-Bu-Tsu était déjà allongée. Aucune ne dit un mot et Kaïsha souffla la chandelle, ce qui les plongea dans l'obscurité.

Seule avec elle-même, Kaïsha lutta contre des sentiments contradictoires. Sa culpabilité envers son amie, son appréhension face à son futur…

Au moment où elle s'abandonna au sommeil, le sourire d'Odel fut la dernière chose à flotter dans son esprit.

11

Kaïsha était assise dans un fauteuil matelassé de velours rouge. Nerveuse, elle avait les coudes appuyés sur ses genoux, son menton reposait sur ses mains jointes. Elle fixait le sol et tentait de vider son esprit, mais son cœur battant la chamade l'empêchait de trouver le moindre calme.

Quelques jours auparavant, Odel était venu frapper à la porte des Steloj. Courtois, il avait annoncé à Kaïsha que son enseignante, maître Anyel, avait accédé à sa demande et acceptait que Kaïsha vînt se présenter devant sa classe. Junn lui ayant annoncé la même nouvelle le soir d'avant, Kaïsha avait remercié Odel en tentant de lui cacher qu'elle n'avait pas pu dormir de toute la nuit tant la nouvelle, bien qu'elle l'attendait, l'avait placée dans un état de grande agitation. Odel lui avait expliqué qu'elle n'aurait pas de discours à préparer, mais qu'elle devrait s'attendre à répondre aux questions des élèves, car telle était l'approche voulue par maître Anyel.

Ainsi, elle se retrouvait aujourd'hui dans un petit salon, annexe à la salle de cours, attendant qu'on voulût bien venir la chercher. Odel était passé la prendre le matin même, vêtu de sa robe verte d'étudiant, et l'avait conduite au Collège des études supérieures d'Erwem. Il s'agissait d'un immense quartier du palier Deux, tout à l'est de la Commune, une partie que Kaïsha n'avait pas encore explorée. Partout, des étudiants se promenaient dans des jardins ensoleillés par les miroirs. De belles fontaines chantaient ici et là, et les nombreux bâtiments renfermaient les salles de cours vers lesquelles les jeunes se dirigeaient au son des cloches. Odel l'avait emmenée dans l'un des bâtiments, où ils avaient parcouru un dédale de couloirs avant d'arriver à sa salle de cours. Par la porte entrouverte, Kaïsha avait vu une partie de la salle, qui ressemblait à un minuscule stade et où les élèves présents prenaient place sur des gradins en forme de demi-cercle. La dimension de l'endroit et le nombre d'élèves avaient étourdi Kaïsha, mais Odel ne lui avait pas laissé le temps d'en voir plus. Il l'avait fait passer par une porte dérobée pour l'emmener directement dans le petit salon, où son instructrice les attendait.

Maître Anyel était une femme âgée à l'air dur, mais lorsqu'elle s'était inclinée devant Kaïsha pour la saluer, son regard était chaleureux. Elle l'avait remerciée d'avoir accepté l'invitation et lui avait demandé de rester là et d'attendre qu'on vînt la chercher, ce que Kaïsha faisait depuis maintenant une bonne demi-heure.

Elle essaya d'imaginer ce qui se passait de l'autre côté de la porte. De quoi parlaient-ils, dans ce cours où l'on traitait des différentes nations, peut-être le seul cours du genre dans le monde ? Parlaient-ils d'elle en ce moment ? Qu'était-elle à leurs yeux ? Une monstruosité, ou un objet de curiosité ?

Elle ferma les yeux et se laissa aller contre le dossier du fauteuil. Elle qui avait attendu cet évènement avec espoir, elle était maintenant pétrifiée à l'idée de se retrouver devant une foule, redoutant l'impression qu'elle leur laisserait. Elle aurait aimé que Ko-Bu-Tsu ou Zuo fussent avec elle ; leur présence lui aurait redonné du courage. Mais Zuo avait repris ses cours le matin même et Ko-Bu-Tsu était restée dans leur chambre en lui souhaitant un «bonne chance» vide. Sans ses amis à ses côtés, Kaïsha se sentait étrangement petite, fragile. Ils avaient tous les trois passé tant de temps ensemble qu'elle n'arrivait plus à s'imaginer faire quoi que ce fût sans eux.

La porte qui menait à la salle de classe s'ouvrit soudain et maître Anyel apparut dans l'ouverture. Kaïsha sentit ses membres s'engourdir.

— Nous sommes prêts, si vous l'êtes, annonça simplement la professeure.

La gorge soudainement très sèche, Kaïsha acquiesça silencieusement et se leva. L'espace d'un instant, elle fut incapable d'avancer. Elle pensa alors que de l'autre côté de cette porte se trouvaient les gens qui, un jour, pourraient faire la différence dans un monde d'intolérance. Ils allaient la voir pour la première fois. Qu'allaient-ils penser d'elle? Que désirait-elle leur montrer? Kaïsha prit alors une grande inspiration et s'obligea à se calmer et à ne pas montrer sa nervosité. Elle voulait leur apparaître confiante, sûre d'elle. Elle se remémora alors le Conseil et le feu qui l'habitait lorsqu'elle savait qu'elle allait devoir se battre. Son sang se mit à battre contre ses tempes et elle sentit la détermination monter en elle. Elle avança vers la porte et fit son entrée dans la salle.

Elle fut accueillie par un silence soudain et une centaine de paires d'yeux la fixèrent. Elle avait devant elle des jeunes des Montagnes un peu plus âgés qu'elle, tous vêtus de la même robe verte d'étudiant. Au premier rang, elle aperçut Odel, qui lui adressa un petit signe de la main, auquel elle répondit par un sourire. Il était vrai qu'elle se sentait seule sans Zuo et Ko-Bu-Tsu, mais voir Odel la rassura un peu et lui redonna confiance. Elle avança jusqu'au milieu de l'estrade où l'enseignante donnait son cours, le bruit de ses pas se répercutant en écho dans la salle autrement plongée dans le silence, puis elle fit face à la foule. Nul n'osa émettre un son. Tous se contentaient de la fixer avec la même curiosité, certains, avec une trace de dégoût et d'autres, avec fascination. Même maître Anyel, surprise par la réaction de sa classe, resta coite. Sentant la pression d'une centaine de paires d'yeux fixés sur elle, Kaïsha prit une inspiration et décida de briser le silence elle-même.

— Bonjour, dit-elle avec le plus de naturel possible. Je m'appelle Kaïsha et je suis l'Enfant des trois mondes.

Aussitôt, une vague de murmures se propagea parmi les étudiants, plusieurs ayant même sursauté lorsqu'elle avait parlé. Ne sachant pas vraiment quoi faire, Kaïsha se tourna vers maître Anyel, qui comprit tout de suite et reprit la direction de son cours.

— Bienvenue, Enfant des trois mondes, l'accueillit-elle en montant la rejoindre sur l'estrade. C'est une occasion unique que nous avons aujourd'hui de recevoir une personne qui a grandi à l'extérieur des Montagnes.

Elle se tourna alors vers les élèves et annonça :

— Comme nous en avons discuté au cours précédent, vous avez droit à une question chacun à laquelle mademoiselle Kaïsha ici présente répondra. Nous ferons une séance de deux heures, tout au plus. Je ne tolérerai aucune insulte ni aucun manque de respect de votre part. Ceux qui ne se sentent pas à l'aise peuvent partir tout de suite.

Kaïsha s'attendait à ce que plusieurs se levassent, et elle vit en effet une dizaine d'élèves incertains se tortiller sur leur chaise, mais étonnamment, nul ne se leva. Il sembla que la curiosité de voir une étrangère pour la première fois l'emporta sur le dégoût que l'Enfant des trois mondes pouvait leur inspirer.

Pourtant, nul n'osait franchir le premier pas et poser une question. Tous semblaient juste fascinés de la regarder, de l'analyser sous toutes ses coutures. Kaïsha commença à se sentir vraiment mal à l'aise lorsque, finalement, une jeune fille se leva lentement et attendit, silencieuse et figée.

— Oui, Neymeli ? fit maître Anyel en la désignant.

La jeune fille en question hésita encore un moment avant de parler, n'osant pas croiser le regard de Kaïsha. Cette dernière s'attendait à n'importe quelle question, et se doutait bien qu'on l'aborderait sur sa nature maudite, mais elle était prête. Finalement, Neymeli se décida et demanda d'une voix feutrée :

— Est-ce vrai que vous avez sauvé le fils de maître Steloj ?

Une rumeur parcourut la salle et plusieurs regardèrent Kaïsha, étonnés. Kaïsha elle-même fut la plus surprise. Elle s'était préparée à beaucoup de questions, mais elle n'avait jamais pensé qu'on lui poserait celle-là. Elle dut se reprendre pour formuler correctement sa réponse et décida d'y aller pour la simple franchise :

— Je crois que c'est très exagéré...

— Pourtant, c'est ce que maître Steloj nous a dit l'autre jour, l'interrompit la jeune fille, comme pour lui prouver qu'elle détenait déjà la bonne réponse. Je suis son cours sur les mythologies, et elle nous a raconté comment vous avez secouru son fils dans le Désert, lorsqu'ils l'ont enlevé.

Une nouvelle rumeur, beaucoup plus soutenue, traversa à nouveau la foule et certains élèves regardèrent même Kaïsha en lançant des « c'est vrai ? » étonnés. Maître Anyel dut frapper dans ses mains pour ramener l'ordre, puis fit signe à Kaïsha de répondre. Kaïsha hésitait. Elle voyait bien là la main de Junn, voulant l'aider en parlant d'elle à ses élèves, mais elle ne voulait pas paraître comme une héroïne qu'elle n'était pas. Encore une fois, elle décida de dire la simple vérité :

— Zuo et moi étions esclaves dans la même demeure, expliqua-t-elle en regardant Neymeli directement, puisque c'était elle qui avait posé la question. J'étais là depuis un an lorsqu'ils ont acheté Zuo, et s'ils l'ont fait, c'était à cause de moi.

— Comment ça ? s'étonna Neymeli, oubliant toute politesse et fixant cette fois Kaïsha directement.

Kaïsha baissa les yeux. Ce souvenir lui déchirait encore le cœur lorsqu'elle y pensait. Elle pouvait encore sentir le sable sous ses genoux lorsqu'elle s'était jetée par terre, suppliant Ta-Tsu-Me de ne pas commettre cette monstruosité...

« Ta-Tsu-Me... » pensa-t-elle avec lourdeur.

— L'homme dont j'étais l'esclave avait une mère malade, expliqua-t-elle à la salle. Si vous connaissiez la culture du Désert, et de qui elle était la mère, vous vous rendriez compte qu'elle était une femme très bonne. Je devais m'occuper d'elle et elle m'appréciait beaucoup. Je pense pouvoir dire que j'étais en quelque sorte sa... favorite.

— Sa favorite ? l'interrompit un jeune homme à l'air très sceptique. Et elle savait que vous étiez une... une enfant de deux mondes ? ajouta-t-il avec dédain.

Kaïsha le regarda droit dans les yeux et sourit.

— Si elle l'avait su, croyez-vous que je serais ici en train de vous parler ?

Un frisson traversa la salle et le jeune homme se figea, soudain muet. Des étudiants à côté de lui regardèrent Kaïsha avec une sorte... d'admiration ? Kaïsha n'aurait pu dire. Elle retourna son attention vers Neymeli et continua :

— Son nom était Ta-Tsu-Me. Elle avait une conception particulière de la bonté. Vous devez comprendre que, pour elle, j'étais une sorte de bibelot, un animal de compagnie dont elle était la propriétaire.

À cette mention, plusieurs étudiants firent une grimace de dégoût ou froncèrent les sourcils, désapprobateurs.

— Et en tant que telle, un jour, elle a voulu me trouver… un compagnon.

Kaïsha ne put se résoudre à dire la vérité : que Ta-Tsu-Me voulait qu'elle se reproduisît avec Zuo comme on ferait se reproduire des chevaux, juste par caprice. Au regard que lui lança maître Anyel, Kaïsha comprit que la professeure avait, elle, parfaitement saisi de quoi il en retournait, mais elle n'en montra rien.

— C'est pour cela qu'elle a acheté Zuo, qui était à peine plus jeune que moi, conclut Kaïsha sans donner d'autres détails.

Elle laissa un moment de silence passer, pour laisser les étudiants absorber la notion, mais aussi parce qu'il était difficile pour elle de raconter cette partie de sa vie ; plus difficile qu'elle ne l'aurait cru. Elle leva les yeux vers son public et vit que tous la regardaient, avides de savoir la suite.

— Zuo serait devenu esclave, peu importe les circonstances, précisa Kaïsha avec tristesse. Mais moi, à l'époque, j'avais l'impression que c'était de ma faute s'il était prisonnier. C'était à cause de moi que ce garçon effrayé pleurait, qu'il avait peur, qu'il était condamné à une vie de misère et de désespoir, c'était de ma faute…

Kaïsha se tut. Même après tout ce temps, la douleur n'était jamais loin. Elle chercha Odel des yeux et vit que celui-ci la fixait déjà, l'air profondément désolé. Étonnamment, sa compassion la toucha. Elle releva la tête.

— Vous comprendrez que, pour moi, Zuo était maintenant sous ma responsabilité. Je me suis dit que si je ne pouvais rien faire pour le libérer, je pouvais au moins lui rendre la vie le plus facile possible. Je me suis occupée de lui, j'ai essayé de toujours le protéger. Il est devenu mon frère et je suis devenue sa sœur. En m'occupant de lui, j'ai retrouvé un sens à ma vie. Quelqu'un comptait sur moi. Si je mourais, il y aurait quelqu'un à qui je manquerais. Maître Steloj vous raconte peut-être que je l'ai sauvé, mais la vérité, c'est que c'est Zuo qui m'a sauvée. Moi, j'ai juste essayé de lui rendre la pareille en le protégeant. C'est la seule chose dont je puisse prendre le mérite.

Un silence interdit accueillit sa conclusion. Kaïsha regarda les étudiants et se demanda ce qu'ils pensaient, actuellement. Un étudiant au fond de la salle se leva soudain, et maître Anyel lui fit signe de parler.

— Est-ce que c'est vrai que tous les esclaves du Désert sont marqués au fer ? demanda-t-il avec une sorte de curiosité mêlée de répugnance.

— Seuls ceux qui sont vendus à des familles nobles, répondit Kaïsha en portant sa main à son épaule droite. Nous sommes marqués du sceau de nos bourreaux. Voyez.

Elle leur fit dos et abaissa sa manche sur son épaule droite, dévoilant son omoplate et la boursouflure blanchâtre qui formait le sceau du général To-Be-Keh. Les étudiants réagirent tous bruyamment en voyant sa cicatrice. Plusieurs murmurèrent à leur voisin, d'autres émirent un sifflement de surprise, certains poussèrent même un petit cri d'étonnement. Lorsque Kaïsha se retourna, tous avaient les yeux ronds. Neymeli se leva à nouveau, mais n'attendit pas que maître Anyel l'autorisât ou non à parler pour s'adresser à Kaïsha :

— Ça a dû être horrible, dans le Désert, souffla-t-elle d'une voix brisée d'un imperceptible tremblement.

— Ça l'a été, répondit lentement Kaïsha, aux prises avec des souvenirs qu'elle préférait oublier. J'ai connu ce que c'était de n'être rien. De savoir que sa propre vie n'a aucune valeur. J'ai été méprisée, battue, et j'ai même été condamnée à mort pour avoir résisté à mes maîtres. Mais j'ai survécu. Et plus jamais je n'aurai de maître.

Elle avait dit ça sans réfléchir, mais un frisson parcourut la salle. Kaïsha ne comprit pas vraiment ce qui l'avait provoqué, mais plusieurs étudiants la fixaient avec un regard nouveau. Un jeune homme, qui la regardait avec de grands yeux ronds, se leva et attendit nerveusement que maître Anyel lui accordât le droit de parole.

— Comment vous êtes-vous retrouvée dans le Désert? demanda-t-il avec curiosité.

Kaïsha eut un demi-sourire. Ils arrivaient à une partie de son histoire qu'elle savait délicate.

— Lorsque j'ai appris que j'étais une enfant de deux mondes, j'ai voulu retrouver mes parents. J'ai pris un bateau qui allait sur le continent ouest et... des pirates nous ont attaqués. Ils ont enlevé plusieurs d'entre nous et nous ont vendus comme esclaves.

Un autre étudiant se leva alors d'un bond.

— Allez-y, Ezen, l'encouragea maître Anyel.

— Vous ne saviez pas que vous étiez une enfant de deux mondes depuis votre naissance? s'exclama l'étudiant en parlant si vite que les mots semblèrent débouler dans sa bouche.

Kaïsha rit.

— Non, jusqu'à mes treize ans, je croyais être une simple enfant des Plaines.

— Mais comment est-ce possible? l'interrogea aussi précipitamment Ezen. Ne le sentiez-vous pas dans votre corps, votre sang? Je veux dire, vous êtes... eh bien, ce que vous êtes! Vous ne sentiez pas que quelque chose clochait?

Kaïsha le regarda avec étonnement. Pourtant, son raisonnement n'était pas différent de celui qu'elle aurait elle-même eu, des années auparavant.

— Si je vous annonçais, là, maintenant, que vous êtes un enfant de deux mondes, me croiriez-vous? demanda-t-elle simplement.

L'étudiant rougit jusqu'à la racine des cheveux.

— Bien sûr que non ! s'indigna-t-il en lançant des coups d'œil à ses camarades, comme pour s'assurer que personne ne pensait cela de lui. Je sais que je suis un homme des Montagnes !

— Eh bien, c'est exactement le raisonnement que j'ai eu lorsque ma mère adoptive m'a révélé la vérité. Mon sang vient peut-être de deux nations, mais dans ma chair et dans mon cœur, *j'étais* une enfant des Plaines. Je ne me suis jamais sentie déformée ou déchirée entre deux mondes à l'intérieur de mon corps. Je sais que c'est ce que vous pensez, je le pensais aussi avant. Moi aussi, je pensais que les enfants de deux mondes étaient fondamentalement différents des autres et donc, qu'ils devaient forcément se sentir différents, contre nature… La vérité, c'est que ce n'est pas le cas. Moi, j'étais juste… Yeux-d'Eau, du village des Lavandes.

Prononcer son nom, après tout ce temps, fut comme un coup de poing pour Kaïsha. Soudain, elle revenait deux ans en arrière, elle était dans son village, elle était petite, timide et innocente. Elle pouvait se voir, mais peinait à faire le lien entre cette petite fille et elle-même. C'était comme se rappeler une autre vie, une autre vie heureuse dont le souvenir faisait mal. Les fantômes de ceux qu'elle avait aimés flottèrent dans son esprit et elle se rendit alors compte qu'une larme, unique et toute petite, roulait sur sa joue. Elle la chassa rapidement.

— Pardonnez-moi, s'excusa-t-elle aux étudiants qui la contemplaient.

— Yeux-d'Eau… c'était ton nom dans les Plaines ? demanda soudain Odel, sans s'être levé, le regard vrillé sur celui de Kaïsha.

Kaïsha remarqua que, pour la première fois, il la tutoyait.

— Oui, c'est celui que les gens de mon village m'ont donné pour une cause évidente. Peu de gens ont des yeux bleus dans les Plaines.

— D'où vient «Kaïsha», alors? s'enquit à nouveau Odel, peu soucieux des règles de sa professeure. Est-ce un nom que tu t'es choisi?

— Non, répondit Kaïsha en souriant. C'est le prénom que m'a donné ma mère naturelle, avant de m'abandonner.

Plusieurs sifflements et murmures parcoururent la salle. Une étudiante au visage rond se leva alors.

— D'où venait votre mère? Si elle venait des Plaines, elle ne vous aurait pas donné ce nom-là.

— En effet, acquiesça Kaïsha, encore impressionnée par les connaissances que ces jeunes avaient des autres mondes. Elle venait de la Forêt. Mon père venait de la Mer. Et j'ai grandi dans les Plaines. Voilà pourquoi je suis l'Enfant des trois mondes.

— Pourquoi vous a-t-elle laissée dans les Plaines? l'interrogea encore la jeune fille au visage rond.

Cette fois, Kaïsha prit son temps pour répondre. C'était une question qu'elle s'était elle-même tellement posée; elle n'était pas sûre d'en connaître la réponse.

— Ma mère adoptive m'a dit que c'était pour me protéger. En grandissant dans une nation où nul ne pourrait connaître mes parents, mes origines seraient plus faciles à cacher. Je pense que ma mère a voulu me donner une chance de vivre une vie normale. Comme vous pouvez le voir, elle a échoué.

Plusieurs personnes rirent et Kaïsha en fut étonnée, mais heureuse. Elle sentait à présent que les étudiants étaient moins gênés. La méfiance s'en était tranquillement allée et les regards qu'ils lui lançaient étaient plus ouverts et amicaux.

— Est-ce que ça vous manque? Les Plaines, je veux dire, demanda la jeune fille au visage rond.

Kaïsha repensa à Espérance, à Furtif, et à tous ses frères et sœurs dans leur chaumière sur la colline. La tristesse monta en elle comme une marée, lente, mais inéluctable.

— Cruellement, répondit-elle avec franchise. Pas un jour ne passe sans que je pense à ma maison et à ma famille.

— Pourquoi n'y êtes-vous pas retournée, alors? demanda un étudiant à la voix nasillarde, l'air ennuyé.

Kaïsha tourna la tête vers lui et celui-ci se redressa sur sa chaise en lui lançant un regard de défi.

— Parce qu'il y a des choses plus importantes que mes désirs personnels, répondit-elle de but en blanc.

— Comme quoi? répliqua l'étudiant du tac au tac. Vous n'êtes plus une esclave. Vous auriez pu retourner dans les Plaines, où personne n'aurait su ce que vous êtes. Pourquoi venir ici, où tout le monde sait que vous êtes une enfant de deux mondes? Vous saviez que vous ne seriez pas la bienvenue.

Kaïsha fut prise de court par la brusquerie de ses paroles. Elle vit toutefois aux visages des étudiants que plusieurs d'entre eux se posaient la même question. Kaïsha se trouvait devant un dilemme. Leur dire la vérité et risquer qu'ils ne la crussent pas, ce qui lui ferait perdre sa crédibilité, ou inventer un mensonge blanc. Comme s'il détenait la solution, Kaïsha lança un coup d'œil à Odel et celui-ci dut sentir que quelque chose de sérieux se tramait, car il se redressa et fronça les sourcils, inquiet. Kaïsha regarda le jeune homme et pensa qu'à lui, elle pourrait dire la vérité. Elle était persuadée qu'il la croirait. Elle reporta son regard à la classe entière, passant sur chaque visage, voulant être sûre d'avoir leur attention, et déclara lentement, gravement :

— Si j'étais retournée dans les Plaines, auprès de ma famille, je n'aurais pas caché ma nature. Je suis ce que je suis et je n'en ai pas honte. Je n'en ai *plus* honte. Les enfants de deux mondes sont condamnés parce qu'on dit que leur naissance est contre nature, et l'on dit cela parce que pour nous tous, partout dans le monde, l'étranger est synonyme de danger. Vous qui étudiez les autres cultures, vous êtes les mieux placés pour savoir que nous ne sommes pas si différents les uns des autres. Lorsque j'étais esclave, j'ai vécu aux côtés d'hommes et de femmes de toutes les nations. Nous n'étions plus des enfants des Plaines, de la Forêt, de la Mer ou des Montagnes. Nous n'étions rien. Et dans cette égalité, nous étions tous semblables. Nous *sommes* tous semblables.

Kaïsha les regarda tous, ces jeunes qui l'écoutaient, attentifs, choqués, désorientés pour certains. Elle leur parlait un langage qu'ils peinaient à comprendre, une vérité si simple qu'elle était inconcevable.

— Il y a une raison qui m'a poussée à venir ici, mais il est encore trop tôt pour en parler, continua-t-elle plus calmement. Votre Conseil la connaît et décidera du meilleur moment pour vous la communiquer. Entre-temps, je demande simplement à être acceptée par votre Commune. Oui, j'avais conscience que je ne serais pas la bienvenue ici. Je ne le suis nulle part. Mais j'ai espoir que si les gens apprennent à me connaître, s'ils voient plus loin que l'étiquette dont on m'a affublée, ils verront que les raisons qui les poussent à me mépriser sont absurdes.

Elle regarda autour d'elle, et elle comprit qu'elle avait franchi un point de non-retour. Elle les avait heurtés à leur propre culture et à des préjugés qu'on leur avait inculqués depuis la tendre enfance. C'était sans doute trop présomptueux de Kaïsha de penser qu'elle pourrait les pousser à passer outre leurs croyances profondes pour l'accommoder, elle. Plusieurs étudiants qui l'avaient écoutée avec intérêt et politesse la dévisageaient à présent avec des sentiments partagés, certains avaient baissé les yeux et grimaçaient. Le silence s'éternisant, Kaïsha comprit qu'elle ne pouvait rien ajouter, sa présence dans le cours arrivait à son terme. Elle se tourna vers maître Anyel et ouvrit la bouche pour demander son congé lorsqu'Odel se leva.

Tous les regards se tournèrent vers lui, mais il regardait Kaïsha. Il n'y avait pas de dégoût, ni de confusion dans son regard, mais presque de la tristesse. Avec beaucoup de sérieux, il attendit que maître Anyel, qui semblait elle-même perdue dans ses pensées, l'autorisât à parler pour demander :

— Pourrais-tu nous parler de ton enfance dans les Plaines, et de ta vie comme esclave ?

Kaïsha regarda Odel sans comprendre. Il semblait avoir quelque chose derrière la tête, mais quoi ?

Comme s'il avait lu dans ses pensées, Odel clarifia, en parlant plus fort pour être sûr que tous l'entendissent :

— On ne connaît vraiment une personne que si l'on peut voir le monde de son point de vue. Personne ici ne peut voir le monde comme tu le vois, parce que personne ici n'a vécu ce que tu as vécu. Aide-nous à te comprendre.

Il prit une pause, mais tous étaient suspendus à ses lèvres. Odel sourit à Kaïsha, d'un sourire très doux qui fit naître un feu dans sa poitrine.

— Nous connaissons l'Enfant des trois mondes. J'aimerais connaître Kaïsha.

12

K aïsha passa les deux heures suivantes à raconter son histoire. Il lui fut très douloureux de parler d'Espérance, de Furtif et de sa famille, tout comme il lui fut difficile de raconter l'attaque des pirates et sa vie dans le Désert. Pourtant, elle essaya de donner le plus de détails possible, pour permettre à ces jeunes, qui l'écoutaient avec un intérêt grandissant, de connaître son monde, de comprendre sa vie telle qu'elle l'avait vécue. Souvent, elle fut interrompue par l'un des étudiants qui lui posait une question, lui demandait de préciser un évènement ou la questionnait sur la culture des Plaines et du Désert. Alors que Kaïsha parlait de son village natal, elle pouvait presque sentir le vent de la colline souffler sur son visage, transportant les effluves de lavande et d'herbes qu'elle arrivait encore à se remémorer. Elle amena les étudiants avec elle dans son voyage et leur fit découvrir, à travers ses mots, des paysages, des gens et des nations qu'ils ne connaissaient auparavant qu'au travers de livres et de cours truffés de faits impersonnels. Lorsque Kaïsha leur narra l'attaque des pirates sur *La Belcoque*, plusieurs frissonnèrent et quelques-uns plaquèrent leur main sur leur bouche, choqués. Lorsqu'elle raconta sa vie d'esclave, elle vit certains se masser l'épaule, comme s'ils sentaient la brûlure du fer sur leur peau. Quand elle raconta sa rencontre avec Zuo, l'un des leurs, un silence respectueux et fasciné envahit la classe. Kaïsha fut heureuse de leur décrire cette rencontre et cette amitié improbable qui la liait à un fils des Montagnes et une fille du Désert. Lorsque, enfin, elle en arriva à l'agression de Ko-Bu-Ko, la Nuit rouge qui s'ensuivit et son combat contre le scorpion, des exclamations ébahies jaillirent de la bouche des étudiants.

Kaïsha termina son récit sur leur fuite et leur voyage jusqu'aux Montagnes. Elle était épuisée. Elle avait revécu sa vie en quelques heures et elle se sentait à présent vidée. Elle conclut simplement :

— Je vous remercie de m'avoir écoutée aujourd'hui. Je vous demande humblement de m'accepter dans votre Commune. Ce serait pour moi un grand honneur que d'apprendre à être une fille des Montagnes, maintenant que je sais ce que c'est que d'être une fille des Plaines et du Désert.

Elle s'inclina respectueusement devant les étudiants, alors tous muets et figés comme des statues. Toutefois, lorsqu'elle se releva, de timides applaudissements se firent entendre, bientôt suivis par d'autres plus énergiques et soudain, la salle au complet l'applaudit. Prise de court, Kaïsha ne savait pas comment réagir. Elle resta bêtement debout, gênée. Maître Anyel attendit que les applaudissements s'amenuisent pour prendre la parole. Elle remercia chaleureusement Kaïsha de leur avoir fait l'honneur de venir, puis elle demanda à ses élèves de lui écrire une dissertation sur ce qu'ils venaient d'entendre, avant de mettre fin au cours. Les étudiants se levèrent de façon chaotique et quittèrent la classe en discutant vivement entre eux. Kaïsha entendit distinctement plusieurs d'entre eux parler d'elle en l'appelant « l'Enfant des quatre mondes ».

— C'était vraiment extraordinaire, la félicita Odel en venant la rejoindre.

— Merci, répondit Kaïsha en rougissant. J'espère que j'ai réussi à transmettre mon message. Mais pour le moment, je donnerais n'importe quoi pour une chaise !

Odel rit et lui proposa de s'asseoir sur l'un des bancs dans la salle, ce qu'elle accepta avec reconnaissance.

— Je ne pense pas qu'une seule personne présente aujourd'hui est sortie de cette salle avec les mêmes croyances, déclara Odel avec sérieux.

— Qu'en est-il des tiennes ? demanda Kaïsha, plus intéressée qu'elle osait l'avouer.

Odel lui lança un regard coupable.

— Je mentirais si je disais que je n'avais pas mes propres préconceptions sur les enfants de deux mondes... ou sur les autres peuples, tout simplement. Tu dois nous comprendre : toute notre vie, on nous a enseigné que les nations devaient rester loin les unes des autres, que lorsque les explorateurs voyagent, ils doivent rester le plus discret possible pour éviter tout contact avec des étrangers. J'ai grandi avec l'idée qu'on ne pourrait jamais comprendre l'enfant d'un autre monde et qu'on ne devrait jamais essayer de s'en approcher, au risque de s'attacher à l'un d'eux... et avoir un enfant de deux mondes...

Odel baissa les yeux, l'air coupable. Kaïsha comprenait pourtant parfaitement ce dont il parlait : elle avait déjà eu les mêmes croyances. Malgré tout, cela lui fit mal, bien qu'elle fit son possible pour le cacher. Odel leva alors le visage vers elle et la fixa avec un demi-sourire.

— Mais toi, Kaïsha, tu es la preuve que j'avais tort. Tu as changé beaucoup de préconceptions que j'avais sur les étrangers... et sur les enfants de deux mondes. Et avec ce qui vient de se passer aujourd'hui, je sais que je ne suis pas le seul pour qui c'est le cas. J'ai le pressentiment que ça va bientôt prendre des proportions démesurées.

Kaïsha ne put s'empêcher de sourire. Entendre Odel lui dire qu'elle avait eu une influence, si petite fût-elle, dans sa vie, lui fit un plaisir énorme.

❋ ❋ ❋

Odel raccompagna Kaïsha jusque chez les Steloj. Sur le terrain du Collège, de nombreuses têtes se tournèrent vers eux à leur passage et beaucoup d'étudiants chuchotèrent entre eux en dévisageant Kaïsha. Elle y était tellement habituée, à présent, qu'elle ne savait pas si c'était là l'effet habituel qu'elle provoquait ou si elle assistait aux premières conséquences de sa rencontre avec les jeunes des Montagnes. Dans les rues et dans la Grande place, les gens s'écartaient comme d'habitude lorsqu'elle approchait et plusieurs fixaient Odel avec surprise ou méfiance, se demandant sans doute ce qu'un jeune homme des Montagnes faisait avec l'étrangère.

— Si tu te sens incommodé, tu peux me laisser, tu sais, lui proposa Kaïsha, inquiète qu'Odel pût souffrir des regards que ses compatriotes lui lançaient. Tu n'as pas à porter ce poids-là.

Odel la dévisagea, surpris.

— Si le jugement de mes pairs me gênait, je ne t'aurais pas invitée à venir dans mon cours en premier lieu.

Pourtant, au moment où il termina sa phrase, il baissa les yeux, l'air soudain coupable. Il garda le silence un moment, et seul le claquement de leurs pas communs résonna sur les dalles de pierre. Kaïsha sentit qu'il voulait dire autre chose, aussi elle garda le silence et attendit.

— La vérité, finit-il par dire en soupirant, c'est que lorsque Nihiri m'a parlé de vous pour la première fois, toi, l'Enfant des trois mondes ; ton amie, la jeune fille à la peau de neige ; et Zuo Steloj, le miraculé qui ramenait des étrangères dans la Commune, Nihiri n'était pas dégoûtée, ni effrayée. Elle vous admirait ! À l'entendre, vous sortiez tout droit d'un conte de voyageurs que l'on raconte aux enfants. Et moi...

Odel s'interrompit, visiblement aux prises avec des sentiments contradictoires.

— Moi... j'étais choqué qu'on ait laissé entrer des étrangers dans notre nation. J'étais enorgueilli, comme nous le sommes tous, du fait que nul autre qu'un enfant des Montagnes n'avait jamais vécu sous les pics enneigés. Pour moi, c'était une insulte, et une insulte plus grave encore puisque tu... toi...

— Parce que l'étrangère était une enfant de deux mondes, compléta calmement Kaïsha, cachant la douleur que ces paroles lui causaient.

— Oui, admit Odel, coupable.

Il se tourna soudain vers Kaïsha, l'air grave.

— Mais lorsque je t'ai rencontrée, j'ai cessé de penser ainsi. Quand Nihiri nous a annoncé qu'elle vous avait invités, ça m'a presque autant choqué que ça a choqué ma mère. Je m'étais toutefois intimé de me montrer courtois, parce que je voulais vous impressionner, en vous montrant combien les gens des Montagnes pouvaient être tolérants. Mais ce masque, je n'ai plus eu à le porter dès le moment où tu as commencé à parler. Tu étais tellement différente de tout ce qu'on racontait sur les enfants de deux mondes ! Tu m'as fait voir à quel point j'avais des préjugés non fondés, et je me suis mis à jalouser ma petite sœur, qui, elle, avait compris cela bien avant moi !

Tout en marchant, ils avaient atteint la maison des Steloj. Odel ralentit le pas, puis s'arrêta.

— Ce que je veux vraiment dire, c'est que j'ai décidé de changer d'attitude. Je veux être plus ouvert et je veux me libérer complètement de mes préjugés. C'est un peu pour cette raison que je t'ai invitée à venir parler dans ma classe. Maintenant... j'espère juste que je ne suis pas le seul à avoir eu cette épiphanie.

Kaïsha demeura interdite par rapport à une telle déclaration. Que pouvait-elle lui répondre ? Il la regardait avec inquiétude, attendant sa réaction. Kaïsha, elle, voulait simplement qu'il ne s'inquiétât plus, surtout pas à cause d'elle.

— Merci, souffla-t-elle soudain, sans réfléchir. Merci d'avoir été sincère envers moi. Cela me touche énormément.

Odel sourit, visiblement rassuré. Kaïsha lui rendit son sourire, le cœur chaud. Un peu maladroitement, elle lui dit au revoir et se réfugia dans la maison pour qu'il ne la vît pas rougir encore une fois. Elle se sentit parfaitement idiote d'avoir cette réaction enfantine, mais elle était incapable de l'empêcher.

— Kaïsha ! Tu es enfin de retour ! s'exclama Zuo en accourant vers elle, rayonnant comme toujours.

— Est-il si tard ? s'étonna Kaïsha tout en essayant de cacher son trouble et de reprendre un air naturel, le visage d'Odel n'étant jamais bien loin dans son esprit.

— Je suis rentré de mes cours il y a un peu moins d'une heure, expliqua Zuo.

— Nous allions nous mettre à table, ajouta Junn en sortant de la cuisine, un tablier autour de la taille.

Assise sur un fauteuil, son vieil ouvrage de médecine entre les mains, Ko-Bu-Tsu adressa un sourire subtil mais sincère à Kaïsha. Le froid entre elles ne s'était pas tout à fait dissipé, mais elles avaient décidé d'un commun accord qu'il était inutile de revenir sur leur discorde.

— Comment s'est passée ta rencontre avec la classe ? s'enquit poliment son amie en posant son livre.

— Bouleversant, répondit honnêtement Kaïsha. Mais je pense qu'à la fin, j'ai réussi à connecter avec eux. Je l'espère vraiment.

— Tu nous raconteras tout cela pendant le souper, indiqua Junn avec bonne humeur, mais avant toute chose, as-tu vu ceci ?

Elle lui tendit un morceau de parchemin.

— Le sage a décidé d'organiser un bal pour célébrer le retour de Zuo. Nous venons de recevoir le prospectus.

— Un bal ? s'étonna Kaïsha en parcourant le parchemin des yeux. Pourquoi maintenant ?

— Effectivement, nous sommes revenus depuis quelques semaines déjà, ajouta Zuo.

— Il est vrai que, lorsqu'un évènement comme celui-ci se produit, aussi rares soient-ils, l'enfant des Montagnes qui revient dans sa Commune est célébré presque aussitôt, mais dans la situation présente…

Junn hésita et se tourna vers Cyam, qui finissait de poser les couverts sur la table. Celui-ci lança un regard soucieux à Zuo, puis à Kaïsha et Ko-Bu-Tsu, avant de soupirer.

— Nous soupçonnons Maen d'avoir reporté l'évènement parce que Zuo est revenu avec vous, expliqua-t-il de but en blanc, l'air grave. Je ne serais pas exactement surpris qu'il ait œuvré dans l'ombre pour tout simplement ignorer le retour de Zuo parmi les siens.

— Pourquoi ? demanda Kaïsha, bien qu'elle savait la réponse.

— Parce qu'ainsi, il lui serait sans doute plus facile de vous faire quitter la Commune sans bruit. Tous les trois.

Kaïsha, Zuo et Ko-Bu-Tsu se regardèrent. C'était une chose pour Kaïsha et Ko-Bu-Tsu de s'attendre à devoir quitter la nation à tout moment. C'en était une tout autre de bannir Zuo, un fils des Montagnes légitime, juste parce qu'il était associé à elles. Cyam vit leur échange silencieux et intervint :

— Peu importe ses raisons, il semble qu'il ait échoué, puisque le bal aura lieu. Les maîtres ont dû lui faire pression pour qu'il tienne sa parole. De plus, même si la majorité d'entre eux ne vous portent pas dans leur cœur, manquer de respect à un enfant des Montagnes qui revient à la maison après plus d'un an d'absence, surtout en sachant où il était, est impensable.

— Donc, résuma Junn sur un ton joyeux un peu forcé, vous serez célébrés au prochain Jour du guide. Ce sera un grand évènement, avec de la danse, des représentations et de la musique. Il va falloir vous faire confectionner de nouveaux vêtements et vous apprendre quelques pas de danse, les filles.

— Le Jour du guide ? s'exclama Zuo. Mais c'est dans deux semaines !

— Raison de plus pour vous préparer au plus vite, rétorqua Cyam. Vous serez sans doute invités à donner un petit discours. Peut-être pas vous, ajouta-t-il à l'adresse de Kaïsha et de Ko-Bu-Tsu, mais Zuo, tu n'y couperas pas.

— Moi qui déteste parler en public, se plaignit Zuo en soupirant. J'étais bien content d'avoir pu revenir sans qu'on sonne de trompettes.

— C'est une marque de grand respect, le sermonna Cyam. Tu dois l'apprécier à sa juste valeur.

— Attendez un instant ! les interrompit Kaïsha, qui n'était pas sûre d'avoir bien entendu. Nous allons devoir *danser* ?

Junn se tourna vers elle, surprise.

— Ce ne serait pas vraiment un bal autrement, non ? dit-elle en riant. Ne t'en fais pas, tu n'auras qu'à apprendre quelques pas de base, ce n'est pas très difficile.

Kaïsha en doutait. Non seulement elle n'avait jamais dansé de sa vie, mais elle doutait fort de ses capacités à se montrer gracieuse et élégante. Ko-Bu-Tsu le remarqua et vint poser une main sur son épaule.

— Ne t'inquiète pas, la rassura-t-elle avec un demi-sourire. Puisque personne ne voudra danser avec nous sauf Zuo, je serai ta cavalière.

Kaïsha éclata de rire à cette idée, mais l'image fugace d'une autre personne, la tenant par la taille et l'entraînant sur la piste, s'immisça dans son esprit. Elle l'en chassa aussitôt.

Dès le lendemain, Junn fit venir à la maison une couturière et un maître à danser. Kaïsha et Ko-Bu-Tsu venaient de finir leur déjeuner lorsqu'on frappa à la porte. Zuo alla ouvrir et laissa entrer un homme et une femme. La couturière avait un visage austère et se mit à analyser Kaïsha et Ko-Bu-Tsu des pieds à la tête avec un air de dédain, tandis que le maître à danser commençait déjà à pousser les meubles du salon pour leur faire de l'espace.

— Bonne chance, lança un Zuo hilare à Kaïsha et Ko-Bu-Tsu alors qu'il partait avec Cyam, lui pour aller à ses cours et son père pour se rendre au bureau des explorateurs, laissant Kaïsha et Ko-Bu-Tsu désemparées face aux deux artistes.

— Mademoiselle Azola, Maître Gregon, merci d'être venus si vite, les remercia Junn en s'inclinant profondément devant eux.

— Je vous en prie, déclara maître Gregon en s'inclinant plus profondément encore. Pour vous, maître Steloj, nous avions le devoir d'accepter. Tout le monde sait quelles épreuves vous avez dû traverser dans la dernière année. Maintenant que votre fils est de retour parmi nous, toute la Commune voudra fêter.

— Même s'il est revenu avec elles, ajouta mademoiselle Azola en pointant Kaïsha et Ko-Bu-Tsu.

Kaïsha et Ko-Bu-Tsu se lancèrent un regard. Kaïsha appréhenda la réaction de son amie, mais cette dernière la regarda et secoua doucement la tête en soupirant. Cela lui coûtait beaucoup, mais elle essayait de maîtriser sa colère, Kaïsha le voyait. Junn fronça les sourcils.

— Vous savez sans doute que ces jeunes filles sont de proches amies de mon fils, intervint-elle avec une voix douce, mais où Kaïsha perçut pour la première fois des airs d'avertissement. C'est grâce à elles s'il est de retour dans son foyer.

— Oui…, admit à contrecœur mademoiselle Azola en lançant un regard de biais à Kaïsha. On parle beaucoup de la jeune fille qui se nomme elle-même l'Enfant des trois mondes. Comme si ce n'était pas déjà assez honteux de porter le nom d'enfant de deux mondes…

— Je suis donc sûre que vous aurez le plus grand respect pour moi, qui suis une enfant pure d'un seul monde, dit tranquillement Ko-Bu-Tsu.

La couturière sursauta lorsqu'elle l'entendit s'adresser à elle, et pinça les lèvres en dévisageant froidement Ko-Bu-Tsu, incapable de lui répondre.

— Oui, c'est bien ce que je pensais, constata Ko-Bu-Tsu.

— Je pense qu'il est inutile d'argumenter plus longtemps sur le sang qui coule dans nos veines, ne croyez-vous pas ? les interrompit Junn avec autorité. Ces jeunes filles sont des invitées de notre nation et elles seront célébrées avec mon fils au bal que le sage va donner en son honneur. Il leur faudrait des robes et quelques notions de danse, c'est pour cela que je vous ai fait venir.

— Ce sera bien sûr un honneur, répondit maître Gregon en lançant un regard à mademoiselle Azola.

Cette dernière préféra abandonner la bataille et s'inclina profondément, sans toutefois se départir de son regard glacé.

— À la bonne heure ! s'exclama Junn, retrouvant sa joyeuse humeur.

Les deux artistes se séparèrent donc, mademoiselle Azola prenant la cuisine et maître Gregon, le salon. Kaïsha fut la première à passer sous le regard acéré de la couturière pour se faire prendre ses mesures, tandis que Ko-Bu-Tsu fut invitée à se joindre au maître à danser.

— Montez sur ce tabouret, s'il vous plaît, demanda mademoiselle Azola à Kaïsha, bien que ses paroles sonnèrent plus comme un ordre qu'une requête.

Kaïsha s'exécuta, n'ayant aucune idée de ce qu'elle devait faire. Raide comme une statue, elle laissa la couturière prendre toutes sortes de mesure sur son corps, ce qui la gêna d'autant plus. En dévisageant ses vêtements avec scepticisme, mademoiselle Azola l'interrogea :

— Pourquoi portez-vous une tenue de Batalans ?

— Je ne voulais pas manquer de respect, se défendit Kaïsha avec courtoisie, pensant qu'il valait mieux éviter de se mettre la couturière encore plus à dos. Je voulais juste porter un pantalon, et c'est ce qu'on m'a donné.

— Qu'avez-vous contre nos robes ? la questionna encore mademoiselle Azola, affichant un air inquisiteur.

— Rien, répondit honnêtement Kaïsha. Je ne me sens juste… pas à l'aise, lorsque je ne suis pas libre de mes mouvements.

Mademoiselle Azola lui lança alors un regard perçant, très différent de la froideur dont elle faisait preuve envers elle jusqu'alors. Elle avait l'œil d'une couturière, une femme qui connaissait les vêtements et leur utilité plus que quiconque.

— Vous étiez esclave, mais vous vous êtes sauvée avec Zuo Steloj, c'est bien cela ? lui demanda-t-elle soudain.

— Oui, répondit Kaïsha, surprise par la question.

— Alors, ce que vous aimez porter, c'est quelque chose qui ne vous empêche pas de fuir, conclut mademoiselle Azola comme si c'était la chose la plus naturelle du monde.

Kaïsha fut choquée par la remarque. Elle ne voulait pas fuir, elle n'était pas une lâche ! Elle voulut répliquer, mais mademoiselle Azola leva une main impérieuse.

— Ce n'était pas une insulte, ajouta-t-elle avec fermeté.

Elle regarda alors Kaïsha dans les yeux pour la première fois.

— Le soir du bal, vous porterez une de mes créations. Je ne veux pas d'une fille gauche qui déambule comme si les démons des glaces lui avaient gelé les jambes. Je vais vous habiller, parce que maître Steloj me l'a demandé et que j'ai beaucoup de respect pour elle. Et si je dois le faire, alors je le ferai bien. Je vais vous faire quelque chose de confortable et souple, qui ne gênera pas vos mouvements. Vous pourrez même porter un pantalon en dessous, si vous y tenez tant que cela.

Kaïsha resta muette de surprise. Mademoiselle Azola ne montrait pas de respect ni de compassion pour elle, mais elle était professionnelle, et elle honorait son travail. Kaïsha comprit pourquoi Junn lui avait demandé de confectionner leurs robes. Aussi antipathique qu'elle pouvait être, elle n'essaierait pas de saboter leur chance de faire une bonne impression devant le peuple d'Erwem.

— Je propose une robe du bleu de Batalans, dit soudain Junn en entrant dans la cuisine.

Visiblement, elle avait tout entendu.

— Ne serait-ce pas provocateur ? demanda mademoiselle Azola avec beaucoup plus de déférence.

Junn sourit et regarda Kaïsha.

— Je pense que nous avons déjà passé le stade de la provocation, n'est-ce pas ?

Kaïsha sourit et approuva.

— Oui, je pense aussi.

— Tout le monde qui a vu Kaïsha l'a vue dans cet habit. Ils la reconnaîtront mieux si elle porte une robe dans les mêmes teintes. En plus, cela fait ressortir ses yeux.

— Elle ne passe déjà pas inaperçue, remarqua mademoiselle Azola en pinçant les lèvres. Mais très bien. Et pour l'autre, avez-vous une suggestion ?

Junn et Kaïsha échangèrent un regard entendu.

— Blanc. Sans aucun doute.

Mademoiselle Azola acquiesça sans cacher sa désapprobation. Elle prit encore quelques mesures de Kaïsha avant de la laisser descendre de son tabouret. Libérée, Kaïsha alla jeter un coup d'œil au salon et fut stupéfaite.

Une main dans celle du maître à danser et l'autre tenant sa jupe, Ko-Bu-Tsu évoluait avec grâce dans le salon, comme si elle avait dansé toute sa vie. Telle une nymphe des glaces, elle glissait sur le plancher avec une aisance naturelle qui trahissait son sang noble du Désert. En apercevant Kaïsha, elle sourit et regarda maître Gregon, qui comprit le message et mit fin à la danse.

— Je pense que je n'ai plus rien à vous enseigner que vous ne sachiez déjà, lui dit-il avec respect.

— C'est une danse très similaire à la balade du vent, répondit Ko-Bu-Tsu avec naturel. Je la pratique depuis que je suis petite, mais c'est la première fois que je danse avec un véritable partenaire.

— Comment pouviez-vous danser seule ? s'étonna maître Gregon.

Ko-Bu-Tsu baissa les yeux. Un voile de tristesse assombrit son regard.

— Je n'étais pas seule. Je dansais avec mon père.

Un silence tomba sur eux. Junn et Kaïsha savaient quelles douleurs se cachaient derrière cette simple phrase. Maître Gregon, bien qu'il ne pouvait comprendre complètement, sembla saisir le sentiment général. Avec une certaine délicatesse, il demanda :

— Vous êtes fille de noble, n'est-ce pas ?

Ko-Bu-Tsu leva les yeux vers lui, à demi surprise. Il secoua la tête.

— Je ne suis qu'un maître à danser, je n'ai pas beaucoup étudié les autres nations, mais je sais qu'une personne comme vous ne serait pas encore en vie si vous n'étiez pas sous la protection d'une famille noble.

Ko-Bu-Tsu, surprise, garda le silence un moment en dévisageant maître Gregon, puis admit :

— C'est exact.

Maître Gregon hocha la tête, pensif.

— Pour quitter votre nation et vous départir de la protection de votre famille, vous deviez avoir une très bonne raison.

Kaïsha écoutait attentivement et sursauta lorsqu'elle vit que mademoiselle Azola s'était placée derrière elle, le visage insondable. Maître Gregon s'en aperçut également et échangea un dialogue silencieux avec la couturière. Finalement, il sourit et s'inclina devant Ko-Bu-Tsu.

— J'espère que vous vous trouverez mieux ici. En tous les cas, vous avez la grâce d'une danseuse aguerrie et je serais honoré si vous veniez me voir à mon école pour poursuivre vos leçons. Ko-Bu-Tsu rit et le remercia. Le maître à danser se tourna alors vers Kaïsha.

— Au tour de l'Enfant des trois mondes, n'est-ce pas? s'enquit-il en l'invitant à le rejoindre.

Comparée à Ko-Bu-Tsu, Kaïsha avait l'impression d'avoir les membres raides, sans une seule parcelle d'élégance. Maître Gregon commença par lui montrer les pas de base, que Kaïsha eut du mal à retenir, puis il prit doucement sa taille d'une main avant de l'entraîner lentement à les exécuter dans le bon ordre. Kaïsha garda les yeux fixés sur ses pieds, oubliant d'un pas à l'autre quel était le prochain et se sentant parfaitement ridicule. Maître Gregon se montra très patient avec elle et, tandis que Ko-Bu-Tsu passait l'épreuve de la couturière, ils évoluèrent tant bien que mal dans le salon, au rythme du claquement des mains de Junn, ce qui aidait Kaïsha à garder le rythme. Il fallut pourtant qu'elle se rendît à l'évidence : elle avait l'élégance d'une planche de bois, c'en était décourageant.

Maître Gregon continua de l'entraîner pendant une bonne heure encore, bien après que Ko-Bu-Tsu eut fini avec mademoiselle Azola et que cette dernière fut repartie à son atelier pour commencer son ouvrage.

— Bien, arrêtons-nous pour aujourd'hui, décréta finalement maître Gregon, pour le plus grand soulagement de Kaïsha, qui ne sentait plus ses pieds. Nous reprendrons demain à la même heure, mais vous avez déjà fait de bons progrès. Je suis sûr que vous serez très convenable pour le bal.

Il avait prononcé ces mots avec assurance, mais juste avant de partir, il s'inclina devant Ko-Bu-Tsu et lui glissa :

— N'hésitez pas à vous exercer avec votre amie ce soir… et tous les autres soirs, cela ne peut pas nuire…

Ko-Bu-Tsu s'inclina respectueusement, cachant tant bien que mal son fou rire. Découragée, Kaïsha se laissa tomber sur un fauteuil.

— J'étais si terrible? demanda-t-elle à la ronde une fois que la porte se fut refermée sur le maître à danser.

— Pas tant que ça, pouffa Ko-Bu-Tsu. C'est juste que tu es tellement sur la défensive! On dirait que tu vois ton cavalier comme un adversaire à battre, et les pas comme des positions d'attaque.

Junn ne put s'empêcher d'éclater de rire.

— Quelle bonne description! Oui, c'est exactement ça!

Elle vint s'asseoir face à Kaïsha et lui sourit, du même sourire maternel qu'elle avait envers Zuo.

— En danse, tu dois faire confiance à ton cavalier. Surtout dans cette sorte de danse. Vous êtes les deux parties d'un même mouvement, et si tu te laisses guider, vous formez un tout.

— Regarde, fit Ko-Bu-Tsu en lui tendant la main. Lève-toi.

— Oh non, je t'en prie! geignit Kaïsha en refusant de se lever. J'ai déjà assez mal aux pieds comme ça!

— Ne gémis pas! la gronda Ko-Bu-Tsu. C'est toi qui n'arrêtes pas de dire que nous devons nous conformer aux coutumes des Montagnes pour être acceptées. Eh bien, je ne suis peut-être pas aussi éloquente que toi quand vient le temps de faire des coups d'éclat, mais au moins, en danse, je m'y connais! Je vais te montrer.

Battue par cet argument, Kaïsha se leva à contrecœur et se plaça face à Ko-Bu-Tsu. Cette dernière, sûre d'elle-même, lui prit la main et la taille et l'entraîna avec autorité dans le mouvement.

— Arrête de regarder tes pieds, lui ordonna-t-elle. Et ne sois pas si raide. Laisse-toi aller et fais-moi confiance.

C'était plus facile à dire qu'à faire. Sans voir le mouvement des jambes de Ko-Bu-Tsu, Kaïsha craignait à chaque instant de lui piler sur le pied, ou de faire un mauvais mouvement et s'empêtrer.

Elle s'y força pourtant et, bientôt, elle fut surprise de constater qu'elle tenait le rythme. Ko-Bu-Tsu lui sourit, satisfaite, et elles dansèrent toutes les deux encore un moment dans le salon, sous l'œil bienveillant de Junn.

— C'est beaucoup mieux, constata cette dernière lorsqu'elles s'arrêtèrent.

— Je trouve aussi, appuya Ko-Bu-Tsu en s'asseyant. Maintenant, il suffit que tu puisses faire la même chose le soir du bal et ce sera très bien.

Kaïsha approuva, mais se promit en elle-même de ne danser avec personne d'autre que Ko-Bu-Tsu ou Zuo, pour éviter la catastrophe.

Tel qu'il l'avait promis, maître Gregon revint tous les jours de la semaine pour entraîner Kaïsha durant de longues heures. Malgré tous ses efforts, Kaïsha était incapable de montrer le même abandon dans les bras d'un inconnu que dans ceux de Ko-Bu-Tsu ou de Zuo, qui se relayaient pour danser avec elle dans le salon, le soir venu. Même Cyam avait participé et, un soir, Junn et lui s'étaient relayés pour jouer d'un très bel instrument à cordes (sorte de long et étroit violon) tandis que l'autre dansait avec Kaïsha et que Zuo et Ko-Bu-Tsu s'entraînaient ensemble. Ce soir-là, ils avaient beaucoup ri et Kaïsha s'était rendu compte pour la première fois qu'elle se sentait chez elle avec les Steloj. Leur maison était devenue la sienne. La chambre qu'elle partageait avec Ko-Bu-Tsu ne lui semblait plus une chambre d'invité, mais bien la leur. Cyam et Junn y étaient pour beaucoup, car ils les traitaient, Ko-Bu-Tsu et elle, comme leurs propres enfants.

Cette constatation fit aussi plaisir à Kaïsha qu'elle lui fit peur, car elle était terrifiée à l'idée d'oublier sa véritable maison, son cottage perché sur la colline venteuse. Elle avait peur de remplacer sa famille par une autre, une vie par une autre. Elle avait l'impression de s'éloigner de plus en plus de Yeux-d'Eau et elle ne voulait pas perdre cette partie d'elle-même.

Mademoiselle Azola revint quelques jours seulement avant le bal. Elle fit entrer dans la maison un immense coffre porté par deux apprentis, qui fixèrent Kaïsha et Ko-Bu-Tsu avec des yeux ronds jusqu'à ce que mademoiselle Azola, exaspérée, leur ordonnât d'attendre dehors. La couturière sortit du coffre deux robes magnifiques, l'une du même bleu que la tenue de Kaïsha et l'autre d'un blanc argenté rappelant la neige. Puisque cette journée-là, Kaïsha et Ko-Bu-Tsu étaient seules à la maison, elle leur ordonna de se changer dans le salon pour essayer les tenues, ce qu'elles firent, un peu mal à l'aise.

Kaïsha fut étonnée par la légèreté de sa robe, qui comportait pourtant plusieurs épaisseurs de tissu. Cintrée, elle avait de courtes manches et la jupe était longue, ample et sans crinoline, ce qui la faisait onduler librement autour de Kaïsha. Cette dernière en comprit toute l'utilité lorsqu'elle se mit à marcher. La jupe était si ample qu'elle lui permettait une liberté de mouvement totale. Elle se tourna vers mademoiselle Azola, qui aidait Ko-Bu-Tsu à attacher les boutons au dos de sa robe.

— Merci beaucoup, elle est parfaite, la remercia-t-elle avec sincérité.

Mademoiselle Azola lui lança un coup d'œil, examina avec expertise comment la robe tombait et lui accorda un bref hochement de tête avant de reporter son attention sur Ko-Bu-Tsu.

La robe de cette dernière était beaucoup plus complexe, avec un corsage nacré et une large jupe qui semblait faite de plumes. La robe argentée s'agençait si bien avec son teint qu'il était difficile de savoir où la robe finissait et où sa peau commençait. L'épais tissu tombait parfaitement sur ses hanches et devenait vaporeux autour d'elle telle une brume, accentuant son aspect irréel. Kaïsha soupira presque devant la beauté de Ko-Bu-Tsu.

— Si tu ne fais pas tourner la tête de tout le monde présent au bal, je ne comprendrai plus rien.

Ko-Bu-Tsu leva la tête vers elle, visiblement troublée.

— Crois-tu qu'ils auront peur de moi ? demanda-t-elle d'une voix qui se voulait détendue, mais où perçait l'inquiétude.

Kaïsha voulut lui répondre pour la rassurer, mais elle eut une soudaine inspiration et se tourna plutôt vers mademoiselle Azola, encore occupée à faire des retouches dans le bas de la jupe.

— Qu'en pensez-vous, mademoiselle Azola ? demanda Kaïsha. Est-il possible que des gens puissent avoir peur de Ko-Bu-Tsu quand ils la verront arriver ainsi ?

Mademoiselle Azola cessa son travail et demeura un instant penchée, sans bouger ni parler. Puis, elle leva lentement la tête vers Ko-Bu-Tsu, le regard dur, mais non glacial. Finalement, elle se pencha à nouveau en marmonnant :

— Les femmes auront peur que leurs maris tombent amoureux d'elle, cela est certain.

Kaïsha ne put s'empêcher de rire et Ko-Bu-Tsu rosit jusqu'à la pointe des cheveux.

— Bon, j'en ai terminé avec celle-ci, indiqua mademoiselle Azola en se levant. Je pense que je n'ai aucune retouche à faire sur la vôtre, remarqua-t-elle en se tournant vers Kaïsha.

— Non, elle est parfaite comme ça.

— Bien, je les rapporte à mon atelier pour les dernières finitions et vous les aurez fin prêtes pour le jour du bal.

Elle repartit avec son ouvrage, et lorsque Zuo, Cyam et Junn rentrèrent à la maison en soirée, tous furent déçus d'avoir manqué l'essayage. Kaïsha les trouva bien drôles d'accorder autant d'importance à de telles futilités. En même temps, elle-même avait si peur d'avoir l'air ridicule en dansant qu'elle se dit qu'elle était bien mal placée pour parler.

❄ ❄ ❄

Plus la date approchait, plus on pouvait sentir une fébrilité monter dans la Commune. Des lanternes colorées avaient été accrochées aux parois de la Grande place du sud, là où se tiendrait l'évènement. Lorsque Kaïsha se promenait dans les rues, entre deux leçons de danse exténuantes, les gens la fixaient encore plus qu'auparavant. Évènement plus rarissime encore, des jeunes commencèrent à l'aborder dans la rue. Les premiers qu'elle croisa étaient des étudiants de la classe d'Odel. La reconnaissant, ils vinrent la saluer comme on saluait une connaissance, mais certains s'inclinèrent profondément devant elle, ce qui troubla Kaïsha. Puis, dans les jours qui suivirent, d'autres jeunes des Montagnes qu'elle n'avait jamais vus vinrent à sa rencontre, souvent simplement pour la saluer, mais parfois pour lui poser avidement des questions sur sa vie dans le Désert ou dans les Plaines. Kaïsha n'était pas habituée à être le centre de tant d'attention, surtout lorsqu'elle voyait les regards noirs que des gens lui lançaient alors qu'elle discutait avec leurs enfants. Une ou deux fois, elle convainquit Ko-Bu-Tsu de la suivre au-dehors et cette dernière fut presque assaillie par les jeunes qui lui posaient toutes sortes de questions sur la couleur de ses cheveux ou sur les raisons qui l'avaient poussée à fuir sa nation.

Moins à l'aise que Kaïsha à parler en public, elle s'adossait à un mur et répondait presque en chuchotant, intimidée par la curiosité avide de ces enfants des Montagnes. En les regardant bourdonner autour de son amie, Kaïsha ne put s'empêcher de sourire. Si ces jeunes commençaient à les accepter parmi eux, il y avait peut-être de l'espoir, aussi petit fût-il, pour que les adultes suivissent dans le même sens.

Zuo sembla de plus en plus découragé à mesure que le temps passait, car si Kaïsha et Ko-Bu-Tsu attiraient les regards, lui était carrément au centre de l'attention générale, et avec raison : il était, après tout, l'enfant miraculé qui était de retour chez lui après plus d'un an de séquestration dans le Désert. Le bal était en son honneur et sitôt qu'il mettait les pieds hors de la maison, il se retrouvait au milieu d'une foule qui voulait le féliciter, lui souhaiter bon retour ou simplement le voir.

— Je n'en peux plus ! s'exclama-t-il en rentrant un soir avant de se laisser tomber mollement dans un fauteuil, l'air faussement exténué. Jusqu'à présent, presque personne ne faisait un cas que je sois revenu, à cause de toute l'excitation autour de Nisha et Ko-Bu. Maintenant qu'il y a un bal, on dirait qu'ils viennent de se rendre compte que je suis là aussi ! Heureusement que ce bal est demain, que nous en finissions !

— Il est des nôtres, ironisa Ko-Bu-Tsu, penchée sur son éternel volume de médecine.

Kaïsha rit tandis que Cyam sortait de la cuisine, une louche dans la main.

— C'est tout de même un grand évènement que d'avoir un bal en son honneur, le gronda-t-il.

— Et les gens sont simplement excités à l'idée de fêter, ajouta Junn en descendant du premier étage. Après demain, tu verras qu'ils se calmeront rapidement.

— Surtout que la température refroidit à l'extérieur, ajouta Cyam avec un demi-sourire. Ce qui veut dire que l'hiver revient, et donc, que les compétitions de luge vont recommencer. Ce sera bien assez pour occuper tout le monde.

— Compétitions de luge? demanda Kaïsha, intéressée.

— C'est le sport le plus populaire d'Erwem, expliqua Cyam. Tu le verras bien assez vite, c'est très intéressant.

— Intéressant, c'est la manière de Cyam de dire qu'il sera au premier rang pour voir les descentes d'ouverture, rit Junn, aussitôt imitée par Zuo, Kaïsha et Ko-Bu-Tsu.

— C'est ça, riez! s'indigna Cyam d'un air faussement insulté. En attendant, le ragoût est prêt, alors si vous voulez bien passer à table…

Ils discutèrent de tout et de rien durant le souper, mais très peu du bal qui avait lieu le lendemain. Kaïsha pensa que tous avaient eu la même réflexion qu'elle : il y avait une chance que tout cela tourne mal. Il suffirait qu'un seul enfant des Montagnes s'insurgeât publiquement contre cet affront supplémentaire des étrangères pour que la foule le suivît et que Kaïsha et Ko-Bu-Tsu se retrouvassent au pied du mur. Cette seule pensée la rendait nerveuse et elle se demandait depuis le petit matin si elle devrait glisser sa dague sous sa jupe. Mais chaque fois que la question resurgissait dans son esprit, elle la chassait en soupirant. Elle ne savait pas se battre, seulement attaquer comme un animal blessé : avec l'énergie du désespoir. Elle possédait une dague, mais elle était incapable de s'en servir convenablement. Elle la portait uniquement parce que l'avoir la rassurait. Si les choses tournaient mal, saurait-elle seulement se défendre?

Lorsqu'elles se mirent au lit, Kaïsha et Ko-Bu-Tsu gardèrent un moment les yeux ouverts, fixés sur le plafond.

— Tu te sens d'attaque pour demain ? demanda Kaïsha, essayant de se montrer confiante.

— Non, répondit Ko-Bu-Tsu, la voix légèrement tremblante. Toi ?

— Non.

Elles gardèrent le silence un moment, puis Kaïsha ajouta :

— Je suis sûre que je vais tomber à la première danse.

À son étonnement, Ko-Bu-Tsu éclata de rire.

— Ha ! Ha ! Ha ! Oh, pardon ! s'excusa-t-elle en essuyant de petites larmes au coin de ses yeux. C'est juste que, t'imaginer... Ha ! Ha !

— Eh bien, merci ! se choqua faussement Kaïsha, riant elle aussi.

— On rigole ici ? fit soudain Zuo en passant sa tête par la porte.

— Nous imaginons Kaïsha danser, expliqua Ko-Bu-Tsu.

— Ah, je comprends l'hilarité alors ! pouffa Zuo en embarquant sur le lit.

Kaïsha, mue par leurs vieilles habitudes, se déplaça sur le côté pour faire une place à Zuo, imitée par Ko-Bu-Tsu, qui avait abandonné l'idée de faire comprendre à Kaïsha que Zuo devenait un homme. Ce dernier vint se coucher entre elles tout naturellement et les regarda tour à tour.

— Alors, qui m'accorde la première danse après mon humiliation publique ?

— Tu ne t'humilieras pas, le rassura Ko-Bu-Tsu avec raison. J'ai lu ton discours, il est très bien.

— Et tu es déjà la coqueluche de la Commune, ajouta Kaïsha. Tant que tu ne nous mentionnes pas, Ko-Bu-Tsu et moi, tout ira bien.

Zuo lui lança un regard entendu.

— Tu sais très bien que je parlerai de vous deux, opposa-t-il avec sérieux.

— Alors, je ne réponds plus de rien, abandonna Kaïsha en se laissant tomber sur son oreiller.

Ko-Bu-Tsu souffla la chandelle à côté d'elle et ils se retrouvèrent dans la noirceur totale. Serrés les trois ensemble, ils s'endormirent, attendant ce que le lendemain leur apporterait.

13

Kaïsha se leva très tôt le jour suivant, comme d'habitude. Ko-Bu-Tsu et Zuo dormaient encore et elle ne les dérangea pas. Lorsqu'elle descendit au salon, elle trouva Junn, assise dans un fauteuil, en train de raturer et de noter des liasses de parchemin qui semblaient être des travaux de ses élèves.

— Bonjour, la salua-t-elle avec un grand sourire lorsqu'elle vit Kaïsha apparaître.

— Bonjour, répondit celle-ci en la rejoignant.

— Les autres dorment encore, là-haut ?

— Oui, à poings fermés. Tant mieux.

— Et toi ? Bien dormi ?

— Étonnamment, oui, plutôt bien.

Elles retournèrent au silence, Junn se concentrant sur ses copies et Kaïsha admirant le paysage par la porte qui menait à leur balcon extérieur. Elle ne s'habituait jamais à la splendeur des chaînes de montagnes qui s'étendaient à l'horizon, se détachant du ciel sans nuages. Elle tourna la tête vers Junn et l'observa un moment corriger les copies de ses élèves, l'air concentrée. En la voyant dans son univers de travail, Kaïsha repensa à quelque chose.

— Je n'ai jamais eu l'occasion de te remercier, annonça-t-elle, d'avoir parlé de moi à tes élèves. Je pense que ça les a aidés à me percevoir moins comme une monstruosité, et plus comme un être humain.

Junn leva les yeux vers elle et eut un sourire maternel.

— Ça m'a fait plaisir, ma chérie. C'était la moindre des choses.

— Mais, tu ne devrais pas leur dire que j'ai sauvé Zuo, intervint Kaïsha. C'est lui qui m'a sauvée, dans le Désert. En affirmant le contraire, les gens m'octroient un honneur que je ne mérite pas.

Junn la regarda avec surprise, puis la dévisagea plus attentivement en reposant lentement les liasses de parchemin sur la table du salon.

— Mais tu *as* sauvé Zuo, déclara-t-elle avec sérieux, regardant Kaïsha droit dans les yeux.

— Non, Junn, répliqua Kaïsha avec assurance. Je n'ai rien fait sauf de lui éviter les pires tâches. C'est Mak qui nous a sauvés, c'est grâce à vos efforts pour retrouver Zuo que nous avons pu nous échapper! Moi…

Kaïsha baissa la tête. Elle se sentait tellement inutile et faible, lorsqu'elle repensait à leur fuite, alors qu'elle avait été incapable de sauver Kakira et Root… Une nouvelle fois, son inhabileté à se défendre et à défendre ceux qu'elle aimait lui sauta au visage et elle se mordit les lèvres, plus frustrée que jamais.

— Tu penses que sauver Zuo se résumait à le sortir de cet horrible endroit? demanda Junn après un moment de silence.

Kaïsha la regarda sans comprendre. Junn la couva d'un regard bienveillant et se tourna sur son fauteuil pour lui faire face, les mains croisées sur ses genoux.

— Kaïsha…, commença-t-elle lentement. Il y a un an et demi, j'ai perdu mon fils. Je l'ai perdu alors qu'il était sous notre supervision, à Cyam et à moi. Ça m'a détruite. Je pensais ne jamais le revoir. Cyam… Cyam est devenu obsédé à l'idée de le retrouver, mais c'était une entreprise tellement difficile, nous y croyions à peine, à l'époque. Je n'arrêtais pas de penser à Zuo, chaque jour, chaque minute! Comment allait-il? Où l'avaient-ils emmené? Était-il seulement encore *vivant*?

Junn prit un moment pour tourner son regard vers la fenêtre, perdue loin dans des souvenirs douloureux.

— Lorsque Cyam a retrouvé sa trace… j'étais folle de joie, mais aussi terrifiée. Mon petit garçon qui était esclave depuis tout ce temps, comment allait-il me revenir? Allais-je retrouver le même enfant que j'avais perdu sur le continent ouest? Ou allais-je me trouver devant un jeune homme traumatisé, asservi et anéanti, quelqu'un qui n'était plus mon fils?

C'était la première fois que Junn abordait ce sujet, et la douleur et la tristesse peignaient chacun de ses mots. Kaïsha resta suspendue à ses lèvres, attendant. Junn tourna la tête vers elle et lui sourit, les yeux brillants.

— Lorsque je l'ai retrouvé, mon fils, mon Zuo, quelle n'a pas été ma surprise et mon soulagement de constater qu'il n'avait pas changé. Il avait été prisonnier, séquestré, mis en esclavage! Il avait même cette terrible cicatrice sur son dos et pourtant, il était encore le même Zuo qu'avant. Sa joie de vivre, son innocence et sa pureté étaient restées intactes. Comment était-ce possible? Puis, il t'a présentée à moi. Il m'a raconté son histoire, votre histoire. J'ai vu comment vous étiez proches l'un de l'autre, comme un frère et une sœur, et j'ai compris que celle qui a permis à Zuo de rester lui-même, celle qui l'a protégé tout ce temps et qui l'a sauvé de cet enfer, c'était toi. Tu ne t'en rends peut-être pas compte. Peut-être vous êtes-vous sauvés mutuellement. Mais pour moi, Kaïsha, tu demeures celle qui m'a ramené mon Zuo et, pour cela, je te dois tout.

Kaïsha resta interdite devant cette déclaration. Devant cette mère qui avait perdu l'espoir de retrouver son enfant et qui la remerciait aujourd'hui d'avoir permis ce miracle, que pouvait-elle répondre ? C'était trop d'honneur. Elle savait ce que Zuo avait fait pour elle et il lui semblait qu'elle n'avait fait que lui rendre la pareille, à un bien plus petit niveau. Pourtant, devant Junn, elle s'inclina.

— Tu m'accordes beaucoup plus de valeur que j'en mérite, mais je t'en remercie. Zuo est comme mon frère et il n'y a rien que je ne ferais pas pour le protéger.

Junn s'apprêta à répondre quelque chose, mais elles furent interrompues par Zuo et Ko-Bu-Tsu, qui venaient de se réveiller à leur tour, bientôt suivis par Cyam. Junn et Kaïsha se lancèrent un regard entendu et mirent fin à leur discussion pour se tourner vers le reste de la famille. Ils mangèrent leur déjeuner tous ensemble et, puisque le bal n'avait lieu qu'en soirée, ils passèrent la journée à jouer aux cartes en essayant de faire passer le temps. Kaïsha avait l'impression que le soleil faisait exprès de ralentir sa course dans le ciel, tant les minutes passaient lentement et l'attente lui paraissait interminable. Elle fut presque soulagée d'entendre mademoiselle Azola frapper à la porte au milieu de l'après-midi, accompagnée d'une jeune femme qui était apparemment là pour s'occuper de leurs cheveux.

Kaïsha s'habilla rapidement dans sa chambre, sa robe étant expressément faite pour être pratique, puis aida Ko-Bu-Tsu à mettre la sienne, tandis que Zuo, Cyam et Junn se préparaient également de leur côté. Lorsqu'elles furent prêtes, elles descendirent rejoindre mademoiselle Azola, qui inspecta les vêtements sous chaque couture, prête à repriser n'importe quel défaut. Puisque la robe de Ko-Bu-Tsu demandait assurément plus d'attention que celle de Kaïsha, la jeune femme chargée de les coiffer l'invita à passer à la cuisine, où elle avait rempli un bassin d'eau chaude et avait placé une armada de peignes, de brosses et de pinces sur la table. Efficace et professionnelle, la jeune femme fit un grand effort pour ne pas dévisager Kaïsha trop intensément et lui demanda d'une voix tendue :

— Que désirez-vous pour votre coiffure, mademoiselle?

C'était bien la dernière chose à laquelle Kaïsha avait pensé.

— Euh... je ne peux pas les laisser détachés, tout simplement?

La jeune femme retint un gloussement de surprise.

— Je crains que non. Ce serait très impoli dans une soirée comme celle-ci de garder ses cheveux décoiffés.

— Oh..., soupira Kaïsha. Alors qu'avez-vous de plus simple à me proposer?

La jeune femme réfléchit un instant en détaillant le visage de Kaïsha du regard.

— Si vous tenez vraiment à garder vos cheveux tels qu'ils sont... je pourrais au moins ramener vos mèches avant vers l'arrière, en nattes, comme cela, au moins, votre visage sera dégagé...

— Va pour cela, répondit Kaïsha avant que la jeune femme ne sortît d'autres idées plus élaborées.

Tandis que la jeune femme la plaçait sur une chaise et s'attaquait à ses cheveux, Zuo descendit les rejoindre, très élégant dans sa robe de soirée bleu nuit. Nerveux, il serrait dans son poing son discours. Il fut bientôt rejoint par ses parents, tous deux parés de leurs plus beaux atours. Junn resplendissait dans une longue robe crème bordée de fourrure tandis que Cyam, dans sa robe de soirée prune, avait une sobre élégance.

— Très jolie, commenta Zuo en voyant la coiffure de Kaïsha, lorsque celle-ci fut libérée par la coiffeuse et que Ko-Bu-Tsu prenait place à son tour.

Il lui pointa le miroir dans le salon et Kaïsha aima le résultat : elle était encore elle-même, avec ses longs cheveux noirs cascadant sur ses épaules et dans son dos. Seules deux nattes auréolant les côtés de sa tête pour se rejoindre à l'arrière la distinguaient et la changeaient du quotidien. Son visage ainsi dégagé, le bleu perçant de ses yeux brillait d'autant plus.

Ko-Bu-Tsu sortit peu de temps après de la cuisine et tous poussèrent une exclamation de surprise. La coiffeuse avait remonté ses boucles blanches en une coiffure élégante et complexe, piquée de perles qui s'agençaient avec sa robe. Ainsi parée, Ko-Bu-Tsu avait une beauté irréelle. Ses yeux ressemblaient à des braises rougeoyant dans la neige. Même Zuo fut à court de mots.

— Tu es... époustouflante, dit Kaïsha.

Ko-Bu-Tsu rosit.

— Merci, fit-elle d'une petite voix.

Mademoiselle Azola vérifia une dernière fois que ses créations étaient à la hauteur de ses attentes, puis remballa ses affaires, imitée par la jeune coiffeuse. Il ne restait maintenant plus qu'à attendre qu'on vînt les chercher, tel que le sage l'avait ordonné. Kaïsha demeura debout, incapable de s'asseoir ou de simplement penser à relaxer. Elle regarda le soleil finir sa descente à l'ouest, pour ne devenir qu'une lueur orangée à l'horizon.

Soudain, trois coups résonnèrent à la porte, ce qui fit sursauter tout le monde. Cyam alla ouvrir et laissa entrer deux gardes en livrée de soirée, qui s'inclinèrent devant eux.

— Sur ordre du sage, nous avons l'honneur de vous mener à la Grande place pour l'ouverture officielle du bal.

Kaïsha échangea un regard avec ses amis. Presque simultanément, Ko-Bu-Tsu et Zuo se levèrent et tous les trois prirent une inspiration, prêts à affronter la foule. Accompagnés de Cyam et Junn, ils sortirent de la maison et suivirent les gardes. Sur le chemin, Kaïsha remarqua que les rues étaient étonnamment silencieuses. Ils ne croisèrent personne, et toutes les portes et les fenêtres étaient fermées. Elle finit par comprendre lorsqu'elle commença à entendre la rumeur de centaines de voix en provenance de la Grande place. Bien sûr, c'était logique. Ils étaient les derniers à arriver...

Lorsqu'ils bifurquèrent à l'entrée de la Grande place, les gardes s'arrêtèrent et leur firent signe d'attendre.

— Nous allons être présentés, chuchota Junn à l'oreille de Kaïsha, Zuo et Ko-Bu-Tsu. Lorsque votre nom sera appelé, avancez-vous à l'entrée, faites une révérence et descendez au niveau du sol. Seul Zuo devra rester, pour son discours.

Kaïsha hocha la tête, les jambes si raides qu'elle craignait de tomber si elle faisait un seul pas. La rumeur des voix, semblable à un bourdonnement, était accompagnée d'une musique, sans doute jouée par un orchestre, qui cessa soudainement pour faire place à un unique tambour. Aussitôt, le bourdonnement diminua et un silence oppressant le remplaça. La tension de Kaïsha monta d'un cran.

Une voix s'éleva non loin d'eux et clama avec force :

— En l'honneur de leur fils, revenu parmi nous après avoir été prisonnier de la nation du Désert : maître Junn Steloj et monsieur Cyam Steloj.

— Ça, c'est nous, indiqua Cyam en prenant la main de sa femme.

Ils avancèrent tous les deux dans la lumière, droits et dignes, sous des applaudissements soutenus de la foule encore invisible. Ils disparurent bientôt dans un escalier et le héraut parla de nouveau :

— Compagne de Zuo Steloj, invitée du sage et de la nation d'Erwem, fille du Désert, mademoiselle Ko-Bu-Tsu de Tek-Mar.

Ko-Bu-Tsu sursauta violemment en entendant son nom. Elle lança un regard apeuré à Kaïsha, puis ferma les yeux, prit une grande inspiration et lorsqu'elle les rouvrit, ils étaient déterminés. Seuls Zuo et Kaïsha avaient été témoins de sa faiblesse. Telle une reine, elle se redressa et avança avec dignité jusqu'à l'entrée de la salle, où elle fut accueillie par des applaudissements polis et beaucoup de murmures. Kaïsha pouvait imaginer ce qu'ils voyaient : une jeune fille plus belle que réelle, nymphe des glaces dans sa robe argentée, avec des yeux de feu. Elle qui, en plus, ne sortait presque jamais de la maison, elle devait leur apparaître comme un mirage. Ko-Bu-Tsu fit une révérence parfaite et disparut à son tour dans l'escalier.

Kaïsha et Zuo s'échangèrent un regard et, par réflexe, se prirent la main. Kaïsha vit l'entrée illuminée de la Grande place et la perçut comme elle percevait tout ce qui lui faisait peur : comme un ennemi à affronter.

— Compagne de Zuo Steloj, invitée du sage et de la nation d'Erwem...

Le héraut marqua une pause hésitante, et Kaïsha retint son souffle.

— Fille de la Forêt, de la Mer, des Plaines et du Désert, mademoiselle Kaïsha de quatre mondes, termina le héraut avec plus de conviction.

Kaïsha reçut cette présentation comme un coup au ventre. Elle avait perdu son nom de famille. Elle n'était plus du village des Lavandes.

Quelque part dans les méandres de son esprit, elle pouvait presque voir Yeux-d'Eau lui lâcher la main et partir loin, très loin, avec son passé et son enfance. Kaïsha ne voulait pas la voir partir.

Elle avança mécaniquement jusqu'à l'entrée de la salle et dut cligner des yeux, aveuglée par la lumière. L'endroit avait été magnifiquement décoré durant la nuit, ajoutant aux lanternes déjà installées des draperies aux murs, des tables débordant de victuailles, une piste de danse autour de la fontaine centrale, un groupe de musiciens qui attendaient leur moment pour reprendre leurs instruments, et là où Kaïsha se trouvait actuellement, on avait monté une estrade où le héraut se tenait. Juste derrière lui, assis sur un fauteuil en velours, le sage Maen trônait. Un sourire bienveillant aux lèvres, mais le regard froid comme la glace, il accorda un signe de tête à Kaïsha lorsqu'elle arriva. Une foule colorée l'accueillit avec des applaudissements incertains et des murmures interrogateurs. Les hommes et les femmes des Montagnes étaient tous magnifiquement parés et, de ce que Kaïsha comprenait de leur système social, ils faisaient tous partie de l'élite. Parmi eux, seules quelques personnes applaudirent son arrivée avec vigueur et Kaïsha les reconnut aussitôt : ils étaient pour la plupart des étudiants de maître Anyel et Odel se trouvait avec eux, accompagné de Nihiri. En le voyant, Kaïsha se sentit moins tendue et exécuta sa révérence avant de fuir l'estrade pour rejoindre Ko-Bu-Tsu, Junn et Cyam, qui l'attendaient en bas.

— Nous aurions pu nous attendre à pire, murmura Cyam à son oreille. C'est bon signe.

— Je le souhaite, répondit Kaïsha, alors que le héraut réclamait à nouveau l'attention.

— Après plus d'un an d'absence, il est de retour dans sa Commune et sa nation. Invité d'honneur de ce bal, fils des Montagnes, Zuo Steloj !

Zuo sortit de l'ombre et avança lentement sur l'estrade, intimidé, sous les acclamations beaucoup plus enthousiastes de la foule. Il semblait nerveux, mais il se tenait droit et gardait un visage calme. Kaïsha constata que son petit Zuo avait grandi et qu'à cet instant, debout sur cette estrade, il avait l'air d'un homme. Il s'inclina devant le peuple des Montagnes et attendit. Lentement, solennellement, le sage se leva de son siège et s'avança vers Zuo. À sa hauteur, il posa une main bienveillante sur son épaule avant de se tourner vers la foule assemblée, qui se tut pour l'écouter.

— Aujourd'hui est un grand jour, commença Maen avec force. Aujourd'hui, nous souhaitons la bienvenue à l'un des nôtres qui, enfin, est revenu à sa juste place !

La foule applaudit chaleureusement cette déclaration. Kaïsha craignit ce qui allait suivre.

— Le métier d'explorateur n'est pas une vocation facile, nous le savons tous, continua Maen avec grandiloquence. Deux d'entre eux, dont l'une de nos plus grandes maîtres, en ont fait l'expérience en perdant leur fils aux mains de barbares.

Les gens assemblés se mirent à chuchoter en lançant des regards en biais à Junn et Cyam, qui, eux, gardaient leur regard rivé sur leur fils.

— Néanmoins, la solidarité du peuple des Montagnes et notre connaissance inégalable du monde nous a permis de mettre un terme à cette atrocité qu'est d'arracher un homme des Montagnes à son foyer. Grâce à nos explorateurs, aujourd'hui, Zuo Steloj est de retour !

Un tonnerre d'applaudissements ébranla la Grande place. Maen lança un regard satisfait à Kaïsha, qui le fixa sans être ébranlée. Le message qu'il lui envoyait était clair : rien ne pourrait surpasser l'amour que le peuple des Montagnes vouait à sa nation, pas même une curiosité comme elle. Zuo demeura également de marbre par rapport au discours du sage et attendit patiemment que le calme revînt avant de s'avancer jusqu'à l'extrémité de l'estrade, prêt à parler. Kaïsha s'attendit à ce qu'il sortît son parchemin, qu'il lût le discours préparé par lui et son père, disant qu'il remerciait le sage et la Commune de leur accueil, qu'il était reconnaissant de leur générosité et d'autres banalités formelles, mais Zuo n'en fit rien. Il regarda plutôt la foule, ces hommes et ces femmes qui étaient du même sang que lui et qui attendaient tous qu'il parlât. Il balaya la salle du regard avant de s'arrêter sur Kaïsha et Ko-Bu-Tsu. Il leur sourit.

— Oh, non, murmura Ko-Bu-Tsu. Que va-t-il faire comme bêtise ?

Kaïsha se tourna vers elle et voulut lui demander ce qu'elle voulait dire par là, mais Zuo prit la parole :

— Bonsoir…, commença-t-il, hésitant. Il y a presque deux ans de cela, j'ai été enlevé dans la zone commerciale du continent ouest pour être vendu comme esclave dans le Désert. J'avais douze ans.

Personne n'émit le moindre son. Maen fixa Zuo d'un air qui se voulait poli, mais où la méfiance se percevait.

— J'ai été vendu dans la famille d'un noble, où son sceau a été gravé dans ma chair et le restera jusqu'à la fin de mes jours.

Un frisson parcourut la foule, mais Zuo ne se laissa pas impressionner et continua :

— Comme vous le savez sans doute tous déjà, Kaïsha était déjà esclave dans le palais avant que j'arrive. Elle a souffert les mêmes douleurs que moi, et bien d'autres encore. C'est elle qui s'est occupée de moi dès les premiers instants où je suis arrivé. Elle a pris soin de moi, elle m'a consolé lorsque j'avais peur. Elle s'est sacrifiée pour que ma vie dans cet endroit soit plus facile et pour que personne ne puisse me faire de mal. Elle a été la meilleure sœur dont j'aurais pu rêver.

Les gens se regardèrent entre eux et lancèrent des regards incertains à Kaïsha, comme s'ils ne savaient pas quoi penser d'elle. Dans son élan, Zuo poursuivit :

— Ko-Bu-Tsu, quant à elle, est la fille du noble dont Kaïsha et moi étions les esclaves.

Un silence stupéfait suivit cette phrase, aussitôt remplacé par une vague de chuchotements indignés. Plusieurs se tournèrent vers

Ko-Bu-Tsu et lui lancèrent des regards haineux. Cette dernière fixa Zuo comme s'il avait perdu la raison, mais celui-ci continua de regarder son auditoire, attendant que la rumeur cessât.

— Elle est sa fille, mais elle n'en était pas moins sa prisonnière. Prisonnière de sa propre famille parce qu'elle était née différente.

Ko-Bu-Tsu baissa les yeux pour éviter les centaines de regards qui se tournèrent à nouveau vers elle.

— Vous savez ce que j'ai appris durant ma vie d'esclave ? demanda Zuo à la ronde. C'est qu'il n'y a aucune différence entre Kaïsha, Ko-Bu-Tsu et moi. Nous étions prisonniers du même endroit. Nous avions le même rêve de liberté. Peu importaient nos différentes origines, nous nous sommes trouvés. Maintenant, elles font partie de ma famille. Ko-Bu-Tsu est la fille du Désert qui a une apparence unique. Kaïsha est l'Enfant des quatre mondes. Moi, je suis le fils des Montagnes qui a ramené les étrangères dans sa demeure. Et nous vous remercions tous les trois de nous accueillir parmi vous. Merci.

Il s'inclina profondément devant un public muet de surprise. Assurément, personne ne s'attendait à ce que son discours prît une telle tournure. Surtout pas le sage, qui fixait maintenant Zuo avec une froideur à peine dissimulée. Le silence sembla durer une éternité, jusqu'à ce que des applaudissements commençassent à surgir du fond de la salle. C'était Odel, Nihiri et tous les élèves de maître Anyel qui les acclamaient chaleureusement. Ils furent imités par leurs voisins et bientôt, toute la salle résonna sous les applaudissements. Plusieurs semblaient encore très sceptiques et applaudissaient à contrecœur, d'autres semblaient complètement perdus, mais certains applaudissaient avec chaleur, acclamant le discours d'un enfant de leur Commune. Zuo se redressa et descendit rejoindre Kaïsha et Ko-Bu-Tsu, tandis que les musiciens reprenaient leurs instruments. La Grande place s'emplit d'une douce musique, mêlée à la conversation de centaines de personnes qui commentaient maintenant entre eux ce qu'ils venaient d'entendre.

— Alors, c'est mieux que mon texte original, non ? demanda Zuo avec enthousiasme.

— Tu es complètement fou ! s'exclama Ko-Bu-Tsu, riant de nervosité et de soulagement.

— Je pensais que tu n'aimais pas faire des discours, le taquina Kaïsha en lui lançant un regard complice.

Zuo lui sourit et répondit :

— C'est vrai, mais je me suis senti soudainement inspiré.

Cyam secoua la tête, l'air découragé, mais souriant, et se tourna vers Junn.

— C'est bien ton fils.

— Que puis-je y faire ? soupira Junn en haussant les épaules. Il a l'insubordination dans le sang.

La foule commença à se disperser entre ceux qui se mirent à danser, ceux qui allèrent chercher à manger et ceux qui restèrent pour discuter. Plusieurs personnes vinrent saluer Zuo, Cyam et Junn, s'inclinant devant eux et félicitant Zuo pour son retour sain et sauf. Tous, sans exception, s'inclinèrent devant Kaïsha et Ko-Bu-Tsu avant de repartir.

Presque tous saluèrent Kaïsha en l'appelant « Enfant des quatre mondes », si bien qu'elle pensa qu'elle devrait maintenant s'habituer à se faire appeler ainsi. Commençant à se sentir plus à l'aise et moins sur un pied d'alerte, elle se rendit compte qu'elle avait faim et pensa s'esquiver vers une table lorsque Maen apparut devant elle.

— Enfant des quatre mondes, la salua-t-il en s'inclinant devant elle, la voix faussement mielleuse.

— Sage, répondit-elle en s'inclinant à son tour, de marbre.

— Vous devez être satisfaite de la grandiose déclaration de votre ami, affirma-t-il sur le ton de la conversation. La façon dont il vous a dépeinte est tout à votre honneur.

— C'est plus que j'en mérite, mais tout ce qu'il a dit est vrai, répliqua Kaïsha.

— Je n'en doute pas un instant. Il semble avoir fait grande impression sur le bon peuple d'Erwem. Je le souhaite de tout cœur.

Il se pencha comme pour la saluer, mais approcha plutôt ses lèvres de son oreille.

— Faites attention à ne pas trop prendre vos aises, Mademoiselle Kaïsha, chuchota-t-il, glacial. N'oubliez pas que, peu importe quelle noble mission vous a amenée dans ma Commune, vous n'y restez que par ma bonne volonté.

— Je ne l'oublie jamais, rétorqua Kaïsha en serrant les dents.

— Bien. Demeurez la sympathique petite attraction que vous êtes et nous nous entendrons à merveille, déclara Maen en se relevant. Mademoiselle, la salua-t-il avant de faire volte-face et d'aller discuter avec un autre invité, ignorant complètement Ko-Bu-Tsu et Zuo.

— Pourquoi sent-il le besoin de me menacer ? demanda rageusement Kaïsha en se tournant vers Cyam. Il n'aurait qu'à me présenter à vos guides, que je puisse les avertir de ce que l'Empereur trame, et je quitterai sa précieuse Commune !

— Te présenter aux guides est la dernière chose qu'il veut, répondit Cyam, l'air grave. Il ne veut pas croire ce que tu as raconté sur le Désert, mais en même temps il craint que tu aies dit vrai. Dans le premier cas, il ne veut pas être celui qui a présenté aux guides sacrés une enfant de deux mondes qui raconte des histoires et devoir vivre avec cette honte. Dans le second cas, il devrait affronter le fait qu'il a tardé à te présenter à eux, alors qu'une menace nous guette. Ce que Maen désire réellement, c'est te garder secrète en attendant qu'il puisse vérifier si tes avertissements sont fondés et lorsqu'il les aura confirmés, il vous chassera tous les trois, Zuo, Ko-Bu-Tsu et toi, et ira seul avertir les guides pour récolter la gloire.

Kaïsha fut stupéfaite par une telle ambition dérisoire.

— S'il cherche les honneurs, il peut bien les avoir! s'exclama-t-elle, furieuse. Tant que toutes les Communes des Montagnes sont au courant et qu'elles s'allient aux Plaines pour vaincre le Désert, je me fiche bien que Maen s'affiche comme un chevalier servant. Je lui laisse ce rôle avec plaisir!

Cyam et Junn échangèrent un regard et lui sourirent.

— C'est pour cela que nous, nous allons nous battre pour que tu restes et que ce soit toi qui parles aux guides en premier, déclara Cyam. Si Maen décroche ce droit, les Montagnes ne viendront pas en aide aux Plaines, ni à qui que ce soit, crois-moi. Nous nous contenterons de fermer nos frontières et nous nous barricaderons dans nos Communes. Pour que ton but soit atteint, il faut que ce soit toi qui transmettes le message. Il n'y a que toi qui pourras les convaincre de la nécessité de s'allier aux autres nations.

Kaïsha déglutit. C'était soudain beaucoup de pression mise sur ses épaules. Elle qui n'était rien, comment Cyam et Junn pouvaient-ils s'attendre à ce qu'elle accomplît ce genre de miracle?

— Allez, cessons de parler de cela, décréta Junn en voyant son trouble. Ce soir, nous fêtons. Zuo, fais donc goûter un granité à Kaïsha et Ko-Bu-Tsu. Je suis sûre qu'elles vont adorer.

— Bonne idée! approuva Zuo en saisissant l'occasion d'aller manger. Venez, les filles!

Kaïsha ne trouva pas si facile de se défaire de ce sentiment de responsabilité qui pesait sur ses épaules, mais elle s'y efforça et suivit Zuo et Ko-Bu-Tsu de bonne grâce. Zuo les mena jusqu'à une table où un serveur en tenue de soirée se tenait derrière une grande bassine remplie de glace concassée.

— Trois granités à la cerise, s'il vous plaît, demanda Zuo avec enthousiasme.

— Tout de suite, monsieur, répondit le serveur en versant une généreuse boule de glace dans trois bols de cristal, avant de les enduire d'une sorte de nectar rose.

— Tenez, goûtez à ça, ordonna Zuo à Kaïsha et Ko-Bu-Tsu en donnant à chacune une coupe.

Kaïsha regarda la glace colorée avec hésitation, puis prit la cuillère déposée dans la coupe et la porta à ses lèvres.

— Oh! s'exclama-t-elle, surprise. C'est délicieux! C'est sucré!

— Mais oui! rit Zuo. C'est du sirop de cerise.

— Vraiment très bon, renchérit Ko-Bu-Tsu en dégustant son granité. Je ne pensais pas qu'on pouvait vraiment manger la glace.

— Bien sûr que oui, ce n'est que de l'eau, après tout.

Ils demeurèrent proches de la table, riant tous les trois en mangeant leur granité. Ainsi placés, ils passaient presque inaperçus dans la foule. De temps à autre, une personne venait les saluer, pour dire un bon mot à Zuo ou poser une question à Kaïsha ou à Ko-Bu-Tsu. Toutefois, la grande majorité des gens étaient encore trop incommodés par la présence des étrangères pour oser s'approcher du trio.

— Mais ce sont mes inséparables! rugit soudain une voix tonnante près d'eux.

— Mak! s'exclamèrent d'une même voix Kaïsha, Zuo et Ko-Bu-Tsu en voyant le géant venir jusqu'à eux.

— Ça fait bien plaisir de vous voir, tous les trois! rit Mak en donnant à chacun une tape amicale sur la tête.

— Ça faisait longtemps. Où étais-tu passé? demanda Zuo.

— Ah ça ! Le boulot d'explorateur n'est pas de tout repos. Le sage m'a demandé d'aller porter des copies des nouveaux rapports sur le Désert à Banemish. Ça prend une bonne semaine pour s'y rendre, même à dos d'aigle.

— Banemish..., réfléchit Kaïsha. N'est-ce pas votre Commune voisine ?

— Exact, approuva Mak. Tu as bien fait tes devoirs.

Il se pencha alors vers eux et prit un air plus sérieux. Aussitôt, Kaïsha, Zuo et Ko-Bu-Tsu s'approchèrent et tendirent l'oreille.

— Pour être franc, reprit Mak avec gravité, je pense que j'ai été envoyé là-bas pour être loin d'Erwem et de vous... J'ai l'impression que le sage a voulu éloigner toute personne pouvant parler en votre faveur dans la Commune. Même Pael a été muté à Sanneyf, sur le continent ouest.

Kaïsha se souvint du jeune homme à l'air réservé, l'un des seuls explorateurs qui avaient été gentils avec elles lors de leur voyage jusqu'à la Commune. Elle ne l'avait pas revu depuis ce soir où ils étaient arrivés à Erwem à dos d'aigle, mais elle avait naïvement pensé que c'était parce qu'il vivait plus loin dans cette immense cité. Ainsi, Maen avait joué dans l'ombre pour les isoler. Elle comprenait mieux pourquoi Junn et Cyam étaient sur leurs gardes.

— Ne vous en faites pas, les rassura soudain Mak en leur faisant un clin d'œil. Je n'ai pas perdu mon temps à Banemish. Je n'ai pas arrêté de leur parler de vous. Maintenant, il y a au moins la moitié des explorateurs de la Commune qui veulent vous rencontrer. C'est sûrement pour ça que Maen m'a fait revenir !

Il éclata de rire avant d'ajouter :

— Et Pael est de la partie aussi ! Nous avons pu nous parler avant qu'il parte et il m'a dit qu'il n'abandonnerait pas à son sort la fille des glaces, rapporta-t-il en lançant un regard complice à Ko-Bu-Tsu, qui rosit.

— C'est tellement généreux de votre part, et de la sienne, dit-elle, ébranlée. Je suis désolée que vous ayez eu des ennuis à cause de nous.

— Oublie donc ça! la rassura Mak avec bonne humeur. Nous savions dans quoi nous nous embarquions de toute façon. Maintenant, si tu veux te faire pardonner, fille des glaces, pourquoi n'accorderais-tu pas la première danse à un vieux rustre comme moi?

Ko-Bu-Tsu rit et accepta. Mak lui offrit un sourire très paternel, que Kaïsha ne lui avait encore jamais vu, et il l'entraîna sur la piste où ils dansèrent avec une étonnante aisance.

— On dirait un père qui danse avec sa fille, tu ne trouves pas? remarqua Zuo.

Kaïsha sursauta qu'il eût eu la même réflexion qu'elle.

— C'est vrai. Tant mieux. Elle a bien besoin d'un vrai père.

— Et toi? Prête à attaquer la piste? lui demanda Zuo d'un air diabolique.

— Oh, non…, se découragea Kaïsha. Pitié!

— Allez, je vais te guider! À moins que tu aies honte de danser avec quelqu'un de plus petit que toi? ajouta-t-il, taquin.

— Bon, très bien! abandonna Kaïsha en lançant des regards noirs à la piste où une dizaine de couples se mouvaient déjà avec grâce.

Zuo l'amena plus près des danseurs et, ignorant ses paumes moites, il lui prit gentiment la main, plaça son autre sur sa taille tandis que Kaïsha soulevait le côté de sa jupe, et l'entraîna lentement dans le rythme. Kaïsha se sentait tétanisée devant les regards qui se tournaient peu à peu vers elle et elle eut l'impression que ses jambes étaient des planches de bois. Elle se sentait parfaitement ridicule et... vulnérable. Elle détestait cela.

— Ignore-les, Nisha! lui ordonna Zuo avec autorité. Pense que tu es dans le salon, que c'est maman qui joue et qu'il n'y a que notre famille.

— D'accord..., hésita Kaïsha en gardant le regard fixé sur les épaules de Zuo.

Elle essaya de s'imaginer le salon des Steloj, rempli de cartes du monde qu'elle connaissait maintenant par cœur. Elle repensa à la bonne odeur de bois et de parchemin qui embaumait la maison, sa maison. Elle se revoyait rire avec ses amis, danser un peu gauchement dans les bras de Zuo, Cyam ou Ko-Bu-Tsu. Lorsqu'elle reporta ses yeux sur ceux de Zuo, elle sourit.

— Oui, approuva celui-ci en lui souriant à son tour. C'est beaucoup mieux ainsi, non?

Ils dansèrent ensemble encore un bon moment et Kaïsha arriva à ignorer les regards qui étaient fixés sur elle. Autrefois, elle avait protégé Zuo de leurs maîtres. À présent, c'était lui qui la protégeait de la haine et des préjugés, en l'ayant acceptée dans sa famille, en démontrant à tous qu'il n'était pas asservi à l'ignorance. Il avait un sourire franc et pur, et Kaïsha se bénit de l'avoir comme frère.

Finalement, Zuo la guida loin de la piste et ils mirent fin à leur danse. Kaïsha poussa un profond soupir de soulagement.

— J'ai traversé l'épreuve! se félicita-t-elle en s'adossant à une table. Je suis aussi épuisée que si j'avais monté et descendu tous les paliers!

— Bravo! la félicita Zuo en éclatant de rire.

— Et maintenant, la question sérieuse : combien me reste-t-il de temps avant que tu me dépasses?

— Ha! Ha! Moins que tu t'y attends! Je serai plus grand que Ko-Bu et toi!

— Oublie ça! Tu serais un géant que nous t'appellerons encore le petit Zuo.

Kaïsha et lui rirent ensemble lorsque quelqu'un se faufila jusqu'à eux.

— Puis-je demander une danse à l'Enfant des quatre mondes? demanda poliment Odel en s'inclinant devant Kaïsha.

Lorsqu'il se releva, il avait un franc sourire sur son visage. Kaïsha se sentit rougir et se maudit intérieurement. Pourquoi avait-elle de telles réactions devant lui? Pourquoi fallait-il qu'elle se comportât comme une enfant prise en faute chaque fois qu'il lui souriait? Elle n'y pouvait rien. Elle lui sourit et s'avança, malgré ses jambes raides et sa maladresse.

— Avec plaisir, répondit-elle en acceptant le bras qu'il lui tendait.

— Je pensais que tu étais épuisée, lui chuchota au passage Zuo, hilare.

Kaïsha lui lança un regard noir qui le fit rire d'autant plus. Odel la conduisit vers la piste de danse et se plaça face à elle. Kaïsha se rendit compte à cet instant quelle invitation elle avait acceptée. Danser avec Zuo était une chose : ils s'y étaient exercés toute la semaine et ils se connaissaient bien. Danser avec Odel, par contre, serait une tout autre paire de manches! Kaïsha dut user de toute sa concentration pour s'empêcher de fixer ses pieds et elle essaya d'oublier sa crainte de tomber et de se rendre ridicule. Odel dut sentir sa tension, car il lui prit doucement la taille et dit :

— Fais-moi confiance, je ne te laisserai pas tomber.

Kaïsha lui fit confiance. Ils commencèrent à danser en suivant lentement le rythme de la musique, se mouvant entre les autres danseurs dans un ensemble uni. Cette fois, Kaïsha remarqua les regards qui les suivaient. Beaucoup semblaient choqués de voir l'un des leurs, autre que Zuo ou Mak, danser avec l'étrangère.

— Tu vas te faire poser bien des questions après cette danse, fit remarquer Kaïsha à Odel.

Celui-ci rit.

— Je me fais poser des questions depuis le jour où tu es venue dîner chez moi, et encore plus depuis que je t'ai invitée à venir dans ma classe. Nihiri m'accuse même de lui avoir volé son amie.

Cette fois, ce fut Kaïsha qui éclata de rire.

— J'irai la voir après pour faire amende honorable. Qui sait, à force de danser, peut-être serai-je assez bonne pour lui demander d'être ma partenaire?

— Tu te débrouilles assez bien, pour quelqu'un qui commence, la complimenta Odel.

— Si je sors de cette soirée sans avoir pilé sur les pieds de qui que ce soit, ma dignité sera sauve, répondit Kaïsha, mi-sérieuse, mi-blagueuse.

Ils continuèrent à évoluer parmi les danseurs et Kaïsha commença à s'habituer au rythme d'Odel. Avec cette familiarité, elle devint plus confiante et put vraiment apprécier la danse. Odel, comme tous les enfants des Montagnes, semblait maîtriser cet art et il la guidait avec confiance et naturel. Kaïsha essaya de ne pas trop le regarder en face, car elle avait l'impression d'être impolie à le fixer ainsi. Elle laissa donc son regard glisser sur son cou, ses épaules, son torse. Elle s'attarda aux détails de sa robe de soirée, élégante et cintrée par une large ceinture dorée. Toutefois, lorsqu'elle levait les yeux vers lui et qu'elle rencontrait son regard, il souriait et elle lui souriait en retour. Ils n'eurent rien à se dire ; le simple fait de danser ensemble les satisfaisait. Kaïsha se prit à espérer que ce moment n'arrêtât pas, avant de se ressaisir et de se gronder intérieurement.

Au bout du compte, ce fut la fin de la pièce musicale qui mit un terme à leur danse. Presque à contrecœur, Kaïsha s'éloigna d'Odel et fit une révérence à laquelle il répondit en s'inclinant. Il la reconduisit hors de la piste et ils retrouvèrent rapidement Zuo et Ko-Bu-Tsu qui parlaient avec Nihiri, toute mignonne dans une robe mauve comportant une invraisemblable crinoline.

— Quand on parle du loup, chuchota Odel à son oreille, ce qui fit rire Kaïsha.

En les voyant arriver ensemble, Nihiri eut un large sourire, tandis que Zuo et Ko-Bu-Tsu lançaient tous les deux des regards malicieux à Kaïsha, qui mit un soin particulier à les éviter.

— Kaïsha! s'exclama Nihiri. Je suis contente de te revoir!

— Moi aussi, Nihiri, répondit Kaïsha avec chaleur. Comment vas-tu?

— Bien! Tu sais, tous les élèves de ma classe n'arrêtent pas de me poser des questions sur toi. La plupart du temps, je ne connais même pas la réponse, alors ils me demandent si je peux te poser la question, parce qu'eux sont trop gênés.

— Pourquoi n'invites-tu pas Kaïsha à venir dans ta classe, comme je l'ai fait? lui demanda Odel.

— J'ai demandé à mon instituteur…, répondit Nihiri en baissant les yeux, attristée. Il ne veut pas. Il pense que Kaïsha est une mauvaise influence pour nous.

— Ce n'est pas grave, intervint Kaïsha. Si tes camarades veulent me poser des questions, je serai ravie de leur répondre. Tu n'auras qu'à me les poser et à leur relayer l'information. Tant pis pour ton instituteur!

— C'est très généreux de ta part, la remercia Nihiri avec enthousiasme. Merci beaucoup!

Elle regarda l'assemblée et constata :

— Le bal semble bien se dérouler. Je suis bien contente. Les gens ont l'air de s'habituer à votre présence.

— Espérons-le, dit Ko-Bu-Tsu.

— Je suis sûr que oui, déclara Zuo. Nous avons un avantage dans les Montagnes : nous connaissons les autres nations. Ce n'est pas comme si nous étions dans la Forêt, où les gens ne connaissent même pas le nom des cinq mondes.

— C'est vrai ? s'étonna Kaïsha.

— Tu ne le savais pas ? lui demanda Odel. C'est pourtant la nation de ta mère.

— J'ai son sang dans les veines, mais je n'ai jamais mis les pieds dans la Forêt. Vous en savez beaucoup plus sur cette nation, et sur celle de la Mer, que moi.

Odel et Nihiri échangèrent un regard surpris.

— Tu nous l'as déjà dit et, pourtant, je l'oublie constamment, remarqua Odel. Ce doit être bien étrange de savoir qu'on vient d'un monde, mais de n'en rien connaître.

— Je le connaîtrai un jour, répondit Kaïsha avec conviction. Je n'ai pas perdu mon ambition de retrouver mes parents naturels.

Ils discutèrent tous ensemble une bonne partie de la soirée. À un moment, Zuo invita Ko-Bu-Tsu à danser et Kaïsha trouva qu'ils étaient très beaux à voir ensemble. Ils dansaient avec la même aisance et leur amitié les rendait encore plus complices sur la piste. Avec Kaïsha, Zuo était un guide aidant une débutante avec patience. Avec Ko-Bu-Tsu, il dansait d'égal à égale. Lorsqu'ils revinrent, beaucoup plus tard, ils avaient les joues rouges de chaleur et semblaient un peu essoufflés, mais un sourire illuminait leurs traits. Ils furent plus tard rejoints par Junn et Cyam, qui se joignirent à leur conversation.

Beaucoup plus tard dans la soirée, la musique cessa après une dernière ballade et le héraut fit à nouveau résonner son bâton sur l'estrade.

— Mesdames et messieurs, invités et célébrés, nous vous demandons de libérer la piste de danse pour faire place aux élèves de maître Hioteh, qui vont interpréter pour vous une danse de la tempête.

— Oh, super, des Batalans! s'exclama Nihiri.

En effet, à cet instant même, une vingtaine de jeunes femmes et jeunes hommes sortirent d'une entrée de la salle, tous vêtus du même habit que Kaïsha portait tous les jours. Ils étaient suivis d'un homme grand et svelte, au visage serein. Le maître monta sur l'estrade et fit face à la foule.

— C'est un honneur que de vous présenter une démonstration de nos plus jeunes diplômés. Pour vous, ce soir, ils effectueront une série de chorégraphies inspirées de la danse de la tempête. J'espère que vous aimerez cette modeste performance.

La foule applaudit les Batalans, qui se placèrent tous à égale distance les uns des autres et saluèrent leur maître en s'inclinant bien bas devant lui. Lorsqu'il donna le signal, ils se relevèrent et se firent face, chacun avec un partenaire. Maître Hioteh fit durer encore un instant le suspense, puis lança un cri. Aussitôt, les Batalans répondirent d'une même voix par un cri similaire et se mirent en position, semblait-il, de combat. Kaïsha sentit l'excitation la gagner lorsqu'elle vit ces jeunes au regard déterminé qui s'apprêtaient à faire la démonstration de leur force. Elle attendit que l'un d'eux fît le premier mouvement, mais rien ne vint. Au lieu de s'attaquer, les élèves attendirent docilement que les musiciens entonnassent une lente mélodie et se mirent à exécuter des mouvements lents d'attaque qui ne touchaient jamais l'adversaire, et ce dernier répliquait de la même façon. Pris dans l'ensemble, les déplacements formaient une chorégraphie parfaitement synchronisée.

— Que font-ils? s'étonna Kaïsha.

— La danse de la tempête est un ancien art du combat à main nue, lui expliqua Zuo à voix basse. Autrefois, on l'enseignait aux gens pour qu'ils puissent se défendre. Mais puisque nous n'avons pas eu besoin d'y avoir recours depuis des siècles, et que les explorateurs sont armés, cet art de la guerre a cessé d'être utile et il s'est transformé en art de la danse. Les Batalans portent encore le costume traditionnel en hommage au combat qu'ils symbolisent.

— Je vois…

Kaïsha regarda les Batalans exécuter leurs mouvements de danse-combat et admira leur précision, leur synchronisation… mais ne put s'empêcher de trouver tout cela absurde et ironique. Alors qu'elle se désespérait d'être incapable de se défendre tandis qu'elle le désirait ardemment, eux utilisaient une technique de combat qu'ils pourraient facilement maîtriser sous une forme complètement… futile. Elle n'en montra rien, mais fut extrêmement déçue.

Les Batalans terminèrent leur danse sous un tonnerre d'applaudissements et ils s'apprêtèrent à en entamer une autre lorsqu'une voix forte résonna partout dans la salle :

— Cessez immédiatement cette insulte !

Tout le monde sursauta et tous cherchèrent la provenance de la voix avant que les regards ne tombassent sur un homme, visiblement éméché, qui montait sur l'estrade en s'appuyant sur le mur. En bandoulière dans son dos, il portait une sorte de fourreau dont dépassait un manche noir et étroit.

Kaïsha le reconnut immédiatement. Elle n'avait pas oublié ce visage, celui d'un homme jeune qui avait vieilli avant son temps, cet homme qui l'avait regardée comme s'il la connaissait.

L'homme aux yeux de pierre. Maître Saï.

Il avança sur l'estrade sans que quiconque osât l'arrêter. Il lança un regard de défi à la ronde, et les traits déformés par la colère et par l'alcool, il s'écria :

— N'avez-vous pas honte ? Peuple de moutons ! Vous avez laissé entrer dans *notre* nation, *notre* Commune, des étrangères qui peuvent représenter une menace pour nous tous ! Vous leur organisez un bal, vous leur donnez des honneurs qu'elles ne méritent pas ! Et maintenant, *maintenant* ! Vous permettez à ces pitres, qui osent s'appeler eux-mêmes des Batalans, de souiller le nom de vos ancêtres en ridiculisant un art ancestral, un art sacré ! Vous me dégoûtez !

— Maître Saï, je vous en prie, commença un garde en tentant de l'attirer hors de la scène.

— Ne me touche pas, novice ! rugit Saï en sortant de son fourreau, d'un geste si rapide que Kaïsha ne fut pas sûre qu'elle l'eût vu faire, une longue et étroite épée, légèrement courbée, dont la lame semblait parfaitement et mortellement affûtée.

Il la brandit devant lui d'une main experte, malgré la boisson qui devait embrouiller ses sens, et la tint à la hauteur du visage du garde, qui recula à une distance respectueuse, intimidé.

— Vous devriez avoir honte de vous comporter comme de telles mauviettes ! cria-t-il encore à la foule, choquée. Vous agissez comme si vous étiez en sécurité, vous riez des arts du combat comme s'ils étaient inutiles, mais vous n'avez aucune idée des dangers qui vous guettent ! Votre négligence nous mènera à notre perte !

Après avoir ainsi craché son venin sur tout un chacun, il sembla que la colère de maître Saï fondit pour se transformer en état de confusion. Il balaya une dernière fois la salle d'un regard hébété, puis rangea maladroitement son épée et fit volte-face pour disparaître dans une rue, poussant au passage les gardes qui voulaient l'aider.

Le silence choqué qui était tombé sur la Grande place se transforma en puissante rumeur lorsque tous se mirent à commenter ce qui venait d'arriver.

— Par les anciens, quel triste spectacle, déplora Odel.

— Saï est vraiment en train de devenir fou, commenta Zuo en secouant la tête.

— Ils laissent un homme aussi agressif se promener avec une arme ? s'inquiéta Ko-Bu-Tsu.

Tandis qu'ils continuaient de commenter l'évènement auquel ils venaient d'assister, Kaïsha demeura silencieuse. Elle fixait encore l'entrée où maître Saï avait disparu, l'air déboussolé et titubant. Elle se souvint de sa réaction lorsqu'ils avaient été présentés au Conseil. Elle se souvenait que Maen avait dit à maître Saï qu'il connaissait les raisons qui le poussaient à rejeter les étrangères, et que pour ces mêmes raisons, sa suggestion était irrecevable. Kaïsha se souvint alors de la colère, mais aussi de la douleur qui avait traversé le regard de pierre de cet homme. C'étaient la même colère et la même douleur qu'elle avait vues chez lui aujourd'hui.

— Quel malheur est-il arrivé à maître Saï ? demanda-t-elle à voix haute, sans réfléchir.

Les autres se tournèrent vers elle avec surprise.

— Comment sais-tu qu'il lui est arrivé quelque chose ? s'enquit Junn, interloquée.

— Un homme qui a autant de douleur en lui a nécessairement souffert, répondit simplement Kaïsha.

Zuo et Ko-Bu-Tsu lui lancèrent un regard interrogateur et Cyam échangea un regard avec Junn.

— Tu as raison, finit par admettre Cyam. Saï Majist a effectivement vécu un drame dans son passé. Il y a dix ans, il était une sentinelle de la frontière, sur le continent ouest. Il y a une vingtaine de postes de surveillance répartis sur l'ensemble de nos frontières, par-delà les deux continents. Habituellement, les sentinelles qui les surveillent sont de simples citoyens ou des gardes plus entraînés, qui remplissent un service de cinq ans pour la nation et peuvent ensuite rentrer chez eux. La plupart du temps, ils habitent leur poste avec leur famille. C'était le cas de Saï. Il était déjà un instructeur d'épée à l'époque, l'un des derniers des Montagnes. Cyam marqua une pause, hésitant à raconter la suite. En voyant les regards interrogateurs que lui lançaient les jeunes, il soupira et continua :

— Notre frontière sur le continent est est très sécuritaire. Nous ne rencontrons aucun problème avec la nation des Plaines. À l'ouest... c'est différent. Un soir, une bande de mercenaires de la Forêt ont pris d'assaut le poste de Saï. Ils ont tué sa femme et son enfant de cinq ans.

Ko-Bu-Tsu plaqua une main sur sa bouche, horrifiée.

— Par les anciens! jura Zuo.

Odel eut l'air consterné et Nihiri resta figée de stupeur. Kaïsha, grave, attendit la suite.

— Après cela, ils ont transféré Saï ici et lui ont donné le titre de maître en compensation pour sa perte. Depuis, on ne le voit presque jamais, sauf au Conseil. Il refuse tout contact interpersonnel et il se terre dans sa maison.

Cyam lança un regard désolé à Kaïsha et à Ko-Bu-Tsu.

— Vous comprenez pourquoi il n'aime pas les étrangers. Il pense que si nous savions plus comment utiliser des armes, ce genre de tragédie n'arriverait pas. Enfin...

Chacun garda le silence, perdu dans ses propres pensées. Kaïsha regarda à nouveau l'entrée par laquelle maître Saï avait disparu. Lui aussi avait connu la perte. Il connaissait cette plaie qui déchirait l'âme et qui ne laissait que le néant pour la remplacer. Il avait cette colère, ce sentiment d'injustice qui le faisait bouillir de l'intérieur et la frustration de se sentir incompris.

L'esprit de Kaïsha s'éclaira soudain et tout devint limpide, à tel point qu'elle s'étonna presque de ne pas l'avoir vu plus tôt. C'était pourtant tellement évident ! Le regard toujours fixé là où le maître d'armes avait disparu, Kaïsha déclara, déterminée :

— Je deviendrai son élève. Je veux qu'il m'apprenne à me battre.

14

Kaïsha frappa à la porte de la maison de maître Saï, mais personne ne répondit. Elle leva les yeux vers les fenêtres à la recherche d'un signe de vie, mais rien ne bougeait derrière les volets. Kaïsha ne se laissa pas décourager pour si peu. Elle avait attendu toute la nuit et tout le matin le bon moment pour venir chez maître Saï et elle n'était pas prête à retourner chez elle si rapidement. Déjà, elle avait dû travailler dur pour connaître son adresse en harcelant presque Cyam et Junn, alors que ceux-ci s'étaient ouvertement opposés à son projet insensé de faire de Saï son tuteur.

— N'as-tu rien entendu de ce que je viens de dire ? lui avait demandé Cyam dès l'instant où elle avait formulé son souhait. Il n'a que de la haine pour les étrangers ; il refusera ! Et cela, c'est s'il n'essaye pas de t'attaquer avant même que tu aies ouvert la bouche !

— Il a raison, Nisha, c'est ridicule, avait renchéri Zuo en secouant la tête. Si tu tiens vraiment à apprendre à te défendre, demande à maître Hioteh de te prendre dans son groupe de Batalans. Tu as déjà plus de chances avec lui.

Kaïsha avait refusé de les écouter. Ils ne comprenaient pas, ne voyaient pas ce qu'elle avait vu chez Saï. Elle aurait dû le savoir dès la première fois qu'elle l'avait vu. Ce regard qu'il lui avait lancé, qui donnait l'impression qu'il la connaissait, elle venait de le comprendre. C'était lorsqu'elle s'était élevée contre le Conseil qu'elle avait crié à l'injustice. Saï s'était reconnu en elle et cela lui avait fait peur, elle en était persuadée. La seule pensée qu'une étrangère pût ressentir la même colère, le même sentiment d'injustice que lui avait dû lui être insupportable.

Mais, si Kaïsha arrivait à lui parler, à lui faire comprendre qu'elle partageait la colère qui l'habitait, qu'ils étaient semblables dans leur souffrance, alors elle était convaincue qu'il saurait lui apprendre comme nul autre à devenir forte. Lui seul pouvait comprendre ce qu'elle recherchait, Kaïsha le savait maintenant.

Ce fut ainsi qu'elle se trouvait maintenant devant sa demeure, au premier palier. C'était la première fois que Kaïsha montait jusque-là et elle fut renversée par la magnificence et le luxe de l'endroit. On oubliait presque que la Commune se trouvait sous terre, car les miroirs éclairaient de mille feux chaque parcelle de terrain, et les chemins sillonnaient entre des jardins luxuriants et débordants de fleurs aux couleurs de l'arc-en-ciel. Des étangs avaient même été creusés dans le roc et des poissons y nageaient paresseusement parmi les nénuphars. Il avait fallu à Kaïsha un certain temps avant de trouver la maison de Saï, un bâtiment caché au fin fond d'une rue et qui devait occuper, si elle se fiait aux fenêtres creusées dans le roc, dix fois la superficie de la maison de Zuo. Tous les volets étaient fermés et Kaïsha finit par se demander si le maître d'épée avait réussi à rentrer chez lui le soir précédent.

Soudain, elle entendit des pas de l'autre côté de la porte et cette dernière tourna sur ses gonds, révélant Saï, l'air fatigué et malade. Il sembla désorienté et il lui fallut une seconde avant que ses yeux ne tombassent sur Kaïsha. Aussitôt, un éclair vif traversa ses yeux gris et il fronça les sourcils.

— Que veux-tu ?

— Maître Saï, le salua immédiatement Kaïsha en s'inclinant profondément pour ne pas l'insulter. Je m'appelle Kaïsha et...

— Je sais qui tu es, l'interrompit Saï, maintenant ouvertement hostile. Que veux-tu ? demanda-t-il à nouveau.

Kaïsha déglutit. Elle se sentit soudain intimidée par l'homme, mais elle n'en perdit pas sa conviction. Elle prit une grande inspiration, repensa à tout ce qu'elle voulait lui dire et répondit :

— J'aimerais vous parler, s'il vous plaît.

— Eh bien, moi, je ne veux pas que tu me parles, répliqua Saï en lui claquant la porte au visage.

Kaïsha demeura un instant figée de surprise en fixant bêtement la porte fermée, puis elle se rendit compte de ce qui venait de se passer. Il lui avait claqué la porte au nez !

C'était bien la dernière chose qu'elle avait prévue. Kaïsha sentit une puissante colère monter en elle. Ça n'allait pas se passer ainsi !

Elle frappa de nouveau à la porte, sans que personne répondît, puis se mit à la tambouriner avec force.

— Ouvrez-moi, Saï ! cria-t-elle à travers la porte. Je dois vous parler !

Elle insista encore un long moment avant de baisser les bras. Il n'avait pas l'intention de lui ouvrir. Déçue, frustrée, elle fit demi-tour et rentra chez elle, avec la ferme intention de revenir le lendemain. Elle n'abandonnerait pas. Il serait son maître d'armes, qu'il le voulût ou non pour le moment !

Sur son chemin de retour, elle se rendit compte que plusieurs personnes s'inclinaient poliment devant elle à son passage, souvent en hochant simplement la tête à son endroit. Kaïsha en fut surprise et répondit à chaque salutation un peu maladroitement, se demandant ce qui arrivait. Ce fut plus pénible que d'habitude de passer par la Grande place, car au lieu d'échanger de légers murmures qui suivaient habituellement son passage, cette fois, les gens la regardaient sans gêne en discutant entre eux et au lieu de s'éloigner à son passage par dédain, ils l'arrêtaient pour la saluer. Lorsqu'elle arriva enfin chez les Steloj, Kaïsha avait la tête qui tournait à force de l'avoir hochée.

Elle poussa la porte et vit que Mak était là, confortablement assis dans le salon, en compagnie de Zuo et de Ko-Bu-Tsu.

— Bonjour, fillette! l'accueillit-il avec bonne humeur. Comme ça, on se cherche un tuteur?

— On essaye, en tout cas, répondit Kaïsha en fermant la porte.

— Saï t'a refusée, n'est-ce pas? soupira Junn, qui les rejoignit pour donner une tasse de tisane à Mak.

— Il ne m'a même pas laissée le lui demander, soupira Kaïsha en se laissant tomber sur un fauteuil, à côté de Ko-Bu-Tsu, qui était absorbée par sa lecture.

— Ce n'est pas étonnant, rit Mak en prenant une gorgée. Tout le monde sait qu'il a un caractère de cochon et qu'il déteste les étrangers. Tu n'avais pas les chances de ton côté!

— Ce n'est pas grave, répliqua Kaïsha avec détermination. J'y retournerai demain, et le lendemain, et tous les jours s'il le faut. Je veux au moins qu'il m'entende avant de me refuser.

— Mais pourquoi lui? demanda Zuo, sceptique.

— Parce qu'elle se reconnaît en lui, répondit Ko-Bu-Tsu comme si c'était une évidence, faisant sursauter tout le monde, Kaïsha la première.

— Tu l'as vu, toi aussi? s'étonna-t-elle, stupéfaite.

— Oh oui, répondit Ko-Bu-Tsu en laissant sa lecture pour la regarder en souriant. La même tête bornée, le même dédain pour les convenances... Ça ne m'étonne pas que tu te sentes interpellée par lui.

Elle lança alors un regard complice à Zuo avant d'ajouter :

— Par contre, je ne pourrais pas expliquer aussi facilement ton attirance pour Odel…

Kaïsha sursauta et devint rouge comme une pivoine, ce qui fit éclater de rire tout le monde présent.

— Je ne suis pas attirée par Odel ! se défendit vivement Kaïsha, prise au dépourvu.

Le regard entendu que Ko-Bu-Tsu et Zuo s'échangèrent montra clairement ce qu'ils en pensaient.

— Je vous dis qu'il n'y a rien entre nous ! s'exclama Kaïsha, terrassée par la honte.

— Laissez-la donc tranquille, gronda Junn en ne pouvant pas s'empêcher de sourire. Elle a le droit d'avoir son jardin secret.

Kaïsha voulut encore répliquer, mais Ko-Bu-Tsu posa une main sur son bras.

— Nous voulions juste te taquiner, Kaïsha, dit-elle gentiment. Pour être franche, je vous trouvais beaux à voir, hier. Tu n'as pas à avoir honte de le trouver de ton goût.

Kaïsha préféra éviter son regard, honteuse de ses propres sentiments. Voyant son malaise, Mak se chargea de changer le sujet :

— Dis-moi, Ko-Bu-Tsu, d'où sors-tu ce livre de médecine ?

Ko-Bu-Tsu baissa les yeux sur son vieil ouvrage, affichant un air pensif.

— C'est la dernière chose que mon père m'a offerte, expliqua-t-elle. Il me l'a donné à une époque où je cherchais désespérément à comprendre de quel mal je souffrais pour être telle que je suis. Il pensait que ça me changerait les idées et que ça m'occuperait. À la longue, je me suis prise d'intérêt pour l'art de soigner.

— N'as-tu jamais pensé à te chercher un instructeur pour devenir guérisseuse ?

— Cyam me l'a proposé, répondit calmement Ko-Bu-Tsu. Mais je crains ne pas être à l'aise de demander à quelqu'un des

Montagnes de me prendre comme élève. Je n'ai pas la détermination de Kaïsha en ce sens.

— Allons! répliqua Mak. Je suis sûr que de tous les guérisseurs que comporte Erwem, nous pouvons en trouver un qui accepterait de te prendre sous son aile. Je suis sûr que tu serais une excellente guérisseuse.

— Ce ne serait pas une mauvaise idée d'essayer, renchérit Junn. Ne serait-ce pas plus intéressant que de passer ta journée enfermée ici, à lire ce livre que tu dois connaître par cœur?

Ko-Bu-Tsu fixa son ouvrage comme s'il était un vieil ami dont elle ne voulait pas se défaire. Kaïsha pensa comprendre ce qui lui traversait l'esprit. C'était comme elle qui ne voulait pas laisser partir Yeux-d'Eau. Ko-Bu-Tsu n'arrivait pas à se détacher de son passé.

— Réfléchis-y, lui conseilla Mak. Si tu es intéressée, passe me voir chez moi, je t'aiderai à trouver le bon tuteur.

Ko-Bu-Tsu leva les yeux vers lui et hocha la tête, encore incertaine. Zuo, qui avait suivi toute la conversation en silence, tourna la tête vers la fenêtre d'un air pensif. Kaïsha fut sur le point de lui demander ce qui le tracassait, mais il tourna la tête vers elle et, au regard qu'il lui lança, elle comprit qu'ils en reparleraient ailleurs qu'ici.

— Mais dites-moi, Mak, pourquoi êtes-vous ici? demanda Kaïsha.

— J'étais venu pour parler à Cyam, mais il était déjà parti pour le bureau, alors je suis resté pour profiter de la tisane de Junn, répondit-il, l'air taquin. D'ailleurs, parlant de sortir, toi qui es allée dehors ce matin, tu as dû remarquer que les effets de la soirée d'hier se font déjà sentir! Je n'ai pas pu faire deux pas hors de chez moi ce matin que mes voisins me harcelaient de questions sur vous trois.

— C'est vrai que les gens agissaient étrangement ce matin, remarqua Kaïsha. Est-ce une bonne ou une mauvaise chose, selon toi ?

— Oh, pour moi, plus les gens parleront de vous, plus le sage aura des bâtons dans les roues, et ce n'est pas pour me déplaire, déclara Mak en allant d'un rire tonnant. Mais plus sérieusement, je pense que c'est aussi une bonne chose pour vous trois. Plus ils vous connaîtront, moins ils auront peur.

— Kaïsha a déjà commencé à travailler là-dessus, fit remarquer Zuo. Elle est allée parler dans une classe du Collège.

— C'est vrai ? demanda Mak. Oh, superbe idée ! Ko-Bu-Tsu, tu devrais en faire de même !

Kaïsha et Zuo regardèrent Ko-Bu-Tsu, inquiets. Ils se souvenaient tous du froid que ce sujet sensible avait provoqué entre eux et ils craignaient la réaction de leur amie. Celle-ci demeura un long moment silencieuse, fixant son vieil ouvrage de médecine. Elle semblait aux prises avec des sentiments mitigés et son froncement de sourcils témoignait d'une grande réflexion. À leur grand étonnement, lorsqu'elle releva la tête, elle semblait avoir pris une décision et répondit à Mak :

— Peut-être que je le ferai. Il faudra bien un jour que je sorte de ma prison.

Plus tard dans la même journée, lorsque Junn fut partie pour le Collège et que Mak les laissa pour retourner au bureau des explorateurs, Zuo s'approcha de Kaïsha, l'air pensif.

— Je pense que je vais faire des efforts moi aussi, annonça-t-il calmement.

— De quoi parles-tu ? lui demanda Kaïsha, surprise par son air si déterminé.

— Avec toi qui te cherches un maître d'armes et Ko-Bu qui va peut-être se trouver un instructeur de médecine, j'ai décidé d'aller de l'avant, moi aussi.

Il se tut, et Kaïsha attendit patiemment qu'il continuât sa pensée. Zuo serra les poings et prit son courage à deux mains pour déclarer :

— Je vais recommencer mes leçons de tir. Je veux devenir un archer.

Dès le lendemain, comme Kaïsha se l'était promis, elle retourna chez Saï et frappa à sa porte. Cette fois, il la vit venir en jetant un coup d'œil à sa fenêtre et dès qu'il la reconnut, il refusa d'ouvrir. Butée et frustrée d'être ainsi ignorée, Kaïsha s'assit devant sa porte et y patienta deux heures, sans succès. Elle retourna chez les Steloj avec la ferme intention de revenir le lendemain.

Elle passa ainsi deux semaines entières à répéter ce manège. Dès l'aube, elle se levait, mangeait rapidement son déjeuner et disait au revoir à Zuo, qui partait de son côté pour ses cours, et à Ko-Bu-Tsu, qui, selon les jours, demeurait à la maison ou allait prendre une tisane chez Mak. Puis, Kaïsha montait au palier Un. Les habitants commencèrent à s'habituer à la voir aller et venir ainsi tous les jours et plusieurs la saluaient lorsqu'elle passait devant leur maison. Certains prirent même l'habitude, lorsqu'ils la voyaient revenir, déçue, de lui demander :

— Nous te reverrons demain, Enfant des quatre mondes ?

— Oui ! leur répondait Kaïsha.

L'attente lui semblait interminable, et le constant refus de Saï de lui ouvrir lui sonnait comme d'autant d'échecs. Pourtant, elle ne lâchait pas. Elle s'asseyait contre sa porte d'entrée et elle attendait. Elle en était venue à connaître les motifs du mur d'en face et les nervures de la porte d'entrée par cœur. Parfois, elle cognait à nouveau, espérant naïvement qu'il n'avait pas entendu la première fois. Lorsque le découragement commençait à la gagner, elle repartait avant qu'il n'eût une emprise sur elle. Pourtant, elle ne pouvait s'empêcher de ruminer ces pensées jusqu'en fin d'après-midi. Et tout recommençait le lendemain.

Au bout de la troisième semaine de ce régime, alors que Kaïsha était assise contre la porte de Saï depuis un peu moins d'une heure, la porte tourna soudain sur ses gonds et Kaïsha, surprise, tomba à la renverse. Elle releva vivement la tête pour voir que Saï était juste au-dessus d'elle et la fixait, en colère.

— Que fais-tu devant chez moi? lui demanda-t-il, faisant comme s'il ne savait pas qu'elle avait passé les vingt et un derniers jours installée à cet endroit puisqu'il ne lui répondait pas. Pars! ajouta-t-il.

— Pas avant de vous avoir parlé, lui répondit vivement Kaïsha en se redressant.

— Je n'ai pas envie de t'entendre! s'exclama Saï avec colère.

— Alors, je reviendrai demain, et le lendemain encore, jusqu'à ce que vous acceptiez de m'écouter, répliqua Kaïsha en lui faisant face.

— Très bien, abandonna brusquement Saï, visiblement lassé de ce manège auquel ils jouaient tous les deux. Dis ce que tu as à dire, et va-t'en!

— Puis-je entrer? demanda calmement Kaïsha, consciente qu'elle jouait avec le feu.

À son étonnement, Saï haussa simplement les épaules et repartit à l'intérieur, laissant Kaïsha seule dans l'encadrement de la porte, sans l'avoir invitée, mais sans l'avoir éconduite non plus. Kaïsha n'hésita qu'une seconde avant de le suivre et de refermer derrière elle.

La maison de Saï était dans un drôle d'état. Certaines étagères étaient d'une propreté et d'une organisation qui aurait fait rougir un archiviste. D'autres, à l'inverse, étaient dans un tel désordre que Kaïsha n'était pas tout à fait sûre qu'il y avait un meuble en dessous. La grande majorité des pièces étaient vides, ou simplement meublées d'un fauteuil et d'un buffet qui, indubitablement, n'avaient pas été touchés depuis des années et étaient couverts d'une fine pellicule de poussière. Saï se dirigea jusqu'au fond de la maison et bifurqua soudainement à gauche, suivi de Kaïsha, dans une pièce qui contrastait incroyablement avec le reste de la maison. Il s'agissait de la cuisine, que Saï avait aménagée pour qu'elle lui servît aussi de salle à manger et de séjour. Kaïsha eut un étrange sentiment de familiarité, car cette petite pièce lui rappelait le cottage de son enfance. Tout au fond de la salle, un feu ronflait dans une belle cheminée au-dessus de laquelle était accroché un large portrait. Kaïsha n'eut pas besoin de poser la question pour savoir qu'il représentait la famille de Saï. Le maître d'épée paraissait beaucoup plus jeune et heureux, tenant par la taille une femme au visage fin et au regard rieur. Dans ses bras, elle portait leur enfant, un bébé encore minuscule au moment où la toile avait été peinte. Kaïsha pensa avec tristesse que ce devait être une douleur constante pour Saï de poser ses yeux tous les jours sur cette relique d'un bonheur passé.

— C'est pour ne pas les oublier que vous avez mis le portrait de votre femme et de votre enfant à cet endroit ? demanda Kaïsha.

Saï sursauta violemment et tourna vers elle un visage plein de haine.

— Ne prononce plus jamais ces mots, cracha-t-il, venimeux. Tu n'as pas le droit de parler d'eux, encore moins de t'adresser à moi aussi familièrement.

— Je ne peux pas savoir ce que vous avez traversé, mais je peux l'imaginer, répondit posément Kaïsha, qui s'étonna elle-même d'être aussi calme devant cet homme qui semblait aussi dangereux qu'un animal blessé. J'ai moi aussi perdu ma famille. J'ai vu mourir des gens que j'aimais.

Saï la fixa avec surprise et incompréhension. Il ne s'attendait pas à ce que Kaïsha lui parlât ainsi et ses propos le désarçonnèrent. Toujours froid, mais moins agressif, il lui fit face et demanda, sèchement :

— Pourquoi me harcèles-tu, étrangère ?

— Je m'appelle Kaïsha, insista-t-elle, déterminée à perdre son étiquette d'« étrangère ». Je suis venue vous voir pour formuler une requête.

Alliant les gestes à la parole, elle mit un genou en terre et baissa la tête avec humilité.

— Je vous demande de devenir mon maître d'armes.

Saï, stupéfait, répondit simplement :

— Pardon ?

— Je voudrais devenir votre élève, répéta Kaïsha en levant la tête et en le regardant cette fois droit dans les yeux. Je veux apprendre à me défendre, à devenir forte. Et je veux que ce soit vous qui me l'enseigniez.

Saï la fixa encore un instant, interloqué, puis eut un rictus.

— Je croyais que tu venais me réclamer des excuses pour le soir du bal, mais non ! L'Enfant des quatre mondes m'ordonne de la prendre sous ma tutelle ! Pour qui te prends-tu ?

— Je ne vous l'ordonne pas, je vous le demande, répondit Kaïsha sans perdre son calme, toujours agenouillée. Je serais honorée si vous acceptiez.

— Je ne prends pas d'élèves, on a dû te le dire. Et même si j'en prenais, tu serais la dernière à qui je transmettrais mon art, répliqua Saï avec animosité.

— Non, c'est faux, lui rétorqua Kaïsha. Je serais la première à qui vous l'enseigneriez.

En entendant sa réponse sans équivoque, Saï lança un regard stupéfié à Kaïsha et perdit un peu de sa contenance. Il demeura un long moment silencieux tout en fixant Kaïsha, l'air interdit. Finalement, il demanda :

— Qu'est-ce qui te fait penser cela ?

— Parce que vous et moi avons tous les deux été victimes de la haine qui sépare les nations. Et tous les deux, nous rêvons que justice soit rendue.

Cette fois, l'animosité qui habitait Saï s'effrita. Il fixa Kaïsha avec surprise, ébranlé par ses paroles.

— Tu ne sais rien des sentiments qui m'habitent, souffla-t-il.

— Je les connais comme vous connaissez les miens. Vous l'avez compris dès la première fois où nous nous sommes vus, n'est-ce pas ? Dans la Coupole, lorsque je me suis élevée contre le Conseil, vous avez vu que nous partagions les mêmes valeurs. Et ça vous a fait peur. Vous avez voulu me chasser, parce qu'il n'y a rien au monde qui vous ferait accepter qu'une étrangère puisse être autre chose qu'une meurtrière, comme ceux qui s'en sont pris à votre famille.

— Tais-toi ! cracha Saï en lui tournant le dos, écœuré.

Agité, il marcha de long en large dans sa cuisine, jetant de temps à autre un regard à Kaïsha, qui avait toujours un genou au sol devant lui. Cette dernière ne céda pas. Ce qu'elle était venue lui dire, elle l'avait répété dans sa tête tous les jours depuis vingt jours. Elle n'allait pas repartir bredouille.

— Je ne suis pas qu'une étrangère, finit-elle par dire doucement en brisant le silence. Je suis une enfant de deux mondes et j'ai souffert à cause des nations. J'ai souffert de me haïr moi-même pour être ce que je suis. J'ai souffert dans le Désert, à savoir que ma vie n'avait pas plus de valeur que le sable à mes pieds. J'ai souffert de chaque regard haineux que l'on me lance lorsqu'on sait qui je suis. Je sais pertinemment ce que c'est que d'être victime d'un autre peuple que le mien, parce que moi, je n'ai pas de peuple.

Saï l'écouta en continuant de faire les cent pas, puis finit par s'arrêter. Il lui faisait dos, les mains appuyées sur un comptoir, l'air profondément las.

— Qu'attends-tu de moi ? Que je change ton passé ?

— Non, mais vous pouvez m'aider à bâtir mon futur.

Saï se tourna lentement vers elle et, pour la première fois, il la regarda dans les yeux. Elle comprit alors qu'en cet instant, et peut-être pour ce seul instant, il la voyait, juste elle. Pas l'Enfant des quatre mondes ni l'étrangère, mais juste Kaïsha. Elle décida de jouer le tout pour le tout :

— Vous savez ce que l'empereur du Désert prépare. Je n'ai pas menti devant le Conseil : il veut envahir les nations. La première nation sur son chemin est celle où j'ai grandi. Je vais *tout* faire pour la protéger. Je vais essayer de convaincre vos dirigeants de s'allier avec les Plaines et de lutter ensemble contre le Désert, mais si je n'y arrive pas, je vais retourner chez moi et je veux pouvoir me battre aux côtés des miens.

Saï la fixa, imperturbable. Son visage semblait s'être transformé en masque et Kaïsha ne savait pas si elle avait réussi à le toucher. À bout d'arguments, elle le supplia presque :

— Vous avez perdu votre famille à cause de la haine qui existe entre les nations. Je ne veux pas perdre la mienne pour la même raison. Je vous en prie, aidez-moi !

En disant cela, elle n'avait pas remarqué que des larmes avaient roulé sur ses joues. Elle ne s'en rendit compte que lorsqu'elle les vit s'écraser sur le sol, aussitôt absorbées par le plancher de pierre.

Saï demeura un long moment silencieux, à la fixer de son regard dur et impénétrable. Kaïsha demeura au sol, visage baissé, attendant son verdict avec le cœur battant.

— Pars, Enfant des quatre mondes, l'intima-t-il finalement, d'une voix grave et lente, sans émotion.

Kaïsha ferma les yeux, abattue. Elle avait échoué.

Elle se leva lentement, s'inclina profondément devant Saï et le remercia de lui avoir accordé un entretien. Elle quitta la demeure comme une somnambule, ne sachant pas vraiment où elle allait jusqu'à ce que ses pas la ramenassent par réflexe chez les Steloj. Elle fut presque soulagée de voir que personne n'était encore revenu. Elle ne voulait pas qu'ils vissent la déception sur son visage. Elle monta dans sa chambre et s'y enferma, bien que ce n'était pas nécessaire, et elle se laissa tomber sur son lit.

Elle avait échoué ! se maudit-elle intérieurement. Elle l'avait tellement voulu, elle avait montré tellement de détermination ! La défaite n'en était que plus amère.

Elle s'en voulait de lui avoir dit toutes ces choses sur sa famille, mais en même temps, elle était convaincue que c'était ce qu'elle devait dire, persuadée que lui et elle pensaient de la même façon. Elle avait été sûre que les flatteries n'auraient servi à rien, que la vérité directe serait la meilleure façon d'approcher cet homme. Elle s'était trompée. Ou peut-être n'y avait-il rien à faire. Peut-être qu'il l'aurait rejetée, peu importe ses arguments, tout simplement parce qu'il ne voulait plus enseigner, ou parce qu'elle était une enfant de deux mondes. La plaie de sa famille perdue était peut-être encore trop ouverte pour qu'il eût pu considérer prendre une étrangère sous son aile.

Kaïsha passa une partie de la journée ainsi, cloîtrée dans son lit, rejouant la scène du matin encore et encore dans sa tête, cherchant le moment où elle s'était trompée, où ça avait dérapé. Lorsqu'elle entendit Ko-Bu-Tsu revenir de chez Mak, elle se leva, se frotta les yeux, se tapa les joues pour se redonner un peu de contenance, puis alla l'accueillir avec un sourire. Ko-Bu-Tsu ne fut pas dupe une seule seconde et lui lança un regard inquisiteur, mais Kaïsha lui fit signe qu'elle préférait ne pas en parler et son amie n'insista pas. Elle lui raconta plutôt sa matinée chez Mak. L'homme était une source intarissable d'histoires sur ses voyages et Ko-Bu-Tsu était heureuse d'être enfin capable de sortir de la maison sans trop souffrir des regards et des murmures. Profitant de l'occasion pour se changer elle-même les idées, Kaïsha lui proposa :

— Puisque tu peux maintenant sortir, que dirais-tu de venir avec moi explorer le palier Cinq ? Je n'y ai pas encore mis les pieds et Zuo m'a assurée que ça valait le coup d'œil.

— Oh, le dernier palier ? hésita Ko-Bu-Tsu.

— Allez, ce sera amusant ! essaya de la convaincre Kaïsha avec entrain.

Elle savait qu'elle devait sembler trop enthousiaste pour que ce fût naturel, mais elle préférait faire n'importe quoi plutôt que de rester à la maison à ruminer sa peine.

— Bon… d'accord, j'ai dit que je devais sortir, je vais le faire, se décida finalement Ko-Bu-Tsu, encore hésitante.

Le palier Cinq ayant le plafond le plus haut de la Commune, s'y rendre prenait un certain temps. Kaïsha décida donc de prendre un cylindre plutôt que les escaliers pour y descendre. Elles attendirent à la gare et montèrent sur la plateforme en même temps qu'une vingtaine de personnes, toutes se dirigeant vers les paliers inférieurs. Ko-Bu-Tsu ne l'ayant jamais essayé, elle y entra avec beaucoup de réticence et sursauta lorsque les portiers claquèrent les grilles de sécurité derrière elles. Plusieurs personnes présentes eurent un petit rire en voyant l'inquiétude sur le visage de la jeune étrangère. Kaïsha, quant à elle, ne l'avait pris qu'une seule fois jusqu'à maintenant, lorsque Zuo lui avait montré le fonctionnement de l'étrange moyen de transport collectif qui montait et descendait entre les paliers. Elle avait été fascinée par l'ingéniosité du concept, tout en priant secrètement la Grande Mère que les câbles qui retenaient la plateforme ne lâchassent pas pour les envoyer s'écraser au fin fond des ténèbres.

La plateforme s'ébranla et se mit à s'enfoncer dans les entrailles de la Commune. À chaque arrêt, des gens entrèrent et sortirent, mais lorsque le grillage se ferma au palier Quatre, il ne restait plus que Kaïsha et Ko-Bu-Tsu dans le cylindre. La descente jusqu'au dernier palier d'Erwem fut plus longue que pour tous les autres, les parois rocheuses se succédant tandis qu'elles glissaient toujours plus bas dans les ténèbres du puits. Toutefois, lorsqu'un rai de lumière apparut enfin à leurs pieds pour rapidement laisser place à l'entrée du palier Cinq, Kaïsha et Ko-Bu-Tsu n'en crurent pas leurs yeux.

Zuo leur avait décrit le cinquième palier, mais Kaïsha ne l'aurait jamais imaginé aussi impressionnant. Le plafond, habituellement haut comme trois étages aux paliers supérieurs, était aussi haut que celui de la Grande place du sud, ce qui laissait amplement la place aux immenses miroirs pour éclairer l'endroit comme d'autant de soleils. Contrairement aux autres paliers qui se composaient d'une multitude de rues sillonnant la Commune, celui-ci était formé de quelques salles monumentales en forme de dôme, dans lesquelles se trouvaient les champs, les pâturages et les maisons des paysans, creusées à même les parois de pierre en périphérie. Kaïsha et Ko-Bu-Tsu demeurèrent un moment bouche bée devant les dimensions vertigineuses de l'endroit et Kaïsha ne put comprendre comment le palier Un pouvait être considéré comme le plus beau, alors qu'ici, elle avait l'impression d'être de retour dans les Plaines.

— C'est incroyable, murmura Ko-Bu-Tsu.

— C'est magnifique, ajouta Kaïsha.

Elles déambulèrent dans les petites routes de terre sans cesser de regarder autour d'elles, fascinées. Venant d'on ne savait où, un vent léger soufflait sur les champs et Kaïsha huma le parfum du blé, de l'orge et du seigle avec un bonheur infini. Elle avait envie de courir dans l'herbe haute, de sentir le vent d'été danser dans ses cheveux et la terre s'enfoncer sous sa foulée. Elle avait l'impression que si elle fermait les yeux, le ciel de pierre deviendrait un ciel d'azur lorsqu'elle les rouvrirait. Seule l'odeur minérale caractéristique de la Commune lui rappelait qu'elle n'était pas réellement dehors, mais c'était tout comme.

— Comment ont-ils pu bâtir un tel endroit? demanda Ko-Bu-Tsu, les yeux ronds comme des billes.

— Je n'en ai aucune idée. Ce doit être vieux de plusieurs millénaires. Je me demande si les autres Communes sont identiques.

Des paysans qui travaillaient dans les champs s'arrêtèrent à leur passage et les dévisagèrent avec surprise. Par contre, aucun d'eux n'essaya de les arrêter ou ne cria en les voyant passer, ce qui fit conclure à Kaïsha qu'ils étaient au courant que des étrangères vivaient dans leur Commune. Les voyant pour la première fois, la plupart d'entre eux cessèrent leur labeur pour les regarder passer. Des enfants apparurent sur le bord du chemin et les fixèrent avec étonnement. Ko-Bu-Tsu commença à se sentir mal à l'aise et ralentit son pas, mais Kaïsha lui prit la main avec confiance. Elles continuèrent leur marche sous les regards curieux et débouchèrent soudain sur une place de marché locale. Des paysans se troquaient des denrées, quelques-uns jouaient de la musique et d'autres se détendaient autour d'un feu, au-dessus duquel une soupe bouillonnait dans un chaudron bosselé. Quelques-uns s'adonnaient à des jeux de dés et plusieurs rires s'élevaient aux alentours. Lorsque Kaïsha et Ko-Bu-Tsu apparurent, les paysans se tournèrent brusquement vers elles et les fixèrent avec étonnement.

Voir ces gens profiter ensemble d'une pause dans une dure journée de labeur rappela à Kaïsha son village et elle ne put s'empêcher de sourire. En sentant le parfum de la soupe, elle se rendit compte qu'elle avait faim. Elle s'approcha avec naturel du groupe réuni autour du feu et demanda :

— Est-ce que nous pouvons nous asseoir ?

Personne ne lui répondit et Kaïsha se montra patiente. Finalement, une vieille femme aux yeux plissés lui fit signe :

— Viens donc ici, étrangère. Toi aussi, fille des glaces.

En voyant leur doyenne s'adresser aux jeunes filles, les autres paysans se montrèrent moins hostiles, mais ils continuèrent à fixer Kaïsha et Ko-Bu-Tsu d'un regard inquisiteur.

— Que venez-vous faire au palier Cinq ? demanda la vieille femme à Kaïsha.

— J'étais curieuse de le voir, après en avoir beaucoup entendu parler. Je ne le regrette pas : il me rappelle ma maison.

— Vraiment ? s'enquit la vieille femme, intéressée.

— Ce sont des foutaises, répliqua un homme non loin d'elles. Elles vivent chez un maître et elles sont des invitées du sage. Elles doivent baigner dans le luxe !

Plusieurs approuvèrent et Kaïsha se tourna vers l'homme.

— J'aurais dû préciser : cet endroit me rappelle le village où j'ai grandi, dans les Plaines.

Un silence stupéfait accueillit ses paroles. Bien sûr, tous savaient qui elle était, mais Kaïsha se souvint de ce que Nihiri et Zuo avaient dit sur le Corps de la Commune. Ces gens ne devaient connaître des autres nations que leur nom et leur location, rien de plus. Plus curieux que méfiants, des gens commencèrent à s'attrouper autour d'eux, intrigués par les deux étrangères qui étaient venues jusqu'à eux. La doyenne dévisagea Kaïsha et lui demanda :

— Comment ton village peut-il ressembler à notre palier ?

— L'odeur du blé ne change pas, peu importe la nation, répondit Kaïsha en souriant. Les champs restent les mêmes et les gens qui les cultivent aussi. Mon village se spécialisait aussi dans la culture de la lavande.

— De la lavande ? s'étonna soudain une femme aux cheveux en bataille. Qu'est-ce que c'est ?

— Une fleur, expliqua Kaïsha. Elle sert à faire des parfums et des savons, mais aussi des onguents qui permettent de soigner les blessures et à cicatriser les plaies. Nos soigneurs s'en servent aussi pour calmer les malades. Sinon, c'est très bon en tisane.

Les paysans l'écoutèrent, fascinés. Kaïsha sourit intérieurement. Ces paysans n'étaient pas aussi entachés de préjugés que ceux qui se considéraient comme supérieurs à eux dans les autres paliers. On leur avait appris à se méfier des étrangers, mais maintenant qu'ils en voyaient deux pour la première fois, ils semblaient tous bien plus prêts à laisser de côté les dogmes de leur société pour se faire leur propre opinion.

— À quoi ça ressemble, les Plaines ? l'interrogea soudain un jeune homme, curieux.

— Et le Désert ? demanda un autre. Vous y êtes allées, non ?

— Toi, la fille des glaces, tu viens du Désert, n'est-ce pas ? renchérit une femme. C'est vrai qu'il n'y neige *jamais* ?

— Faisons une entente, les interrompit soudain Kaïsha en coupant la rafale de questions. Vous partagez votre repas avec nous, et nous répondons à toutes vos questions. Qu'en pensez-vous ?

Kaïsha ne faisait pas cette proposition juste parce qu'elle avait faim. Si ces hommes et ces femmes étaient bien comme elle les avait jaugés, elle savait que rien ne rapprochait plus des gens qui travaillent ensemble la terre qu'un repas commun. Pour eux, qui passaient leur journée à cultiver les fruits du sol, qui nourrissaient la Commune entière, manger ce qu'ils avaient fait pousser revêtait une signification particulière et partager son repas était un acte de camaraderie, de confiance, de famille.

Elle sut qu'elle avait vu juste en voyant les paysans se consulter du regard avant de s'en remettre à leur doyenne. Cette dernière scruta Kaïsha et Ko-Bu-Tsu sans la moindre gêne et les filles se laissèrent faire sans rien dire. Finalement, la vieille femme se leva, lentement, et alla verser deux bols de soupe qu'elle leur tendit. En prenant le sien, Kaïsha sut qu'elle venait de remporter une victoire sur Maen. Elle avait gagné la confiance des gens du palier Cinq.

— Maintenant, reprit la vieille femme en s'asseyant face à elle, parle-nous de ces Plaines.

❊ ❊ ❊

Kaïsha et Ko-Bu-Tsu passèrent l'après-midi à raconter leurs aventures aux paysans du palier Cinq. Délaissant complètement leur travail, tous ceux qui étaient sur place s'approchèrent du feu pour les écouter et ils furent même rejoints plus tard par d'autres paysans qui avaient entendu parler de la présence des étrangères et qui étaient curieux. Lorsque Kaïsha et Ko-Bu-Tsu purent finalement prendre congé pour retourner au cylindre, contre la promesse de revenir voir les paysans bientôt, elles étaient épuisées. Les soleils au-dessus de leurs têtes étaient maintenant orangés, signe que le soir approchait.

— Si je m'attendais à ce que ma journée prenne un tel tournant! s'exclama Ko-Bu-Tsu alors qu'elles arrivaient devant le cylindre.

— J'ai adoré! renchérit Kaïsha. J'ai déjà hâte de revenir! Tu voulais savoir à quoi ressemblait mon village; maintenant tu peux en avoir une idée. Ces gens ressemblent à ceux de ma nation; ils pensent de la même façon.

— Ton idée de troquer nos réponses contre un repas n'était pas désintéressée, n'est-ce pas? lui demanda alors Ko-Bu-Tsu, perspicace.

Kaïsha lui lança un regard complice.

— Le repas est quelque chose de très important pour ceux qui ont peu de possessions. La nourriture est une denrée précieuse et la partager, c'est montrer à l'autre qu'il est important.

— Alors, tu ne leur demandais pas vraiment à manger, tu leur demandais s'ils nous acceptaient parmi eux?

— En quelque sorte, acquiesça Kaïsha. C'est ce que les gens de mon village auraient fait.

— Brillant, commenta simplement Ko-Bu-Tsu.

Elles prirent seules le cylindre qui les ramena jusqu'au palier Deux. Lorsqu'elles arrivèrent chez les Steloj, tout le monde était rentré et les attendait pour dîner.

— Où étiez-vous passées? demanda Zuo avec curiosité. Kaïsha qui part toute la journée, ça, je suis habitué, mais que toi, Ko-Bu, tu disparaisses de la maison, je m'inquiétais presque!

— Nous sommes allées nous promener au cinquième palier, expliqua Ko-Bu-Tsu en souriant, fière d'elle.

— Vraiment ? s'étonna Zuo avant d'ajouter, faussement blessé : Sans moi ?

— Comment les résidents ont-ils réagi ? s'enquit Cyam. Pas trop abruptement ?

— Pas du tout, répondit Kaïsha. Ils étaient très gentils.

Elle se tourna vers Zuo.

— J'ai été vraiment impressionnée par les champs. Ça ressemble tellement aux Plaines ! Pendant un instant, j'ai eu l'impression d'être de retour chez moi.

Zuo lui sourit, compatissant.

— Vraiment ? Je suis content que tu aies aimé. J'aurais voulu voir ta réaction !

— J'y retournerai, je l'ai promis aux paysans. Tu n'auras qu'à venir avec moi.

Ils se mirent à table, et Kaïsha et Ko-Bu-Tsu racontèrent leur escapade à Zuo, Junn et Cyam, qui les écoutaient avec intérêt.

— Quand j'ai vu ces champs, ces paysans rassemblés, j'ai été encore plus convaincue que les nations ne sont pas aussi différentes qu'elles le prétendent, affirma Kaïsha. Nos climats et nos cultures diffèrent, mais si on creuse plus profondément, on retrouve les mêmes gens et les mêmes valeurs partout.

Junn hocha la tête.

— Je pense comme toi. Dès mes premières expéditions à l'étranger, je me suis rendu compte à quel point nous étions tous semblables et pourtant, les anciens savent quels préjugés je pouvais avoir avant de partir !

Ils furent soudain interrompus par trois coups secs frappés à la porte. Tous se regardèrent, mais personne n'attendait d'invité. Cyam se leva et alla ouvrir.

Saï apparut dans l'encadrement de la porte, l'air grave et tenant dans une main un long et étroit paquet enveloppé de tissu. Toute l'angoisse, la déception et l'amertume qui avaient habité Kaïsha ce matin et qu'elle avait réussi à chasser revinrent au triple galop alors qu'elle fixait le maître, stupéfaite. Celui-ci salua brièvement Cyam, qui était resté muet d'étonnement, avant de fouiller la pièce de son regard de pierre et de tomber sur Kaïsha, demeurée assise, sa fourchette encore dans la main. Il entra alors dans la maison sans y être invité et avança vers Kaïsha, qui se leva d'un bond pour lui faire face. Personne n'émit le moindre son, tous trop surpris de voir le maître hors de sa demeure. Cyam et Junn échangèrent seulement un regard interloqué tandis que Zuo et Ko-Bu-Tsu fixaient Kaïsha avec inquiétude, tous les deux prêts à se porter à son secours. Kaïsha et Saï se dévisagèrent en silence. Chacun s'analysait, Kaïsha cherchant à deviner ses intentions et Saï semblant poser un jugement sur elle. Soudain, alors qu'il sembla qu'une éternité s'était écoulée, il lui lança le paquet qu'elle attrapa par réflexe d'une main.

— Demain. Au lever du soleil. Chez moi, ordonna-t-il d'une voix grave où chaque mot fut prononcé comme un verdict, avant de faire volte-face et de disparaître au-dehors.

Nul ne prononça un mot à la suite de sa sortie aussi brusque et surprenante que son arrivée, mais tous regardèrent Kaïsha, à la recherche d'une explication à ce qui venait de se produire. Interdite, elle fixa le paquet qu'elle tenait entre ses mains. D'une main hésitante, elle dénoua un à un les rubans qui le scellaient et, bientôt, le tissu léger glissa sur le sol pour révéler une épée de bois, étroite et légèrement courbée. Kaïsha fixa l'objet sans réagir, trop abasourdie pour pouvoir dire ou faire quoi que ce fût. Ce fut Cyam qui brisa le silence lorsqu'il murmura :

— C'est… c'est une épée d'entraînement.

Fascinée, Kaïsha caressa le bois lustré de la lame comme s'il s'était agi d'un verre fragile, qu'elle aurait pu briser juste en le touchant. Elle passa ensuite ses doigts sur le manche, puis le saisit avec une détermination que plus jamais personne ne pourrait lui enlever.

15

Kaïsha fut incapable de fermer l'œil. Elle demeura couchée sur un fauteuil du salon, fixant le ciel parsemé d'étoiles à travers les portes vitrées. Elle avait laissé les rideaux ouverts, voulant être sûre de se réveiller avec les premiers rayons de l'aurore, mais il sembla que ce serait inutile, puisque le sommeil refusait de venir à elle. Elle gardait, serrée contre elle, l'épée de bois que maître Saï lui avait donnée. Elle avait presque peur qu'elle disparût si elle la lâchait.

Qu'est-ce qui lui avait fait changer d'idée ? se demandait-elle pour la énième fois. Pourquoi l'avoir chassée, pour ensuite revenir sur sa décision ? Kaïsha ne possédait pas les réponses à ses questions, mais une chose était sûre : elle était heureuse qu'il l'eût fait. Maintenant, c'était à elle de lui prouver qu'il avait fait le bon choix.

La nuit s'écoula paisiblement et, dans le silence apparent, Kaïsha pouvait entendre la nature chuchoter à son oreille. Une brise légère soufflait au-dehors et faisait siffler les volets. Autour d'elle, elle percevait le murmure de l'eau coulant dans les nombreux tuyaux qui serpentaient entre les étages et les demeures. C'était comme si la Commune elle-même était un être vivant et que Kaïsha entendait son sang couler et ses poumons respirer.

Elle réussit à arracher quelques heures de sommeil, mais sitôt que le voile noir du ciel prit une couleur rose, signe que l'aube approchait, Kaïsha ouvrit les yeux et se sentit parfaitement alerte, l'excitation et la nervosité y jouant pour beaucoup. Elle se leva, prit la pile de vêtements propres qu'elle avait préparée et s'en vêtit rapidement, puis alla dans la cuisine se passer un linge d'eau fraîche sur le visage et attraper une pomme pour le déjeuner, bien que son estomac était trop noué pour avoir faim.

Elle entendit soudain un grattement et lorsqu'elle sortit de la cuisine, Zuo et Ko-Bu-Tsu se tenaient dans l'escalier, tous les deux l'air endormis, mais souriants.

— Nous ne pouvions pas te laisser partir sans te souhaiter bonne chance, expliqua Zuo.

Kaïsha leur sourit avant de glisser son épée de bois sur son dos grâce à la courroie, comme Saï portait la sienne.

— Merci. Je vous raconterai tout ce soir.

Elle quitta la maison et sillonna le palier encore endormi. Lorsqu'elle traversa la Grande place, les gardes de nuit la regardèrent passer d'un œil interrogateur et ensommeillé, mais ne lui posèrent aucune question. Kaïsha grimpa le large escalier au fond de la place qui menait au palier Un et courut presque au travers des jardins, le cœur battant, sous la lumière encore bleutée des miroirs solaires.

Lorsqu'elle arriva devant la maison de Saï, le maître d'épée l'attendait déjà dehors, portant une simple chemise de toile et un pantalon ajusté, sa propre épée en bandoulière sur son dos et une autre de bois dans la main. De marbre, il ne la salua pas, mais la détailla des pieds à la tête.

— Bien, commenta-t-il seulement. Suis-moi.

Sans dire un mot, Kaïsha suivit Saï, qui l'entraîna dans un dédale de corridors étroits, pas plus larges qu'une ruelle. Kaïsha n'était jamais allée si loin dans la Commune, et il lui sembla qu'ils s'enfonçaient jusqu'au cœur de la montagne. Soudain, ils débouchèrent sur un cul-de-sac qui présentait une simple porte de bois sans prétention. Saï sortit une vieille clé rouillée qu'il fit tourner dans la serrure jusqu'à ce que l'on entendît un déclic et que la porte s'ouvrît. Ils pénétrèrent dans une grande pièce circulaire, mais cette dernière contrastait avec l'architecture habituelle d'Erwem. Les murs n'étaient pas en pierre lisse, mais semblaient au contraire être restés à leur état naturel, noirs et bosselés. Au lieu d'avoir un plafond en dôme, les murs s'élevaient en forme de cône à une hauteur vertigineuse, et une unique source de lumière provenait du plus haut point. L'air dans la pièce était étonnamment frais.

— Un miroir? demanda Kaïsha en fixant le plafond.

— Non, un verre convexe, répondit Saï en faisant le tour de la pièce, pour allumer les torches empoussiérées. Cet endroit est directement connecté avec l'extérieur.

Kaïsha fixa le puits de lumière, fascinée. Elle vivait à Erwem depuis presque deux mois et elle n'avait pas mis une seule fois les pieds en dehors de la Commune, ni ne s'était trouvée sous le vrai soleil, sauf les rares fois où ils ouvraient les fenêtres à la maison. Elle se demanda ce que ça lui ferait de remettre les pieds dehors, de sentir la terre sous ses pas et le vent sur ses joues.

Saï termina d'allumer les torches, et la pièce prit une teinte orangée, éclairant des mannequins de bois maintenus par des tuteurs et vissés à des roues pour les déplacer, des armures d'entraînement en épais tissu et une rangée d'épées de bois suspendues au mur. Saï revint au centre de la pièce et Kaïsha comprit que l'entraînement commençait maintenant.

— À genoux, ordonna Saï avec autorité.

Kaïsha s'exécuta et posa un genou par terre. Elle s'attendait à ce qu'il lui demandât de lui jurer allégeance, ou quelque chose du genre, aussi n'hésita-t-elle pas.

Soudain, d'un geste si rapide qu'elle ne le vit jamais venir, Saï dégaina son épée de bois et la frappa brusquement d'un coup au flanc si violent qu'elle vola littéralement dans les airs pour retomber brutalement au sol en roulant, plusieurs mètres plus loin. Sous le choc, Kaïsha leva la tête et regarda Saï avec incompréhension. Sa respiration était coupée et elle était incapable de prononcer un son. Une douleur cuisante irradia de ses côtes et elle retint un gémissement de douleur. Le choc étourdit ses sens et un vieux sentiment familier commença à engourdir ses membres. Elle avait naïvement espéré ne jamais le ressentir à nouveau, mais le reconnut aussitôt : son instinct de survie, de pair avec sa terreur, fit bander ses muscles et bouillonner son sang.

Saï, debout devant elle, affichait un air froid, calme et dangereux.

— Croyais-tu vraiment que j'allais devenir ton maître d'épée, enfant de deux mondes ? Qui voudrait enseigner à quelqu'un comme toi ?

Il s'approcha lentement de Kaïsha et cette dernière, terrifiée, arriva à peine à s'éloigner de lui en rampant, ayant encore trop de difficulté à respirer, et ses côtes lui faisant terriblement mal. Elle réfléchit à toute vitesse. Ils étaient seuls dans un recoin de la Commune : personne ne l'entendrait crier. Personne ne viendrait l'aider, et elle faisait face à un homme qui maîtrisait l'épée comme personne. Elle était complètement seule et sans défense. Qu'allait-elle faire ?

— Pourquoi ? réussit-elle simplement à souffler.

— Pourquoi ? répéta Saï avec un calme terrifiant. Mais parce que tu es une monstruosité, voilà pourquoi. Tu ne devrais même pas être vivante ; ta mère aurait dû te jeter aux loups dès l'instant où tu as quitté son ventre. Tu le sais, non ? Au fond de toi, tu sais que ta simple existence est contre nature.

Il lui assena un deuxième coup qui heurta son dos et lui arracha un cri. Incapable de réfléchir de façon cohérente, Kaïsha continua à se pousser jusqu'à ce que son dos cognât le mur de pierre. Elle n'était que panique. Saï avait fait couler dans son oreille un venin qu'elle s'était trop souvent infligé à elle-même. Combien de fois avait-elle pensé que sa vie ne valait rien ? Que si elle disparaissait, nul ne la pleurerait ? Pourquoi le sang qui coulait dans ses veines justifiait-il qu'on la méprisât et qu'on la blessât ?

Elle sentit des larmes de désespoir monter à ses yeux lorsqu'un souvenir, vif et cuisant, illumina soudain ses pensées et chassa pour un bref instant sa peur. Surgissant des tréfonds de sa mémoire, elle revit le visage ridé du Vieux, calme, serein, dans la cale du bateau où sa vie avait chaviré.

« Garde tes larmes pour toi, lui avait-il conseillé alors qu'elle gisait dans les abîmes du désespoir. Reste intègre envers toi-même, et tu seras plus forte qu'eux ne le seront jamais », avait-il ajouté, cet homme si sage qui avait pris soin d'elle et qui, aujourd'hui, devait reposer aux côtés de la Grande Mère alors que son cadavre avait dû disparaître dans le sable du Désert, comme tant d'autres esclaves avant lui.

Kaïsha n'avait pas oublié. Elle leva les yeux vers Saï, mue par une détermination sanguine. Dans son dos, elle sentit sa propre épée d'entraînement. Aidée de l'adrénaline qui courait dans ses veines, elle se redressa brusquement et dégaina son épée, qu'elle tint à deux bras face à elle.

— Faites un pas de plus, hurla-t-elle avec fureur, et je vous tue !

Saï s'arrêta et la dévisagea durement.

— Pourquoi te battre ? Ne serait-ce pas plus raisonnable de libérer le monde de ta présence ? Toi qui te vantes d'être l'Enfant des quatre mondes, alors que tu sais qu'au fond, tu n'es rien ?

— Je ne suis pas rien, grinça Kaïsha entre ses dents, ses muscles bandés et prêts à attaquer. J'ai le droit de marcher sur cette Terre comme tout le monde !

— Bien sûr que non, répliqua Saï sans perdre son calme terrifiant. Comme les Plaines. Ce ne sera pas une grande perte lorsque le Désert aura réduit cette nation de pleutres en cendres...

— Ne parlez pas des Plaines! vociféra Kaïsha.

— ... et cette femme qui t'a adoptée, elle mérite un juste châtiment aussi, continua Saï sans l'écouter. Adopter une enfant de deux mondes, cela fait d'elle une monstruosité aussi...

Ce fut la phrase de trop. Kaïsha poussa un hurlement et se jeta sur cet homme qui osait dire du mal d'Espérance. Elle frappa de toutes ses forces avec son épée, mais le maître l'évita facilement et la frappa d'un nouveau coup à l'épaule. Kaïsha ne le sentit même pas et se tourna aussitôt pour l'attaquer à nouveau. Saï para son coup avec sa propre épée et repoussa Kaïsha.

— Serais-tu prête à me tuer, Enfant des quatre mondes? demanda-t-il avec gravité.

— Pour défendre ma vie et ma famille, ma main n'hésitera pas! répliqua Kaïsha en se jetant à nouveau sur lui.

Saï évita à nouveau son coup avec une facilité déconcertante et, d'un mouvement habile du bras, il fit quitter son épée des mains de Kaïsha, qui tomba avec un bruit mat sur le sol. Kaïsha n'en avait cure, elle était prête à se défendre à mains nues s'il le fallait.

Soudainement, contre toute attente, Saï laissa lui aussi tomber son épée au sol. La dureté, la froideur et la haine avaient quitté son visage. Pour la première fois, elle le vit sourire, de façon presque imperceptible. Son regard s'éclaircit et il la contempla avec satisfaction.

— Je n'en attendais pas moins de mon élève, déclara-t-il simplement.

Kaïsha fut si stupéfaite qu'elle ne fut pas sûre d'avoir bien entendu et continua à fixer Saï dans l'attente qu'il essayât de l'attaquer. Pourtant, le maître d'épée ne bougea pas et attendit patiemment qu'elle reprît ses esprits. L'instinct combatif de Kaïsha s'amenuisa alors que l'adrénaline la quittait et que la douleur dans ses membres devenait vive. En même temps, le brouillard dans son esprit se dissipa et elle comprit alors avec une clarté soudaine :

— C'était un test, murmura-t-elle, sous le choc.

— Que tu as réussi avec brio, confirma Saï. Je me demandais si l'Enfant des quatre mondes, qui fait de grands discours sur la justice, était réellement capable de prouver ses paroles par des actions. Je ne suis pas déçu.

— Ce que vous avez dit sur moi...

— ... est ce que le monde entier te dira, l'interrompit Saï. Cela t'a blessée et t'a rendue vulnérable. Note ceci, Kaïsha : ta nature profonde est ta plus grande faiblesse. Maintenant, tu vas devoir apprendre à cesser de la craindre et à l'utiliser comme ta plus puissante arme.

Kaïsha dévisagea Saï, interdite. Elle souffrait de devoir admettre qu'il avait raison. Elle qui faisait tout pour être fière de qui elle était, de souligner sa différence, il venait de lui prouver brutalement qu'elle se voilait le visage. Saï sembla lire dans ses pensées, car il ajouta :

— Je sais que tu luttes déjà. Tu brandis ta différence comme une épée et c'est tout à ton honneur. Mais ton épée est fragile, friable. Un seul coup bien placé, et elle éclatera. Notre travail sera de te donner une épée telle que personne ne pourra la briser, et que chacun craindra et admirera.

Il s'éloigna alors d'elle pour aller au fond de la pièce, où se trouvait une grande armoire. Lorsqu'il l'ouvrit, elle révéla deux cavités, une grande et une petite, aménagées dans le mur. Juste au-dessous se trouvait un bol en métal. Saï tira sur une chaîne qui disparaissait dans la plus petite ouverture, ce qui déclencha une série de cliquetis. L'instant suivant, un bruit de glissement se fit entendre et de la neige, blanche et pure, tomba de la grande cavité pour s'échoir dans le bol. Saï remplit un sac de toile avec la neige et il vint le donner à Kaïsha.

— Mets ça sur tes blessures. Repose-toi, j'ai de quoi manger et boire. Ensuite, nous allons discuter de ton entraînement.

❄ ❄ ❄

Saï n'avait pas l'intention de lui apprendre seulement à manier une épée. En tant que son élève, Kaïsha allait être entraînée autant dans son corps que dans son esprit. Il ne voulait pas faire d'elle une épéiste, mais une guerrière.

— Tu veux apprendre à te défendre parce que tu te crois faible, lui dit-il alors qu'ils étaient de retour dans sa maison, assis dans la cuisine. Mais manier une arme ne fera pas de toi quelqu'un de fort. Bien des hommes se vantent d'être des guerriers seulement parce qu'ils connaissent une technique de combat. Regarde nos soi-disant Batalans. T'apparaissaient-ils comme des combattants ?

— Non, répondit honnêtement Kaïsha. C'étaient des danseurs, et les mouvements de combat étaient dénués de leur fonction originale.

Saï approuva silencieusement.

— À l'opposé, tu verras des hommes se servir de la violence sans en connaître les limites. Ceux-là abusent d'un pouvoir qu'ils ne comprennent pas et finissent rongés par lui.

L'image de Ko-Bu-Ko apparut à Kaïsha avec une clarté terrifiante. Elle hocha la tête.

— Oui, j'ai connu quelqu'un comme ça. Il était vicieux et mauvais. Il aimait dominer les plus faibles juste parce qu'il le pouvait.

— A-t-il usé de violence contre toi ? demanda Saï, perspicace.

— Il a essayé, répondit Kaïsha avec amertume. Il a fini avec un morceau de verre dans l'œil.

Saï eut un sourire en coin et Kaïsha aurait pu jurer voir un éclair de fierté dans ses yeux.

— Un véritable guerrier connaît la mesure de sa force et de ses limites. Il comprend la responsabilité morale qui incombe à celui qui peut, s'il le veut, mettre fin à la vie. Retiens bien ceci : la vraie force, ce n'est pas de savoir quand porter le coup à son adversaire, mais de savoir quand retenir son bras.

Saï et Kaïsha discutèrent longtemps. Le maître d'épée exigea de connaître toute son histoire et il nota avec elle toutes les fois où elle s'était sentie faible, vulnérable et sans espoir. Ils remontèrent ensemble très loin dans son passé et Kaïsha put, pour la première fois, avec l'aide de Saï, examiner sa propre vie d'un œil extérieur. Elle se rendit compte à quel point elle avait longtemps vécu dans la peur et l'incertitude, combien de fois elle avait été le propre bourreau de ses cauchemars. Saï voulait éveiller en elle cette conscience de son passé, car, comme il lui dit alors qu'ils durent allumer plusieurs chandelles dans la soirée naissante :

— Si tu es capable d'affronter ton passé, tu sauras comment marcher sur le chemin de ton futur, sans regarder en arrière en te demandant si tu as pris la bonne voie. Notre vie est une route. Elle comporte des obstacles, des ronces et des pierres qui nous font tomber. Tu ne peux pas avancer si tu continues d'être effrayée par ce qui t'a autrefois blessée.

— Et vous ? demanda Kaïsha, sachant qu'elle s'avançait en territoire risqué. Avez-vous réussi à affronter votre passé ?

Saï tourna un visage sombre vers le portrait de sa femme et de son enfant. Il semblait profondément fatigué.

— Non, admit-il avec lenteur. Cela fait dix ans que je me suis arrêté sur le chemin de ma propre vie. Jusqu'à hier, je ne pensais pas que je pourrais recommencer à marcher.

Ils gardèrent le silence, tous les deux hantés par les fantômes de leur passé. Saï semblait bien loin, perdu dans ses souvenirs. Kaïsha respecta son recueillement et attendit qu'il émergeât de ses pensées avant de demander :

— Pourquoi avez-vous finalement accepté de me prendre comme élève ?

Saï se tourna lentement vers elle.

— Parce que tu avais raison. Sur toi comme sur moi. Nous sommes forgés du même métal et si nos blessures ont des causes différentes, elles ont laissé des cicatrices identiques. Le premier jour où je t'ai vue, où je t'ai entendue, je l'ai compris et cela m'a été insupportable.

Tout en parlant, il se leva lentement de sa chaise et alla s'appuyer sur le bord de la fenêtre, laissant son regard planer loin sur l'horizon bleuté.

— Cela fait dix ans que je maudis la nation de la Forêt, constata-t-il avec rancœur, car elle m'a pris ce que j'avais de plus précieux. J'ai fini par détester toutes les nations, même la mienne, pour n'avoir pas pu empêcher ce qui est arrivé. Pour moi, tous les hommes n'étaient que des loups, égocentriques, vivant pour eux-mêmes et se méprisant les uns les autres. Sans m'en rendre compte, je suis devenu l'un d'eux, moi aussi.

Il fit volte-face et regarda alors Kaïsha en face.

— Et tu es arrivée. Toi, une gamine, une enfant de deux mondes qui plus est, qui venait crier à l'injustice et qui voulait se battre pour protéger les nations. Dans ma conception du monde, quelqu'un comme toi ne pouvait pas exister.

Kaïsha demeura muette. Elle ne savait pas quoi répondre à cette déclaration.

— Lorsque tu es venue chez moi pour la première fois, j'ai eu peur, continua Saï. J'ai eu peur que tu me parles et que tu puisses ébranler des préjugés que j'ai passé dix ans à consolider pour être certain de ne jamais les perdre. Mais tu as insisté, avec une ténacité à toute épreuve, je te donne ça, et finalement, j'ai abandonné. Je me suis dit que peu importe ce que tu pouvais me dire, ça ne changerait pas mes croyances ; que j'étais trop convaincu pour cela.

Saï eut alors un de ses sourires en coin.

— Mais tu l'as fait, et avec une facilité déconcertante. Tu m'as mis au pied du mur en me montrant que l'étrangère que tu étais, et ce que tu représentais, était en vérité plus semblable à moi que quiconque de ma propre nation. Tu m'as détruit, ce matin-là.

— Comment cela ? demanda Kaïsha, interdite.

— Parce que j'ai perdu le seul sens que j'avais réussi à donner à la mort de ma famille, répondit Saï avec tristesse.

Il revint s'asseoir face à elle, le visage calme et serein. C'était un autre homme que Kaïsha avait devant elle.

— Il a fallu que je prenne une décision. Allais-je me terrer chez moi et refuser d'admettre une évidence, ou aurais-je le courage d'aller de l'avant ?

— Vous êtes alors venu me porter une épée, conclut Kaïsha en un murmure, se rendant compte de toute la portée de ce geste.

Saï acquiesça.

— Je serai un maître dur, l'avertit-il avec sévérité. Tu souffriras, tu pleureras et tu me maudiras. Mais, si tu as la force que je crois que tu possèdes, tu deviendras une guerrière redoutable, Enfant des quatre mondes.

Kaïsha hocha la tête, déterminée.

— J'ai déjà souffert assez pour remplir une vie entière. Je n'ai pas peur de la douleur, ni de l'adversité.

— Tant mieux, approuva Saï, car pour quelqu'un comme toi, particulièrement toi, ces deux choses se trouveront à chacun de tes pas sur le chemin de ta vie. Maintenant, retourne chez toi. Il est tard. Je t'attends à la salle d'entraînement demain matin, à l'aube.

Kaïsha remercia Saï, se rendant seulement maintenant compte qu'elle était épuisée et qu'elle avait encore mal partout. Elle fut sur le point de prendre congé lorsque son regard croisa le portrait au-dessus du foyer. Ses yeux s'attardèrent sur le bébé, bienheureux dans les bras de ses parents.

— Votre enfant, était-ce un garçon ou une fille? demanda-t-elle à Saï, saisie par la curiosité.

Saï contempla le portrait, le regard à la fois terriblement triste et tendre.

— Une fille, Elessy. Elle aurait ton âge, aujourd'hui.

16

Tel qu'il l'avait avertie, Saï s'avéra être un mentor des plus sévères. Dès leur premier jour d'entraînement, il montra à Kaïsha la position de base en défense et il passa l'heure suivante à l'assener de coups secs, tandis qu'elle devait parer au mieux sans changer de position. Lorsqu'elle rentra le soir chez elle, le corps endolori, elle dit à Ko-Bu-Tsu :

— Je t'en prie, deviens guérisseuse, j'aurais vraiment besoin de tes soins !

Cette dernière, tout en poussant des soupirs exaspérés, passait ses soirées à apaiser les ecchymoses de Kaïsha, qu'elle avait aux bras, aux jambes, au dos et sur le ventre. Aidée de ses connaissances en médecine et des ingrédients mis à leur portée par Junn, Ko-Bu-Tsu s'avéra être une guérisseuse de talent sans avoir suivi un enseignement autre que celui de ses livres.

Zuo et elle s'étaient alarmés de l'état de Kaïsha, surtout après qu'elle leur eut raconté la première épreuve imposée par le maître d'épée. Ils voulurent la dissuader de retourner le voir, appuyés par Junn et Cyam, mais Kaïsha tint ses positions et ils durent abdiquer. Puis, voyant les jours et les semaines passer, ils se rendirent compte que Kaïsha avait réellement trouvé le maître qu'elle cherchait et que Saï était sérieux dans son engagement à la former.

Tous les jours, Kaïsha se rendait à la salle d'entraînement à l'aube pour n'en ressortir qu'à la nuit tombée. Saï ne négligeait aucun moment utile et chaque entraînement était l'occasion d'une leçon.

— Un homme peut passer une vie entière à se battre sans maîtriser l'art du combat, lui répétait-il sans cesse. Il faut normalement des années de travail et d'étude intenses pour devenir un guerrier digne de ce nom. Si ce que tu as découvert dans le Désert s'avère juste et que le monde tel que nous le connaissons est menacé, alors tu n'as pas le luxe de ce temps. Ce qui t'aurait pris cinq années à maîtriser dans une formation traditionnelle, tu l'apprendras en un an avec moi. Nous n'avons pas de temps à perdre.

Ainsi, en moins d'un mois, Kaïsha apprit non seulement à manier son épée, mais aussi à se mouvoir avec elle.

— Ton épée ne peut pas être qu'un simple outil, lui disait Saï. Elle doit être une extension naturelle de ton bras. Tu n'imposes pas un mouvement à ton arme, tu *es* l'arme. C'est toi qui bouges, tu dois sentir le bout de ta lame fendre l'air comme si c'était tes propres doigts et lorsque tu frappes, c'est *ton* énergie qui est transférée au métal.

Kaïsha s'exerçait sur les mannequins de bois que Saï déplaçait autour d'elle, mais elle s'entraînait aussi avec le maître, rigoureux et dur, qui ne lui laissait aucune chance. Lorsqu'elle frappait, il parait aussi facilement que si elle l'avait caressé du bout de sa lame et il l'envoyait ensuite valser dans le décor. Kaïsha avait mal partout, ses genoux étaient écorchés, ses muscles étaient douloureux et sa peau était marquée d'ecchymoses et bouffie par endroits. Pourtant, jamais sa détermination ne faillit. Son corps pouvait encaisser les coups, son esprit était clair et limpide.

Avec la même détermination que lorsqu'elle avait choisi de quitter son foyer et lorsqu'elle avait décidé de venir dans les

Montagnes, Kaïsha avait un but clair devant elle et toute son énergie y était dédiée. Elle ne décevrait pas Saï.

Le maître d'épée ne se limita pas à lui apprendre à se battre. Il l'introduisit aussi à la méditation.

— Tu dois avoir autant de maîtrise sur ton corps que sur ton esprit, lui expliqua-t-il un jour, alors qu'il marchait avec elle dans les rues du premier palier, causant une commotion parmi les passants qui les virent ensemble.

— Où m'emmenez-vous ? lui demanda Kaïsha, négligeant autant que lui les regards ahuris qui se tournaient vers eux à leur passage.

— Dans un endroit qui t'aidera à trouver le calme.

Ils traversèrent le palier, croisant sur leur chemin les luxueuses demeures des maîtres des Montagnes. De larges jardins décoraient les entrées et certaines avenues étaient si vastes que des parcs y étaient aménagés, îlots de verdure dans cet univers blanc de pierre. Ils passèrent même devant un large escalier qui ne semblait mener nulle part d'autre qu'à un lourd rideau blanc. Plus ils s'enfonçaient dans les profondeurs du palier, plus la verdure prenait le pas sur la pierre. Des vignes montaient sur les murs et en couvraient chaque parcelle, le sol sous leurs pieds devenait plus terreux que rocheux et bientôt, ils furent entourés d'une épaisse forêt verdoyante. Kaïsha avait presque de la difficulté à se souvenir qu'ils étaient toujours sous terre et que ce n'était pas le ciel qu'elle verrait au-dessus de sa tête si elle levait les yeux. Quelque part entre deux arbres noueux apparut soudain une toute petite porte d'un bois si vieux que les planches se décollaient les unes des autres, laissant filtrer la lumière qui provenait de l'autre côté.

— Nous sommes dans la plus vieille partie d'Erwem, lui indiqua Saï en se penchant pour ouvrir la porte. On raconte que c'est le premier sage de la Commune qui a fait bâtir cet endroit pour se recueillir, il y a des siècles, et qu'il est sacré. Aujourd'hui, presque tout le monde l'a oublié, mais il demeure et il s'agit d'un de mes endroits préférés. Vois.

Il ouvrit la porte et fit entrer Kaïsha, qui dut se pencher pour passer sous le cadre. Lorsqu'elle se redressa, elle fut stupéfaite.

La salle était couverte de mousse, du plancher au plafond, et une chute tombait d'une ouverture haut perchée, pour se jeter dans un étang où fleurissaient des nénuphars. L'air était humide et doux, comme s'ils se trouvaient dans un boisé au printemps. Loin au-dessus d'eux, une ouverture voyageant la lumière des miroirs les éclairait d'une douce lumière blanche.

— Comment un tel endroit peut exister ? s'étonna Kaïsha, fascinée.

— Grâce au même élément qui fait vivre Erwem, répondit Saï. Chaque Commune des Montagnes est assise sur un ancien volcan, le savais-tu ? Ces feux sacrés, qui grondent encore très loin sous nos pieds, produisent la chaleur qui permet à nos cités de prospérer. Elle fait aussi fondre la neige qui coule dans les nombreuses crevasses naturelles que nos ancêtres ont transformées en conduits, il y a bien longtemps.

— C'est si… paisible, s'étonna Kaïsha. C'est comme si nous étions en pleine forêt.

— C'est pour cela que j'aime venir ici, affirma Saï. Maintenant, assieds-toi.

Kaïsha obéit et ils s'assirent l'un face à l'autre, au pied de l'étang.

— Ferme les yeux, lui ordonna Saï, et Kaïsha s'exécuta. Concentre-toi sur ta respiration. Aujourd'hui, nous commençons l'entraînement de ton esprit.

Ils passèrent la première heure juste à respirer selon un certain rythme, initié par Saï et que Kaïsha devait suivre. Elle ne comprenait pas l'intérêt de le faire, alors qu'elle aurait pu utiliser ce temps pour exercer ses techniques de défense, mais elle ne s'y opposa pas. Saï était son mentor et elle savait qu'elle devait lui obéir. De plus, son corps était tellement endolori qu'elle ne fut pas totalement déçue de s'éloigner de la salle d'entraînement pour quelques heures.

— Concentre-toi sur ta respiration, dit lentement Saï. Évacue toute pensée, toute émotion. Fais le vide dans ton esprit. Rien ne doit plus exister en dehors de ta respiration et du son de la chute.

Kaïsha essaya de s'exécuter, mais c'était impossible. Elle était incapable de mettre un terme au flot incessant de pensées qui se bousculaient dans son esprit. Elle finit par ouvrir les yeux pour voir la réaction de son mentor, mais celui-ci ne lui accordait aucune attention. L'air serein, il avait les yeux fermés et un visage complètement détendu. Il lui fit penser au vitrail représentant les premiers guides, qui ornait le portail de la Grande place. Il avait le visage d'un homme en paix et c'était la première fois que Kaïsha le voyait ainsi. Décidant de ne pas abandonner, elle ferma à nouveau les yeux et concentra toute son attention sur le battement de son cœur, son souffle qui mouvait sa cage thoracique, et le bruissement de la chute qui tombait dans l'étang. Son esprit voyagea de l'un à l'autre tant et tant de fois qu'elle finit par se perdre dans cette étrange musique. Elle se sentit lentement devenir étourdie, balancée par ce seul rythme hypnotisant, jusqu'à en perdre la notion du temps.

— Bien, dit soudain Saï, l'expulsant de sa transe. C'est un bon début.

Kaïsha ne comprit pas l'utilité de cet exercice et ne vit pas en quoi elle avait accompli quelque chose, mais elle ne dit rien.

Ils firent ainsi ce programme tous les jours. Le matin était réservé à l'entraînement du corps, et l'après-midi, à celui de l'esprit. Kaïsha trouva une sorte d'équilibre dans cette répétition, donnant tout ce qu'elle avait d'énergie physique à l'aube, pour ensuite laisser son corps se reposer alors que sa tête prenait le relais. Toutefois, lorsqu'elle rentrait chez les Steloj le soir, elle tombait d'épuisement.

Un mois après le début de l'entraînement de Kaïsha, Zuo annonça à ses parents qu'il voulait reprendre ses cours de tir. Il aborda le sujet au dîner, avec un air décontracté, comme si l'idée venait de lui passer par la tête et non parce qu'elle était le fruit de plusieurs nuits de réflexion et de conversations nocturnes avec Kaïsha et Ko-Bu-Tsu.

— Pourquoi voudrais-tu recommencer tes cours ? l'interrogea Cyam, sceptique.

— Ça me manque, expliqua Zuo avec juste assez de naturel et d'innocence pour donner l'impression qu'il n'y accordait pas tant d'importance. J'aimais bien mon instructrice et c'était une activité amusante.

Junn observa son fils avec intérêt et Cyam, avec un scepticisme non dissimulé. Ko-Bu-Tsu décida alors d'entrer dans le jeu.

— C'est vrai qu'elle doit être une bonne professeure. J'ai vu Zuo tirer une seule fois, mais il était vraiment doué.

— Justement, tu es déjà assez compétent dans ce domaine, trancha Cyam. Tu devrais plutôt t'appliquer à apprendre un nouvel art, étendre le champ de tes connaissances.

— Oh, c'est dommage, remarqua Ko-Bu-Tsu avec un désintérêt feint. J'aurais été curieuse de le voir à l'entraînement avec les autres apprentis explorateurs.

Ko-Bu-Tsu, jouant son rôle à la perfection, toucha le point sensible. En effet, mis à part des enfants, les seules personnes autorisées à suivre des cours de tir étaient les explorateurs et les gardes de la Commune. Cyam posa les yeux sur son fils et son air changea. Imaginer Zuo s'entraîner à devenir explorateur jetait une lumière nouvelle sur ce qu'il prétendait être un simple divertissement.

— Hum…, réfléchit-il. Je pourrais parler à Hatthen pour qu'elle te reprenne dans sa classe, disons un matin par semaine.

— Oh, ce serait bien, approuva Zuo en cachant avec brio son excitation.

Kaïsha se retint d'ajouter quoi que ce fût et garda son nez dans son assiette. Elle n'avait jamais été une excellente menteuse et ne possédait ni la confiance de Zuo, ni le masque impénétrable de Ko-Bu-Tsu. Elle avait le pressentiment que si elle ouvrait la bouche, elle ruinerait les efforts de ses amis. Elle leva un bref moment les yeux vers Junn, assise en face d'elle, et vit que celle-ci fixait son fils avec un sourire qui n'avait rien de naïf. Kaïsha se souvint qu'elle aussi était une grande archère et elle se demanda à quel point elle croyait le mensonge de son fils. Pourtant, elle non plus ne dit rien et hocha simplement la tête d'approbation.

Ainsi, Zuo recommença ses leçons. Officiellement, ses cours n'avaient lieu que quelques heures, un matin par semaine, mais il avait accès au terrain de tir et il s'y rendait en cachette presque tous les jours, très tôt le matin ou très tard le soir, pour être sûr d'être seul. Très souvent, Ko-Bu-Tsu l'accompagnait pour donner le change si Cyam ou Junn leur demandaient où ils disparaissaient ainsi. Un matin où Saï lui avait donné congé, Kaïsha les accompagna pour voir son ami à l'œuvre. Elle se souvenait encore de la façon dont le talent de Zuo lui avait sauvé la vie dans le Désert et elle était excitée à l'idée de le revoir manier l'arme.

Ils partirent tous les trois à l'aube pour se rendre au palier Trois, là où se trouvaient tous les terrains de sport des Montagnes. L'un d'eux était réservé au tir à l'arc et il était vide à cette heure matinale. Une vingtaine de cibles étaient fixées sur des supports de bois à différentes distances. Zuo prit un arc et un carquois et il commença à s'échauffer en tirant sur les cibles les plus près. Rapidement, il prit son rythme et commença à viser des cibles de plus en plus difficiles, qu'il atteignit avec une aisance surprenante. Pour lui compliquer la tâche, Kaïsha et Ko-Bu-Tsu s'amusèrent à déplacer des cibles autour de lui, et il réussit quand même à les atteindre malgré le mouvement. Ils ne virent pas le temps passer, s'amusant ensemble tout en aidant Zuo à s'exercer. Kaïsha se rendit compte que ces précieux moments avec ses amis lui manquaient.

Alors qu'elle s'entraînait avec Saï tous les jours et que Zuo partageait son temps entre l'école et le tir, Ko-Bu-Tsu commença à passer de plus en plus de temps chez Mak. Ce dernier semblait ne jamais travailler et il avait toujours une tisane chaude et une oreille attentive pour celle qu'il surnommait en riant sa « fille des glaces ». Kaïsha savait que Ko-Bu-Tsu luttait encore contre sa peur de sortir et d'affronter les regards, mais il semblait que Mak possédait le don d'apaiser ses craintes. Mis à part Zuo, il était le seul capable de la faire rire et de faire disparaître les ombres de son visage.

❄ ❄ ❄

Les semaines passèrent et le paysage des montagnes se transforma. Les couleurs de l'automne firent place aux premières neiges d'hiver et bientôt, la vallée en aval de la montagne fut recouverte d'un manteau blanc. Dans la Commune, les gens devinrent frénétiques, car l'arrivée de l'hiver annonçait le retour des compétitions de luge, et la cérémonie d'ouverture aurait lieu lors de la fête du solstice d'hiver, qui arrivait à grands pas. Kaïsha, qui était encore étrangère à bien des aspects de la culture des Montagnes, ne comprenait pas pourquoi cela provoquait autant d'excitation, mais la perspective d'une fête la rendit aussi joyeuse que nerveuse ; elle espérait y revoir Odel, qu'elle n'avait pas croisé depuis des semaines. Elle ne pouvait pas s'expliquer rationnellement les sentiments qu'elle avait pour lui. Elle avait simplement le désir de se trouver à ses côtés, de le voir, lui parler et l'écouter. Il lui semblait que le monde devenait un peu plus lumineux lorsqu'il était présent. Il avait une telle douceur dans son regard, une telle gentillesse dans son attitude, qu'on ne pouvait que devenir meilleur à son contact. Et il manquait à Kaïsha, bien que cela lui coûtait de l'admettre.

Elle se confia un soir à Ko-Bu-Tsu, soulagée de retirer ce poids de sa poitrine. Son amie la regarda avec un air touché, mais inquiet.

— Je crois que tu es amoureuse, Kaïsha, lui dit-elle avec beaucoup de douceur. Odel est un bel homme et il est très gentil, je ne suis pas surprise.

Kaïsha rougit en prenant conscience de cette vérité manifeste, mais vertigineuse.

— Crois-tu ? Je ne me suis jamais sentie comme ça auparavant, peut-être que ce n'est qu'une affinité.

— Peut-être…, convint Ko-Bu-Tsu avec une moue dubitative. Je te le souhaite presque.

— Que veux-tu dire ?

Ko-Bu-Tsu lui lança un regard désolé.

— Eh bien… crois-tu que ces sentiments puissent être réciproques ?

Juste à imaginer Odel se pencher vers elle, Kaïsha rougit jusqu'à la pointe des cheveux et sentit son cœur palpiter, pris entre l'excitation et la panique.

— Je… je ne sais pas, balbutia-t-elle. Je ne me suis jamais demandé…

— Je le souhaiterais de tout cœur pour toi... mais vous n'êtes pas du même monde, lui et toi.

Kaïsha reçut cette constatation comme une douche froide. Pour la première fois de sa courte vie, elle était introduite à l'amour, pour se faire remettre en plein visage ce qu'elle était, ce que le monde était, et comment il traitait les relations entre les enfants de deux nations. Elle-même en était le résultat : comment avait-elle pu l'ignorer ? Et surtout, comment avait-elle pu se laisser entraîner pour se retrouver elle-même devant le même mur ?

— Suis-je condamnée à rester seule ? demanda-t-elle en chuchotant, un vide oppressant à la place de la poitrine. Je ne suis de la nation de personne, alors je ne peux être avec personne ?

— Ce n'est pas ce que j'ai dit, ne pense pas comme ça ! répliqua Ko-Bu-Tsu avec autorité. Je dis juste que ça pourrait vous mettre des bâtons dans les roues. Pour presque tout le monde, c'est un sujet tabou, mais tu as déjà commencé à faire changer les esprits, ici, alors il y a peut-être de l'espoir.

Voyant l'air sombre de Kaïsha, elle ajouta :

— Et puis, Odel est l'un des premiers à nous avoir acceptées telles que nous sommes. S'il y en a un qui passera outre les traditions, ce sera sûrement lui.

Le sourire d'Odel apparut dans l'esprit de Kaïsha et elle sentit une chaleur naître dans sa poitrine. Oui, s'il y avait une personne qui pourrait l'accepter pour qui elle était et ignorer les préjugés, c'était lui.

❄ ❄ ❄

— Encore, ordonna Saï avec autorité.

Le mannequin de bois narguait Kaïsha. Elle leva à nouveau son épée de bois au niveau de son épaule, la tenant à deux mains croisées, tel que Saï le lui avait appris. Lorsque sa position fut parfaite, elle avança brusquement la jambe droite, transféra la force de ses bras à l'arme et frappa violemment le mannequin qui ne broncha pas autrement qu'en émettant un claquement sec.

— Encore, répéta Saï.

Ce devait être la cinquantième fois que Kaïsha répétait ce mouvement précis. Elle portait des gants de cuir pour éviter les ampoules mais, malgré tout, la peau de ses mains brûlait. Elle serra les lèvres, oublia la douleur, ses courbatures et la fatigue, et se remit en position. Elle leva l'épée, se figea, l'espace d'un battement de cœur, et frappa à nouveau.

— Bien, déclara Saï. Je suis satisfait. Ce sera tout pour aujourd'hui.

Kaïsha aurait voulu jeter l'épée d'entraînement à bout de bras tellement elle avait mal aux mains, mais elle la rangea plutôt d'un geste souple dans son fourreau par-dessus son épaule. Elle retira ses gants avant d'aller les replacer dans l'armoire.

— Irez-vous à la fête du solstice d'hiver? demanda Kaïsha à Saï.

Ce dernier ne répondit pas, comme il le faisait souvent lorsque Kaïsha abordait tout sujet autre que leur entraînement. Elle décida de ne pas insister, mais à sa surprise, il répondit en lui demandant :

— Toi?

— Oui, je pense bien, répondit Kaïsha en essayant d'avoir l'air décontractée, et non nerveuse à l'idée de revoir Odel.

— Bien. Cette fois, ne t'encombre pas de parures inutiles. Vas-y telle que tu es vraiment.

Kaïsha leva la tête vers son mentor, surprise. Elle n'avait pas vraiment réfléchi à la façon dont elle s'habillerait pour l'évènement; elle avait supposé que Junn aurait des idées pour elle. Mais entendre le maître d'épée lui proposer un choix vestimentaire l'étonna énormément.

— Pourquoi me conseillez-vous cela ?

Saï la considéra d'un œil critique.

— Parce que tu es mon élève et une apprentie épéiste, pas une poupée qui se pavane en robe de soirée. Ce n'est pas dans ta nature et je ne veux pas te voir jouer ce rôle pour les puritains de cette Commune. Reste toi-même. De toute manière, ces gens nous ont vus ensemble et je ne doute pas un instant que les rumeurs ont déjà atteint le palier Cinq.

— Oh oui, confirma Kaïsha, qui était allée seulement quelques jours plus tôt saluer ses amis du cinquième palier. Je me suis fait harceler de questions.

— Bon, alors pourquoi cacher l'évidence ? conclut Saï.

Kaïsha regarda son mentor lui faire dos pour aller ranger les mannequins le long du mur et elle réfléchit. Elle dit soudainement :

— Je me plierai à votre demande, si vous me promettez de venir vous aussi.

Saï tourna un visage surpris vers elle, avant de froncer les sourcils. Kaïsha ajouta aussitôt :

— Et, de ne pas insulter les Batalans s'ils viennent donner un spectacle.

Saï eut l'air encore plus sceptique, puis un sourire apparut au coin de ses lèvres.

— Tu marchandes avec ton mentor au lieu de lui obéir en tout, Enfant des quatre mondes ?

Kaïsha sourit à son tour et s'enhardit.

— Exactement.

Saï l'observa d'un air amusé encore un moment avant de hausser les épaules, abandonnant la lutte.

— Très bien, je viendrai faire un tour, si ça peut te faire plaisir. Cela fit effectivement plaisir à Kaïsha, car elle voyait dans l'ombre de Saï celle de Ko-Bu-Tsu. Les deux, tels des animaux blessés, avaient ce réflexe de se terrer pour s'exiler du monde qui ne les comprenait pas et Kaïsha savait d'instinct que si personne ne leur tendait la main pour en sortir, ils s'y emmuraient. Mak et Zuo étaient meilleurs qu'elle pour aider Ko-Bu-Tsu. Elle pourrait être cette main tendue pour Saï.

Quelques jours avant la fête du solstice d'hiver, Kaïsha se mit, un peu malgré elle, à arpenter le palier Trois dans l'espoir de croiser Odel. Sous prétexte d'aider Junn ou Cyam à faire des courses, elle passait des heures à traîner entre les étals et dans les rues. Ces périodes lui permirent toutefois de découvrir que sa réputation avait quelque peu changé chez les habitants du palier. De nombreux marchands la saluèrent, même si elle n'était plus accompagnée de Zuo. Des enfants l'approchèrent avec curiosité sans que leurs parents vinssent les chercher en lui jetant des regards méfiants. Certaines personnes vinrent même lui parler et lui demandèrent si les rumeurs selon lesquelles elle était l'élève de maître Saï étaient vraies. Alors qu'elle répondait par l'affirmative à l'un de ces curieux, la seule voix qu'elle avait vraiment envie d'entendre résonna soudain derrière elle :

— Kaïsha ?

Elle se tourna pour trouver Odel, habillé humblement dans une robe grise et tenant un sac en bandoulière. Lorsqu'il la reconnut, un large sourire illumina son visage.

— Bonjour, Odel, le salua Kaïsha en espérant que ses joues ne fussent pas rouges.

— Bonjour à toi ! répondit celui-ci avec bonne humeur. Cela faisait longtemps !

— Je trouve aussi, je suis contente de te croiser.

— J'ai entendu dire que maître Saï était sorti de sa retraite uniquement pour t'enseigner, est-ce que c'est vrai ? demanda Odel, visiblement fasciné.

Kaïsha rougit (à son grand dam) et baissa les yeux.

— Je suis effectivement son élève.

— C'est extraordinaire ! s'enthousiasma Odel. Comment as-tu fait pour le convaincre ?

— Nous… nous nous sommes compris l'un l'autre, tenta d'expliquer Kaïsha, se sentant parfaitement stupide. Je savais qu'il était la meilleure personne pour m'enseigner ce que j'avais besoin d'apprendre, et il a compris que je serais une bonne apprentie. C'est difficile à expliquer…

Odel sourit et leva une main, compréhensif.

— Tu n'as pas à m'expliquer quoi que ce soit, ça ne regarde que vous deux. L'important est que tu aies trouvé ce que tu cherchais. J'en suis bien content.

Kaïsha sentit son cœur battre contre sa poitrine et prit conscience de son désir d'être près d'Odel. Maintenant qu'il était là, elle se sentait bien, en sécurité. Rien de grave ne pourrait arriver.

— Vas-tu à la fête du solstice d'hiver ? lui demanda-t-elle en essayant de paraître décontractée.

— Oh, bien sûr ! s'exclama Odel. Tout le monde l'attend avec impatience, c'est là qu'ils vont nommer les équipes de luge de cet hiver.

— Je ne connais rien de ce sport, constata Kaïsha. Je suis curieuse de voir comment ça se pratique.

— Oh, tu verras, c'est quelque chose ! rit Odel. Du reste, une fête reste une fête, c'est toujours une belle occasion de s'amuser.

Kaïsha attrapa la perche au passage.

— Puis-je donc te réserver pour la première danse ? demanda-t-elle en maudissant ses joues rouges.

Odel la regarda avec surprise, puis un sourire se dessina sur ses lèvres.

— Avec grand plaisir.

Contrairement au bal qui avait été organisé pour le retour de Zuo, une fête de Commune était un évènement beaucoup plus décontracté et libre, auquel tous les habitants participaient. Des décorations avaient été placées un peu partout dans les places publiques des différents paliers et les réjouissances avaient lieu à chaque niveau, avec des musiciens, de la nourriture et des spectacles. Les festivités commençaient dès le matin, avec des dégustations et des amusements pour les enfants. Kaïsha, Ko-Bu-Tsu et Zuo décidèrent de commencer leur journée par le palier Cinq, où ils retrouvèrent plusieurs paysans qu'ils connaissaient. C'était sans doute l'endroit où ils étaient les mieux accueillis dans toute la Commune : les paysans réclamaient toujours des histoires, et Kaïsha et Ko-Bu-Tsu ne pouvaient pas passer dix minutes sans qu'un curieux vînt leur parler. Zuo, qui était fils d'explorateur, trouvait amusant de voir les siens s'extasier en apprenant des notions que lui-même connaissait depuis la tendre enfance, et il se fit un plaisir de leur raconter ses propres anecdotes sur les voyages de ses parents et même sur sa vie d'esclave. En ce jour de fête, tout le monde avait congé de travail et les habitants s'étaient réunis pour célébrer, danser et boire, profitant pleinement de ce jour de répit. Kaïsha eut beaucoup de plaisir à se joindre à eux et accepta même une coupe de cidre, malgré le mauvais souvenir que lui avait laissé sa dernière consommation d'alcool, des années auparavant.

— Holà, Kaïsha! l'interpella un jeune homme à l'air espiègle et aux cheveux parsemés de brins de blés.

— Salut, Derich! le salua Kaïsha en le voyant arriver.

— Dis, pourquoi tu n'es pas venue avec ton épée? J'aurais voulu l'essayer!

— Désolée, mais je ne peux pas sortir mon équipement d'entraînement hors de la salle, s'excusa Kaïsha en imaginant avec appréhension la réaction de Saï s'il découvrait une épée manquante au mur.

Derich afficha un air franchement déçu.

— Dommage, maugréa-t-il. J'aurais bien aimé tenir une véritable épée.

Kaïsha rit.

— Ce n'est qu'une épée d'entraînement en bois, expliqua-t-elle. Même moi, je n'ai jamais pris une véritable épée dans mes mains.

C'était la stricte vérité. Kaïsha était l'élève de Saï depuis presque deux mois et, pourtant, jamais elle n'avait même touché l'épée que son mentor gardait scellée dans son fourreau. Elle était pourtant démangée par la curiosité de sentir le tissu du manche sous ses doigts, d'apprécier le poids de l'arme, même si Saï lui avait assuré qu'il était similaire à celui de sa propre épée d'entraînement. Malgré tout, elle n'avait toujours pas osé lui demander de prendre l'arme. Il y avait quelque chose de sacré autour de cette épée et Kaïsha avait l'intuition qu'elle ne devait pas forcer les choses. L'occasion se présenterait à elle lorsque le temps serait venu.

Derich ne sembla pas moins impressionné à l'idée de manier une arme d'entraînement et il harcela Kaïsha de questions sur son entraînement jusqu'à ce que Zuo, Ko-Bu-Tsu et elle remontassent au deuxième palier en début d'après-midi.

Ils rejoignirent Cyam et Junn pour déjeuner et se promenèrent avec eux pour une partie de l'après-midi, circulant entre les étals et les kiosques de jeu installés dans la Grande place du sud. Kaïsha, nerveuse, regardait de temps à autre les cadrans solaires. Odel et elle s'étaient fixé rendez-vous en début de soirée et elle ne voulait pas être en retard.

En fin d'après-midi, les gens se retirèrent progressivement chez eux pour se préparer pour la soirée, où seraient annoncées les équipes de luge, ce que tous semblaient attendre avec impatience. Kaïsha entendit même un groupe d'amis parier sur la constitution des équipes, l'air surexcités. Beaucoup profitaient également de l'heure du dîner pour revêtir leurs plus beaux atours, car des danses allaient avoir lieu un peu partout sur les places et tous voulaient apparaître sous leur meilleur jour. Kaïsha, quant à elle, tint sa promesse faite à Saï et demeura vêtue de ses habits ordinaires.

Elle constata d'ailleurs que les gens s'étaient réellement habitués à sa présence et à son accoutrement, car seules quelques personnes réfractaires lancèrent un regard désapprobateur à sa tenue tandis que la majorité ne lui prêtait pas plus d'attention qu'à quiconque, ce qui était un soulagement majeur.

Alors qu'ils déambulaient entre deux kiosques, ils tombèrent soudain face à face avec Mak, qui se promenait en compagnie d'une dame au regard chaleureux, que Kaïsha reconnut aussitôt. Il s'agissait de maître Friya, l'une des seuls maîtres à avoir pris ouvertement leur côté lors de leur arrivée dans les Montagnes. Kaïsha n'avait pas oublié le nom des rares personnes à s'être montrées bonnes avec eux.

— Ah! Eh bien, ça alors! s'exclama Mak en allant d'un rire tonnant. Le destin joue bien son jeu, nous parlions justement de toi, ajouta-t-il à l'adresse de Ko-Bu-Tsu, qui se figea sous la surprise. Friya, voici la jeune fille dont je te parlais.

— Bien sûr, je me souviens d'elle, affirma maître Friya en souriant à Ko-Bu-Tsu, toujours stupéfaite. On n'oublie pas un tel visage si facilement. Comment vas-tu, Ko-Bu-Tsu?

— Je... euh... bien, et vous? balbutia Ko-Bu-Tsu, cherchant vainement à comprendre ce qui se passait.

— Très bien, je t'en remercie, répondit maître Friya en ignorant poliment la confusion de Ko-Bu-Tsu. Mak me disait à l'instant que tu as un intérêt prononcé pour l'art de soigner, est-ce exact?

Ko-Bu-Tsu lança un regard accusateur à Mak, qui haussa les épaules, l'air d'un garnement ayant été pris la main dans le pot de confiture.

— C'est vrai, admit-elle comme si c'était une faute.

Maître Friya fronça les sourcils devant cette réaction.

— C'est une noble orientation, dit-elle, comme si elle cherchait à la convaincre. Ceux qui ont la vocation de préserver la vie sont hautement respectés, comme ils devraient l'être. D'où t'est venue cette passion?

Ko-Bu-Tsu osa pour la première fois lever les yeux vers la maître.

— De mes recherches pour me guérir moi-même.

L'ambiance se refroidit. Maître Friya fixa Ko-Bu-Tsu avec sérieux.

— Tu dois savoir maintenant que ta condition n'est pas quelque chose qui se guérit.

Ko-Bu-Tsu hocha la tête.

— Je sais. Mais je ne sais toujours pas ce que c'est.

— C'est un phénomène très rare, admit maître Friya. Personnellement, tu es la première que je rencontre. Peu d'entre vous ont la chance de survivre jusqu'à l'âge adulte.

Tout le monde frissonna, sauf Ko-Bu-Tsu. Cette dernière, parfaitement consciente de cette terrible vérité, hocha à nouveau la tête.

— Je m'en doutais. Je ne serais pas vivante si je n'étais pas née dans ma famille. Et encore…

— Heureusement pour toi, affirma maître Friya avec un éclat malicieux dans les yeux, tu es actuellement dans une nation qui est plus curieuse de t'étudier que de t'éliminer.

Kaïsha et Zuo échangèrent un regard incertain par rapport à cette remarque un peu étrange. Maître Friya ne sembla pas le remarquer et continua de parler à Ko-Bu-Tsu.

— Est-ce que ton intérêt pour la médecine se limite à ton envie d'en savoir plus sur tes origines ?

Ko-Bu-Tsu garda le silence un moment, incertaine de ce qu'elle voulait répondre à cette femme qu'elle ne connaissait pas du tout.

— Non, admit-elle finalement. Je trouve que c'est un art extrêmement intéressant. Et j'aime soigner. Je m'y entraîne sur Kaïsha depuis qu'elle me revient tous les soirs couverte de blessures.

Kaïsha eut un sourire désolé et se demanda quelle image elle pouvait bien projeter, ainsi dépeinte.

— Je suis heureuse de l'entendre, dit maître Friya avec satisfaction. Si tu n'as pas peur de travailler dur et si tu crois avoir la passion qu'il faut, viens me rencontrer dans mon bureau demain matin, avant le début des cours. C'est peu orthodoxe, mais je pense pouvoir te prendre dans ma classe.

Ko-Bu-Tsu fut si surprise par la tournure des évènements qu'elle fut incapable de répondre quoi que ce fût. Elle se contenta de passer son regard de maître Friya à Mak, qui riait dans sa barbe.

Maître Friya sembla aussi s'amuser de sa surprise et précisa :

— Je suis maître guérisseuse, personne ne te l'avait dit ?

Devant le silence stupéfait de Ko-Bu-Tsu, elle rit à nouveau avant de reprendre son sérieux :

— Si tu veux faire quelque chose qui a de la valeur, je serai heureuse de t'enseigner. Le choix reste le tien.

Elle les salua et se tourna vers Mak, qui saisit le message et continua sa promenade avec elle, laissant Ko-Bu-Tsu complètement pantoise. Zuo se tourna vers elle, l'air aussi ravi que surpris.

— Toi qui avais peur d'aller voir un maître, tu en as une qui est venue à toi !

— C'est du pur Mak, constata Cyam en se frottant les sourcils, un demi-sourire sur les lèvres.

— Ça ne m'étonne pas de lui, ajouta Junn en riant. Il a bien trouvé, d'ailleurs. Friya est peut-être la seule personne d'Erwem qui aurait accepté d'enseigner à Ko-Bu-Tsu.

Tandis qu'ils parlaient et riaient, Kaïsha posa une main sur l'épaule de Ko-Bu-Tsu, qui sursauta à son contact. Elle semblait tétanisée et regarda Kaïsha avec une urgence dans le regard.

— Qu'est-ce qui vient de se passer ? lui demanda-t-elle comme si elle émergeait d'un rêve.

— Tu viens de te faire offrir la chance de ta vie, lui dit simplement Kaïsha. Maintenant, ça va être à toi de la saisir !

Ko-Bu-Tsu la fixa d'abord avec le même air interdit, puis elle fronça les sourcils et elle redevint la Ko-Bu-Tsu froide, résolue et réfléchie. Elle regarda Kaïsha avec une énergie nouvelle, grave et déterminée.

— Je ne serai pas un poids pour Zuo et toi. Je veux avancer dans la vie, moi aussi.

Seuls Zuo et Kaïsha furent témoins de sa résolution et tous deux hochèrent la tête d'acquiescement. Ils avaient tous fait un long chemin depuis le Désert, et aucun d'entre eux ne voulait plus se sentir vulnérable et soumis. Chacun à sa façon, ils allaient tout faire pour devenir forts. Kaïsha et Zuo avaient déjà trouvé leur voie et, à présent, Ko-Bu-Tsu semblait prête à s'engager à fond dans la sienne.

Kaïsha sursauta en se rendant compte que le temps avait filé et qu'il était temps pour elle de rejoindre Odel. Elle s'excusa auprès de Cyam et Junn, ignora les regards pleins de sous-entendus que lui lancèrent Ko-Bu-Tsu et Zuo, et fila au troisième palier.

Tel qu'il l'avait promis, Odel l'attendait sur la place du marché près de chez lui. Kaïsha fut surprise de constater que Nihiri était avec lui, ainsi que leur petite sœur qui traînait, affichant un air boudeur.

— Bonsoir, la salua Odel d'un air désolé. Je suis de garde avec les jeunes ce soir, ajouta-t-il pour expliquer la présence de ses sœurs.

— Salut, Kaïsha, s'exclama Nihiri avec bonne humeur. Ko-Bu-Tsu et Zuo ne sont pas avec toi?

— Euh... je... non, balbutia Kaïsha, déconcertée de voir qu'Odel n'était pas seul, comme elle l'avait naïvement espéré. Ils sont au Deux.

— Oh! fit Nihiri, visiblement déçue. Tu te souviens de ma sœur, Miluna?

L'intéressée leva un regard incertain vers Kaïsha, semblant hésiter entre une hostilité ouverte ou boudeuse. Kaïsha la salua néanmoins et cette dernière lui renvoya un bref hochement de tête. Nihiri proposa qu'ils allassent voir le spectacle de jongleurs qui allait commencer de l'autre côté de la place et ils se mirent tous les quatre en route.

— La vérité, commença Odel à l'oreille de Kaïsha, tandis qu'ils marchaient un peu en retrait, c'est que j'ai fait l'erreur de dire à table, hier, que je passerais la soirée avec toi aujourd'hui. Je suis sûr que ma mère m'a demandé d'amener Miluna pour me surveiller.

Kaïsha ne sut pas comment réagir à cette confession. D'un côté, la mère d'Odel la détestait toujours et cela voulait dire que la seule idée qu'elle pût fréquenter son fils lui donnerait sûrement des ulcères. D'un autre côté, Odel sous-entendait-il qu'il y avait une raison de vouloir surveiller ses activités avec Kaïsha ? Si oui, quel genre d'activités ?

À cette seule pensée, Kaïsha sentit une bouffée de chaleur lui monter aux joues et elle tourna immédiatement la tête vers les étals pour qu'Odel ne le vît pas.

— J'espère que Miluna ne fera pas un rapport trop sévère, dit-elle en essayant de faire une blague, chose pour laquelle elle ne pensait pas être très douée.

Pourtant, Odel rit.

— Oh, elle pourra bien raconter ce qu'elle veut à ma mère, ça ne me dérange pas. J'ai l'intention de passer une belle soirée de toute manière.

Il la gratifia d'un sourire sincère et Kaïsha sentit son estomac se nouer, mais d'une façon étonnamment agréable, comme la nervosité qu'un enfant ressent lorsqu'il est dans l'attente d'un cadeau. Kaïsha avait hâte de voir quelles surprises lui réserverait cette soirée.

Ils passèrent l'heure suivante à déambuler, à regarder des spectacles d'artistes et à manger de délicieuses brochettes à un étal. Malgré sa première déception de ne pas pouvoir être seule avec Odel, Kaïsha passa un très bon moment en compagnie de Nihiri et de son frère. Miluna demeura taciturne, mais elle finit par se départir de son air boudeur et accepta la brochette que Kaïsha lui tendit en la remerciant timidement. Elle finit même par lui demander si les rumeurs étaient vraies, et qu'elle avait réellement terrassé une horde de scorpions du Désert.

Kaïsha fut surprise que de telles rumeurs à son endroit pussent circuler dans la Commune, puis elle rit.

— C'est très exagéré. Premièrement, il n'y en avait qu'un et ensuite, j'ai eu beaucoup d'aide de Zuo et de Ko-Bu-Tsu. Je n'en serais jamais sortie vivante sans eux.

Miluna sembla peu intéressée par les véritables faits et réclama plus de détails sur la terrible créature. Parler de ce monstre était encore quelque chose de difficile pour Kaïsha, car la terreur que lui avait causée cette créature était encore bien vive dans sa mémoire et dans sa chair. Toutefois, pour répondre à la curiosité de Miluna, elle accepta de surpasser son malaise.

À un moment de la soirée, des musiciens commencèrent à entonner une série de mélodies entraînantes et Odel invita Kaïsha à danser.

— Chose promise, chose due, dit-il avec un sourire en lui offrant la main.

Kaïsha l'accepta avec plaisir et ils prirent place parmi les danseurs. Presque personne ne fit attention à eux et cela surprit Kaïsha autant que cela lui fit plaisir. Sentir qu'elle pouvait se mêler à la foule sans sortir du lot était un sentiment qu'elle n'avait pas vécu depuis longtemps et il lui avait manqué. La chanson commença, mais il ne s'agissait pas du rythme lent que Kaïsha avait appris. L'air était beaucoup plus rapide et entraînant. Odel lui montra les pas en même temps qu'elle regardait comment les autres danseurs s'exécutaient. Maladroite, elle peina à s'en sortir au début, mais finit tranquillement par prendre le rythme de la musique et trouva que cette danse, plus simple et dynamique, lui plaisait davantage que celle plus traditionnelle où elle s'était sentie gauche et ridicule. Elle laissa échapper un rire franc, se délivrant de sa nervosité et appréciant simplement ce moment merveilleux où Odel et elle ne faisaient qu'un parmi la foule. Lui-même semblait s'amuser autant qu'elle et ils dansèrent ensemble longtemps, sans se soucier des mélodies qui se succédaient.

Soudain, le son lointain d'une cloche résonna partout sur la place et les gens, surexcités, cessèrent de danser. La musique elle-même s'évanouit.

— Que se passe-t-il? demanda Kaïsha, surprise et déçue que cela eût brisé leur moment.

— C'est l'annonce des équipes de luge! s'exclama Odel avec excitation. Viens!

Il lui prit la main et l'entraîna à travers la foule pour rejoindre Nihiri et Miluna, qui mangeaient un granité, assises sur un banc. Ces dernières, aussi excitées que leur frère, se levèrent à leur arrivée et ils attendirent, tous fébriles.

— Où est-ce que l'annonce a lieu? s'enquit Kaïsha, se grondant elle-même de ne pas s'être mieux renseignée.

— La Grande place de l'est, au palier Deux, répondit Odel. Mais seules des personnes invitées peuvent y assister. Aucune salle n'est assez large pour accueillir tous les habitants. Nous, nous allons l'apprendre par des hérauts ici même. Chaque palier a un lieu d'annonce.

Kaïsha regretta un peu de ne pas se trouver avec Zuo et Ko-Bu-Tsu, qui devaient assister à l'évènement juste au-dessus d'elle, mais elle était contente de partager ce moment électrisant avec Odel et Nihiri.

— Personne ne m'a expliqué en quoi consistait ce sport, constata-t-elle.

— Oh, c'est tout simple! intervint Nihiri, excitée comme une puce. Il y a dix équipes et chaque équipe compte cinq lugeurs. La compétition consiste en plusieurs courses sur le flanc extérieur d'Erwem où trois membres d'une équipe doivent descendre des pistes de plus en plus difficiles, debout sur une luge qu'ils pilotent.

— Les luges sont des sortes de bateau, précisa Odel. On peut les manier avec une toile sur les terrains plats et ils comportent un gouvernail. C'est assez difficile à diriger, mais lorsqu'elles sont pilotées par des experts, elles peuvent faire des choses assez incroyables.

— Et les équipes gagnent des points à chaque course, selon l'ordre d'arrivée et le temps de différence entre chaque équipe. Il y a aussi des points accordés par les juges pour l'exécution de figures complexes.

— Les deux équipes qui ont remporté le plus de points à la fin de la saison s'affrontent dans une course de plusieurs jours, conclut Odel, où tous les membres de l'équipe conduisent une grande luge (et les cinq sont tout juste assez pour manœuvrer l'appareil, crois-moi) pour atteindre le bas de la montagne. Les gagnants sont déclarés champions.

Kaïsha essaya de trouver un sens parmi toute l'information qu'elle venait d'engranger.

— Donc… dix équipes, cinq lugeurs, des courses tout l'hiver, et les meilleurs doivent descendre la montagne jusqu'en bas dans un bateau qui glisse sur la neige, c'est ça?

Nihiri fit une moue dubitative devant son résumé grossier, tandis qu'Odel éclata de rire.

— C'est simplifié, mais c'est à peu près ça, acquiesça-t-il en riant.

Un grand bruit mit fin à leur conversation, car un homme vêtu d'une longue robe blanche aux bordures bleues (les couleurs officielles d'Erwem) monta sur une petite estrade aménagée au centre de la place du marché.

— Ils vont faire l'annonce ! cria presque Nihiri.

Kaïsha les observa, hommes et femmes en liesse qui célébraient un évènement qu'elle n'arrivait pas vraiment à comprendre. Elle se sentait gagnée par l'engouement collectif, mais elle n'arrivait pas à réellement connecter avec leur joie. Elle écouta le présentateur annoncer le nom des heureux élus de chaque équipe, sous les applaudissements soutenus de la foule. À l'annonce de certains noms, des cris retentirent et Nihiri sauta même de joie. D'autres soulevèrent de brefs échanges interrogateurs entre des partisans. Lorsque tous les noms furent annoncés, la foule explosa en applaudissements et la musique se remit à jouer, entraînante et festive. Des tonneaux de vin et de cidre s'ouvrirent et Odel offrit à Kaïsha une coupe d'un cidre spécial, très sucré, qu'elle but un peu trop vite et se sentit bientôt devenir étourdie. Odel et elle finirent par perdre Nihiri et Miluna dans la foule joyeuse et ils déambulèrent ensemble, buvant leur coupe, s'en faisant offrir une autre, dansant au son de la musique.

Les sens de Kaïsha s'embrouillèrent, les lumières semblaient danser autour d'elle. Elle se sentait grisée, libérée, elle avait envie de danser jusqu'au petit matin dans les bras d'Odel. Ce dernier ne semblait pas aussi affecté qu'elle par l'alcool et riait gentiment de sa maladresse. Il l'entraîna un peu plus loin de la foule et la fit asseoir sur un banc. Il la laissa seule un court instant et revint avec une coupe remplie d'eau.

— Tiens, lui dit-il avec gentillesse. Bois-la au complet, sinon tu pourrais le regretter demain matin.

— Merci, fit Kaïsha en trempant ses lèvres dans l'eau glacée.

Elle accueillit cette froideur avec gratitude, car il lui semblait qu'il faisait plus chaud que d'habitude.

Odel lui offrit un de ses regards si gentils, protecteurs, et Kaïsha lui sourit, heureuse. Elle voulait le toucher, le caresser. Sa peau semblait tellement douce.

Quelque part, très loin au fond de son esprit, une petite voix lui souffla que c'était une mauvaise idée, qu'ils ne pouvaient pas être ensemble : ils ne venaient pas du même monde.

Elle chassa cette pensée, parce qu'elle la terrifiait. Elle désirait tellement Odel, elle voulait tellement se réfugier dans ses bras ! La peur et la témérité se mélangèrent dans son esprit embrumé et son corps agissant avant que sa tête ne pût l'en empêcher, elle s'avança et embrassa Odel.

Ses lèvres étaient douces et chaudes, comme elle l'avait imaginé. Elle avait à peine posé ses lèvres sur les siennes qu'elle se releva, surprise de sa propre audace. Elle se rendit compte une fraction de seconde plus tard que c'était son premier baiser. Rougissante, elle leva les yeux vers Odel.

Et elle dégrisa instantanément.

Odel la fixait avec étonnement, les lèvres légèrement entrouvertes, comme si elles cherchaient le baiser qu'elles venaient de recevoir. Il ne semblait ni heureux, ni en colère ou embarrassé. Il semblait être sous le choc.

Kaïsha comprit alors avec horreur que ses craintes étaient fondées, que la petite voix dans sa tête avait eu raison, et un vide glacé remplaça ses organes dans sa poitrine.

Une fois sa surprise passée, Odel regarda Kaïsha d'un air désolé, sincère.

— Oh… Kaïsha…

— Je suis désolée, lança Kaïsha en se levant brusquement. L'alcool coulant encore dans son sang, elle dut poser une main sur le mur pour retrouver son équilibre, puis s'éloigna d'Odel le plus vite qu'elle put sans courir.

« Quelle idiote! pensa-t-elle avec une rage mêlée de larmes. Quelle *idiote*! »

Elle se fraya un chemin dans la foule, poussant sans s'excuser ceux qui lui barraient le chemin, s'attirant des regards courroucés auxquels elle était indifférente. Elle ne voulait qu'une chose : sortir de ce maudit palier et filer se cacher chez les Steloj.

Une main l'agrippa au moment où elle tourna un coin pour prendre l'escalier.

— Kaïsha, attends! la supplia Odel.

Tétanisée, Kaïsha cessa de marcher, mais ne se tourna pas. Dans cette allée menant aux escaliers, ils étaient seuls. Kaïsha ne savait pas quoi faire. Se dégager de force et courir le plus loin possible? Se retourner et s'excuser à nouveau? Pleurer? Les trois options étaient tentantes et elle lutta intérieurement pour ne succomber à aucune d'entre elles. Ce fut Odel qui résolut la question pour elle, posant doucement ses mains sur ses épaules et la faisant pivoter sur elle-même.

Son beau visage était rongé par le remords. Il semblait presque aussi malheureux qu'elle. Kaïsha se sentit terriblement triste de le voir ainsi, mais elle éprouva aussi pour lui une étrange gratitude, de ne pas la laisser seule dans sa peine.

— Kaïsha…, murmura-t-il, encore un peu sous le choc. C'est moi qui suis désolé. Je ne savais pas… je n'avais pas compris…

— Non, c'est moi, souffla Kaïsha. J'ai vu des signes qui n'étaient pas là.

Odel la regarda alors avec un regret si profond que Kaïsha leva vers lui un regard interrogateur. Il semblait aux prises avec un terrible dilemme intérieur. Il lâcha ses épaules et recula d'un pas, cherchant visiblement à rassembler ses mots, la laissant confuse et interdite. Il soupira soudain et leva vers elle un visage plein de remords.

— Tu n'as pas mal interprété les choses, lâcha-t-il finalement. C'est moi, le coupable, pas toi.

— Je... je ne comprends pas, murmura Kaïsha, perplexe.

Odel lui lança un regard coupable.

— Je... c'est vrai que toi aussi, tu me plaisais. Je te trouvais, et te trouve encore, impressionnante. Tu es une fille extraordinaire, intelligente, drôle, très jolie... Je me rends seulement maintenant compte que je n'ai pas été correct avec toi, j'ai eu des paroles et des gestes qui te laissaient entendre des choses qui n'auraient pas dû être... Mais je ne pensais pas... je ne pouvais pas imaginer que tu éprouverais quelque chose pour moi. Pourtant, je suis plus vieux, j'aurais dû y réfléchir à deux fois, mais... je suis tellement désolé Kaïsha, je ne pouvais juste pas imaginer que nous ayons une relation, toi et moi.

Kaïsha comprit alors et eut l'impression qu'un éclair l'avait frappée, éclairant son esprit en même temps qu'il détruisait son cœur. Ko-Bu-Tsu avait eu raison, elle-même avait été trop aveugle pour s'en rendre compte. Elle s'était sentie tellement invulnérable, tellement intouchable, qu'elle en avait fini par croire qu'elle pouvait être normale et qu'on oublierait la nature qui la maudissait. Une larme roula sur ses joues. Elle fut suivie par d'autres, que Kaïsha fut incapable de retenir. Elle ne dit rien, n'émit pas un son. Seuls ses pleurs hurlèrent sa détresse.

Odel semblait profondément malheureux, lui aussi. Kaïsha se sentit même coupable de lui faire de la peine, alors que sa propre douleur la terrassait. Il s'approcha finalement d'elle, doucement, comme il se serait approché d'un animal blessé, ce qu'elle était. Il prit son visage avec douceur, cette terrible douceur qui torturait Kaïsha autant qu'elle la désirait.

— Kaïsha, je t'en supplie, murmura Odel. Je ne veux pas que tu souffres à cause de moi. Qu'est-ce que je peux faire, qu'est-ce que je peux dire, qui atténuerait ta peine ?

Kaïsha leva vers lui un regard désespéré, le visage strié de larmes amères.

— Offre-moi un mensonge, Odel, souffla-t-elle d'une voix tremblante. Dis-moi que ce n'est pas parce que je suis une enfant de deux mondes.

Odel la regarda avec surprise, puis ses sourcils se froncèrent avec gravité.

— Je te le jure, ce n'est pas parce que tu es une enfant de deux mondes.

Kaïsha savait qu'il mentait, mais elle choisit de le croire.

17

— On est matinale ? demanda Saï en levant un sourcil sceptique lorsqu'il entra dans la salle d'entraînement, le lendemain matin.

Kaïsha était arrivée un peu moins d'une heure avant, et elle s'acharnait depuis sur les mannequins de bois, qu'elle avait placés en cercle autour d'elle et qui craquaient sous ses coups violents et hargneux.

Elle avait passé une partie de la nuit à pleurer amèrement son expérience dans les bras de Zuo et de Ko-Bu-Tsu, tous les deux troublés de voir leur amie ainsi vulnérable. Cyam et Junn n'avaient pas posé de questions, mais Junn avait monté trois tasses de tisane fumantes dans la chambre de Ko-Bu-Tsu et de Kaïsha, et elle avait glissé une caresse toute maternelle sur la joue de Kaïsha avant de les laisser entre eux. Kaïsha avait raconté toute l'histoire à ses amis. Zuo avait eu une rare montée de colère et avait immédiatement voulu trouver Odel pour lui dire ses quatre vérités, tandis que Ko-Bu-Tsu s'était contentée de frotter le dos de Kaïsha en lui répétant qu'il ne valait pas la peine qu'elle versât des larmes pour lui. D'eux trois, Kaïsha était la première à vivre une peine d'amour, une détresse si... normale dans leurs vies qui étaient tout sauf ordinaires qu'ils se sentaient un peu désemparés par rapport à cette situation. Finalement, ils s'étaient endormis tous les trois dans le lit de Kaïsha et de Ko-Bu-Tsu, la chandelle encore allumée.

Lorsque Kaïsha avait finalement fermé les yeux, épuisée, elle avait eu l'impression qu'il n'y avait plus d'eau en elle et que sa tristesse, intense et douloureuse, s'en était allée avec ses larmes. Lorsqu'elle s'était réveillée, bien avant l'aube, elle était furieuse. Furieuse contre elle-même, de s'être laissée entraîner dans ce jeu futile qu'était le jeune amour. Elle avait oublié qui elle était et ce qu'elle était. Elle n'était pas une fille des Montagnes qui pouvait se permettre de tomber amoureuse d'un beau jeune homme et d'avoir une peine d'amour banale. Elle était l'Enfant des quatre mondes et si elle l'oubliait, le monde se chargerait bien assez vite de le lui rappeler.

Elle avait laissé une note, expliquant où elle était partie et souhaitant bonne chance à Ko-Bu-Tsu pour sa rencontre avec maître Friya, et elle était venue à la salle d'entraînement pour défouler sa hargne sur les pauvres mannequins qui encaissaient ses coups sans broncher. Elle ne vit même pas Saï entrer, trop occupée à ruminer ses pensées et sa douleur en assenant des coups sans pitié. Saï l'observa faire durant un moment avant de se décider à l'arrêter.

— Ça suffit, ordonna-t-il en approchant.

Au son de sa voix autoritaire, Kaïsha interrompit aussitôt son mouvement. Elle se tourna vers Saï et s'inclina pour le saluer. Il balaya son salut du revers de la main.

— Que s'est-il passé? lui demanda-t-il avec une perspicacité effrayante.

— Rien, répondit aussitôt Kaïsha, son mensonge aussi translucide que de l'eau claire.

Saï la considéra d'un œil perçant.

— Tu es blessée. Raconte-moi.

Sa demande était aussi considérée qu'elle était un ordre. Kaïsha obéit à son mentor.

— J'ai été assez stupide pour tomber amoureuse, avoua-t-elle d'un bloc en rangeant rageusement son épée d'entraînement par-dessus son épaule.

Saï leva un sourcil surpris.

— Qui ? s'enquit-il plus gentiment.

— C'est sans importance. J'ai appris ma leçon, maugréa Kaïsha. Commençons-nous le cours d'aujourd'hui ?

Saï la dévisagea un moment sans réagir, puis il secoua la tête.

— Non, je ne pense pas que tu aies la tête à t'entraîner aujourd'hui.

— Au contraire ! s'exclama Kaïsha, rageuse. Ces derniers temps, j'avais l'esprit embrumé par des idées et des sentiments futiles. Maintenant, mon esprit est clair et toute mon énergie est concentrée. Je suis prête à me battre.

Saï lui lança un regard sans équivoque.

— Non, tu ne t'entraîneras pas plus longtemps aujourd'hui. Viens avec moi.

Kaïsha voulut répliquer encore, mais Saï lui lança un regard sévère et elle ferma la bouche. Grommelant, elle alla porter son épée de bois sur son crochet et suivit son mentor hors de la salle d'entraînement. Il la mena jusque chez lui et l'obligea à s'asseoir dans l'un des vieux fauteuils qui composaient son « salon ». Sans un mot, il fit infuser une tisane et lui tendit une tasse tandis que lui-même s'asseyait face à elle.

— Maintenant, exigea-t-il d'une voix autoritaire, raconte-moi cette histoire.

À contrecœur, Kaïsha dut lui narrer son humiliation. Des larmes rageuses perlèrent au coin de ses yeux alors qu'elle parlait et, lorsqu'elle eut terminé, ses mains étaient si crispées autour de sa tasse que ses doigts lui brûlaient. Saï, l'air concentré, demeura silencieux un moment avant de prendre une grande respiration et de lever les yeux vers elle.

— Premièrement, tu es chanceuse d'être tombée sur un jeune homme comme lui. D'autres auraient pu être bien plus cruels envers toi.

Kaïsha fut étonnée. Sans y avoir vraiment réfléchi, elle s'attendait à des mots de réconfort, mais Saï n'était pas le genre de personne qui consolait une jeune fille en pleurs. Kaïsha avala ses larmes et se redressa pour se tenir bien droite, le regard planté dans celui de son mentor.

— J'en ai conscience, admit-elle.

Saï hocha la tête, satisfait.

— Tu as souffert. Maintenant, apprends de cette blessure pour pouvoir en guérir.

— C'est ce que je fais ! s'exclama Kaïsha. Je vais devenir encore plus forte, je ne serai plus aussi vulnérable. Je veux m'entraîner encore plus !

Saï leva une main en secouant la tête et Kaïsha se tut.

— Non, tu ne t'y prends pas de la bonne façon. Tu as l'attitude d'un animal blessé qui fonce tête baissée sur ses prédateurs au lieu de s'arrêter pour lécher sa plaie.

Il regarda Kaïsha dans les yeux et déclara :

— Si tu fais face à ta douleur de cette façon, tu garderas une cicatrice si vilaine qu'elle t'empoisonnera et tu finiras par la porter comme un fardeau. Tu es bien jeune encore pour prendre une telle direction. Veux-tu donc finir comme moi ?

Kaïsha ne répondit rien, interdite. Il avait raison. Elle avait à peine séché ses larmes qu'elle avait laissé la colère et l'amertume prendre le pas sur elle. N'apprendrait-elle donc jamais de ses erreurs ?

— Qu'est-ce que je dois faire, alors ? murmura-t-elle, abattue.

— Pleure, lui conseilla Saï. Tu n'as que quinze ans, par les anciens ! C'est le genre d'expérience douloureuse que tous les jeunes vivent, tu y as droit aussi.

— Mais je ne suis pas comme tous les jeunes, murmura Kaïsha, sentant la tristesse bannie envahir sa poitrine et comprimer ses organes. J'aurais dû savoir...

— Ton sang et ton âge sont deux choses très différentes, l'interrompit Saï en balayant ses paroles du revers de la main. Le premier ne change rien au deuxième. Tu ne peux pas exiger de toi-même de vieillir plus vite que les années. Ton expérience viendra avec le temps, comme la sagesse.

Kaïsha baissa ses yeux vers sa tasse fumante. Saï se leva et s'approcha d'elle, l'air adouci.

— J'oublie trop souvent que tu es encore une gamine, admit-il en lui tapotant la tête.

Kaïsha ouvrit des yeux ronds de surprise. C'était la première fois que Saï la touchait, littéralement. Lors de leurs entraînements, il parait son épée, lui donnait des coups avec, mais jamais il n'était entré en contact direct avec elle, ni ne lui avait jamais tendu la main pour l'aider à se relever lorsqu'elle tombait. Ils avaient toujours gardé une distance respectueuse l'un envers l'autre. Il semblait qu'en ces circonstances particulières, Saï avait décidé de briser cette règle.

— Maintenant, reprit-il avec un sourire en coin, raconte-moi quel horrible garçon il est et comment nous allons te venger.

— Me venger ? s'étonna Kaïsha en riant, essuyant les dernières traces de larmes sur ses joues.

— Bien sûr ! s'exclama Saï. Je ne vais pas laisser mon élève se faire humilier sans qu'il y ait retour du balancier. Tu vas devenir une guerrière si impressionnante qu'il va regretter avoir osé te faire pleurer.

— Mais je pensais que…, commença Kaïsha, perplexe.

— Tu ne vas pas devenir une guerrière rongée par l'amertume et la colère, la coupa Saï avec sévérité. Tu vas devenir une combattante forte et brave, aussi sage que terrifiante. Ton Odel va s'en mordre les doigts.

C'était la première fois que Kaïsha voyait son mentor ainsi : comme un enfant préparant un mauvais coup. Cela le rajeunissait et redonnait presque à son visage son âge véritable. Il lui fit un clin d'œil complice et elle rit, amusée malgré elle. Saï lui sourit, de façon presque paternelle. Il retrouva alors son sérieux et sembla réfléchir à quelque chose avant d'avancer :

— Il y a une chose que je voulais faire avec toi. Je pensais attendre encore un mois ou deux, mais je pense que maintenant sera le meilleur moment.

Kaïsha leva vers son mentor un regard interrogateur.

— Nous allons partir en expédition, toi et moi, lui déclara-t-il. Nous allons nous entraîner dans la nature pour quelques semaines.

Kaïsha fut si surprise qu'elle ne réagit pas immédiatement.

— Partir plusieurs semaines ? finit-elle par balbutier, interdite. *Dehors ?*

Saï lui lança un regard amusé.

— Mais oui, dehors. As-tu oublié à quoi ça ressemblait ?

Comme si elle était appelée, Kaïsha tourna instinctivement les yeux vers la fenêtre de Saï. Le ciel rosé du matin revêtait les monts d'un manteau doré, faisant scintiller la neige. Des nuages effilés glissaient entre les pics des plus hauts sommets, comme la bruine sur l'eau. Kaïsha était habituée aux faux soleils d'Erwem et à cette ville intérieure au ciel de pierre, mais elle se languissait de la chaleur du véritable soleil, de se trouver sous la voûte éternelle du ciel et de sentir l'immensité des terres. Elle se tourna vers Saï.

— Nous pouvons vraiment sortir?

— Bien sûr, répondit ce dernier. Où crois-tu que les compétitions de luge ont lieu? Il y a plusieurs portes qui mènent à l'extérieur et l'été, il fait assez chaud pour que les portails des grandes salles soient maintenus ouverts. Toi qui es arrivée ici en automne, tu n'as pas eu la chance de le voir, mais ça viendra assez vite.

— Pourquoi voulez-vous partir en expédition? demanda alors Kaïsha, emportée par la curiosité.

— Pour te sortir de ta zone de confort, lui expliqua Saï. Tu ne seras pas toujours dans cette Commune et tes combats n'auront pas lieu dans notre salle d'entraînement. Tu dois apprendre à t'adapter, à garder ta concentration et tes habiletés même dans les conditions les plus difficiles. Voilà pourquoi nous allons partir, toi et moi, et descendre la montagne pour aller vivre quelques semaines dans la forêt. Nous allons apporter des vivres, mais tu vas aussi apprendre à chasser. Nous allons repousser tes limites.

Saï lui lança alors un regard entendu en concluant :

— Et je pense que ce ne sera pas une mauvaise chose que tu t'éloignes d'Erwem pour un petit moment.

L'image d'Odel apparut douloureusement dans l'esprit de Kaïsha et elle l'en chassa aussitôt.

— Oui, admit-elle. Ce serait une bonne idée.

Saï approuva de la tête.

— Je m'occuperai de nous procurer une tente et des paillasses d'hiver. Toi, occupe-toi de te faire coudre des vêtements chauds. Connais-tu un tailleur?

L'idée d'aller voir Edelar Silko, le père d'Odel, pour lui demander de lui coudre des vêtements, ne ravit pas Kaïsha. Toutefois, il était le seul tailleur qu'elle connaissait et en qui elle avait confiance.

— Oui, je peux m'arranger, dit-elle à Saï.

— Très bien. Donnons-nous deux semaines pour rassembler le matériel nécessaire. Réduis ton entraînement pendant ce temps, je veux que tu gardes toute ton énergie.

— D'accord, acquiesça Kaïsha.

Elle se leva et se prépara à prendre congé, lorsque Saï ajouta :

— Kaïsha… avertit les Steloj que tu pars avec moi, mais autrement, garde cette information pour toi.

— D'accord, acquiesça Kaïsha, surprise. Mais pourquoi donc ?

Saï posa son menton sur ses mains jointes et fronça les sourcils, l'air de réfléchir.

— Je préférerais que notre sage ne sache pas que tu quittes la Commune.

Kaïsha lui lança un regard étonné.

— Maen ? Qu'est-ce qu'il a à voir avec cela ?

— Disons que je le soupçonne depuis un bon moment d'avoir placé des gens pour vous surveiller, tes amis et toi. J'ai l'impression qu'il veut garder une grande mainmise sur vos activités et il ne sera pas heureux lorsqu'il apprendra que tu as disparu de son champ de surveillance. Dis à tes amis de faire également attention. Si j'ai raison, lorsqu'il se rendra compte que nous sommes partis, il se tournera vers eux pour chercher des explications.

Kaïsha sentit un frisson monter dans son dos.

— Est-ce vraiment une bonne idée que nous partions, alors ?

— Oh oui ! la rassura Saï, confiant. C'est une excellente occasion pour toi et peu importe les menaces de Maen, vous êtes maintenant trop connus dans la Commune pour qu'il puisse s'en prendre à toi ou à tes amis impunément. Je préfère juste être prudent. Tu as déjà dû remarquer que Maen porte un grand amour au pouvoir qu'il a sur Erwem. Trop d'amour pour ce qu'on pourrait s'attendre d'un sage, en vérité.

Kaïsha hocha la tête. C'était une chose qu'elle avait comprise dès leur première rencontre. Elle avait côtoyé assez d'hommes rongés par leur ambition pour en reconnaître un quand elle le voyait.

— Tu comprends donc que ta popularité chez les habitants d'Erwem ne lui fait pas plaisir du tout.

— Je ne suis pas très populaire, corrigea Kaïsha. Je suis plus une curieuse bête que les gens veulent étudier…

— Alors, c'est que tu n'observes pas correctement autour de toi, répliqua Saï. Les gens parlent de toi ; beaucoup. Je n'ai jamais été aussi harcelé dans la rue que depuis que je t'ai acceptée comme élève.

— Vous ne pensez pas que c'est plutôt le fait que vous avez une élève, point, qui vous attire les regards ?

— En partie, concéda Saï. Mais la nature de mon élève y joue aussi pour beaucoup. Maen, lui, le sait. Il est venu me voir une semaine après que je t'ai prise sous mon aile. Il voulait que je revienne sur ma décision.

Kaïsha fut ébahie d'entendre cela. Elle savait que le sage lui était antipathique, mais elle n'avait pas imaginé qu'il interviendrait personnellement dans sa vie. Saï eut un rire sarcastique.

— Comme s'il pouvait avoir la moindre influence sur moi.

— Que lui avez-vous répondu ? demanda Kaïsha, curieuse.

Saï lui lança un regard complice.

— Que tu étais la première personne que je rencontrais depuis dix ans qui était digne d'être mon apprentie. Il n'a pas osé insister, il a trop peur de moi.

Kaïsha rit à son tour.

— Tu commences à lui faire peur, toi aussi, l'avertit Saï avec plus de sérieux. Il sait que plus tu es connue dans la Commune et plus tu apprendras avec moi, plus tu seras intouchable. Nous allons devoir le tenir à l'œil.

Kaïsha approuva et lui raconta ce que Cyam et Junn lui avaient confié concernant les guides et l'ambition de Maen. Saï hocha la tête tout en l'écoutant, l'air concentré.

— Oui, ils ont parfaitement raison de vouloir te pousser à parler aux guides en premier. Tu as bien fait de m'en parler, je vais pouvoir tirer des cordes de mon côté…

Kaïsha ne savait pas ce qu'il voulait dire par là, mais il semblait être entré dans un état de réflexion et elle savait que lorsqu'il était ainsi, il était difficile de l'en sortir. Toutefois, il finit par lever les yeux vers elle.

— Allez, pars maintenant. Va tout de suite commander des vêtements d'hiver adéquats et mets la note à mon nom. Je te ferai savoir quand nous serons prêts à partir.

Kaïsha acquiesça, s'inclina pour le saluer et le laisser retourner à ses pensées. Elle descendit au deuxième palier, mais s'arrêta devant les escaliers qui menaient au Trois. Elle avait peur de croiser Odel et même son père, appréhendant que son fils lui eût raconté ce qui s'était passé la veille. Kaïsha tourna en rond quelques minutes, prise dans son dilemme. Finalement, elle pensa à Saï et elle décida qu'elle n'était pas une enfant. Si elle croisait Odel ou que son père lui posait des questions, elle les affronterait sans broncher. Le cœur serré, elle s'engagea dans les escaliers.

Il était encore très tôt ; les marchands venaient à peine de sortir leurs étalages. Des restes de coupes, de barils, de banderoles et même de vêtements traînaient encore par terre et des nettoyeurs passaient de grands balais dans les rues pour tout nettoyer. Plusieurs personnes saluèrent Kaïsha à son passage et Kaïsha leur répondit rapidement, ayant la peur absurde que tout un chacun eût été témoin de son humiliation de la veille. Elle se rendit directement à la boutique d'Edelar et entra, faisant tinter une clochette à la porte.

— Oh, Kaïsha! Comment vas-tu? s'exclama Edelar en sortant de l'arrière-boutique, son air bon enfant toujours accroché au visage.

Au premier coup d'œil, il s'adressait à elle exactement comme à l'habitude, ce qui laissa penser à Kaïsha qu'Odel ne lui avait pas parlé. Secrètement, au plus profond de son cœur, elle l'en remercia.

— Bonjour, Edelar, le salua Kaïsha en essayant d'adopter une attitude décontractée. Je vais bien, merci, et vous-même?

— On ne peut pas se plaindre, quoique mon crâne me rappelle que je ne devrais plus boire autant à mon âge, répondit Edelar en laissant échapper un rire bourru qui se transforma en toux. Si tu es venue pour un de mes enfants, ils viennent de partir pour leurs cours, je le crains.

Kaïsha n'en montra rien, mais elle poussa un long soupir intérieurement. Au moins, elle ne risquait pas de croiser Odel aujourd'hui.

— En fait, c'est vous que je venais voir, précisa-t-elle. J'aimerais me faire coudre des vêtements d'hiver, assez chauds pour tenir dehors.

— Dehors... *dehors*? s'étonna Edelar, avant de repartir d'un grand rire. Ah! Tu veux voir les premières compétitions de luge, c'est ça? C'est vrai que la première est la semaine prochaine et je suppose que tu n'as rien à te mettre pour affronter le froid...

Kaïsha ne répondit rien et se contenta de sourire. Elle ne voulait pas mentir à Edelar et elle espéra qu'il interprétât son sourire comme un signe d'acquiescement. Heureusement pour elle, ce fut exactement ce qu'il fit. Il lui fit un clin d'œil en disant :

— Je suis sûr que Nini et Odel seront bien heureux d'être avec toi pour ta première course, c'est quelque chose! Viens ici, je vais prendre tes mesures.

— J'aurai probablement aussi besoin de bottes, sauriez-vous à qui je pourrais m'adresser?

— Oh oui, tu n'auras qu'à aller chez Villem, à deux rues d'ici; je te montrerai comment te rendre. Tu lui diras que c'est moi qui t'envoie. Tu vas voir, il fait les souliers les plus confortables!

Edelar prit les mesures de Kaïsha tout en lui demandant comment elle trouvait les vêtements qu'il lui avait déjà confectionnés. Depuis que Ko-Bu-Tsu et elle étaient arrivées à Erwem, c'était Edelar qui leur avait fourni l'ensemble de leur garde-robe, au grand dam de sa femme, et Kaïsha n'avait jamais eu à se plaindre de ses talents de tailleur. Il avait l'habileté de faire des vêtements confortables et pratiques, deux qualités que Kaïsha aimait énormément.

Lorsqu'il eut fini de prendre ses mesures, il l'invita à choisir parmi une gamme de tissus épais et chauds et lui proposa les mitaines, bonnets et cols qui les accompagnaient. Kaïsha porta son choix sur un épais feutre gris-bleu qui semblait résistant et chaud sans être trop épais ni lourd. Après tout, elle n'allait pas que faire de la randonnée avec Saï, elle voulait pouvoir être libre de ses mouvements.

— Parfait, conclut Edelar en notant ses choix et en lui remettant immédiatement les accessoires d'hiver déjà prêts à être portés. Je mets la note aux Steloj, comme d'habitude?

— En fait, hésita Kaïsha, c'est maître Saï qui me les offre…

Edelar sursauta en entendant le nom du maître d'épée.

— Maître Saï? *Le* maître Saï, celui qui t'enseigne à manier l'épée? *Ce* Saï?

Kaïsha eut un sourire gêné. La réputation d'ermite grincheux précédait son mentor partout dans la Commune.

— Pourquoi maître Saï te paie-t-il un habit d'hiver ? l'interrogea Edelar, toujours ahuri.

— Euh… en fait…, balbutia Kaïsha. C'est un cadeau. Parce que j'ai fait de grands progrès, mentit-elle.

Kaïsha n'était vraiment pas douée pour le mensonge, mais heureusement pour elle, Edelar n'était pas plus doué pour le détecter. Il demeura surpris, puis éclata d'un grand rire.

— Eh bien, eh bien ! s'exclama-t-il avec bonne humeur. Le grand maître Saï qui fait un achat dans ma petite boutique ! Quand je raconterai ça à mes concurrents, ils seront verts de jalousie !

— Oh ! fit Kaïsha, alertée. Est-ce que ce serait trop demander de ne pas l'ébruiter ?

Saï lui avait déjà demandé de garder leurs plans secrets, ce serait bien mal parti si le palier Trois au complet apprenait qu'il avait fait cette dépense, surtout pour elle. Edelar lui lança un regard interrogateur et Kaïsha tenta de broder :

— Vous connaissez maître Saï, il est tellement taciturne, poursuivit-elle en essayant de prendre un air de confidence. Si tout le monde apprend qu'il m'a fait un cadeau…

— Je comprends, répondit Edelar en lui lançant un clin d'œil, à son grand soulagement. Promets-moi au moins de te vanter à tous que tes habits viennent de chez moi, c'est une excellente publicité !

Kaïsha le lui promit et le remercia encore. Edelar l'assura que sa commande serait prête d'ici une semaine et il lui montra comment se rendre chez le cordonnier. Kaïsha s'y rendit et fut accueillie par un homme si semblable à Edelar dans son caractère qu'elle se demanda un instant s'ils n'étaient pas frères, avant de comprendre que les deux hommes étaient de bons amis d'enfance, ce qui ne la surprit pas. Le cordonnier fut étonné de voir l'Enfant des quatre mondes venir dans sa boutique et, tandis qu'il prenait ses mesures et s'enquérait de ses besoins, il la bombarda de questions sur ses origines et sur la nation de la Forêt, pour laquelle il semblait vouer une secrète admiration. Dépourvue, Kaïsha ne cessait de lui répéter qu'elle-même ne connaissait presque rien de cette nation, mais le cordonnier semblait fasciné juste par le fait qu'elle en était originaire par sa mère. Il admira les boucles d'oreilles que Kaïley lui avait léguées et qu'elle portait toujours.

— Un si fin détail, c'est impressionnant, dit-il alors qu'il faisait essayer à Kaïsha un modèle de botte pour voir si la forme lui convenait.

Inquiète à l'idée de partir de sérieuses rumeurs, Kaïsha fit mettre sa commande au nom des Steloj, en se promettant de leur expliquer la situation une fois à la maison.

Lorsqu'elle sortit, la matinée touchait à sa fin et plusieurs marchands mangeaient un repas à leur étal. Kaïsha se demanda alors si Ko-Bu-Tsu était finalement allée voir maître Friya. N'osant pas s'approcher du Collège de peur d'y croiser Odel, elle décida de rentrer directement chez les Steloj. Lorsqu'elle arriva, il n'y avait personne à la maison, ce qui lui confirma que Ko-Bu-Tsu était bien partie rencontrer la guérisseuse. Kaïsha sourit. Elle espéra de tout cœur que son amie avait trouvé une voie qui lui apporterait le bonheur et le sens à sa vie qu'elle recherchait tant.

Seule à la maison, Kaïsha trouva beaucoup de temps pour réfléchir et faire le point sur les dernières vingt-quatre heures de sa vie.

Elle s'était fait rejeter par le jeune homme qu'elle aimait. Cette seule pensée lui amenait des sentiments si douloureux qu'elle n'avait qu'une envie : les repousser loin dans sa tête et les oublier, ce qui était bien sûr impossible. Ensuite, elle repensait à ce que Saï lui avait dit : tenter de lutter contre sa propre douleur ne pouvait mener qu'à la réclusion, à l'amertume et à plus de douleur.

Kaïsha essaya d'imaginer qu'elle était dans leur lieu sacré de méditation. Elle se coucha dans son lit et imagina qu'elle était sur la mousse, entendant la chute se jeter dans le petit étang. Elle essaya de retrouver la sérénité de l'endroit et sa capacité à réfléchir objectivement. Lorsqu'elle sentit son esprit se vider et son cœur se calmer, elle put faire face à ses propres sentiments sans en souffrir.

Elle aimait Odel, cela ne faisait aucun doute. Le souvenir de ses lèvres la rendait euphorique comme le souvenir de son regard troublé la rendait triste. Il lui faudrait un certain temps avant de pouvoir lui faire face à nouveau sans être aux prises avec ces sentiments contraires et douloureux. Toutefois, si elle avait encore cette attirance pour lui, elle savait aussi désormais qu'elle ne pouvait plus se permettre de se languir de lui. Elle devait faire le deuil de son premier amour, et cela était le plus dur. Elle ne voulait pas oublier ses sentiments, mais elle ne pouvait pas vivre en les portant comme une pierre dans son cœur non plus. Que pouvait-elle faire ?

Elle passa une partie de la journée à retourner ces pensées. À la fin de l'après-midi, ce fut Zuo qui arriva le premier et Kaïsha l'accueillit avec bonne humeur, espérant oublier le cauchemar de la nuit précédente. Zuo lui lança un regard inquisiteur, puis décida d'entrer dans son jeu et de ne pas aborder le sujet délicat avec elle. Il lui raconta plutôt sa journée et se plaignit des liasses de parchemin qu'il devait lire et annoter pour son prochain cours. Kaïsha, qui avait quitté l'école à douze ans, était fascinée par ce qu'il apprenait. Il lui arrivait souvent de lire les manuels de Zuo et de s'instruire petit à petit, par bribes de textes et de tableaux, apprenant comment mieux écrire et calculer, éveillant son esprit aux réalités du monde qu'elle ne connaissait que par ses propres expériences. Elle enviait Zuo d'avoir cette chance et elle le lui disait souvent. Lui, bien sûr, voyait les choses autrement. Aussi heureux qu'il fût d'être de retour dans son univers familier et de pouvoir fréquenter à nouveau ses amis d'école, il aurait préféré de loin pouvoir passer ses jours à s'exercer au tir ou à suivre Kaïsha et Ko-Bu-Tsu dans leurs explorations.

Cette dernière, justement, passa le pas de la porte peu de temps après Zuo. Elle portait dans les bras une pile de manuels volumineux et semblait exténuée, mais une étincelle brillait dans ses yeux et Kaïsha sourit juste en la voyant.

— Comment était-ce ? demanda aussitôt Zuo.

— Captivant, répondit humblement Ko-Bu-Tsu en déposant prudemment ses livres sur la table du salon. Maître Friya m'a présentée à son groupe d'apprentis. Nous avons eu un cours sur l'anatomie humaine (rien que je ne savais pas déjà) et nous avons parlé des différentes façons d'utiliser les plantes qui poussent dans les montagnes pour soigner des blessures et des maladies. C'était réellement fascinant.

— Et… les autres étudiants ? s'avança Kaïsha. Comment ont-ils réagi ?

Ko-Bu-Tsu hésita un moment.

— Bien, en général. Mais ils n'arrêtent pas de me lancer des regards ou de me poser des questions sur… ma condition. Maître Friya a fini par leur demander d'arrêter, parce que ça dérangeait le cours.

— Personne n'a fait de remarque méchante ? s'inquiéta Zuo, qui se sentait toujours responsable de l'attitude de son peuple face à ses amies.

— Non, pas du tout, étonnamment, le rassura Ko-Bu-Tsu. Ils étaient juste… très curieux. Je suppose que pour des apprentis guérisseurs, c'est normal.

— Et la pile de livres, c'est à lire pour demain ? plaisanta Kaïsha pour détendre l'atmosphère.

— Bien sûr que non, répondit Ko-Bu-Tsu en riant. Ce sont mes manuels de cours jusqu'à la fin de l'hiver.

Kaïsha regarda d'un œil rond les épais ouvrages.

— Tout ça en trois mois ? s'exclama-t-elle, elle qui n'avait jamais lu un livre plus épais qu'un recueil de contes aux pages cornées qui traînait dans leur petite école du village.

Ko-Bu-Tsu rit.

— Oui, mais ce n'est pas terrible. J'ai déjà commencé à lire l'index des maladies répertoriées et c'est extrêmement intéressant. Je pense que j'aurai tout fini bien avant le temps requis.

Kaïsha poussa un soupir, se trouvant bien inculte comparée à ses amis.

— Mais dis-moi, commença Ko-Bu-Tsu en la regardant d'un œil perçant. Comment te sens-tu ?

Kaïsha avait espéré éviter le sujet, mais il semblait qu'elle n'aurait pas le choix. Zuo la regardait également avec inquiétude.

— J'ai mal, admit-elle avec sincérité. Mais ça va aller.

Zuo et Ko-Bu-Tsu échangèrent un regard incertain. Kaïsha soupira.

— En fait, je vais m'éloigner de la Commune pour quelques semaines, ça me laissera amplement le temps de sortir de ma peine.

Elle avait prononcé ces mots sur le ton de la conversation, ce qui fit en sorte que Zuo et Ko-Bu-Tsu demeurèrent interdits une fraction de seconde avant de saisir ce qu'elle venait de leur dire. Presque simultanément, ils sursautèrent tous les deux en s'exclamant :

— QUOI ?

Kaïsha ne put s'empêcher d'éclater de rire devant leur réaction sidérée. Elle leur rapporta la décision de Saï et leur discussion du matin, que Zuo et Ko-Bu-Tsu écoutèrent avec des yeux ronds.

— Tu vas partir ? s'exclama Zuo, ahuri. Sortir d'Erwem sans nous ?

— Pour combien de temps ? ajouta Ko-Bu-Tsu.

— Seulement quelques semaines, la rassura Kaïsha.

L'idée de laisser ses amis en arrière ne lui plaisait pas plus qu'à eux, mais elle savait aussi que c'était quelque chose qu'elle devait faire seule. Son apprentissage auprès de Saï ne permettait pas de spectateurs.

Zuo et Ko-Bu-Tsu comprenaient cela, mais ils affichaient néanmoins un air triste et un peu inquiet.

— Ce sera la première fois que nous serons séparés depuis que nous avons fui le palais, souligna soudain Ko-Bu-Tsu avec une certaine appréhension.

Kaïsha la regarda, consciente de l'inquiétude de son amie. Pourtant, celle-ci sembla prendre le dessus sur elle-même et la regarda dans les yeux.

— Promets-nous de nous revenir saine et sauve, c'est tout ce qu'il me faut comme garantie.

Kaïsha rit et regarda ses deux amis, sa famille.

— Évidemment que c'est promis. Que feriez-vous sans moi ?

❋ ❋ ❋

Ce fut avec autant d'excitation que d'appréhension que Kaïsha s'apprêta à sortir pour la première fois en plus de quatre mois de la Commune d'Erwem.

L'aube venait à peine de pointer à l'horizon. Kaïsha était enveloppée dans son nouveau manteau, coupé court et maintenu par de larges boutons et une ceinture de cuir. Elle portait également un pantalon et des bottes doublées de duvet pour lutter contre le froid hivernal, bien que pour le moment, dans la Grande place de l'est, elle avait plutôt chaud.

C'était la première fois qu'elle venait dans cette partie de la Commune. La Grande place ressemblait en tout point à celle du sud, mais contrairement à cette dernière, la Grande place de l'est donnait accès à la volière, où se trouvaient tous les aigles domestiques. L'un d'eux avait été dépêché pour eux et les attendait actuellement dehors, avec un écuyer. Saï et elle allaient l'utiliser pour descendre la montagne jusqu'à la vallée où se trouvait la forêt. Ensuite, ils seraient seuls.

En ce moment, Saï se trouvait à côté de Kaïsha. Comme elle, il portait ses propres habits d'hiver et, comme elle, il portait sur son dos un lourd sac contenant tout ce dont ils auraient besoin pour survivre dans la nature. Par mesure de précaution, il avait également amené son faucon domestique, un bel oiseau bien dressé qui pourrait envoyer un message de détresse à la Commune s'ils étaient vraiment en danger.

Zuo, Ko-Bu-Tsu, Junn et Cyam étaient venus leur dire au revoir, non sans une certaine inquiétude devant Saï. Tous se souvenaient de son entrée fracassante dans leur maison, deux mois plus tôt. Après les avoir civilement salués, Saï les ignora pour se concentrer sur sa protégée.

— Tu te sens prête ? lui demanda-t-il avec gravité.

Kaïsha lança un dernier regard à ses amis. Ko-Bu-Tsu hocha la tête et Zuo lui offrit un sourire encourageant. Kaïsha leur sourit et se tourna vers son mentor, confiante.

— Absolument.

Saï hocha la tête et ils avancèrent tous les deux vers la porte, toute simple, qui les séparait du monde extérieur. Kaïsha prit une grande respiration et garda les yeux grands ouverts, prête à accueillir les défis qui s'étendaient devant elle, lorsque Saï ouvrit la porte.

18

Accroupie, Kaïsha observait sa proie en silence. Le lièvre blanc reposait dans la neige, le cou encore pris dans le collet qu'elle avait fabriqué. C'était sa seule prise de la journée et elle s'empara de la bête avant qu'un autre prédateur n'eût cette idée. Elle l'accrocha à sa ceinture et rentra au camp que Saï et elle avaient bâti au cœur de la forêt.

Il l'y attendait déjà. Lorsqu'il la vit émerger d'entre deux épinettes avec sa prise, il hocha simplement la tête d'approbation et il tendit la main. Kaïsha lui donna l'animal pour qu'il pût le dépecer avant de le faire cuire. Les viandes salées, les légumes et les céréales qu'ils avaient apportés de la Commune leur permettaient certes de se sustenter, mais rien n'était comparable à la viande fraîchement cuite sur le feu.

Ils avaient quitté Erwem depuis plus ou moins trois semaines. Kaïsha peinait à garder le compte des jours et ne s'en souciait pas réellement. Lorsque Saï déciderait qu'il serait temps de rentrer, il le lui dirait. En attendant, elle vivait au jour le jour avec son mentor, perfectionnant ses techniques de chasse, continuant à méditer sous les arbres gelés et s'entraînant à l'épée dans toutes les situations possibles.

Les conditions étaient difficiles. La neige était épaisse et poudreuse, rendant toute marche ardue. Certains jours, les tempêtes se succédaient et ils ne pouvaient pas voir plus loin que leur nez.

Pourtant, Saï demeurait inébranlable. Tous les jours, qu'il fît un soleil resplendissant ou qu'ils fussent ballotés par des bourrasques glaciales, il emmenait Kaïsha dans différentes parties de la forêt et il l'entraînait. En constante adaptation, tous les sens de Kaïsha étaient stimulés et il lui fallait redoubler d'énergie pour se concentrer sur sa position, la force de ses coups et l'analyse des mouvements de Saï, qu'elle utilisait pour pouvoir parer ou attaquer au meilleur moment.

Le programme porta ses fruits. En moins de deux semaines, elle avait fait plus de progrès qu'en deux mois dans la salle d'entraînement. Ainsi exposée aux forces de la nature, Kaïsha avait conscience des dangers qui l'entouraient et son instinct de survie décuplait sa force et son agilité. Lorsque le soleil atteignait l'horizon et que le ciel prenait les couleurs d'un brasier, Saï mettait toujours fin à leur travail et hochait la tête d'approbation. Il parlait peu, ne la félicitait jamais, mais il avait une étincelle dans le regard qui indiquait à Kaïsha qu'il était fier d'elle, et c'était tout ce qu'il lui fallait.

Kaïsha s'étonna de la facilité avec laquelle elle s'était accoutumée à la vie dans la nature sauvage. Les premiers jours, elle avait renoué avec la désagréable sensation que la faim causait lorsqu'elle compressait son estomac jusqu'à ce qu'elle en eût la nausée. Elle dut se rendre à l'évidence que la vie paisible de la Commune et la nourriture toujours à disposition l'avaient un peu amollie. Elle devait réapprendre ce qu'était la vie à la dure et ce ne fut pas une chose aisée. Pourtant, aussi pénible que ce fut, elle y parvint très vite et ses vieux réflexes, des Plaines comme du Désert, refirent surface et l'aidèrent à tenir bon. Le froid lui mordait la peau, mais elle se couvrait et courait pour se réchauffer. La faim lui tiraillait le ventre, alors elle concentrait ses pensées sur son entraînement et elle l'oubliait. Elle redevint rapidement sale et ses cheveux reprirent leur texture huileuse, mais elle n'y accorda pas d'importance. Elle avait vécu sale et crasseuse durant deux années entières. Quelques mois de bains quotidiens et de lotions parfumées n'allaient pas les effacer aussi facilement de sa mémoire.

Un matin, Saï l'amena sur un étang gelé. Lorsqu'elle mit son pied dessus, la glace émit une sorte de craquement, mais Saï lui fit signe de continuer et elle obéit. Ils se placèrent l'un face à l'autre sur la surface gelée et camouflée par une fine couche de neige. Saï sortit son épée d'entraînement hors de son fourreau et la tint basse devant lui, pointant vers le sol.

— Quelle est la plus grande force du guerrier ? demanda-t-il, comme il le faisait presque tous les jours, tel un rituel.

— Savoir quand arrêter son bras, répondit fidèlement Kaïsha, dégainant elle-même son épée d'entraînement, qui commençait à être sérieusement abîmée, bosselée en plusieurs endroits par les coups portés par Saï, et là où elle-même avait frappé.

Saï approuva et leva son épée. Kaïsha l'imita.

— Tu es devenue forte, constata-t-il avec gravité. Tes mouvements sont précis et tu es solide sur tes pieds. Maintenant que tu maîtrises la base, nous allons t'apprendre à danser.

Kaïsha fronça les sourcils d'interrogation. Même si Saï ne pouvait voir que ses yeux, coincés entre son bonnet et son foulard, il expliqua tout de même :

— Les gens ont tendance à penser que le combat se résume à une agression entre deux personnes, un pur acte de violence dans le but que l'un des adversaires morde le tapis. Or, rien n'est plus faux et tu as toi-même pu le constater avec nos chers Batalans.

— Je ne suis pas sûre de comprendre, admit Kaïsha.

— Ce n'est pas à cause du hasard que la technique de combat que les Batalans utilisaient autrefois portait le nom de danse de la tempête, ni que cet art soit devenu une danse au sens littéral. Les coups de la danse de la tempête, aussi mortels qu'ils pouvaient être à l'origine, étaient enseignés aux apprentis comme une forme de chorégraphie, ou d'échange si tu préfères, entre deux adversaires. Il en est de même pour les épéistes.

Il laissa un moment à Kaïsha pour réagir, mais voyant que celle-ci ne comprenait toujours pas où il voulait en venir, il continua :

— Un combat ne se fait jamais de façon unilatérale, autrement, ce ne serait pas un combat. Les adversaires se font toujours face et chacun analyse les mouvements de l'autre pour répondre de la meilleure façon possible. Celui qui fonce sur son opposant sans réfléchir et qui porte des coups sans observer comment l'autre réagit ne gagnera jamais un combat contre un adversaire de la même force. Le bon combattant, c'est celui qui observe et apprend, qui s'ajuste continuellement à son adversaire comme le danseur s'ajuste à son partenaire.

— Je pense comprendre…, affirma Kaïsha en voyant d'un œil nouveau ses interactions avec Saï et les analysant soudain comme les pas d'une danse rapide et complexe.

— Je t'ai initiée à cette danse depuis le premier jour, déclara Saï en levant son épée. Je suis le seul partenaire que tu aies eu et tu connais mes pas, sauf que jusqu'à maintenant, tu n'as fait que reculer tandis que je dansais seul. Voyons maintenant si tu seras capable de danser à ton tour.

Il avança alors vers elle, lentement, calmement, ses pieds glissant sous la neige pour se poser agilement sur la glace. Kaïsha leva sa propre épée et se tint prête. Elle observa chacun des mouvements de son mentor, analysant chaque pas potentiel, chaque coup possible. Lorsqu'il fut près d'elle, elle se plaça en position de défense simple, prête à parer n'importe quel coup. Saï bougea soudain, vif comme l'éclair, et pivota son bras droit pour donner une courbe à son coup. Kaïsha le vit juste assez vite pour baisser son bras et parer le coup qui heurta violemment son épée. Saï en profita pour glisser son pied gauche vers l'arrière. Kaïsha analysa aussitôt ce mouvement comme le début d'une rotation qui augmenterait la force du coup qu'il lui assènerait sur la gauche, tout en se protégeant d'un coup qu'elle pourrait elle-même vouloir lui porter. Elle changea immédiatement de position pour défendre son flanc gauche, mais ce fut une erreur : Saï avait feint le mouvement et il profita de son ouverture pour lui assener un solide coup à la hanche. Sous le choc, Kaïsha perdit l'équilibre sur la surface glissante et s'étala de tout son long dans la neige poudreuse, son coude heurtant durement la glace.

— Pas mal, commenta Saï. Mais tu t'es laissée emporter et tu as agi trop vite, sans tenir compte de ton environnement. N'oublie pas que c'est une danse d'adaptation, pas un jeu de divination. Lorsque tu seras capable d'analyser les mouvements de tes adversaires plusieurs coups d'avance, tu pourras te permettre d'être stratège. Tu n'en es pas là. Recommence.

Ils s'entraînèrent jusqu'à ce que le soleil touchât l'horizon. Kaïsha était épuisée, elle avait faim et froid, mais elle tenait encore debout. Elle commençait à saisir ce que Saï voulait lui apprendre en « dansant » avec elle. Elle se mit à observer chacun de ses gestes avec une grande précaution et elle attendait la toute dernière seconde pour bouger, ce qui lui demandait encore plus de concentration et d'énergie, mais elle le faisait néanmoins. Vers la fin de la journée, elle arriva à parer presque toutes les attaques qu'il lui lançait et elle put même répliquer efficacement une ou deux fois, un record contre le maître. Jusqu'à aujourd'hui, lorsqu'elle s'entraînait contre Saï, elle se trouvait toujours en position défensive. Elle commençait seulement à être capable d'attaquer à son tour.

Lorsqu'ils rentrèrent à leur campement, le faucon de Saï, Penn, les accueillit en chantant, tournant autour de leur tente à la recherche de chaleur. Saï détacha le pan de tissu qui servait de

317

porte et l'oiseau se réfugia à l'intérieur, espérant probablement une gâterie. Les oiseaux personnels étaient très loyaux, et Saï pouvait laisser le sien en toute liberté : il savait qu'il n'avait qu'à siffler dans une petite flûte spéciale pour que Penn revînt à lui. Kaïsha entra à la suite de Saï dans leur tente. Cette dernière était haute et conique, formée de douze minces piliers de métal qui se rejoignaient en haut, laissant un espace juste assez large pour servir de cheminée naturelle. Elle comportait assez d'espace pour qu'ils pussent s'y tenir debout et se déplacer sans marcher sur leur matériel. Kaïsha caressa Penn, qui inclina la tête de plaisir, tandis que Saï lui donnait un morceau de viande sèche que le volatile mangea avidement.

— Tu avais faim, n'est-ce pas, petite Plume ? dit le maître d'armes avec contentement. Eh bien, nous aussi.

Il sortit une jarre contenant des flocons de maïs et de blé moulu, tandis que Kaïsha allumait un feu au-dessus duquel était suspendu un petit chaudron. Elle remplit le chaudron de neige et le feu se chargea de la faire bouillir. Saï ajouta les céréales et ils mangèrent leur bouillie chaude en silence, chacun trop affamé pour parler. Ils se partagèrent un morceau de biscotte sec, puis Saï sortit d'un sac de toile (déposé au bord de la tente pour le garder au frais) deux pommes, et en tendit une à Kaïsha. Celle-ci dévora tout jusqu'aux pépins et se laissa tomber sur sa couche, fatiguée, mais repue. Tournant paresseusement la tête, elle vit que Penn semblait être dans le même état qu'elle et qu'il reposait sur un perchoir improvisé, les yeux fermés.

— Dis, Saï, réfléchit-elle à voix haute. Pourquoi appelles-tu ton oiseau « Plume » tout le temps, si tu l'as baptisé Penn ?

Saï, qui s'était lui aussi couché sur sa paillasse de l'autre côté de la tente, répondit d'une voix ensommeillée :

— Parce que c'est son nom. « Penn » veut dire « plume » dans l'ancienne langue. Quand on me l'a donné, il était si minuscule qu'il ne pesait pas plus qu'une plume et j'ai gardé le nom.

Kaïsha ne réagit pas, trop fatiguée pour même lever un sourcil de surprise, mais elle s'étonna tout de même.

— L'ancienne langue ? demanda-t-elle en gardant son regard fixé sur le plafond de toile. Quelle ancienne langue ?

— Hmm…, fit Saï. Tu ne le savais peut-être pas. Il y a des siècles, bien avant que les nations commencent à faire du commerce ensemble, il existait différentes langues sur la Terre. Aujourd'hui, il n'y a plus que le peuple de la Mer qui a gardé vivante sa langue native, si je ne me trompe pas. Toutefois, dans les Montagnes, nous avons gardé des traces écrites de notre ancien dialecte. La bibliothèque d'Azaneï, la Commune où je suis né, contient la plus vaste collection d'œuvres écrites en langue ancienne et les enfants apprennent tous à la lire et à l'écrire.

Kaïsha fixa le plafond de toile, pensive. Elle se demanda à quoi pouvait bien ressembler une autre langue, elle qui n'avait jamais connu autre chose que celle qu'elle parlait depuis la tendre enfance. Simplement imaginer qu'une telle chose existait était étourdissant. Elle se rendit compte à quel point elle connaissait peu le monde dans lequel elle vivait. Les cinq nations avaient des cultures si différentes, pouvait-elle vraiment s'étonner qu'il fût un temps où cette différence transparaissait dans la langue ? L'image de son père, cet homme inconnu de la Mer, vint flotter dans son esprit. Elle était son enfant, son sang coulait dans ses veines et pourtant, elle ne savait même pas quel langage il parlait. Peut-être le rencontrerait-elle un jour et elle ne pourrait même pas lui parler. Étrangement, cela rendit Kaïsha triste.

Ses paupières commençaient à être lourdes et son esprit vagabondait entre la réalité et les songes. Alors que Saï s'appuyait sur un coude pour réduire le feu à un minimum sécuritaire, Kaïsha sombra dans un sommeil profond en se promettant d'aller emprunter un livre d'histoire lorsqu'elle rentrerait à Erwem.

❊ ❊ ❊

Les jours passèrent, immuables. Saï et Kaïsha vivaient au rythme de la course du soleil, chassant leur nourriture, méditant dans des conditions climatiques impétueuses et dansant ensemble, avec pour seule musique le fracassement de leurs épées l'une contre l'autre. Ils parlaient peu ; ils n'en avaient pas besoin. Ils préservaient leur énergie pour lutter contre le froid et pour se montrer le meilleur épéiste. Saï n'était pas tendre avec Kaïsha. Il la poussait toujours dans ses derniers recoins, l'obligeant à dépasser ses propres limites et lorsqu'elle croyait avoir atteint son niveau, il dévoilait un peu plus de sa propre force et obligeait Kaïsha à constater sa propre faiblesse. Il semblait que le maître d'épée n'avait aucune limite. Il faisait danser son épée avec une agilité et une vitesse qui défiait les lois de la nature, se mouvant comme s'il était porté par le vent lui-même et se montrant vif comme l'éclair lorsque venait le temps d'assener un coup fatidique. La force de Kaïsha fut d'être capable d'arrêter presque tous ses coups, devenant elle-même plus rapide et adroite, connaissant son épée comme sa propre main et se servant de son corps tout entier comme arme ou bouclier. Elle arrivait non seulement à arrêter les coups, mais aussi à les esquiver à la toute dernière seconde avant de brandir sa propre épée et d'attaquer son mentor. Celui-ci fut même surpris une ou deux fois à baisser sa garde et Kaïsha réussit à porter de rares coups qui ébranlèrent le maître d'épée. Dans ces moments précieux, Kaïsha sentait le feu courir dans ses veines, le sentiment de victoire gronder dans sa poitrine et son énergie se décupler dans ses muscles, lui faisant oublier la douleur, le froid et la fatigue. Saï la contemplait alors avec son demi-sourire, une étincelle dans les yeux, et il hochait la tête d'approbation.

Au fil des semaines, Kaïsha sentit des changements s'opérer en elle. Elle devint plus rapide, plus alerte. Son corps, déjà mince, était maintenant athlétique. Soulever des charges lourdes était moins difficile, courir de longues distances dans la neige, plus aisé. Elle manipulait son épée avec une telle familiarité qu'elle ne faisait qu'un avec elle. Lorsque Saï se trouvait face à elle, prêt à lancer la première attaque, elle pouvait comprendre et analyser la portée de chacun de ses gestes, de son mouvement de pied à la plus subtile inclinaison de son bras. Tous ses sens étaient exploités. Alors que ses yeux ne bougeaient pas de leur cible, ses oreilles analysaient l'environnement aux alentours, sa peau percevait la direction du vent et un simple mouvement du pied pouvait la renseigner sur les obstacles potentiels du sol. Juste ainsi, elle parvint un jour à faire trébucher Saï sur une racine dissimulée sous la neige. Alors qu'il s'affalait de tout son long au sol, elle le désarma d'un geste vif du pied et le tint en échec, sa lame de bois s'arrêtant à un cheveu de son cou. Saï releva la tête, analysa la situation et comment il s'était retrouvé ainsi vaincu, puis il baissa les yeux sur la lame de bois qui, si elle avait été de fer, aurait pu menacer sa vie. Il leva les yeux vers Kaïsha.

— Quelle est la plus grande force du guerrier ? lui demanda-t-il, un sourire dans la voix.

Kaïsha sourit avec confiance, plus fière qu'elle n'aurait jamais pu l'avouer.

— Savoir quand arrêter son bras, répondit-elle en tendant la main vers Saï, qui la prit pour se relever.

Saï considéra avec fierté son apprentie et dit simplement :
— Notre travail ici est terminé. Tu as dépassé toutes mes attentes. Nous pouvons rentrer à la maison.

Il fallait compter un bon trois jours de marche pour sortir de la forêt, traverser la vallée et retourner au pied de la montagne qui renfermait Erwem. Alors qu'ils remballaient toutes leurs affaires et démontaient la tente, Saï attacha un message au pied de Penn, avertissant la Commune de leur retour imminent afin qu'ils pussent leur envoyer un aigle au moment venu. L'oiseau s'envola, connaissant déjà sa destination, et devint très vite un point minuscule dans le ciel azur. Kaïsha se serait menti à elle-même si elle avait dit ne pas désirer ardemment prendre un vrai bain et sortir de ses vêtements maintenant crasseux. Aussi, l'idée de retrouver Ko-Bu-Tsu et Zuo, qui l'attendaient depuis bien longtemps, lui réchauffait le cœur et lui donnait envie de rentrer le plus vite possible.

Pourtant, elle était un peu malheureuse de quitter la forêt. Elle se sentait bien parmi les arbres, avec pour seul plafond au-dessus de sa tête le ciel infini. Cette immensité allait lui manquer, tout comme le parfum des épinettes, mêlé à celui de la neige et de l'écorce, qui avait quelque chose de familier pour elle. Elle se promit de redescendre à l'été, pour connaître cet endroit sans son manteau hivernal.

Saï et elle prirent le chemin du retour, marchant d'un bon pas dans les sentiers naturels créés par les animaux. Ils prirent toutefois leurs précautions, car des ours vivaient dans cette forêt et, bien qu'ils fussent pour la plupart en hibernation, une rencontre inopportune pourrait mal finir. De toute façon, la prudence était toujours de mise, car il existait en ces terres des prédateurs bien plus redoutables que des ours.

Ils ne s'arrêtèrent que pour manger et dormir. Lorsque la nuit tomba, ils utilisèrent la souche déracinée d'un arbre pour se protéger du vent et y passer la nuit, se relayant pour maintenir le feu allumé et surveiller les alentours. Le deuxième jour, le ciel commença à se couvrir d'épais nuages en fin de journée, alors qu'ils sortaient de la forêt et s'engageaient dans la vallée.

— Ça sent la tempête, maugréa Saï en levant les yeux vers le ciel gris.

Son mauvais pressentiment fut confirmé durant la nuit, alors que Kaïsha était de garde. Des flocons, d'abord isolés, se mirent à tomber doucement autour d'elle, virevoltant au-dessus du feu et atterrissant sans bruit sur le tapis de neige. Toutefois, ils furent bientôt suivis de flocons plus gros et plus nombreux, qui tombèrent comme des gouttes de pluie, recouvrant leurs sacs et eux-mêmes d'une couche épaisse et collante. Lorsque l'aube pointa enfin à l'horizon, un vent puissant se leva, et Saï et Kaïsha se retrouvèrent en plein blizzard.

— Que faisons-nous ? hurla Kaïsha pour réussir à se faire entendre.

Pour toute réponse, Saï sortit une boussole rayée de la poche de son manteau et pointa une direction, qui ne ressemblait à rien d'autre qu'un mur blanc de neige et de vent, et ils s'y engagèrent. Le simple fait de marcher était extrêmement difficile, car chacun de leurs pas s'enfonçait dans la neige et le vent les frappait de plein fouet, si bien que Kaïsha sentit ses joues geler malgré la protection de son col de feutre. Même après quatre heures passées à braver la tempête tout en avançant péniblement, il lui sembla qu'ils ne progressaient pas, le décor autour d'eux demeurant désespérément immuable et leurs traces s'effaçant à mesure qu'ils avançaient.

Elle commença à se demander s'ils allaient vraiment finir par atteindre leur destination lorsqu'elle aperçut une silhouette à sa gauche. Elle tira le manteau de Saï pour qu'il s'arrêtât et elle lui pointa la forme imprécise qui semblait se diriger vers eux. Kaïsha se demanda s'il ne s'agissait pas de l'aigle qui aurait dû les attendre au pied de la montagne. Dans ce temps, il n'aurait pas été étonnant qu'il se fût perdu. Saï plissa les yeux pour essayer de deviner ce que la forme était, mais ni lui ni Kaïsha n'étaient capables de l'identifier. Alors que la forme s'approchait d'eux, Kaïsha se rendit compte que ce qu'elle avait pris pour un aigle se trouvant au loin était en fait un animal beaucoup plus petit et près, qui avançait vers eux de façon maladroite. Mue par son instinct, Kaïsha s'approcha de la bête et resta figée de stupeur lorsqu'elle l'identifia.

C'était un félin, plus gros qu'un chat, mais minuscule comparé à ceux de sa race. Kaïsha savait de quoi il s'agissait grâce à l'un des manuels scolaires de Zuo qu'elle avait emprunté quelques mois plus tôt. Il s'agissait d'un tigre des glaces, ou plutôt, dans le cas présent, d'un tigreau des glaces. L'animal était le prédateur le plus redoutable dans les Montagnes. On disait qu'il pouvait atteindre des vitesses prodigieuses et qu'un seul de ses coups de griffes pouvait trancher la gorge d'un ours. Sa fourrure blanche striée de noir lui conférait un camouflage unique dans le climat hivernal. Kaïsha connaissait toute la théorie sur le dangereux animal, mais elle l'oublia presque entièrement devant ce bébé qui était indubitablement perdu. Le tigreau leva vers elle des yeux d'un bleu azur et poussa un miaulement plaintif. Kaïsha se mit à genoux et l'animal vint la renifler, incertain, avant de se lover contre elle, recherchant sans aucun doute la chaleur de son corps. Ce petit ne devait pas avoir plus de quelques semaines, à en juger par sa taille et son aspect chétif. Kaïsha le prit dans ses bras et revint vers Saï, lui lançant un regard interrogateur pour lui demander ce qu'ils allaient bien pouvoir faire de ce petit être. Saï examina le félin d'un air méfiant et tira Kaïsha contre lui pour qu'elle pût l'entendre.

— Laisse cet animal où il se trouve ! cria-t-il à son oreille. Dans cette tempête, il a dû se perdre et si c'est le cas, sa mère ne doit pas être loin ! Tu ne veux *pas* d'une tigresse sur tes talons !

— Si je l'abandonne, il risque de mourir ! s'exclama Kaïsha, incapable de lâcher le tigreau. Je ne peux pas faire ça !

— Ne te laisse pas berner parce qu'il est un bébé, répliqua Saï. Les tigres sont des créatures dangereuses, il pourrait te sauter à la gorge !

Kaïsha baissa son regard sur le petit être roulé en boule au creux de ses bras. Les yeux fermés, le souffle haletant, il était appuyé sur son manteau, luttant pour conserver sa chaleur. Kaïsha serra un peu plus ses bras autour de lui pour le protéger. Ce petit être sans défense, elle ne pouvait pas l'abandonner à l'hiver cruel ! Si la Grande Mère l'avait mis sur sa route, il devait y avoir une raison.

Soudain, ils entendirent un grondement, comme le son du tonnerre lorsqu'il se déchaînait dans le ciel. Il venait de loin, quelque part à travers le mur blanc du blizzard. C'était un son guttural, qui semblait provenir des profondeurs de la terre. Kaïsha tourna la tête vers Saï pour lui demander de quoi il s'agissait, mais son mentor avait le regard fixé sur la provenance du grondement, le visage livide. Son expression de peur s'effaça aussi vite qu'elle était apparue, et il empoigna Kaïsha avec force et se mit à courir, l'obligeant à s'élancer à sa suite.

Saï hurla quelque chose, mais le vent engloutit ses paroles et Kaïsha n'eut d'autre choix que de le suivre en courant, serrant le tigreau dans ses bras. Ils foncèrent tête baissée dans la tempête, voyant à peine où ils mettaient les pieds. Dans ce monde blanc, il était impossible de savoir dans quelle direction ils allaient, ou même s'ils se trouvaient sur une pente ou sur un terrain plat. La vallée n'était qu'une immensité blanchâtre sans fin, dans laquelle Saï et Kaïsha couraient à toutes jambes. Kaïsha ne savait pas s'ils cherchaient à atteindre un but ou s'ils fuyaient quelque chose, jusqu'à ce qu'elle entendît à nouveau le grognement. Elle se rendit compte qu'il ne s'agissait pas du tonnerre, mais d'un rugissement, et qu'il se trouvait beaucoup plus près d'eux. Elle comprit immédiatement qu'elle était en danger et que la chose qui les traquait, si elle les atteignait, serait leur fin. Kaïsha se maudit de n'avoir qu'une simple épée de bois, complètement inutile dans une telle situation. Quelque part dans sa tête, elle savait que la bête qui les poursuivait le faisait parce qu'elle tenait son bébé dans ses bras, mais dans sa panique, Kaïsha eut l'impression que le tigreau était aussi en danger qu'elle et elle était incapable de le lâcher. Usant de toutes ses forces, elle poussa sur ses pieds et ses jambes pour courir encore plus vite, malgré le vent qui les fouettait et le tapis de neige dans lequel ils s'enfonçaient.

Un nouveau rugissement retentit, juste derrière elle.

L'esprit de Kaïsha se vida, il sembla que le temps lui-même s'était arrêté. Comme spectatrice de la scène, elle vit Saï faire volte-face et tenter de sortir son épée de son fourreau, le regard rivé au-dessus de l'épaule de Kaïsha. Il semblait qu'il voulait lui crier quelque chose (il lui faisait des signes de la main), mais Kaïsha ne pouvait rien entendre à cause du vent. Presque au ralenti, elle tourna la tête et la vit, sur sa gauche, bondir vers eux avec une force spectaculaire. Immense, splendide, la tigresse aux yeux bleus et à la robe blanche poussa un rugissement de fureur qui fit vibrer la poitrine de Kaïsha comme si c'était elle qui avait hurlé.

Elle n'eut que le temps de se tourner pour essayer vainement de se protéger de l'impact lorsque la tigresse atterrit à moins d'un mètre d'elle.

Subitement, le monde autour d'elle s'écroula. Elle entendit un craquement et elle sentit le sol s'effondrer sous ses pieds. Elle vit l'éclair bleu dans les yeux de la tigresse qui brandit une patte vers elle. Kaïsha eut le dernier réflexe de lever la tête pour voir la lumière du jour disparaître au-dessus d'elle.

Et elle perdit connaissance.

Ce fut la douleur qui la réveilla. Sitôt qu'elle reprit ses esprits, elle fut frappée par une terrible migraine et une impression que son bras était en feu. Péniblement, elle ouvrit les yeux et regarda autour d'elle.

Elle se trouvait dans une crevasse, dont les parois de pierre étaient couvertes d'une couche de givre, ce qui donnait à l'endroit l'apparence d'un palais de glace, tout droit sorti d'une légende. Elle-même était à moitié ensevelie sous une épaisse couche de neige, et elle comprit rapidement que c'était ce qui avait amorti sa chute et l'avait sauvée. Son esprit s'éclairant soudain, elle baissa les yeux sur ses bras, encore repliés autour du tigreau. Ce dernier était encore vivant, mais il semblait avoir été assommé. Le manteau de Kaïsha, quant à lui, avait été déchiré en trois endroits sur son bras gauche et sa peau, visible sous les pans de feutre, était entaillée de trois plaies profondes, imbibant ses vêtements et la neige de sang poisseux. La vue de sa chair lacérée donna la nausée à Kaïsha et la douleur n'en fut que plus intense, mais elle s'obligea à se ressaisir. Elle était dans une terrible posture et il n'y avait pas de place pour la faiblesse en ce moment.

— KAÏSHA! RÉPONDS-MOI! KAÏSHA! hurla la voix paniquée de Saï bien loin, au-dessus d'elle.

— Je suis là, dit faiblement Kaïsha, prise par une quinte de toux. JE SUIS LÀ! cria-t-elle ensuite, rassemblant son énergie.

— Par les anciens! entendit-elle. J'ai pensé…

Saï ne finit pas sa phrase, mais sa voix tremblait. Lorsqu'il parla à nouveau, il s'était ressaisi.

— Où est la tigresse? Es-tu en sécurité?

Kaïsha se rendit alors compte que si elle était tombée ici, c'était à cause du poids de la tigresse qui avait dû faire craquer la couche de glace qui protégeait cet endroit. Terrifiée à l'idée d'un face à face avec la bête, Kaïsha fouilla rapidement la crevasse du regard, avant que ses yeux ne butassent sur une forme étendue, non loin d'elle. Les rayures noires ne mentirent pas. La tigresse était allongée sur son flanc, ensevelie sous une montagne de neige et de glace. Le filet de sang qui s'écoulait de sa gueule confirma à Kaïsha qu'elle ne représentait plus un danger pour elle.

— Elle est morte, cria-t-elle à Saï, ses propres paroles sonnant creux à son oreille.

La culpabilité fondit alors sur elle. Cette tigresse avait juste voulu sauver son bébé et, par la faute de Kaïsha, le petit tigre avait perdu sa mère. Pourtant, Kaïsha avait juste voulu aider…

La douleur à son bras la ramena sur terre et des considérations plus urgentes prirent le pas sur ses pensées. Bougeant péniblement, elle s'extirpa de la neige et se débarrassa de son sac, qu'elle laissa tomber à côté d'elle.

— Je suis blessée, Saï! cria-t-elle en détachant les lanières de son sac pour sortir un morceau de vêtement de rechange, qu'elle déchira pour en faire des bandes de tissu.

— Où? lui demanda Saï. Est-ce que c'est grave?

— C'est un coup de griffes, sur mon bras. J'ai perdu beaucoup de sang. Je vais me faire un bandage, mais j'ai besoin de soins.

Elle sortit plusieurs choses de son sac et, lorsqu'elle eut libéré assez d'espace, elle y déposa délicatement le bébé tigre, pour le protéger du froid. Ce dernier se roula en boule à l'intérieur et s'endormit aussitôt, inconscient de ce qui arrivait autour de lui, inconscient qu'il était maintenant orphelin. Chassant ces pensées malsaines, Kaïsha détacha son manteau et exposa sa chair entaillée à l'air libre, gémissant sous la douleur cuisante. Elle serra les dents et commença à enrouler les pans de tissu autour de son bras jusqu'à ce que la blessure fût entièrement recouverte et que le sang ne pût plus couler. Malheureusement, cela ne changeait rien à la douleur et Kaïsha était incapable de bouger son bras gauche sans ressentir une terrible brûlure monter jusqu'à son épaule.

— Merde…, grimaça-t-elle en remettant tant bien que mal son manteau et en bandant de la même façon sa manche déchirée pour empêcher le froid d'y entrer. Qu'est-ce que je fais, maintenant ? cria-t-elle à Saï, qui se tenait au bord du gouffre, loin au-dessus d'elle.

— Ne t'inquiète pas, tout va bien aller, la rassura Saï d'une voix qui trahissait son inquiétude. La tempête est en train de se calmer, nous sommes tout près du lieu de rendez-vous. Je vais m'y rendre et aller chercher des renforts à Erwem. Tu seras sortie de là rapidement.

— Tu vas me laisser seule ? s'exclama Kaïsha, incapable de cacher le tremblement de sa voix.

— Tout va bien aller, répéta Saï, qui n'arrivait pas plus qu'elle à dissimuler ses craintes. J'ai accroché des drapeaux autour de la crevasse, nous pourrons te repérer en quelques secondes une fois que les secours seront là. Tu vas devoir tenir seule juste quelques heures. D'accord ?

Kaïsha avait envie de hurler que non, elle n'était pas d'accord ! Elle était blessée, elle avait froid, elle était étourdie et désorientée.

Surtout, elle était terrifiée. Elle ne voulait pas rester seule dans cet enfer blanc, avec pour seule compagnie le cadavre d'une tigresse et son bébé mal en point.

Pourtant, malgré sa peur, sa douleur et sa détresse, Kaïsha prit une grande respiration et ferma les yeux. Elle essaya de se rappeler leur salle secrète, leur lieu sacré de méditation. Elle essaya d'imposer à son esprit le calme et la sérénité de l'endroit. Il le fallait. Elle ne pouvait pas laisser la panique la gagner. Lorsqu'elle ouvrit les yeux, elle répondit d'une voix résolue :

— D'accord, mais fais vite, Saï !

— Je vais être aussi rapide qu'humainement possible, lui promit Saï, la voix encore légèrement tremblante. Je ne t'abandonnerai pas ici, je le jure par les anciens et sur tout ce qui est sacré.

Kaïsha perçut quelque chose de terrible dans la voix de Saï, une détresse profonde qui avait traversé les années. Elle leva les yeux vers le puits de lumière, où la tête de Saï se détachait à contre-jour. Elle ne pouvait pas voir ses traits, mais elle savait qu'il la voyait. Elle lutta contre la douleur et lui sourit.

— Je sais, lui dit-elle avec confiance. Et tu peux compter sur moi aussi, je n'ai pas l'intention de mourir ici.

Elle ne le dit pas, mais elle savait que Saï avait compris ce qu'elle sous-entendait : elle ne serait pas une autre Elessy.

Elle vit Saï hocher la tête, ébranlé.

— Je vais te lancer mon sac, lui dit-il. Je n'en aurai pas besoin pour le chemin qu'il me reste à faire, et je serai plus rapide si je n'ai pas de charge. Toi, prends de quoi garder ta chaleur et te nourrir. Essaye de bouger, mais fais attention à ne pas trop suer : l'humidité sera mortelle avec ce froid.

— D'accord, acquiesça Kaïsha.

Elle vit du mouvement dans la lumière et un instant plus tard, le sac de Saï atterrit à quelques mètres d'elle. Elle leva une dernière fois la tête vers son mentor, qui lui envoya un signe de la main.

— Sois forte, je reviens bientôt.

— Sois prudent, fut tout ce que Kaïsha put répondre qui ne trahissait pas sa peur.

L'ombre de Saï disparut alors et la lumière crue du jour éclaira uniformément la crevasse. Kaïsha garda ses yeux rivés sur l'ouverture, espérant follement que Saï y réapparaîtrait. Elle dut bientôt se résoudre à la terrifiante vérité : elle était complètement seule, avec sa douleur, sa peur et le bébé tigre à sa charge. Gémissant, elle se mit à genoux et avança péniblement vers le sac de Saï pour le récupérer. Regardant autour d'elle, elle repéra une cavité dans la glace qui semblait protégée du vent provenant de l'extérieur. Elle s'y dirigea et y laissa tomber le sac avant de retourner chercher ses propres affaires et le tigreau, toujours endormi. Essayant de chasser sa terreur et la douleur de son bras, Kaïsha occupa ses pensées à des choses pratiques. Elle sortit les vêtements de rechange de Saï et s'en fit une toile de fortune, qu'elle accrocha à l'entrée de sa cavité à l'aide de deux couteaux à beurre qu'elle planta dans la glace. Ainsi protégée des intempéries, elle se cala contre la paroi du fond et commença à sortir les vivres, qu'elle étala devant elle. Saï et elle étaient venus préparés, et il restait encore assez de réserves de céréales et de viande séchée pour tenir quelques jours. Elle sortit une gourde d'eau que la chaleur du sac avait préservée du froid et elle en avala de grandes gorgées, assoiffée.

Kaïsha eut alors une prise de conscience et elle se pencha sur le sac où dormait le tigreau. Saï lui aurait dit de ne pas gaspiller ses provisions pour cet animal dangereux, mais Kaïsha n'y pouvait rien, elle était incapable de laisser ce petit être mourir sans rien tenter pour le sauver. Elle le prit doucement et le posa sur ses genoux. Il ouvrit paresseusement les yeux et regarda autour de lui avec curiosité. Kaïsha versa un peu d'eau dans un bol et elle le porta à son museau. Il avança la tête et en renifla le contenu, incertain, mais lorsqu'il l'identifia, il se mit à laper avidement.

— Tu avais soif, toi aussi, n'est-ce pas ? lui dit Kaïsha en caressant doucement sa fourrure. Je parie que tu as faim aussi.

Elle lui tendit un morceau de bœuf séché, que le tigreau mangea aussi voracement. Lorsqu'il fut repu, il se lova contre Kaïsha et se mit à ronronner. Ainsi placé, il ressemblait à une petite boule de neige, blanche et duveteuse, striée de rayures encore grises. Kaïsha sourit. Elle avait peur, elle avait mal et ses sens étaient embrouillés à cause du sang qu'elle avait perdu. Mais avec ce petit être, qui avait besoin d'elle et qui s'abandonnait en toute confiance, elle se sentit moins seule et retrouva un peu de courage. Ils ne mourraient pas ici, ni lui, ni elle.

— Nous allons nous en sortir, boule de neige, le rassura-t-elle en se laissant aller contre le mur de roc, toute son énergie la quittant soudain.

Pour toute réponse, le tigreau ronronna.

Il se passa quelques minutes ou quelques heures, Kaïsha n'aurait pu le dire. Ce fut le tigreau qui la réveilla. Elle sentit une texture chaude et douce contre sa joue et lorsqu'elle ouvrit les yeux, elle se rendit compte que c'était la patte du bébé tigre, qui la tapotait pour avoir son attention. Il semblait avoir retrouvé un peu d'énergie, et exigeait maintenant que Kaïsha s'occupât de lui. Elle lui sourit.

— As-tu encore faim, boule de neige ?

Elle essaya de bouger, mais ses muscles étaient endoloris, son bras la faisait terriblement souffrir et le froid l'avait engourdi, si bien que chaque geste lui était douloureux et difficile. Elle arriva à peine à ouvrir la boîte à viande pour en donner un morceau au tigreau, qui se jeta dessus. Kaïsha savait que si elle restait ainsi, son corps allait manquer de chaleur. Elle décida alors de sortir un paquet de tissu de son sac, qu'elle plaça devant elle, puis agrippa les pierres de feu qu'elle frictionna au-dessus jusqu'à ce que les étincelles y fissent naître un maigre feu. Le tigreau fut effrayé à la vue des flammes et vint se réfugier sur les genoux de Kaïsha, qui le caressa pour le rassurer.

Combien de temps s'était-il écoulé depuis que Saï était parti ? Était-il en sécurité ? Kaïsha ferma les yeux, le froid glacial de l'endroit engourdissant ses pensées autant que ses muscles. Elle espérait au moins qu'il allait bien. Imaginer son mentor en sécurité dans la Commune lui remontait le moral, et elle pensa que s'il fallait que cette crevasse fût sa tombe, elle préférait savoir que l'un d'entre eux s'en était sorti.

Le froid était comme un serpent, s'enroulant autour d'elle vicieusement, gelant sa peau comme son souffle, la plongeant lentement dans un sommeil dont elle savait qu'elle ne pourrait pas se réveiller. Le tigreau dans ses bras, Kaïsha attendait, incapable de bouger. Elle avait perdu toute notion du temps. La lumière provenant de l'ouverture au-dessus d'elle n'avait pas changé. Le ciel ennuagé diffusait les rayons du soleil de façon uniforme, si bien qu'il pouvait être le matin comme l'après-midi, et Kaïsha n'avait aucun moyen de voir la différence. À un moment, elle essaya de se lever, elle réussit même à sortir de sa cavité exiguë pour faire quelques pas au-dehors, mais ses jambes ne tinrent pas le coup et elle s'étala de tout son long dans la neige, frigorifiée, engourdie, incapable de se relever. Elle n'avait même plus la force de pleurer sa frustration. Elle avait seulement envie de fermer les yeux et de s'endormir. Seule la petite voix de la survie lui hurlait, loin dans les méandres brumeux de son esprit, qu'elle devait tenir le coup, qu'elle le devait pour Saï, Ko-Bu-Tsu et Zuo.

Penser à ses amis lui donna un regain de courage. Ils l'attendaient, loin dans la Commune ! Ils lui avaient fait confiance quand elle leur avait promis de revenir. Elle ne pouvait pas manquer à sa promesse !

Elle sentit alors une pression sous sa main droite, suivis de pas légers dans la neige. Un instant plus tard, elle sentit une langue râpeuse lui lécher la joue, puis le nez, l'obligeant à ouvrir les yeux pour découvrir le tigreau. Lorsqu'il vit qu'elle était réveillée, il fixa Kaïsha droit dans les yeux et cette dernière eut une drôle d'impression. Elle n'aurait pas pu l'expliquer, mais elle avait l'étrange sentiment que le félin essayait de communiquer avec elle. Il y avait une étincelle dans son regard bleu glacé et Kaïsha n'aurait pas pu le jurer, mais elle avait le sentiment qu'il la... *comprenait.* Comment était-ce possible? Était-elle en train de délirer?

Le tigreau lui lança soudain un miaulement impérieux, comme s'il lui ordonnait de bouger, de trouver la force de se lever.

— Je ne peux pas te laisser non plus, n'est-ce pas? murmura Kaïsha, un faible sourire aux lèvres. Qu'est-ce que tu ferais sans moi, de toute façon?

Le tigreau lui répondit par un autre miaulement, et Kaïsha acquiesça. Elle rassembla le peu d'énergie qui lui restait, réussit à plier ses coudes malgré l'horrible élancement dans son bras gauche, et les appuya sur le sol. Elle laissa échapper un grognement et poussa de toutes ses forces pour se relever, ses muscles résistant et ses articulations lui faisant un mal de chien. Elle oublia l'idée d'essayer de se remettre debout et avança péniblement à quatre pattes pour retourner dans sa cavité, où son feu mourant l'attendait. Elle le nourrit en sacrifiant d'autres vêtements de rechange et elle s'obligea à boire les dernières réserves d'eau que contenait sa gourde, en gardant une partie pour sa boule de neige, qui l'avait suivie dans leur petit nid. Kaïsha se demanda s'il avait senti la présence de sa mère, pourtant non loin d'eux, ou si l'odeur de la mort avait déjà remplacé celle de la vie.

Beaucoup plus tard, la lumière dans la crevasse changea. De blanche et crue, elle devint grise et bleutée sur les parois de glace, et Kaïsha comprit que la nuit approchait. Elle ne savait pas si Saï avait réussi à rentrer, ni si les renforts pourraient la trouver. Elle était trop affaiblie pour penser à quoi que ce fût, sauf à son compagnon ronronnant qui s'était à nouveau endormi sur elle, manifestement moins affecté qu'elle par la température glaciale. Kaïsha voulait tellement fermer les yeux... dormir...

Quelque chose la sortit de ses songes et elle ouvrit les yeux. Elle remarqua que la lumière avait disparu et que seules les braises mourantes de son feu éclairaient l'endroit autrement envahi par les ténèbres. La nuit était-elle tombée ? Mais quand ? Kaïsha s'était-elle à nouveau endormie ? Combien de temps s'était-il écoulé ? Quelque part, très loin, elle pouvait entendre des bruits, mais qu'était-ce ? Son esprit était trop embrumé et ses sens étaient trop affaiblis pour qu'elle pût distinguer clairement quoi que ce fût. Cela ressemblait au sifflement du vent... non... était-ce des voix ?

Oui... cela semblait être des voix, mais c'était si loin ! Kaïsha n'arrivait pas à bouger, elle était totalement paralysée.

Brusquement, une lumière crue l'aveugla et une voix cria, tout près d'elle :

— JE L'AI TROUVÉE !

C'était... la voix de Zuo ? Kaïsha rêvait-elle ? Elle cligna des yeux pour s'habituer à la lumière, et le visage de Zuo apparut devant elle, l'air à la fois rassuré et terriblement inquiet.

Qu'est-ce que Zuo faisait ici ? Était-il tombé lui aussi ? Kaïsha avait beau essayer, elle n'arrivait pas à former une seule pensée cohérente. Son seul réflexe fut de serrer faiblement ses bras autour du tigreau, qui s'était agrippé à elle lorsqu'il avait vu Zuo arriver.

— Nisha, nous étions tellement inquiets ! s'exclama Zuo, que Kaïsha entendait à peine tant ses oreilles bourdonnaient. Nous allons te sortir de là, tiens bon !

Kaïsha ne comprit pas ce qui arrivait, mais d'autres voix et d'autres visages apparurent bientôt devant elle. Quelqu'un tenta de lui prendre sa boule de neige, mais celle-ci miaula de peur et Kaïsha usa des dernières réserves de forces qu'elle avait pour empêcher qu'on la lui prît. Il était son compagnon, son protégé. Elle avait l'intuition terrifiante que si elle le lâchait, il allait mourir et elle aussi, alors elle le garda bien serré contre elle. Elle était incapable de bouger par elle-même, ses membres étant trop raides, alors ce furent d'autres bras qui l'extirpèrent de sa cavité. Elle vit alors à nouveau l'ouverture de la crevasse au-dessus d'elle. La nuit était installée depuis un moment et le ciel d'encre était parsemé d'étoiles brillantes. On aurait dit qu'elles brillaient pour Kaïsha, comme un salut. Cette dernière leur sourit. Elle sentait à peine son propre corps, mais elle comprit à un moment qu'on la transférait sur une sorte de civière en toile, reliée aux quatre coins par des cordes qui montaient au-delà de l'ouverture. Quelqu'un la couvrit d'une épaisse couverture et, comme une charge, elle fut soulevée de terre. Elle monta lentement, comme aspirée par le ciel. Lorsqu'elle fut hors de la crevasse, elle vit plus distinctement son environnement. Il devait y avoir une vingtaine de personnes, toutes habillées d'épais manteaux d'hiver, et tous la regardaient avec soulagement. Il devait y avoir une dizaine d'aigles également, attendant tranquillement leurs prochains ordres. Tournant lentement la tête, Kaïsha aperçut Saï, tout près d'elle, qui tirait sa civière pour la déposer sur la terre ferme. Il avait l'air si soulagé, Kaïsha ne l'avait jamais vu ainsi.

— Tu es en sécurité, la rassura-t-il en souriant.

— Saï…, murmura Kaïsha.

— Chut. Garde ton énergie. Nous allons te ramener à la Commune et te soigner. Tout va bien.

Il fit alors un geste inattendu : il enleva l'une de ses mitaines et tendit la main vers elle pour lui caresser la joue, doucement. Paternellement. Kaïsha n'arrivait pas à sentir ce contact, mais cela ne changeait rien. Elle n'avait pas besoin de ses sens pour comprendre tout l'amour de ce geste et pour l'accueillir en elle. Elle leva les yeux vers son mentor et sourit.

— Tu as combattu comme une véritable guerrière, la félicita-t-il avec chaleur. Je suis fier de toi.

— Je… n'étais pas seule, murmura Kaïsha d'une voix rauque, baissant les yeux sur le tigreau.

Ce dernier lançait des regards effrayés à la foule et s'écrasait contre Kaïsha, croyant sans doute être moins visible ainsi. Saï leva un sourcil surpris en l'apercevant, puis poussa un soupir mi-exaspéré, mi-amusé.

— Tu as gardé le tigre… pourquoi ne suis-je pas surpris ? Lui as-tu donné un nom ?

Kaïsha sourit. Elle était tellement fatiguée, elle avait juste envie de fermer les yeux. Elle contempla sa boule de neige, puis tourna les yeux vers Saï.

— Comment dit-on « neige », dans la langue ancienne ?

Saï la regarda avec surprise.

— « Nix », répondit-il.

Kaïsha baissa à nouveau les yeux sur son petit tigre blanc.

— Alors, il s'appelle Nix.

Satisfaite, Kaïsha se permit enfin de perdre connaissance et elle sombra, très loin, dans un sommeil sans rêve.

19

Kaïsha ouvrit lentement les yeux, l'esprit encore brumeux et les sens engourdis. Elle se sentait étonnamment bien. Elle était au chaud, couchée sur quelque chose de moelleux et doux ; sans aucun doute un lit. Le plafond au-dessus d'elle était formé de pierres blanches immaculées et une odeur minérale familière lui chatouillait les narines. Il ne lui en fallut pas plus pour conclure qu'elle était de retour dans la Commune. Fouillant la pièce du regard, ses yeux s'arrêtèrent sur le visage de Ko-Bu-Tsu, qui la regardait avec un sourire rassurant.

— Rebienvenue parmi nous, Kaïsha, l'accueillit-elle en posant une main fraîche sur sa joue.

— Ko-Bu…, murmura Kaïsha, la voix rauque. Où sommes-nous ?

— Au centre de soins du Collège, lui répondit son amie. Nous t'avons amenée directement ici sitôt que nous sommes arrivés à Erwem. Tu étais en très mauvais état, mais nous t'avons stabilisée et tu ne risques plus rien.

— Pour… pourquoi je me sens aussi étourdie ?

— Ce doit être l'effet des contre-douleurs. Il a fallu fermer les plaies sur ton bras. C'est moi qui ai fait les coutures, ajouta-t-elle avec une certaine fierté. Le tigre ne t'a pas manquée…

La seule mention du mot « tigre » éclaira l'esprit de Kaïsha.

— Nix? demanda-t-elle en baissant les yeux sur ses bras, qui étaient mollement étendus et non plus serrés autour du tigreau. Où est Nix?

— Reste tranquille, lui ordonna Ko-Bu-Tsu avec autorité, avant d'ajouter : ton ami poilu est juste là, regarde.

Kaïsha suivit son regard et ses yeux tombèrent sur un coffre de bois renversé, que quelqu'un avait vidé et dans lequel on avait mis une pile de coussins et de draps, au milieu desquels Nix dormait à poings fermés. Lorsqu'il entendit la voix de Kaïsha l'appeler, il ouvrit les yeux et leva la tête vers elle. Kaïsha eut à nouveau ce sentiment étrange que le félin l'avait comprise, car il se leva, trotta jusqu'à son lit et essaya d'y sauter. Ne maîtrisant par encore tout à fait l'exercice, il s'accrocha aux draps, toutes griffes dehors, et ses petites pattes arrière se mirent à battre frénétiquement dans le vide. Ko-Bu-Tsu le souleva doucement pour l'aider à monter et, une fois qu'il fut sur le lit, il vint réclamer des caresses à Kaïsha en ronronnant.

— Il est drôlement attaché à toi, fit remarquer Ko-Bu-Tsu. Lorsque nous t'avons ramenée, il a refusé de te quitter jusqu'au moment où ton état s'est stabilisé.

— J'ai eu peur qu'ils me l'enlèvent…, murmura Kaïsha, caressant la fourrure duveteuse de Nix.

— Le sage l'a exigé, grinça Ko-Bu-Tsu avec colère. Il nous attendait à l'entrée de la Commune, sans doute pour vérifier de ses propres yeux si tu étais morte. Quand il a vu ton tigre, il a tout de suite ordonné qu'on le jette dehors.

Elle eut alors un petit rire malicieux.

— Tu aurais dû voir sa tête quand tous les membres de l'expédition de sauvetage se sont interposés! Il était livide. Il n'a pas eu le choix d'abdiquer, surtout devant la foule qui s'était agglutinée pour te voir arriver.

— La foule ? s'enquit Kaïsha sans comprendre. Quelle foule ? Ko-Bu-Tsu lui lança un regard à la fois amusé et compatissant, comme si elle se moquait gentiment de son ignorance.

— Beaucoup de gens ont parlé de toi depuis que tu es partie. *Beaucoup* de gens. Je pense qu'il ne s'est pas passé une journée sans que Zuo ou moi nous fassions demander où était l'Enfant des quatre mondes et ce qu'elle faisait avec le maître d'épée, sans parler du sage qui nous a littéralement *harcelés* de questions pour savoir ce que vous faisiez sans son accord. Quand Saï est arrivé sans toi en lançant l'alerte qu'un tigre vous avait attaqués, ça a été la folie, ici. Je pense qu'il n'y a pas une personne dans tout Erwem qui ne voulait pas savoir si tu étais vivante.

Kaïsha essayait de suivre ce que Ko-Bu-Tsu lui racontait, mais la médication l'engourdissait et ralentissait sa compréhension. Par ailleurs, ce qu'avançait Ko-Bu n'avait pas de sens ! Elle voulut le lui dire, mais son amie ne sembla pas le voir et continua :

— C'est sûr que ta popularité nous a aidés à tenir tête à Maen lorsqu'il a voulu se débarrasser de ton tigre. Il a convoqué le Conseil pour se donner plus de légitimité, mais les maîtres ont décidé d'attendre que tu te remettes complètement avant d'aborder le sujet avec toi, personnellement. Il doit être fou de rage !

Ko-Bu-Tsu eut un autre petit rire malicieux. Kaïsha n'arrivait pas à intégrer tout ce qu'elle lui racontait, mais elle comprenait que, pour le moment, on lui permettait de garder Nix, et qu'ils étaient en sécurité. C'était le plus important. Elle leva les yeux vers le plafond et essaya de remettre de l'ordre dans ses pensées. Elle avait du mal à se rappeler ce qui s'était passé après qu'elle était tombée dans la crevasse. Sa mémoire ne lui envoyait que des bribes de souvenirs vaporeux, mélange de sentiments confus et d'images effrayantes, de froid et de douleur. L'image de Nix, sa boule de neige ronronnant sur elle, fut la seule à ne pas l'oppresser.

— J'ai vu… Zuo, souffla-t-elle. Ai-je rêvé ?

— Non, nous étions là, lui répondit Ko-Bu-Tsu. Nous avions reçu le message de Saï, quelques heures plus tôt, que vous alliez rentrer. Nous étions nombreux à vous attendre à l'entrée est, sans compter la foule des curieux qui voulaient te voir.

Le visage de Ko-Bu-Tsu devint alors grave.

— Lorsqu'il est arrivé seul, nous avons tout de suite compris que tu étais en danger. Nous avons été plusieurs à nous porter volontaires pour aller te chercher. Il y avait Zuo et moi, bien sûr, mais aussi Junn, Cyam, Mak, maître Friya, Nihiri (mais ses parents ont refusé, je peux les comprendre) et Odel.

À la mention du nom d'Odel, le sang de Kaïsha fit un tour. Ko-Bu-Tsu lui offrit un sourire triste.

— Il était vraiment inquiet pour toi, lui dit-elle avec gentillesse.

Kaïsha ne répondit pas immédiatement. Elle garda ses yeux rivés sur le plafond, ses pensées et son cœur tempêtant à l'intérieur d'elle, entre confusion, regret et reconnaissance. Elle avait essayé d'effacer Odel de ses pensées durant son entraînement avec Saï et, pendant un temps, ses efforts avaient porté leurs fruits. Elle était si concentrée sur ses objectifs qu'elle avait réussi à le chasser de sa tête et de son cœur. Pourtant, il sembla que ce travail avait été en vain, car à la seule mention de son nom, un flot d'émotions rejaillit en elle et elle sentit sa poitrine se serrer. Elle n'avait certes pas oublié la honte et la déception qu'elle avait ressenties en ce soir de fête, alors que tous s'amusaient et que son cœur à elle saignait. D'un autre côté, imaginer le sourire et la douceur d'Odel éveillait encore en elle cette chaleur et, d'une certaine façon, elle se sentit rassurée. Elle regarda Ko-Bu-Tsu et sourit faiblement.

— Je n'en doute pas. C'était généreux à lui d'être venu. C'était généreux de votre part à tous. Merci.

Ko-Bu-Tsu lui sourit à son tour et lui caressa le front. Kaïsha ferma les yeux pour profiter pleinement de cette douceur.

— Es-tu incapable de rester hors de danger si je ne suis pas là pour te surveiller? lui demanda-t-elle, un sourire amusé aux lèvres.

Kaïsha rit.

— Je pense que je suis incapable de rester éloignée du danger, peu importe ce que je fais.

Les deux amies rirent ensemble, heureuses de se retrouver. Malgré les contre-douleurs, Kaïsha commençait à reprendre le dessus sur son étourdissement et son esprit retrouvait tranquillement son acuité. Nix, rassasié de caresses, alla se coucher en boule à ses pieds.

— Où est Zuo? demanda-t-elle soudain, se rendant compte que son ami brillait par son absence.

— En cours. Il a eu le droit de rester à ton chevet le premier jour, mais après que ton état a été déclaré stable, Cyam l'a renvoyé en classe. Il était vraiment déçu, tu aurais dû voir sa tête... Il reviendra dès qu'il aura terminé.

— Je suis restée sans connaissance combien de temps?

— Trois jours, environ. Parfois tu te réveillais, mais tu n'étais pas vraiment là. Nous en profitions pour te nourrir, pour que tu ne manques pas d'eau ni de nutriments.

Kaïsha baissa les yeux sur son bras gauche, encore enrobé par de larges bandes de gaze blanche.

— J'ai dû vous causer bien du souci, je suis désolée, s'excusa-t-elle à Ko-Bu-Tsu.

Celle-ci balaya son excuse du revers de la main.

— Tu es vivante et tu vas bien, c'est tout ce qui compte. C'est presque miraculeux que tu t'en sortes aussi bien, avec tout le sang que tu as perdu.

Kaïsha rit doucement.

— Je vous avais promis de revenir.

Ko-Bu-Tsu ouvrit la bouche pour ajouter quelque chose, mais la porte s'ouvrit et maître Friya entra, mettant un terme à leur conversation.

— Oh, je vois que tu es réveillée ; c'est une bonne chose, déclara la maître guérisseuse, alors que Ko-Bu-Tsu l'accueillait en s'inclinant.

— Maître, la salua-t-elle avec respect.

— Bonjour, Ko-Bu-Tsu, lui répondit maître Friya avec un sourire. Quel est l'état de ta patiente ?

— La température et les battements du cœur sont réguliers et sains, répondit Ko-Bu-Tsu en bonne élève. J'ai changé son pansement il y a trois heures, les coutures ont bien tenu et la cicatrisation a commencé normalement.

— Hum, hum…, fit maître Friya en s'approchant du lit. As-tu noté tout cela dans ton journal ? la questionna-t-elle tout en continuant d'évaluer Kaïsha du regard.

— Oui, acquiesça Ko-Bu-Tsu.

— Parfait. Kaïsha, je vais enlever ton bandage pour évaluer la guérison de tes blessures. Il se peut que tu sentes une légère douleur. Ton amie ici présente est une apprentie guérisseuse très douée, mais son travail doit être supervisé.

— Aucun problème, répondit Kaïsha avant de tourner la tête vers Ko-Bu-Tsu. Tu ne m'avais pas dit que j'étais ton cobaye.

Ko-Bu-Tsu et maître Friya rirent.

— Dis plutôt qu'elle ne voulait pas voir personne d'autre qu'elle ou moi t'approcher, précisa maître Friya en déroulant lentement la bande de gaze autour de son bras.

Lorsqu'elle arriva à la couche qui touchait directement sa peau, Kaïsha sentit les pointes de brûlure émaner de ses plaies alors qu'elles entraient en contact avec l'air libre. Plus curieuse que dégoûtée, elle baissa les yeux sur sa blessure. Les trois entailles, dernières traces laissées par la mère de Nix avant de mourir, étaient maintenues fermées par des fils allant et venant dans sa peau. Kaïsha trouva que son bras avait l'allure d'un vieux vêtement rapiécé et laissa tomber sa tête sur son oreiller, découragée d'un tel spectacle. Au moins, sa médication l'empêchait de ressentir la douleur en plus. Maître Friya examina attentivement le travail de Ko-Bu-Tsu, passant même son doigt (doucement) sur l'une des plaies fermées.

— C'est du bon travail, Ko-Bu-Tsu, évalua-t-elle d'un air critique. Dans les circonstances, c'est le mieux que tu pouvais faire.

Elle se tourna alors vers Kaïsha.

— Il y aura des cicatrices, l'avertit-elle. Au mieux, elles ne seront que de pâles traces sur ta peau, mais tu devras te faire à l'idée que tu garderas des marques de cet incident.

Kaïsha regarda à nouveau les trois déchirures sur sa peau, puis son regard passa à Nix, toujours endormi et bienheureux à ses pieds.

— Ça ne me dérange pas, déclara-t-elle à maître Friya. Elles me rappelleront pourquoi Nix est sous ma responsabilité.

Maître Friya passa son regard perçant de Kaïsha à Nix.

— C'est une petite chose bien adorable que tu as rapportée, mais dis-moi, que comptes-tu en faire lorsqu'il grandira?

Kaïsha n'avait pas encore réfléchi à la question. Elle n'en avait pas vraiment eu l'occasion.

— Très honnêtement, je ne sais pas, répondit-elle avec franchise. Je vais devoir lui trouver un endroit assez grand pour rester.

— Et s'il attaque des gens? C'est une bête sauvage, ne l'oublie pas. D'ailleurs, tu es la mieux placée pour le savoir, ajouta-t-elle en désignant ses plaies.

— Il n'attaquera personne, affirma Kaïsha avec une assurance qu'elle-même n'arrivait pas à s'expliquer. Pas si c'est moi qui l'élève. Il ne doit pas avoir plus de quelques semaines, il n'a pas encore pris d'habitudes. La preuve, c'est qu'il est venu à moi alors qu'aucun animal sauvage ne l'aurait fait. Je l'habituerai aux hommes.

— Mais ces animaux ont de l'instinct, répliqua maître Friya. C'est dans leur nature d'être l'ennemi de l'homme.

Kaïsha sourit.

— Et on dit que c'est dans la nature de l'enfant de deux mondes d'être monstrueux et haïssable, qu'il est l'ennemi des gens au sang pur. Pourtant, me voici. Les animaux et les gens peuvent changer. Je ne pense pas qu'il existe quoi que ce soit qui soit immuable.

Maître Friya la scruta un moment avec intérêt, puis un sourire apparut sur ses lèvres.

— S'il ne devait exister qu'une seule personne capable de catalyser le changement chez les autres, je pense que ce serait toi, Enfant des quatre mondes. Je rapporterai tes paroles au Conseil.

Kaïsha ne s'attendait pas à cette offre.

— Je vous en suis très reconnaissante, la remercia-t-elle en inclinant sa tête, seule partie de son corps qu'elle pouvait bouger aisément dans sa position couchée.

— Ce n'est rien, l'assura maître Friya. Je suis heureuse de voir que tu te portes bien. Je vais pouvoir te laisser entre les mains de Ko-Bu-Tsu.

Elle se tourna vers son apprentie.

— Veille bien sur ton amie, elle va sûrement recevoir beaucoup de visiteurs lorsque les gens sauront qu'elle s'est réveillée. Prends garde à ce qu'elle ne s'épuise pas.

— Comment cela, beaucoup de visiteurs ? s'alarma Kaïsha.

Maître Friya répondit simplement par un rire avant de les laisser seules. Ko-Bu-Tsu se tourna vers Kaïsha.

— J'étais sérieuse quand je disais que les gens parlent de toi, reprit Ko-Bu-Tsu avec un air complice. Entre ça et les courses de luge, il n'y a pas beaucoup d'autres sujets de conversation dans les rues.

Kaïsha n'arrivait pas à imaginer une telle situation. Les gens avaient seulement commencé à être respectueux envers elle avant son départ. Comment avait-elle pu devenir aussi populaire ? Cette simple pensée lui donna le vertige. Elle eut même l'idée fugace de retourner dans la forêt, où elle pourrait être tranquille.

Penser à la forêt amena soudain un autre sujet à son esprit et Kaïsha se tourna vers Ko-Bu-Tsu.

— Comment va Saï ? demanda-t-elle, concernée.

Ko-Bu-Tsu lui lança un regard soucieux.

— Je ne pourrais pas te le dire. Dès que tu as été déclarée hors de danger, il est retourné chez lui et personne n'a eu de ses nouvelles depuis. Je suis désolée.

Kaïsha laissa errer son regard, pensive. Elle avait une bonne idée de la raison pour laquelle Saï ne venait pas la voir et elle pouvait le comprendre. Ko-Bu-Tsu dut méprendre sa réflexion pour une déception, car elle dit avec compassion :

— Je suis désolée, Kaïsha.

Surprise, Kaïsha se tourna vers elle et sourit.

— Oh, il n'y a aucune raison d'être triste. Je sais que Saï s'en fait énormément pour moi. Lorsque je pourrai sortir d'ici, j'irai le voir.

Ko-Bu-Tsu la dévisagea, perplexe, mais elle haussa les épaules.

— Si tu le dis. Après tout, tu le connais mieux que moi. Sans doute mieux que quiconque à Erwem, si je me fie à ce que dit Cyam.

Kaïsha rit. Bientôt, elle commença à se sentir fatiguée. Ses échanges avec Ko-Bu-Tsu et maître Friya avaient entamé ses maigres réserves d'énergie et elle sentit le sommeil la gagner.

— Repose-toi, l'intima Ko-Bu-Tsu en la voyant lutter pour garder les yeux ouverts. Je vais rester à tes côtés.

— Je veux voir Zuo, murmura Kaïsha.

— Je lui dirai que tu t'es réveillée. Tu auras tout le temps de lui parler plus tard. Pour l'heure, tu dois reprendre des forces.

Kaïsha voulut s'opposer, mais sa faiblesse eut raison d'elle et elle replongea dans les limbes avant même de pouvoir ouvrir la bouche.

❋ ❋ ❋

Elle se réveilla à nouveau peu de temps après, ou du moins ce fut ce qu'il lui sembla. Ko-Bu-Tsu était encore assise à son chevet, le nez dans un de ses manuels de médecine, et Nix dormait toujours à ses pieds. Le seul changement était que Zuo était à présent là lui aussi, assis sur une chaise, griffonnant sur une liasse de parchemins ; sans doute un travail pour un cours. Nix fut le premier à sentir Kaïsha se réveiller et il se leva pour venir s'asseoir près de son visage, la fixant de ses grands yeux curieux. Zuo leva la tête de son travail et un large sourire illumina son visage.

— Nisha ! s'exclama-t-il en venant à son chevet.

— Salut, Zuo, répondit cette dernière en serrant la main qu'il vint glisser dans la sienne.

— Comment tu te sens ?

— Beaucoup mieux, moins étourdie. Toi ?

— Moi ? Bien mieux depuis que tu ne ressembles plus à une statue de glace !

Kaïsha rit.

— C'est moi qui t'ai trouvée, dans la crevasse, expliqua-t-il avec fierté.

— Je sais, je t'ai vu, indiqua Kaïsha avec chaleur.

Le visage de Zuo s'illumina et les deux se serrèrent encore plus fort la main, rassurés de se retrouver sains et saufs.

— Je prends de l'avance dans le concours des cicatrices, déclara Kaïsha avec supériorité. J'en ai maintenant trois de plus. Essaye de battre ça!

Zuo regarda son bandage et fit la moue.

— Ça ne compte que pour une, elles viennent du même accident.

— Quoi? s'indigna faussement Kaïsha. Trois blessures, trois cicatrices, c'est la règle!

— Laissons la juge en décider. Ko-Bu?

Ko-Bu-Tsu les regarda tous les deux avec exaspération et poussa un soupir en souriant.

— J'ai dû recoudre trois plaies, donc je considère qu'il y a trois cicatrices.

— Ha! s'exclama Kaïsha alors que Zuo baissa la tête, défait.

On frappa alors à la porte et Junn passa sa tête à l'intérieur.

— Bonsoir, bonsoir! fit-elle en entrant, suivie de Cyam. Oh, Kaïsha, tu es réveillée, quelle bonne nouvelle!

Cyam, qui portait dans les mains un petit panier couvert d'un drap, vint le déposer sur la table de chevet.

— Je suis heureux de voir que tu te portes bien, lui dit-il avec bienveillance. Nous avons apporté un petit quelque chose à manger pour Ko-Bu-Tsu et Zuo, mais puisque tu es réveillée, tu as la priorité. Si cela est permis par ta garde-malade, bien sûr, ajouta-t-il en jetant un coup d'œil à Ko-Bu-Tsu.

— Absolument, approuva cette dernière. Il est plus que temps que tu manges quelque chose de solide, seulement vas-y lentement. Je ne veux pas que tu tombes malade.

— Merci, répondit Kaïsha en lorgnant le panier, affamée. Tes plats m'ont manqué, Cyam!

— Avec ce que tu as dû manger ces derniers temps, je ne suis pas étonné, déclara ce dernier. Tiens, commence donc par une miche de pain.

Kaïsha la prit de sa main valide et y mordit à pleines dents. Le goût légèrement salé de la mie vint danser sur sa langue. C'était si bon ! Kaïsha dut s'obliger à manger lentement et à savourer, car autrement, elle aurait avalé le pain d'une seule bouchée, tant elle avait faim.

— Au fait, remarqua-t-elle en avalant le dernier morceau. Pendant combien de temps sommes-nous partis ? J'ai perdu le compte, dans la forêt.

Tous la regardèrent avec surprise. Kaïsha ne comprit pas ce qu'elle avait pu dire d'étrange pour qu'ils la fixassent ainsi.

— Tu es partie presque deux mois, dit finalement Ko-Bu-Tsu. L'équinoxe du printemps est dans trois semaines.

Heureusement que Kaïsha avait avalé sa bouchée, car autrement, elle se serait étouffée.

— Deux mois ? Si longtemps ? s'exclama-t-elle, abasourdie.

Ko-Bu-Tsu et Zuo acquiescèrent.

— Heureusement que Saï nous envoyait une lettre par semaine pour nous dire que vous étiez toujours vivants, sinon, nous aurions envoyé des secours il y a longtemps, souligna Ko-Bu-Tsu.

— Sans compter que tu as manqué mon anniversaire d'une semaine, ajouta Zuo d'un air faussement blessé. Tant pis pour toi, tu n'auras pas goûté à la galette que mon père a préparée !

— Je suis désolée… Je ne m'étais pas rendu compte…, murmura Kaïsha, se sentant fautive.

— Ce n'est pas grave, Nisha, la rassura tout de suite Zuo. Nous savions que tu allais bien, c'est tout ce qui était important.

— Est-ce que toute cette expédition en a valu la peine, au moins ? demanda Junn, curieuse, en s'asseyant sur une chaise.

Kaïsha pensa à toutes ces semaines d'entraînement, à danser avec Saï au rythme de leurs épées, à méditer sous les épinettes, à ne faire qu'un avec la nature. Elle baissa les yeux sur ses mains et pensa à ce qu'elles pouvaient maintenant faire avec une épée. Elle sourit.

— Oh oui.

Dans les jours qui suivirent, Kaïsha reçut un nombre impressionnant de visites. Elle en perdit rapidement le compte et se sentit étourdie, mais, cette fois, ce n'était pas à cause des contre-douleurs. C'était plutôt causé par le tourbillon incessant d'allées et venues dans sa chambre. Ce roulement était tel que Nix devint nerveux et demeura soit collé contre Kaïsha, soit caché dans son coffre, que Ko-Bu-Tsu avait ingénieusement placé de l'autre côté du lit de Kaïsha, afin de le mettre hors de vue des visiteurs.

La première journée, des visages connus apparurent dans le cadre de porte. Le premier fut Mak, qui vint lui ébouriffer la tête avec un large sourire, jurant par les anciens qu'il n'avait jamais rencontré plus dur à cuire qu'elle. Il caressa même Nix, qui se laissa faire après lui avoir reniflé la main. Mak rit de plus belle et repartit en surnommant Kaïsha la « dresseuse de tigres ». Vinrent ensuite Edelar, Nihiri et même Miluna. Cette dernière jeta des coups d'œil curieux au tigreau tandis que son père et sa sœur discutaient avec Kaïsha. Odel brilla par son absence. Kaïsha comprit rapidement, en voyant les yeux baissés de Nihiri et la tentative vaine d'Edelar d'agir normalement, qu'Odel leur avait finalement raconté ce qui s'était passé entre eux. Kaïsha sentit une lourdeur peser sur ses épaules, mais elle joua le jeu des Silko et discuta avec eux comme si rien n'était arrivé. Toutefois, lorsqu'ils prirent congé, Nihiri resta derrière, hésitante. Elle demeura immobile sur le pas de la porte, puis se tourna finalement vers Kaïsha, ses grands yeux timides pleins de tristesse.

— Je suis vraiment désolée pour ce qui est arrivé avec mon frère.

Elle sembla vouloir ajouter quelque chose, mais pinça les lèvres et baissa les yeux, l'air aussi coupable qu'Odel lorsqu'il avait dit à Kaïsha que ses sentiments ne pourraient jamais être réciproques. À cet instant, Kaïsha vit à quel point le frère et la sœur étaient semblables.

— Merci, Nihiri, murmura-t-elle, reconnaissante.

Nihiri lui offrit un sourire compatissant et partit. Il n'y avait rien à ajouter.

Derich vint également voir Kaïsha, représentant de tous ses amis du palier Cinq. Il lui posa tant de questions sur ce qu'elle avait fait dans la forêt et comment elle avait pu survivre à la tigresse que Ko-Bu-Tsu dut intervenir et entrer dans la chambre pour lui demander de mettre fin à sa visite. Retombant sur ses oreillers, Kaïsha eut l'impression d'avoir terminé une course et en était épuisée. Avant de partir, Derich lui promit de transmettre ses amitiés aux habitants du palier Cinq et de tout leur raconter de ses aventures.

Des élèves de maître Anyel vinrent la saluer. Tous lui firent part de leur soulagement de la savoir saine et sauve, et tous voulurent savoir ce qui était arrivé. Des rumeurs avaient déjà commencé à circuler dans la Commune, disant qu'elle s'était battue contre un tigre et était passée à deux doigts d'y perdre un bras. Kaïsha se désespéra de ces histoires ridicules et remit immédiatement les pendules à l'heure. Les étudiants écoutèrent tout de même sa version des faits avec une curiosité avide et les conversations qu'ils eurent lorsqu'ils prirent congé donnèrent le mauvais pressentiment à Kaïsha qu'elle serait le sujet de leur prochain cours. Lorsqu'elle eut un moment libre, elle en profita pour nourrir Nix. Un collègue de maître Friya, spécialisé en santé animale, lui avait indiqué quel type de nourriture était le meilleur pour un tigreau. Lorsqu'il fut repu, Nix se lova contre elle pour dormir en ronronnant, petite boule de poils bienheureuse, chaude et douce. Il apportait autant de réconfort à Kaïsha qu'elle lui apportait de sécurité.

Dès le jour suivant, de nouvelles têtes passèrent sa porte. Kaïsha eut la surprise d'accueillir plusieurs maîtres du Conseil, qui vinrent s'enquérir de son état de santé et jeter un coup d'œil à son tigreau. Certains repartirent sceptiques en voyant le félin, mais la plupart furent conquis par le charme adorable de sa fourrure duveteuse et de ses grands yeux bleus. Plusieurs maîtres lui demandèrent si Saï était passé la voir. Apparemment, il avait manqué la dernière réunion du Conseil. Kaïsha dut leur admettre que non, mais elle leur promit d'aller lui parler dès qu'elle sortirait du centre de soins. Kaïsha commençait à s'inquiéter pour son maître. Elle se maudit de devoir encore demeurer au lit et se jura que d'ici la fin de la semaine, accord ou non de Ko-Bu-Tsu et maître Friya, elle sortirait.

Kaïsha sut, par Ko-Bu-Tsu, que de nombreuses personnes étaient venues pour la visiter et s'étaient fait interdire l'entrée. Il s'agissait pour la plupart de curieux qui voulaient voir l'Enfant des quatre mondes et jeter un coup d'œil à son tigre. Ko-Bu-Tsu s'était fait un devoir de les renvoyer, eux et tous ceux et celles que Kaïsha ne connaissait pas, afin d'éviter que son amie ne s'écroulât de fatigue. Toutefois, elle ne pouvait pas interdire l'accès à certaines personnes, et ce fut ainsi que Maen fit son entrée dans la chambre de Kaïsha, un soir, alors que cette dernière était sur le point de s'endormir. Kaïsha sentit son sang se figer dans ses veines, et un frisson glacé monta sa colonne vertébrale, mais elle n'en montra rien. Pas devant cet homme. Le sage la dévisagea des pieds à la tête, comme s'il cherchait à évaluer à quel point elle avait réussi à s'en sortir. Ses yeux tombèrent sur Nix, qui leva la tête et le fixa, comme s'il avait senti son regard sur lui.

— Je suis soulagé de voir que vous vous remettez parfaitement de votre petit incident, déclara-t-il en avançant dans la pièce lentement, comptant presque ses pas.

— Votre considération me touche, répondit Kaïsha, la voix aussi froide que celle du sage. Que me vaut l'honneur de votre visite ?

— Oh, une femme de votre… importance, mérite que mon humble personne se déplace pour elle, répliqua Maen avec raillerie.

Il n'en fallut pas plus à Kaïsha. Elle laissa tomber le masque.

— Je dirai à tous ceux qui me le demanderont que vous avez été assez bon pour voler à mon chevet pour vous assurer que j'allais bien, si c'est ce que vous recherchez. Vous pouvez partir l'esprit tranquille.

Maen la considéra un instant et cessa lui aussi cette comédie ridicule.

— Parfait. Le bon peuple d'Erwem s'amuse de vos histoires. Il vous perçoit comme une petite héroïne de conte dont les aventures alimentent les conversations. Je jouerai le jeu tant qu'eux seront bernés par vos petites manigances, mais bien assez vite, ils se souviendront de ce que vous êtes et ils vous mépriseront comme au premier jour, soyez-en sûre. À ce moment-là, vous et moi aurons une petite conversation.

— *Si* cela arrive, répliqua Kaïsha, imperturbable. En attendant, vous n'avez aucune raison de vous plaindre de moi, ni de me chasser d'Erwem, Maen.

Le sage la dévisagea longuement, l'air de calculer. Kaïsha appréhendait la suite, puis il laissa tomber :

— Pourquoi ne repartez-vous pas chez vous ? Vous avez accompli ce pour quoi vous êtes venue. Vous devriez rentrer, votre mère doit s'inquiéter...

Le sang de Kaïsha ne fit qu'un tour. Pourquoi Maen lui parlait-il d'Espérance ? Était-ce seulement dans le but de la désarçonner ? Mais il y avait autre chose. C'était la première fois que le sage faisait référence à Espérance comme étant la mère de Kaïsha, acceptant du même coup sa revendication d'être une fille des Plaines. Qu'est-ce que cela voulait dire ?

— Je ne suis pas encore prête à repartir, articula-t-elle lentement, difficilement. Ma mère sait que je vais bien, je lui ai écrit une lettre. Et je ne vous autorise pas à parler en son nom.

En l'entendant lui parler avec autorité, le sage lui lança un regard mauvais. Il jeta un coup d'œil à Nix et décida de changer d'angle d'attaque.

— Cette chose doit disparaître.

Kaïsha n'allait pas le laisser reprendre le dessus sur elle. Elle répliqua aussitôt :

— Cette chose a un nom. Il s'appelle Nix et il demeurera avec moi.

— Pas si le Conseil en décide autrement. Et il décidera autrement. C'est un prédateur qui met la vie de tous les habitants d'Erwem en danger. Il sera chassé, ou peut-être tué, nous verrons bien.

Un éclair narquois traversa les yeux froids de Maen, comme s'il se régalait à l'avance d'enlever un objet précieux à Kaïsha. Cette dernière ne broncha pas. Le sage ne lui faisait pas peur.

— Nous verrons ce que le Conseil en dira, insista-t-elle avec calme. Si vous n'avez rien d'autre à me dire, je vous souhaite la bonne nuit, Maen.

Le sage lui lança encore un regard méprisant, puis tourna les talons sans prendre la peine de la saluer. Il accrocha Ko-Bu-Tsu en sortant, alors qu'elle-même s'apprêtait à entrer dans la chambre.

— Une agréable visite, à ce que je vois, dit-elle en s'approchant de Kaïsha pour vérifier ses pansements.

— Très agréable, répondit Kaïsha avec sarcasme. C'est un homme si attentionné.

Ko-Bu-Tsu rit. Elle inspecta la blessure de Kaïsha, qui guérissait lentement, mais bien. Les cicatrices seraient inévitables, mais les coutures que Ko-Bu-Tsu avait faites tenaient les plaies bien fermées et il n'y avait plus de risque d'infection.

— D'ici deux jours, tu pourras sortir, déclara Ko-Bu-Tsu d'un œil expert. Je demanderai à maître Friya une confirmation pour qu'ils te laissent partir.

— Ah, merci! souffla Kaïsha en se laissant tomber sur ses oreillers. Je n'en peux plus de rester couchée toute la journée.

Ko-Bu-Tsu lui lança un regard entendu.

— Tu pourrais bien profiter d'un peu de repos. Mais bon, ton souhait est exaucé, tu pourras te remettre à courir partout. Une seule chose : évite tes entraînements pour quelques semaines. On ne voudrait pas voir ces plaies se rouvrir, n'est-ce pas?

Kaïsha approuva. Elle pensa à nouveau à Saï et se promit d'aller le voir en premier lorsqu'elle sortirait.

Le lendemain, maître Friya donna son accord pour libérer Kaïsha. Cette dernière dut tout de même passer sa dernière journée alitée, à recevoir des visiteurs qu'elle n'avait jamais vus auparavant. Elle s'efforça de se montrer agréable avec chacun d'eux. Après tout, ils s'étaient tous déplacés simplement pour prendre de ses nouvelles et cela la touchait, mais le temps semblait avancer au ralenti et Kaïsha n'avait qu'un seul désir : quitter cet endroit et retourner chez les Steloj.

Le lendemain matin, elle se réveilla tôt et revêtit les vêtements que Zuo était venu lui porter la veille. Glisser son bras gauche dans sa manche s'avéra plus compliqué que prévu, mais elle y parvint et ramassa rapidement le reste de ses affaires avant de prendre Nix et de le couvrir d'un drap pour le garder contre elle et éviter les regards curieux. Kaïsha n'attendit pas que l'on vînt la chercher ; elle quitta seule sa chambre, Nix contre sa poitrine et son sac personnel sur son épaule. Elle trouva son chemin en interrogeant des guérisseurs qui allaient et venaient dans les corridors, puis se retrouva finalement dehors, sur le terrain du Collège. À cette heure, seuls des étudiants en avance pour leur premier cours déambulaient dans les jardins. Plusieurs d'entre eux reconnurent Kaïsha et s'inclinèrent respectueusement à son endroit. Kaïsha ne savait pas comment elle était censée réagir par rapport à une telle déférence et elle répondit maladroitement à leur salut, tout en cherchant le chemin qui la mènerait le plus rapidement chez Saï.

Elle traversa tranquillement les jardins, lorsque son regard tomba sur la seule personne qu'elle avait espéré ne pas croiser. Odel était debout près d'un bosquet, à une dizaine de mètres d'elle, et discutait amicalement avec quelques étudiants, sans doute des camarades de classe. Comme s'il avait senti qu'on le fixait, il tourna la tête et son regard croisa celui de Kaïsha. Il se figea d'abord sous la surprise, mais rapidement (et cela fit aussi mal que plaisir à Kaïsha), un soulagement évident se peignit sur son beau visage. Il esquissa un sourire à Kaïsha, mais cette dernière, comme une idiote, fut incapable de lui répondre. Elle serra plutôt Nix contre elle et détourna le regard pour partir aussi vite qu'il était possible de le faire sans courir.

Kaïsha se sentit misérable. Elle s'était juré de se montrer forte, de faire face à Odel pour lui montrer qu'elle ne lui tenait pas rigueur pour ce qui leur était arrivé. Il semblait maintenant que son cœur n'était pas du même avis que sa tête. Jurant entre ses dents, elle longea les murs sans voir les gens qui s'arrêtaient pour la saluer. Elle trouva un escalier dissimulé qui montait au premier palier et elle le grimpa aussitôt pour se retrouver dans une petite rue coquette. Elle chercha un moment son chemin avant de finalement repérer la rue de Saï et se retrouver devant sa maison. Kaïsha prit une grande respiration et chassa Odel de son esprit. Elle ne voulait pas se laisser empoisonner par les faiblesses de son propre cœur et, pour l'heure, l'important était pour elle de s'assurer que son mentor allait bien. Elle frappa énergiquement à la porte et attendit. Au bout d'un long moment, Saï vint ouvrir. D'un rapide coup d'œil, Kaïsha le détailla et fut rassurée. Il manquait visiblement de sommeil, mais autrement, il semblait bien aller. Saï la fixa avec surprise.

— Que fais-tu hors du centre de soins?

— J'ai reçu mon congé, répondit simplement Kaïsha. Et merci pour l'accueil! ajouta-t-elle, faussement offensée.

Saï passa une main sur ses yeux et secoua la tête pour se réveiller.

— Pardonne-moi, entre.

Ils se rendirent jusqu'à la cuisine, où Kaïsha s'installa dans son fauteuil habituel tandis que Saï faisait bouillir de l'eau. Kaïsha débarrassa Nix du drap et il se mit en tête d'explorer tous les recoins de la cuisine.

— Je suis désolé de ne pas être venu…, commença Saï.

— Ne t'excuse pas, le coupa Kaïsha. Je sais pourquoi tu ne voulais pas t'approcher d'un centre de soins. Je comprends.

Saï lui lança un regard reconnaissant et terriblement fatigué.

— J'oublie toujours que tu es jeune, alors que tu sembles avoir plus de sagesse que moi.

— Oh non, maugréa Kaïsha en pensant à Odel. Il y a à peine dix minutes, j'ai eu la preuve du contraire.

Saï haussa un sourcil interrogateur, mais Kaïsha fit signe qu'elle préférait ne pas en parler et il n'insista pas. Il vint plutôt s'asseoir face à elle et lui offrit une tasse de tisane fumante. Nix vint se frotter contre ses jambes avant de sauter sur le fauteuil libre et s'y coucher.

— Comment te sens-tu? demanda Saï à Kaïsha en désignant son bras gauche du menton.

— Beaucoup mieux, le rassura Kaïsha. Je ne garderai qu'une cicatrice.

Saï hocha la tête, l'air pensif.

— Et toi, Saï? s'avança prudemment Kaïsha. Est-ce que tu vas bien?

— Bien sûr que je vais bien, je n'ai pas été blessé, répondit Saï en esquivant ce que sous-entendait Kaïsha.

Cette dernière ne se laissa pas berner aussi facilement.

— Je parle sérieusement, insista-t-elle. J'étais inquiète pour toi.

Saï lui lança un regard surpris par-dessus sa tasse et eut un sourire en coin.

— N'est-ce pas le rôle du maître de s'inquiéter de son apprentie, et non l'inverse?

— Pas si le maître souffre, répondit Kaïsha.

Saï eut un petit rire, presque un soupir.

— Je vais bien, Kaïsha. Je suis sérieux. Tu devrais plutôt penser à toi-même. C'est toi qui as failli y laisser ta peau, pas moi.

Kaïsha aurait voulu insister encore, mais il lui semblait à présent que ce n'était plus une bonne idée. Elle baissa les yeux sur sa tasse et laissa le silence retomber sur eux. Saï la fixa un moment de son regard perçant, semblant jongler avec quelque chose dans sa tête, puis il finit par soupirer et déposa sa tasse.

— La vérité est que j'ai eu peur que tu meures, avoua-t-il d'une voix lente et pesée. Je ne suis pas sûr que je m'en serais remis, si la première élève que j'ai depuis la mort de ma femme et de ma fille trépassait à son tour, et ce, sous ma garde, encore une fois.

Cet aveu confirma ce que Kaïsha avait soupçonné dès le début. Elle baissa elle aussi sa tasse et regarda Saï droit dans les yeux.

— Je ne suis pas ta fille. Ni ta femme. Ce qui leur est arrivé est terrible, mais n'a rien à voir avec moi.

Saï la fixa avec un étonnement non dissimulé. Kaïsha poursuivit :

— Ce qui est arrivé est de ma faute. C'est moi qui ai pris Nix. C'est moi qui ai attiré la tigresse vers nous. Tu m'as dit de le laisser et je n'ai pas écouté. Peut-être que ça aurait changé quelque chose, peut-être pas. Dans tous les cas, tu n'as rien à te reprocher. Tout comme ce qui est arrivé à ta famille n'était pas de ta faute.

Saï prit une inspiration soudaine en entendant ces mots, et Kaïsha sentit le tremblement dans son souffle lorsqu'il expira. Ces paroles, il ne devait pas en avoir entendues de telles depuis très longtemps. Pourtant, elles étaient vraies et Kaïsha tenait à ce qu'il s'en rendît compte. Elle ne voulait pas que son mentor craignît les fantômes de son passé, et encore moins qu'il les transposât sur elle.

Saï demeura longtemps pensif, gardant les yeux fixés sur sa tasse. Finalement, il dit, lentement :

— Tu as raison.

Il leva les yeux vers elle.

— Tu n'as rien à voir avec ma famille, et je ne peux pas vivre dans la peur qu'il t'arrive ce qui leur est arrivé. De toute manière, je sais que cela n'arriverait pas.

Il avait dit ces derniers mots avec un sourire en coin, et Kaïsha fut prise par la curiosité.

— Et pourquoi ça ? demanda-t-elle.

Saï la regarda d'un air complice.

— Parce que tu serais capable de les arrêter bien avant qu'ils puissent poser une main sur toi.

Kaïsha sentit une chaleur envahir sa poitrine et sourit. Ces quelques mots dirent plus que n'importe quel discours à quel point Saï avait confiance en ses capacités.

Ils gardèrent le silence un long moment, tous deux appréciant le simple fait de boire leur tisane, apaisés. À un moment, Saï déposa la sienne et regarda Kaïsha.

— Tu as été très courageuse, tu le sais, n'est-ce pas ?

Kaïsha baissa les yeux sur sa tasse.

— Je ne pense pas remplir les critères du courage. J'étais terrorisée, Saï. Si les renforts et toi n'étiez pas arrivés à temps, je serais sûrement morte.

Saï balaya ses propos du revers de la main.

— Ridicule. D'autres que toi auraient paniqué et seraient morts de peur. Toi, tu t'es bâti un refuge, tu as produit un feu et tu t'es organisée pour survivre le plus longtemps possible, malgré une blessure qui mettait ta vie en danger. Tu as été courageuse. Accepte-le non pas comme un compliment, mais comme un fait.

Kaïsha hésita, puis finalement hocha la tête. Saï eut l'air satisfait.

— Au cours des dernières semaines, tu m'as prouvé que tu étais digne d'être une guerrière. Tu t'es montrée forte, déterminée, battante. Tu n'as fait qu'un avec ton épée et ton environnement. Tu as très bien dansé.

Kaïsha sentit sa poitrine se bomber de fierté. Elle s'inclina.

— Merci.

Saï la considéra un long moment, l'air pensif. Il semblait aux prises avec une grande réflexion et Kaïsha attendit patiemment qu'il exprimât sa pensée. Il ferma les yeux un instant et, lorsqu'il les rouvrit, il avait le regard déterminé et grave.

— J'avais pensé procéder plus tard, de façon plus cérémonielle, mais je pense que tu es prête à ce que je te l'offre maintenant.

— M'offrir quoi ? demanda Kaïsha, intriguée.

— Attends-moi ici.

Saï se leva et disparut dans le corridor. Elle l'entendit monter les escaliers, marcher quelque part au-dessus d'elle, puis finalement revenir en portant dans les bras un coffre de bois sombre laqué, couvert de traits rouges artistiquement entremêlés. Avant même qu'il parlât, Kaïsha comprit de quoi il s'agissait et son cœur cessa de battre. Saï la dévisagea d'un regard perçant et vint s'asseoir face à elle, l'air grave et solennel.

— Je t'ai déjà dit que certains hommes passent leur vie à se battre sans devenir de véritables guerriers. Lorsque je n'étais qu'un apprenti, mon maître m'a prévenu que je ne pourrais tenir une véritable épée dans mes mains que le jour où j'aurais appris ce qu'est l'essence du véritable combattant : celui qui ne fait qu'un avec son arme sait toujours à quel moment frapper et…

— ... à quel moment retenir son bras, compléta Kaïsha sans y penser, les yeux fixés sur la boîte.

Saï acquiesça.

— Il m'a fallu deux années complètes d'entraînement avant que mon maître me juge apte. Toi, Kaïsha, tu as déjà prouvé que tu étais prête.

Il lui tendit la boîte, que Kaïsha prit entre ses mains tremblantes. Elle la déposa sur ses genoux, et la considéra un moment sans oser l'ouvrir. Elle leva les yeux vers Saï, cherchant son accord. Il hocha la tête et Kaïsha baissa à nouveau les yeux sur le loquet qui maintenait l'étui fermé. Elle tira lentement sur la tige qui libéra la serrure, et leva doucement le couvercle.

À l'intérieur, couchée sur un coussin de soie rouge, se trouvait une épée magnifique. Maintenu dans son fourreau de bois laqué, le manche était sobre et élégant, tissé de fils noirs et gris. La courbe du fourreau imitait à la perfection la courbe de la lame qu'elle protégeait. Kaïsha prit délicatement l'épée dans ses mains. L'objet était à peine plus lourd que sa propre épée de bois. Son poids était parfaitement balancé. Jamais Kaïsha n'avait vu une plus belle arme.

Elle glissa lentement une main sur le manche tissé, l'autre sur le bois laqué et, d'un mouvement ample, elle fit glisser l'épée hors de son fourreau. La lame était étroite, légèrement courbée et affûtée comme un rasoir. Kaïsha tourna l'épée dans sa main et passa un doigt sur le côté de la lame jusqu'à sa pointe. L'épée était si acérée qu'elle se piqua et une goutte de sang perla au bout de son doigt. Kaïsha vit alors son propre reflet dans le métal et n'arriva pas à croire que la petite fille, qui avait un jour été si vulnérable et effrayée, était maintenant la jeune femme au regard déterminé qui tenait cette épée entre ses mains. Elle leva les yeux vers Saï.

— Elle est magnifique, murmura-t-elle.

Saï eut un sourire satisfait.

— Elle est tienne. Cette épée a été forgée il y a plus de trois siècles, mais l'habileté de l'artisan qui l'a créée était telle qu'elle est encore aussi belle et meurtrière qu'au premier jour. Sa lame est faite d'un alliage si fort qu'elle détruira l'arme de ton ennemi avant qu'il ait pu te toucher. C'est un objet sacré qui a traversé le temps et les Communes des Montagnes.

Kaïsha fixa l'épée, abasourdie.

— Je… je ne peux pas l'accepter, alors !

— Au contraire, elle est parfaite pour toi, trancha Saï avec gravité. Cette épée a été forgée à une époque où le peuple des Montagnes considérait encore que l'art du combat était sacré. Aujourd'hui, ils ont oublié cet héritage, et ne méritent donc pas qu'une telle œuvre repose entre leurs mains. Ils la rangeraient dans une armoire et l'oublieraient. Une arme comme celle-ci doit être utilisée, pas conservée.

Il marqua une pause, laissant Kaïsha admirer à sa guise l'épée ancienne.

— Mon maître me l'a transmise avant de s'éteindre, il y a des années. Cette épée était alors la sienne. Depuis, je n'ai jamais pu l'utiliser moi-même et je n'ai jamais trouvé quelqu'un assez digne pour que je la lui donne. Jusqu'à aujourd'hui.

Kaïsha regarda Saï. Elle n'arrivait pas à trouver les mots pour lui exprimer sa reconnaissance. Elle se sentait indigne d'un tel objet, elle qui n'était rien qu'une enfant de deux mondes qui avait eu de la chance. Saï sembla presque lire ses pensées, car il s'avança et poussa doucement l'épée vers elle.

— Elle est à toi. Ne la refuse pas. Je veux que tu acceptes cette épée et qu'elle devienne entièrement tienne.

Kaïsha prit un moment pour comprendre la portée de ces paroles. Saï lui léguait un héritage. Cette épée, c'était ce en quoi il croyait, la représentation physique de l'art auquel il avait consacré sa vie.

Lentement, solennellement, elle s'inclina profondément devant son mentor. Lorsqu'elle se releva, celui-ci souriait.

— Porte-la toujours sur toi. Que les gens sachent qui tu es réellement. Pour le moment, ils se posent des questions sur toi. Tu es source d'intrigue et de respect, pour être la première de ton genre. Je veux que tu leur montres à tous que tu n'es pas qu'un objet de curiosité. Avec cette épée, tu leur montreras à tous que tu es une enfant des Montagnes au même titre qu'eux. Je veux que tu deviennes, aux yeux de tous, l'Enfant des cinq mondes.

20

Kaïsha respecta le vœu de Saï et, à compter du jour où il lui avait offert sa première épée, elle la porta sur elle en tout temps. La plupart des gens s'arrêtaient et la fixaient avec fascination lorsqu'elle passait, et pour cause : elle était la seule personne de la Commune à se promener avec une épée sur son dos et un tigreau à ses côtés.

Elle avait réussi à obtenir du Conseil la permission de garder Nix, à la grande fureur de Maen. Seulement, ce consentement tenait à la condition que Kaïsha assumât l'entière responsabilité de son animal et que ce dernier ne pût pas représenter un danger pour la population. Évidemment, ces conditions étaient faciles à respecter pendant qu'il était petit, mais il grandissait à une vitesse affolante et il faudrait rapidement lui trouver un endroit sécuritaire où il pourrait se dégourdir les jambes.

Était-ce parce que Kaïsha l'avait adopté très jeune, ou parce qu'il était unique en son genre? Kaïsha ne le saurait jamais, mais Nix ne semblait plus perturbé par la présence des humains. Après ses premiers jours en public, où il restait collé contre Kaïsha et réclamait même parfois qu'elle le prît dans ses bras, il s'était maintenant habitué à la foule d'humains qui le fixaient avec stupeur, curiosité ou (parfois) attendrissement. Il gambadait autour de Kaïsha sans jamais trop s'éloigner d'elle, explorant son nouvel univers avec une curiosité tout infantile.

Junn était fascinée par le tigreau et elle l'examina sous tous les angles possibles dès les premiers instants où Kaïsha le ramena officiellement à la maison.

— T'a-t-il griffée? lui demanda-t-elle en l'observant lui couper les griffes, un soir.

— Oh non, la rassura Kaïsha. C'est juste préventif. Je ne veux pas qu'il puisse causer un accident en jouant.

— C'est impressionnant qu'il se laisse faire, remarqua Cyam. Les tigres des glaces ont la réputation d'être très agressifs.

Kaïsha caressa la tête de Nix, qui ronronna d'aise.

— Je n'arrive pas vraiment à l'expliquer, mais j'ai l'impression qu'il me... *comprend*, admit-elle. Je sais que ça n'a aucun sens, mais lorsque je l'appelle, il vient immédiatement et lorsque je lui parle... on dirait qu'il comprend ce que je veux lui dire. C'est très étrange...

Cyam et Junn échangèrent un regard. Ko-Bu-Tsu leva les yeux de son manuel et Zuo eut un sourire un peu perplexe.

— Vous devez penser que j'ai reçu un morceau de glace sur la tête, soupira Kaïsha.

— En fait, avança Cyam, il existe des tribus dans la Forêt qui utilisent des félins comme compagnons de bataille et comme moyen de transport. J'ai eu l'occasion d'en voir un, lors d'une expédition. C'était fascinant à regarder. Le cavalier lui parlait et l'animal répondait presque immédiatement dans ses mouvements. Cela semblait être une sorte de... lien spécial, entre ces créatures et ce peuple.

Kaïsha leva les yeux vers Cyam, figée sous la surprise.

— Dans la Forêt?

Il y avait longtemps qu'elle avait pensé à sa mère naturelle, du moins de façon concrète. N'ayant jamais pu imaginer à quoi elle ressemblait, sauf à un assemblage confus de tout ce que Kaïsha possédait de connaissances sur la Forêt, elle la voyait maintenant comme une silhouette imprécise, chevauchant un Nix géant dans une forêt d'épinettes.

Elle chassa cette pensée. Elle avait passé déjà trop de nuits sans sommeil à se tourmenter en pensant à ses parents naturels. Si elle n'avait pas abandonné l'idée de les retrouver un jour, elle savait aussi qu'elle ne pouvait pas se permettre de les laisser envahir ses pensées alors que des choses plus graves se tramaient et demandaient son attention. Elle soupira et termina de couper les griffes de Nix. Maître Galoen, l'ami de maître Friya qui était spécialisé en santé animale, était venu lui rendre une visite quelques jours après qu'elle avait obtenu la permission de garder Nix, et il lui avait montré tout ce qu'elle devait savoir pour prendre soin de l'animal. En l'observant d'un œil expert, il avait déterminé que Nix devait avoir trois mois, et qu'il aurait atteint sa taille adulte dans moins d'un an, ce qui voulait dire qu'il grandirait à une vitesse exponentielle dans les prochains mois. Sa croissance paraissait déjà, car le tigreau peinait à demeurer couché sur les cuisses de Kaïsha sans qu'une de ses pattes glissât dans le vide. Kaïsha repensa à la taille massive de sa mère, et commença à sérieusement songer à lui trouver un abri permanent, car sa chambre deviendrait rapidement trop petite.

— Viendras-tu voir la prochaine course de luge ? demanda Zuo en s'agenouillant près d'elle pour caresser Nix.

— Bien sûr ! s'exclama Kaïsha. Je suis partie si longtemps que je les ai presque toutes manquées. Quand a lieu la prochaine ?

— Dans deux jours, répondit aussitôt Cyam. Les Verts vont gagner !

— Mon père prend pour eux, est-ce que ça paraît ? s'enquit Zuo en riant.

Kaïsha rit à son tour. Elle était heureuse de retrouver cette ambiance si chaleureuse de la famille de Zuo. Elle avait le sentiment d'être revenue chez elle.

Cette pensée lui causa pourtant une pointe au cœur. Il y avait un autre «chez elle» qu'elle n'avait pas vu depuis très longtemps. Les paroles mesquines de Maen lui revinrent à l'esprit et elle dut s'obliger à les refouler loin dans sa tête. Elles étaient trop douloureuses pour qu'elle pût les laisser l'empoisonner.

✻ ✻ ✻

Kaïsha fut saisie par la frénésie collective qui précédait la course de luge, alors qu'elle suivait Zuo et Ko-Bu-Tsu vers la Grande place du sud. Des kiosques aux couleurs de l'arc-en-ciel étaient installés un peu partout, et les partisans pouvaient acheter drapeaux, capes et foulards à l'effigie de leur équipe préférée. Des musiciens jouaient des airs entraînants et Kaïsha comprit un peu mieux pourquoi cette compétition était si attendue par les habitants chaque hiver. Une file interminable s'engouffrait dans l'entrée exiguë qui menait au-dehors, chacun étant bien enveloppé dans son manteau d'hiver.

— Pourquoi n'ouvrent-ils pas le grand portail pour laisser sortir les gens? demanda Kaïsha.

— Parce que tout le froid entrerait dans la Commune, expliqua Zuo. Ils ne les ouvrent qu'à l'été, quand la neige a fondu.

— Kaïsha! Zuo! Ko-Bu-Tsu! s'exclama soudain une voix près d'eux.

En se retournant, Kaïsha vit Nihiri accourir vers eux, les pommettes rosies, portant tous les accessoires possibles à l'effigie des Mauves. Ainsi parée, elle ressemblait à une petite prune.

— Salut, Nihiri! s'exclama Zuo de bon cœur.

— Bonjour, salua Ko-Bu-Tsu avec un sourire.

Kaïsha voulut la saluer aussi, mais son regard fut trop occupé à fouiller la foule dans l'appréhension de voir Odel. Nihiri dut le deviner immédiatement, car elle toucha son bras.

— Mon frère n'est pas là, la rassura-t-elle. Il a trop d'étude à faire pour ses examens de printemps.

— Oh, je... pardon, je ne voulais pas..., balbutia Kaïsha, rougissante de honte.

Nihiri secoua la tête.

— Ce n'est pas grave du tout, je comprends.

Elle releva la tête avec un large sourire, changeant de sujet :

— Vous prenez pour qui ? Dellyna Lert est capitaine des Mauves aujourd'hui. Ils ne peuvent pas perdre !

— Tu devras le dire à mon père, il est partisan des Verts. Par ricochet, je suppose que nous aussi.

— Quelle erreur ! s'insurgea Nihiri en riant. Vous vous en mordrez les doigts !

Tout en discutant, ils entrèrent dans la file d'attente et avancèrent lentement vers la sortie. Kaïsha n'était évidemment pas ressortie depuis son accident, et elle était excitée à l'idée de sentir à nouveau l'air frais sur son visage. Alors qu'ils attendaient, de nombreux regards se tournèrent vers leur petit groupe, dévisageant Kaïsha pour la plupart. Elle préféra les ignorer.

— Dis, Kaïsha, est-ce que ta blessure a bien guéri ? demanda alors Nihiri en fixant la manche de son manteau, que Kaïsha avait reprisée.

— Oui, très bien, la rassura Kaïsha. Il ne reste plus que des cicatrices, comme je m'y attendais.

Nihiri fit une moue désolée.

— Pas trop vilaines, j'espère.

— Oh non, juste des traces blanches.

— Et une boursouflure, ajouta Ko-Bu-Tsu, l'air déçue. J'aurais peut-être dû faire des points plus serrés et tu n'aurais pas de trace...

— Ko-Bu, arrête, l'interrompt Kaïsha. Les cicatrices ne me dérangent pas du tout. Tu m'as soignée, c'est tout ce qui importe.

Ils finirent par atteindre la petite porte qui menait à l'extérieur et Kaïsha fut éblouie un instant par le soleil éclatant. Elle fut ensuite stupéfaite par la foule rassemblée sur la terrasse extérieure. C'était la même terrasse sur laquelle ils étaient arrivés à Erwem, des mois plus tôt, mais c'était la première fois que Kaïsha la voyait de jour. C'était un magnifique endroit, qui surplombait la vallée loin en aval. Aussi loin que portait le regard, les montagnes se dressaient autour d'eux, tels des murs pointant vers les cieux, bâtis par des géants. La terrasse en tant que telle était encore plus vaste que dans les souvenirs de Kaïsha, et les gens discutaient avec fébrilité entre eux, plusieurs ayant déjà pris place sur des bancs disposés ici et là, tous attendant indubitablement le commencement de l'évènement sportif.

— Est-ce que cet endroit peut vraiment accueillir tous les habitants d'Erwem? demanda Kaïsha en regardant autour d'elle.

— Oh non! s'exclama Zuo. Il y a d'autres terrasses aux paliers Quatre et Cinq, regarde!

Il la mena près de la balustrade et Kaïsha se pencha pour découvrir deux autres terrasses en aval, aussi vastes que celle sur laquelle ils se trouvaient. Toutes deux étaient pleines à craquer de personnes habillées aux couleurs de leur équipe.

— Il y a aussi une petite terrasse au palier Un; c'est de là que la course va commencer. Seuls les gens invités peuvent y accéder, pour voir le départ.

— C'est impressionnant! s'exclama Kaïsha.

— Attends de voir les luges partir, l'informa Ko-Bu-Tsu.

Ils déambulèrent un bon moment sur la terrasse, profitant du soleil tout en écoutant les conversations et les paris sur le déroulement de la course. Kaïsha fut fascinée par toute cette agitation, cet engouement collectif qui s'emparait des habitants d'Erwem. Plusieurs personnes se retournèrent à son passage et nombreuses furent celles qui s'inclinèrent respectueusement devant elle. Kaïsha n'arrivait pas à se faire à ce changement d'attitude, qui lui semblait tellement soudain. Zuo et Ko-Bu-Tsu ne cessaient pourtant de lui répéter que ce n'était rien de nouveau, que la fascination des gens d'Erwem envers elle avait commencé bien avant qu'elle partît, mais qu'elle s'était accrue durant son absence. Encore plus lorsque l'histoire de son accident avec la tigresse s'était répandue comme une traînée de poudre dans les paliers. Malgré tout, Kaïsha n'arrivait pas à s'y habituer. Autant elle n'avait pas aimé les regards méfiants et haineux qu'on lui lançait dans les premiers mois suivant son arrivée, autant les marques de respect la mettaient mal à l'aise. Elle aurait de loin préféré revenir à cette courte période où les gens ne la considéraient plus comme une étrangère, et où elle pouvait déambuler dans les rues d'Erwem sans se faire lancer des coups d'œil. À présent, c'était Ko-Bu-Tsu qui bénéficiait de cet avantage. Étant l'élève de maître Friya depuis quelques mois, et ayant passé plus de temps que Kaïsha avec le peuple d'Erwem ces derniers temps, elle ne s'attirait plus les remarques intriguées sur la couleur de ses cheveux et de ses yeux. Elle pouvait aller et venir à sa guise en passant inaperçue, à présent bien intégrée dans la Commune. Kaïsha la jalousait pour cela, mais elle était également heureuse que son amie eût enfin trouvé sa place.

— La course va commencer dans deux minutes, veuillez prendre place aux endroits prévus à cet effet, lança soudain la voix claironnante d'un héraut, non loin d'eux.

— Allons-y ! les pressa Nihiri en les précédant vers les estrades installées près de la balustrade.

Ils s'installèrent sur des bancs et Kaïsha sentit l'excitation collective monter d'un cran. En levant la tête, elle repéra la terrasse du palier Un, et bien campées sur la piste enneigée, dix immenses luges, de la taille de petits bateaux. À cette distance, seule la couleur éclatante de leurs voiles indiquait au public quelle équipe dirigeait quelle luge. Kaïsha pouvait distinguer les membres des équipes à leur bord, affairés à procéder aux derniers ajustements avant que le coup d'envoi fût lancé.

Une petite silhouette apparut soudain au bord de la balustrade du palier Un et leva un drapeau en l'air. Aussitôt, son geste fut répété par un héraut du palier Deux, qui imita son geste, suivi par les hérauts aux paliers Quatre et Cinq. La foule devint alors instantanément silencieuse, tous attendant un même signal. Kaïsha, hypnotisée, vit les lugeurs prendre leur place sur la luge, et après un instant qui sembla durer une éternité, le premier héraut abaissa brusquement son drapeau, et les luges décollèrent du sol si vite qu'elles avaient fait la moitié de la distance vers le deuxième palier avant même que le héraut près de Kaïsha eût abaissé son propre drapeau. La foule explosa en cris, chants et encouragements pour son équipe préférée. Kaïsha se mit également à crier, entraînée par la frénésie collective. Elle ne savait même pas pour qui elle prenait, alors elle se contenta de crier de joie chaque fois qu'une luge en dépassait une autre grâce à un mouvement agile des lugeurs, qui maniaient les gouvernails avec un synchronisme impressionnant.

Les luges foncèrent sur la piste tracée, évitant les obstacles naturels et artificiels dans une vitesse folle, naviguant sur la neige comme d'autres auraient navigué sur les flots. Des vagues poudreuses surgissaient lorsqu'une luge amorçait un virage serré, et lorsqu'elles passaient près d'une terrasse, de nombreux spectateurs se retrouvaient recouverts d'une couche de neige. Loin de s'en offusquer, les partisans redoublaient d'énergie et d'acclamations. Alors que les luges dévalaient la montagne, Kaïsha dut se pencher en avant pour pouvoir les suivre des yeux. Il semblait que la luge des Mauves prenait de l'avance sur ses concurrents, et Nihiri hurla de plus belle. L'équipe des Bleus s'approcha cependant dangereusement des Mauves et les deux équipes luttèrent un moment l'une contre l'autre pour déterminer qui passerait en premier la ligne d'arrivée. Finalement, la luge des Mauves vira brusquement sur la gauche, coupant l'accès aux Bleus, qui furent déviés hors de la piste, et les Mauves finirent premiers, aussitôt suivis des huit équipes suivantes. Les Bleus furent relégués à la dernière position, s'étant disqualifiés de la course au dernier moment. La foule était en délire et les partisans des Mauves, Nihiri parmi eux, chantaient de joie. Kaïsha rit et applaudit, elle aussi, se joignant à la joie contagieuse de son amie. Zuo et Ko-Bu-Tsu applaudirent également, et Zuo rit.

— Mon père va être complètement découragé. Les Verts ont fini sixièmes.

— Oui, mais ils ont beaucoup d'avance dans les points, fit remarquer Ko-Bu-Tsu. S'ils s'y prennent bien dans la prochaine course, ils pourraient accéder à la finale.

Kaïsha les écouta parler avec curiosité et bonne humeur. C'était tellement agréable de faire quelque chose de... normal. Être assise avec ses amis, regarder une compétition, parier sur les issues possibles en profitant d'une belle journée d'hiver... Elle aurait voulu vivre cela tous les jours.

Malheureusement, elle était ce qu'elle était. Dans les rues, les gens avaient commencé à l'appeler l'Enfant des cinq mondes avec déférence, tout en admirant son épée ancestrale de leur culture. La prédiction de Saï commençait à prendre forme. Maen la surveillait d'autant plus, maintenant qu'il constatait que le peuple d'Erwem ne se lassait pas d'elle ; tout au contraire. Même les maîtres l'écoutaient avec sérieux. Petit à petit, sans qu'elle s'en fût rendu compte, Kaïsha avait acquis un statut dans la Commune. Elle aurait préféré ne jamais l'avoir.

Ils rentrèrent tous après que les résultats de la course furent officiellement annoncés. Dans la Grande place, un immense panneau affichait la progression des compétitions. Une petite foule se rassembla autour et plusieurs y collectèrent le fruit de leurs paris, avant d'en faire d'autres pour la course suivante. Ils retrouvèrent rapidement Cyam, discutant passionnément avec Mak des résultats.

— Bien le bonjour, les inséparables ! les salua Mak en les voyant arriver.

— Salut, Mak ! répondit Zuo. Alors, papa, pas trop déçu ?

Cyam secoua la tête d'un air résigné.

— Il reste encore une course avant la finale. Ils peuvent encore se rattraper. Les Verts gagneront cette année !

Ils discutèrent des possibles résultats des prochaines courses, lorsque Mak vint subtilement se placer près de Kaïsha.

— J'ai eu des nouvelles de Pael, lui chuchota-t-il.

— De Pael ? s'étonna Kaïsha, repensant au jeune explorateur qui avait été éloigné d'Erwem à cause d'eux.

Mak hocha la tête.

— Il m'a informé que ton nom commence à se faire entendre dans le continent ouest. Pas juste dans sa Commune. On parle de toi un peu partout.

— Quoi ? s'exclama Kaïsha, abasourdie. Comment est-ce possible ? Pourquoi ?

Mak lui lança un regard amusé.

— L'Enfant des quatre mondes, qui s'est initiée à la culture de nos ancêtres pour devenir l'Enfant des cinq mondes... Sans compter qu'elle a survécu à l'attaque d'un tigre des glaces, ce qui n'est pas arrivé depuis... on ne sait quand... Ton histoire contient des éléments très accrocheurs, tu ne trouves pas?

Kaïsha sentit sa tête tourner. Que se passait-il donc? Il y avait à peine huit mois, quand elle était arrivée dans cette Commune, on murmurait son nom avec dégoût ou curiosité. Elle n'était rien, elle était une enfant de deux mondes, un être voué à être rejeté et condamné, ancienne esclave par-dessus le marché. Comment, en si peu de temps, la vision que les gens avaient d'elle avait-elle pu changer autant? Surtout, comment cette vision avait-elle pu voyager d'une Commune à l'autre aussi facilement?

— Ce n'est pas tout, ajouta Mak, comme si ce qu'il lui avait dit n'était pas assez abasourdissant. Des explorateurs de Banemish et de Niverr sont ici. Ils aimeraient te rencontrer.

— M... moi? balbutia Kaïsha, de plus en plus perdue.

Mak éclata de rire.

— Non, ils veulent rencontrer ton tigre! Bien sûr, toi! Ils séjournent actuellement au bureau des explorateurs, je leur ai dit que je confirmerais une date avec toi. Aurais-tu un moment de libre? Demain, peut-être?

Kaïsha ne savait plus où donner de la tête. Les choses allaient beaucoup trop vite pour elle. Elle peinait à comprendre ce que Mak attendait d'elle. Elle balbutia :

— Je... euh... oui, demain, c'est bien.

— Superbe, approuva Mak d'un air satisfait en lui donnant une tape amicale sur l'épaule. Inutile de te déplacer, ils viendront te voir chez toi.

— D'accord... mais je... qu'est-ce que je dois faire? se questionna Kaïsha, interdite. À quoi s'attendent-ils de moi?

— Que tu sois naturelle, expliqua Mak en lui faisant un clin d'œil. Ils veulent juste te rencontrer, tu n'as pas à faire quoi que ce soit de spécial. Tu es déjà l'Enfant des cinq mondes, ça leur suffira amplement.

Il éclata d'un rire tonnant, qui fit sursauter Kaïsha, puis il lui fit un nouveau clin d'œil complice avant de retourner vers Cyam. Zuo et Ko-Bu-Tsu, qui n'avaient rien manqué de l'échange même s'ils faisaient semblant de ne pas y porter attention, s'approchèrent de Kaïsha.

— Populaire dans les sept Communes, hein ? se moqua Zuo en lui lançant un sourire malicieux.

Kaïsha rougit, gênée.

— Je ne comprends vraiment pas…

— C'est sans doute pour ça que les gens te respectent autant, remarqua Ko-Bu-Tsu. Tu n'agis pas comme une grande dame trop consciente de sa personne.

— Mais je ne suis *pas* une grande dame ! s'exclama Kaïsha, exaspérée.

Ko-Bu-Tsu et Zuo éclatèrent de rire.

— Habillée comme tu l'es, je ne peux pas réfuter ce fait, déclara Ko-Bu-Tsu.

— Je paierais cher pour te voir porter une robe de bal et survivre à une soirée en respectant toutes les règles de civilité, ajouta Zuo, déclenchant une nouvelle salve de rires entre lui et Ko-Bu-Tsu.

Kaïsha les regarda tous les deux, les bras croisés.

— Riez tant que vous voulez, il n'y a aucune chance que ça arrive.

— C'est bien dommage, indiqua Zuo en étouffant son rire.

— Allez, plus sérieusement, intervint Ko-Bu-Tsu. C'est assez incroyable que des explorateurs soient venus jusqu'ici juste pour te rencontrer.

— Mak m'avait déjà dit que des explorateurs étaient curieux de me voir, mais je ne pensais pas qu'il était sérieux, admit Kaïsha, déglutissant à l'idée de ce qui l'attendait.

— Ça ne peut pas faire de tort, constata Zuo. Plus les gens apprennent à te connaître, plus ils t'apprécient et moins ils sont portés à te juger. Ça a fonctionné ici, après tout.

Kaïsha sentit son estomac se serrer.

— Qu'est-ce que je fais s'ils me détestent ?

Ko-Bu-Tsu et Zuo échangèrent un regard entendu.

— Ça, c'est bien la seule chose que l'on sait qui n'arrivera pas, affirma Ko-Bu-Tsu en lui offrant un sourire complice.

Ce soir-là, Kaïsha croisa son reflet dans le miroir de sa chambre et se rendit compte de quelque chose qui lui donna le vertige : lorsqu'elle se regardait, elle voyait Kaïsha, l'amie de Zuo et de Ko-Bu-Tsu, qui aimait par-dessus tout le pain maison de Cyam et qui donnerait tout pour vivre une vie normale. Mais lorsque les gens la regardaient, c'était l'Enfant des cinq mondes qu'ils voyaient. Celle qui possédait en elle une partie de chaque nation : le sang de la Mer et de la Forêt, les valeurs des Plaines, la force du Désert, l'éducation des Montagnes. Une personne unique en son genre.

Kaïsha dut appuyer ses mains sur sa commode pour prendre pleinement conscience de ce qui lui arrivait. Sans qu'elle s'en fût aperçue, elle était devenue quelque chose de plus qu'elle-même.

Elle était en train de devenir un symbole.

Le lendemain, tel que Mak l'avait promis, des explorateurs vinrent frapper à la porte des Steloj. Cyam et Junn avaient été prévenus de leur arrivée, et ils connaissaient plusieurs personnes dans le groupe, alors ce fut une agréable réunion d'amis pour eux. Kaïsha, quant à elle, se sentit complètement gauche lorsqu'elle les salua. Les explorateurs, cinq hommes et quatre femmes, lui présentèrent leurs respects en s'inclinant profondément devant elle, ce qui mit

Kaïsha encore plus mal à l'aise. Elle les invita à s'installer dans le salon et s'assit elle-même dans son fauteuil favori, plus à l'aise ainsi. Zuo et Ko-Bu-Tsu restèrent en retrait dans les escaliers, observant la scène avec curiosité. Ko-Bu-Tsu n'échappa toutefois pas au regard des explorateurs, et deux d'entre eux allèrent la voir pour lui demander s'ils pouvaient s'entretenir avec elle plus tard. Ko-Bu-Tsu regarda Zuo à la recherche de soutien et, lorsqu'il lui fit signe qu'il resterait avec elle, elle accepta poliment.

Les explorateurs conversèrent avec Kaïsha pendant plusieurs heures. Tous étaient curieux de nature, et le parcours de Kaïsha dans les Plaines, le Désert et les Montagnes les fascina. Ils lui posèrent de nombreuses questions sur son enfance et sur sa relation avec sa famille adoptive. À l'instar des étudiants de maître Anyel, des mois auparavant, ils furent surpris lorsque Kaïsha leur expliqua qu'elle n'avait pas su qu'elle était une enfant de deux mondes avant ses treize ans. Un explorateur lui demanda si elle pouvait «sentir» son sang de la Forêt et de la Mer, et Kaïsha répéta que non, ayant un étrange sentiment de déjà-vu. Elle se fit ensuite interroger sur sa vie d'esclave et son arrivée à Erwem. Kaïsha répondit chaque fois avec honnêteté, et même si elle fit bien attention de leur préciser qu'à toutes les grandes étapes de son périple, elle avait bénéficié de la chance et de l'aide d'autrui, les explorateurs eurent l'air fascinés par l'épisode de la Nuit rouge et par son accident avec la tigresse.

— De toutes mes années en spécialisation du Désert, je n'ai jamais entendu parler d'une seule personne étant sortie vivante d'une Nuit rouge, déclara une exploratrice, l'air très impressionnée.

— Et il n'y a aucune archive indiquant que quelqu'un ait survécu à l'attaque d'un tigre des glaces. Du moins, pas seul, ajouta un autre.

— Je vous assure que j'ai juste été chanceuse, répéta Kaïsha, désemparée.

Les explorateurs l'entendirent à peine. Ils se mirent à discuter entre eux, absorbés. Ils lui posèrent encore quelques questions sur sa vie à Erwem, puis ils prirent leur congé. Ils s'inclinèrent tous devant elle avant de partir et Kaïsha eut le mauvais pressentiment que son message n'avait pas passé. Les deux explorateurs qui s'étaient intéressés à Ko-Bu-Tsu allèrent la voir et cette dernière vint prendre place dans le salon, en compagnie de Zuo, tandis que Kaïsha en profita pour fuir dans sa chambre.

Nix l'y attendait, jouant avec une couverture de laine que Junn avait trouvée. Lorsqu'il vit Kaïsha entrer, il laissa son jeu de côté et vint la voir pour réclamer des caresses.

— Toi, tu te moques bien de l'Enfant des cinq mondes, n'est-ce pas, Nix? murmura Kaïsha en lui frottant les oreilles. Tu ne vois que moi, et ça te suffit.

Nix leva les yeux vers elle, la fixa un instant, puis se leva sur ses pattes arrière pour s'appuyer sur les genoux de Kaïsha. Il approcha son museau de son visage et lui lécha le bout du nez. Kaïsha rit.

— C'est bien ce que je pensais.

Elle attendit que Ko-Bu-Tsu eût terminé sa propre entrevue en restant dans leur chambre à jouer avec Nix et à feuilleter un manuel sur l'élevage des animaux que Zuo lui avait trouvé. Finalement, elle entendit la porte d'entrée s'ouvrir et se refermer et, quelques minutes plus tard, Ko-Bu-Tsu et Zuo entrèrent dans la chambre et vinrent s'asseoir auprès d'elle sur le lit.

— Comment s'est passée l'épreuve? s'enquit Kaïsha.

— Pas plus pénible que d'habitude, répondit Ko-Bu-Tsu. Tu n'es pas la seule à être unique en ton genre, ajouta-t-elle pour la taquiner.

— Moi, je suis chanceux, je suis aussi normal que c'est possible de l'être, intervint Zuo en se laissant choir contre les oreillers.
Enfant d'une seule nation et physique ordinaire, chanceux que je
suis !

— Oui, mais tu es ami avec nous, alors tu as tous les inconvénients sans les avantages, répliqua Ko-Bu-Tsu en se couchant à
côté de lui, l'air fatiguée.

Zuo haussa les épaules en souriant.

— Le prix à payer pour fréquenter les plus jolies filles
d'Erwem.

— Oh, le grand séducteur, dit Kaïsha en haussant les sourcils.
Tu n'étais pas aussi confiant quand tu étais plus petit que moi !

Zuo rit. Dans les derniers mois, il avait continué de grandir
comme un jeune arbre et il était maintenant aussi grand que
Kaïsha, et à peine plus petit que Ko-Bu-Tsu, qu'il dépasserait sans
doute d'ici quelques mois. Kaïsha, quant à elle, avait cessé de
grandir depuis quelque temps ; il lui fallait se rendre à l'évidence
qu'elle ne serait jamais une grande femme. Elle s'allongea à côté de
ses amis.

— C'est dommage que j'aie manqué ton anniversaire, pensat-elle à voix haute. J'aurais dû être là.

— Ce n'est pas bien grave, la rassura Zuo. Ce n'est pas un évènement si particulier, j'ai juste un printemps de plus.

— Hmm... Toi, Ko-Bu, c'est à la fin de l'été, non ?

— Oui, acquiesça Ko-Bu-Tsu. Une lune avant l'équinoxe
d'automne.

— Et toi, Nisha ? demanda Zuo. Il me semble que c'est à l'été,
mais quand ?

Kaïsha fut embarrassée.

— Je ne le sais pas. Dans mon village, nous n'avions pas vraiment de calendrier. Nous vivions simplement au rythme des saisons et des récoltes. Ma famille a toujours célébré ma naissance quelques semaines avant la floraison des lavandes, mais autrement, je n'ai jamais connu la date.

— Bah, ce n'est pas bien grave, souligna Zuo. Nous n'aurons qu'à te fêter dans ces environs-là !

Kaïsha sourit.

— J'espère avoir droit à la galette de Cyam !

— Si tu es chanceuse, la taquina Zuo.

Kaïsha tourna les yeux vers le plafond, pensive.

— Je n'ai pas célébré mon anniversaire depuis mes treize ans... Je vais en avoir seize cette année. Le temps a passé si vite.

Ko-Bu-Tsu tourna la tête vers elle et sourit.

— Et tu fêteras tous les prochains, jusqu'à ce que nous soyons tous les trois des vieillards. Je te le garantis.

Les semaines passèrent et Kaïsha reprit tranquillement le cours de sa vie «normale». Elle s'entraînait presque tous les jours avec Saï, qui avait redoublé de sévérité, maintenant que son apprentie maniait une véritable épée. Puisque Nix suivait Kaïsha partout où elle allait, Saï finit par accepter que leur salle d'entraînement devînt sa demeure permanente lorsqu'il serait trop grand pour rester chez les Steloj.

Kaïsha progressait de jour en jour. S'étant familiarisée avec sa nouvelle arme, elle la maniait maintenant avec dextérité et confiance. Passant d'une main à l'autre, elle pouvait la faire danser au rythme de sa propre volonté. Virevoltant sur ses pieds, sa lame sifflant dans les airs, chacun de ses coups était précis, rapide et potentiellement mortel.

Saï ajouta bientôt à son entraînement des techniques de défense corporelle, s'il devait arriver qu'on la désarmât. Pourtant, même Saï peinait maintenant à le faire, et Kaïsha devint de plus en plus une adversaire digne de lui. Elle suivit néanmoins chaque conseil qu'il lui donna et apprit à utiliser ses mains nues pour se défendre, bien qu'elle préférait toujours avoir son épée en main.

Les explorateurs qui étaient venus lui rendre visite étaient repartis chez eux, et Mak affirma à Kaïsha qu'ils avaient été fortement impressionnés par elle, ce qui la fit soupirer. Il l'informa même que les explorateurs parleraient d'elle dans leur Commune et qu'il ne serait pas surpris si d'autres venaient lui demander une audience.

Kaïsha assista à la dernière course de luge avant la grande finale en compagnie de Zuo, Ko-Bu-Tsu et Nihiri. Encore une fois, elle craignit de voir Odel, mais Nihiri sembla avoir parfaitement compris ses sentiments et elle s'assura que son frère ne vînt pas avec elle. Kaïsha fut profondément reconnaissante à son amie pour cette délicatesse. Elle se sentait incapable de faire face à Odel et elle évitait de se promener aux endroits où elle savait qu'elle risquait de le rencontrer.

Il sembla qu'avec les semaines, l'étrange frénésie qui s'était créée autour de Kaïsha s'amenuisa chez la population d'Erwem. Bien que les gens lui montraient encore beaucoup de respect et de déférence, ils cessèrent de s'incliner chaque fois qu'elle passait ou de la fixer sitôt qu'ils la voyaient. Ils semblaient même s'être lentement habitués à voir le tigreau marcher avec elle, bien que plusieurs préféraient prendre leur distance de l'animal.

Un matin, alors que Kaïsha traversait la Grande place avec Nix et Ko-Bu-Tsu, cette dernière allant à ses cours de soins et Kaïsha allant retrouver son mentor, une femme se faufila dans la foule jusqu'à elles, l'air nerveuse. Kaïsha la reconnut immédiatement : il s'agissait de l'une des femmes de chambre de Maen, celle qui se nommait Grishen. Cette dernière lança des coups d'œil à gauche et à droite, comme si elle voulait être sûre que personne ne la suivait, avant de s'adresser à Kaïsha :

— Enfant des cinq mondes, je dois vous dire quelque chose, mais pas ici.

Son ton grave et nerveux alerta Kaïsha. Elle échangea un regard avec Ko-Bu-Tsu et toutes les deux suivirent Grishen vers une petite ruelle sombre, talonnées par Nix. La femme semblait très agitée, comme aux prises avec un dilemme. Finalement, elle leva les yeux vers Kaïsha, l'air coupable.

— Mademoiselle Kaïsha, je dois vous présenter mes excuses.

— Pourquoi donc ? s'enquit Kaïsha, surprise.

— Je me suis montrée méfiante et j'ai nourri beaucoup de préjugés à votre endroit lorsque vous êtes arrivée à Erwem. J'ai compris depuis que ces jugements étaient hâtifs et infondés, mais je n'ai jamais eu l'occasion de m'excuser auprès de vous.

Kaïsha fixa la femme avec surprise. L'avait-elle prise à part seulement pour cela ?

— Je vous remercie, balbutia-t-elle sans savoir où se dirigeait cette conversation. Mais je n'étais pas offensée, je vous assure.

— J'en suis heureuse, mais ce n'est pas pour cela que je suis venue vous voir, précisa Grishen.

Elle sembla hésiter encore. Elle revérifia que personne ne les surveillait, se tortilla les doigts, puis prit une inspiration résolue. Elle sortit de sa besace un paquet d'enveloppes, toutes ouvertes.

— J'ai découvert ceci dans les affaires personnelles du sage, hier, murmura Grishen d'une voix aiguë. Il a oublié de fermer son coffre à clé, ce qui n'arrive jamais… j'ai été prise de curiosité.

Grishen se mordit les lèvres, l'air coupable et fébrile.

— S'il savait que j'ai regardé dans ses dossiers confidentiels, je serais sévèrement châtiée, mais lorsque j'ai vu ceci, et que j'ai compris ce que c'était, je... je ne pouvais pas rester sans rien faire.

Kaïsha fixa la pile d'enveloppes sans comprendre.

— Qu'est-ce que c'est? demanda-t-elle.

— C'est à vous, répondit Grishen en lui tendant la pile d'enveloppes.

Elle avait l'air profondément désolée.

— Je suis vraiment navrée que le sage vous les ait cachées. Je ne comprends pas pourquoi il l'a fait, mais il n'aurait pas dû. Ceci vous revient de droit.

Kaïsha prit la pile d'enveloppes, de plus en plus intriguée, et la tourna dans ses mains pour voir l'inscription sur la première lettre. Son sang se figea dans ses veines. Ko-Bu-Tsu regarda par-dessus son épaule et sursauta :

— Mais... c'est...

Kaïsha était incapable de bouger. Elle sentit une froide pesanteur couler lentement le long de sa colonne vertébrale, se propager dans sa poitrine et ses bras et la tétaniser. C'était son nom, sur ces enveloppes. Il devait y en avoir une dizaine et chacune d'entre elles était adressée à une même personne, désignée par deux prénoms : *Yeux-d'Eau – Kaïsha*. Écrits de la main d'Espérance.

Soudain, une vague d'émotions la submergea. Elle eut un haut-le-cœur puissant et elle laissa échapper un gémissement. Des larmes se mirent à couler sur ses joues. Nix, alerté, commença à tourner nerveusement autour d'elle.

C'était Espérance. Sur chacune de ces lettres. C'était Espérance qui lui avait écrit! Sa mère avait reçu sa lettre et lui avait répondu.

Kaïsha toucha le papier des Plaines comme s'il pouvait la ramener à sa mère.

— Espérance…, murmura-t-elle.

Puis, elle ne put plus rien retenir et elle éclata en sanglots. Ses jambes s'écroulèrent sous elle et Ko-Bu-Tsu l'attrapa dans ses bras au moment où elle s'effondrait. Nix, comprenant que sa maîtresse souffrait, vint se frotter contre ses jambes en fouettant l'air de sa queue. Grishen, l'air profondément peinée, s'excusa à nouveau, s'inclina profondément et repartit silencieusement.

Kaïsha s'accrocha à Ko-Bu-Tsu, incapable de retenir le flot de larmes et de pensées qui l'envahissaient. Depuis combien de temps Espérance avait-elle reçu sa lettre ? Quand lui avait-elle répondu pour la première fois ? S'était-elle inquiétée de ne jamais recevoir de réponse et avait continué à écrire, encore et encore, dans l'espoir que Kaïsha reçût un jour ses missives ?

Kaïsha pleura très longtemps, jusqu'à en avoir une terrible migraine. Mais une fois son premier trouble passé, ce fut la colère et la haine qui déversèrent leur venin dans ses veines.

Maen. C'était lui qui avait caché ses lettres. Il les avait gardées, il les avait ouvertes. Il avait pris à Kaïsha ce qui lui revenait de droit et il avait osé lire les mots d'Espérance. Il devait se sentir tellement supérieur, de pouvoir priver Kaïsha du réconfort de sa mère. Il devait penser qu'il gardait l'étrangère à sa merci, ayant mainmise sur son petit univers. Kaïsha se rappela alors la mention qu'il avait faite d'Espérance lorsqu'il était venu la voir au centre de soins, et elle sentit la haine monter en elle si intensément qu'elle aurait pu foncer chez lui, sortir son épée et la planter dans son cœur rempli de fiel. Kaïsha était forte, elle savait se servir de son épée comme personne dans cette Commune. Elle avait le pouvoir de le faire, elle pourrait tuer cet homme à l'instant !

Elle fut alors sortie de ses fantasmes meurtriers par Ko-Bu-Tsu, qui relâcha son étreinte pour la prendre par les épaules. Son regard était grave et déterminé, comme toujours lorsqu'elle avait réfléchi longuement.

— Allons voir Junn et Cyam, décida-t-elle. Montrons-leur ce que le sage a fait. Nous devons le dénoncer.

Kaïsha acquiesça, le sang encore bouillant.

— Avant, nous allons passer chez Saï. Je dois lui montrer.

Elles traversèrent rapidement la Grande place et montèrent au palier Un, suivies par Nix. Kaïsha ne voyait ni n'entendait rien. Son sang bouillonnait, son esprit était concentré sur la seule chose qui avait de l'importance : détruire Maen.

Saï l'attendait à la salle d'entraînement, comme tous les matins. Lorsqu'il la vit, accompagnée de Ko-Bu-Tsu et le visage déformé par la colère, il fronça les sourcils.

— Que se passe-t-il ? demanda-t-il lorsqu'elles furent à sa hauteur.

Pour toute réponse, Kaïsha lui tendit le paquet d'enveloppes. Il ne mit pas longtemps à comprendre.

— Ta mère adoptive ? demanda-t-il simplement.

Kaïsha hocha la tête, le cœur lourd et la rage dans le corps.

— Qui les avait en sa possession ?

— Maen, cracha Kaïsha, toute sa haine transparaissant dans ce nom.

Saï la dévisagea et prit la mesure de sa colère. Il regarda ensuite Ko-Bu-Tsu.

— Comment les avez-vous trouvées ?

— La femme de chambre du sage, expliqua Ko-Bu-Tsu d'une voix calme et froide. Il les gardait dans un coffre fermé à clé.

Saï hocha la tête.

— Qui le sait, mis à part vous et moi ?

— Personne, répondit Ko-Bu-Tsu.

— Parfait. Moins de personnes le sauront, meilleur sera notre avantage sur le sage. Est-ce que la femme de chambre risque de lui avouer qu'elle vous les a données ?

— Je ne pense pas. Elle semblait terrifiée à l'idée qu'il le découvre.

— Excellent. Pars maintenant et avertis maître Junn. Dis-lui de se préparer pour la prochaine réunion du Conseil. Nous allons exposer son crime devant tous.

Ko-Bu-Tsu hocha la tête. Elle jeta un dernier coup d'œil inquiet à Kaïsha, puis s'en fut. Kaïsha, quant à elle, avait suivi leur échange sans vraiment l'entendre, essayant de maîtriser sa rage sans y parvenir. Saï se tourna alors vers elle et posa ses mains sur ses épaules. Sans vraiment savoir pourquoi, ce geste eut sur elle un effet apaisant, bien qu'elle fût loin d'être calme.

— Je suis désolé, Kaïsha, dit Saï avec sincérité.

— Je veux le tuer, cracha Kaïsha, tremblante. Il me les a volées, il a utilisé son pouvoir pour me priver des lettres de ma *mère* ! Tout ce temps, je me demandais si elle avait reçu la lettre que je lui avais envoyée avant de venir ici. Je suis restée des nuits entières sans dormir, inquiète à l'idée qu'elle me croie morte, qu'elle me pleure parce que j'ai été assez idiote pour partir de chez moi sur un coup de tête. Et tout ce temps, elle savait que j'étais vivante, elle a essayé de m'écrire et je ne lui ai jamais répondu. Je veux que Maen *paye* pour ça ! Je veux qu'il paye de mes mains !

Saï l'observa un long moment sans parler. Il la laissa déverser sa bile sans broncher. Lorsqu'elle eut fini, il leva doucement une main et la pressa sur sa nuque pour l'obliger à le regarder.

— Quelle est la plus grande force du guerrier ? lui demanda-t-il lentement, gravement.

Kaïsha sursauta. Elle ne s'attendait pas à ce qu'il lui rappelât cette devise. Elle sentait la fureur courir dans ses membres, elle voulait du sang et elle savait qu'elle avait la force de l'obtenir. Mais Saï lui rappelait la première et la plus importante des leçons. Kaïsha se sentit frustrée, coincée et terriblement malheureuse. Sa colère fit place à l'abandon et elle murmura :

— Savoir quand retenir son bras.

— Aujourd'hui, tu devras retenir ton bras, mon apprentie, déclara Saï. Justice sera rendue, je te le promets sur mon honneur. Mais le coup que tu porteras ne sera pas avec ta lame, mais avec la plus puissante arme que tu possèdes.

— Quelle est-elle? demanda Kaïsha, perdue.

— Tes mots.

Kaïsha fixa Saï, incertaine de comprendre.

— Tu ne gagneras rien à utiliser la violence contre Maen. Peu importe la faute qu'il commet et peu importe ta popularité, le peuple d'Erwem n'acceptera pas que tu te fasses justice toi-même. La seule façon qu'il paye pour ses fautes, c'est qu'il soit condamné par ses pairs. Par chance pour toi, tu connais personnellement deux maîtres du Conseil, en plus d'être appréciée par de nombreux autres. Nous allons nous servir de ces atouts pour le faire tomber en disgrâce.

Kaïsha dut admettre à contrecœur qu'il avait raison. Elle sentait encore ses mains trembler à l'idée de sortir son épée de son fourreau, mais elle se retint de bouger. Elle s'obligea à parler calmement :

— Alors comment allons-nous faire?

— Pour le moment, rentre chez toi, lui conseilla Saï. Ne montre ces lettres à personne sauf à la famille Steloj. La prochaine réunion du Conseil est à la fin de la semaine. Nous avons le temps.

Kaïsha serra les dents et acquiesça. Sa fureur contre le sage était telle qu'il lui était même difficile d'obéir à Saï. Celui-ci le vit dans son regard et posa une main sur son épaule.

— Je sais ce que tu ressens. Violer l'intimité et priver une jeune fille des lettres de sa mère est quelque chose de pitoyable et honteux. Mais tu dois te montrer plus maligne que lui. Il pense actuellement qu'il a une emprise sur toi. Le moment venu, tu pourras lui prouver à quel point il a tort. Pour l'heure, laisse ta colère de côté et prends plutôt le temps de lire ces lettres d'amour que ta mère t'a écrites. Elle a dû mettre en œuvre de grands efforts pour parvenir à envoyer ces missives jusqu'ici. Apprécie son geste à la hauteur de ce qu'il mérite et écris-lui une lettre en retour. Lorsque nous serons assurés que Maen ne peut plus rien contre toi, tu pourras la lui envoyer.

Kaïsha baissa les yeux sur les lettres d'Espérance. Elle était tellement consumée par la colère qu'elle en avait presque oublié ce que contenaient ces enveloppes. En imaginant seulement ce qu'elles pouvaient receler, elle sentit sa poitrine se serrer douloureusement et des larmes montèrent à ses yeux. Saï l'aperçut et il la poussa gentiment dans le dos.

— Allez, viens.

Il l'accompagna jusque chez lui, Nix les suivant de près, visiblement troublé par l'état de Kaïsha. Une fois qu'ils furent dans la cuisine, Saï obligea Kaïsha à s'asseoir dans son fauteuil habituel et il fit chauffer de l'eau. Kaïsha garda les yeux fixés sur la pile d'enveloppes, incapable d'en prendre une. Elle voulait savoir ce qu'elles contenaient, mais en même temps, elle avait peur de ce qu'elle y lirait. Saï vint finalement lui porter une tasse fumante de tisane alors qu'elle n'avait toujours pas bougé. Il prit doucement la pile de ses mains et il la feuilleta rapidement avant d'en sortir une du lot et il la lui tendit.

— C'est la première qu'elle t'a écrite. Prends tout le temps qu'il te faut.

Il quitta alors la pièce en la laissant seule avec Nix, qui sauta sur ses genoux en quête d'affection. Kaïsha détailla la première enveloppe qu'Espérance lui avait envoyée. Après un long moment d'hésitation, elle finit par prendre la lettre qu'elle contenait. Elle pleura silencieusement en lisant les mots de sa mère :

Ma douce, douce Yeux-d'Eau,

C'est avec une main tremblante que j'écris ces lignes, et je retiens mes larmes qui ont déjà gâché deux parchemins.

Les mots ne peuvent exprimer le bonheur que nous avons tous ressenti lorsqu'un messager nous a donné ta lettre. Cela fait deux ans que tu es partie, mais nul ici ne t'a oubliée et beaucoup t'ont pleurée. Ma chérie, nous avions tous si peur qu'il te soit arrivé malheur, ta lettre a été comme un soleil illuminant un ciel d'orage. Elle comporte peu de mots, mais le seul fait de savoir que tu te portes bien me suffit. J'aimerais tant savoir où tu te trouves. As-tu trouvé ce que tu cherchais sur le continent ouest ? Tu nous demandes de partir vers le nord, est-ce parce que tu t'y trouves ? Ta lettre a pour adresse d'expéditeur le comptoir d'ambassade des Montagnes à la cité des Jumelles. Est-ce là que tu résides ? Les enfants et moi ne pourrions pas raisonnablement tous voyager une telle distance, mais si tu me le demandes, je prendrai la première carriole pour te rejoindre, ma chérie, ma petite Yeux-d'Eau.

Nous aimerions tous te revoir. S'il te plaît, rentre vite à la maison, ta famille t'attend.

Je t'aime de tout mon cœur,

Espérance

P.-S. J'aurais voulu ne pas te l'apprendre ainsi, mais je pense qu'il faut que tu le saches. Peu de temps après que tu nous as quittés, Furtif est lui aussi parti. Personne n'a eu de ses nouvelles depuis et je suis très inquiète. Est-il parti te rejoindre ? Je t'en prie, s'il est avec toi, dis-lui que je l'aime et qu'il n'y a rien au monde que je ne souhaiterais plus que de vous revoir tous les deux.

Je vous aime. E.

Kaïsha dut s'y reprendre à trois fois pour lire la missive dans son ensemble. Chaque fois, des larmes masquaient sa vue et elle devait éloigner le papier pour ne pas le tacher. Elle aurait préféré retourner dans la crevasse et souffrir à nouveau du froid et de ses blessures plutôt que de ressentir ce chagrin profond et terrible qui l'assaillait en lisant les mots d'Espérance. Jamais de sa vie Kaïsha ne s'était sentie aussi abjecte, aussi souillée, qu'à cet instant où elle était confrontée à la détresse qu'elle avait imposée à sa mère en s'enfuyant, trois ans plus tôt. Tout ce qu'elle avait vécu de beau depuis, elle l'aurait volontiers abandonné pour avoir une chance de tout recommencer et de retourner auprès de cette femme merveilleuse qui l'avait élevée, et qu'elle avait lâchement quittée pour suivre son esprit borné.

En relisant la lettre, Kaïsha se rendit compte que sa mère ne semblait pas savoir que le navire qui devait l'amener sur le continent ouest n'avait jamais atteint son port. Elle songea que le marchand Belcoque devait le leur avoir caché, à elle et à Marin. Elle crut comprendre pourquoi : il devait avoir préféré qu'ils pensassent qu'elle était quelque part perdue dans le continent ouest pour leur épargner la douleur d'apprendre sa mort. Il avait sans doute pensé que la mort d'une enfant de deux mondes ne valait pas tant la peine d'être déclarée. Elle ne lui en voulut pas. Grâce à ce mensonge, ou cette simple négligence, il avait permis à Kaïsha d'épargner une douleur supplémentaire et futile à Espérance. D'une certaine façon, Kaïsha lui en fut reconnaissante.

De plus, elle apprenait que Furtif avait lui aussi fui. Sachant que la lettre d'Espérance remontait à l'automne dernier, cela voulait dire que son grand frère avait disparu dans la nature depuis plus de deux ans et que, comme elle, il n'avait jamais donné de nouvelles. Kaïsha essaya de se rassurer. Furtif était intelligent, bien plus qu'elle ne l'était au même âge. Et elle savait depuis longtemps qu'il avait une tendance pour la rébellion. Elle savait, au plus profond d'elle-même, que s'il n'était pas parti de chez Espérance plus tôt, ça avait été à cause d'elle. Lorsqu'elle était partie, il n'avait pas dû trouver d'autres raisons de demeurer au village des Lavandes. Il devait vivre une vie d'aventures quelque part dans les Plaines, elle en était convaincue.

Elle se rappela aussi son expression, mélange de choc et d'horreur, lorsque Kaïsha lui avait lancé au visage qu'elle était une enfant de deux mondes. Furtif l'avait alors vue sous un autre jour et Kaïsha se souviendrait toujours de cet éclair de dégoût qui était passé, telle une ombre, dans ses yeux. Elle savait, sans aucun doute possible, qu'il n'était pas parti à sa recherche. Cela la rassura étrangement, car cela voulait dire qu'il n'avait sans doute pas pris la mer et n'avait pu rencontrer un destin similaire au sien.

Kaïsha lut encore une fois la lettre de sa mère, l'embrassa et la serra contre sa poitrine comme si c'était Espérance qui était là. Elle aurait dû lui répondre des mois auparavant. Elle voulait tant lui écrire à présent, s'excuser encore et encore de ne pas avoir pu lire ses lettres plus tôt. Elle se jura que Maen paierait pour chaque mot qu'il lui avait dérobé.

Kaïsha passa la journée à lire toutes les missives d'Espérance. Sa mère, confiante, lui avait écrit une lettre par mois, lui répétant chaque fois à quel point elle était heureuse de la savoir en vie et saine, tout en lui demandant de lui écrire et de rentrer à la maison. Elle lui raconta au fil des lettres comment la vie au village avait évolué, sans jamais mentionner que ses précédentes missives étaient restées sans réponse. Croyant sans doute que ses lettres ne trouvaient par leur destinataire, sa mère avait écrit chaque lettre comme si c'était la première et Kaïsha pleura à chacune d'elles. Finalement, alors que le soleil touchait l'horizon, Zuo et Ko-Bu-Tsu vinrent frapper à la porte et Saï, qui avait laissé Kaïsha en paix tout ce temps, leur ouvrit et les conduisit à la cuisine. Tous les trois trouvèrent Kaïsha assise au sol, entourée de papiers dispersés autour d'elle. Nix, tel un vaillant soldat, montait la garde devant elle. Elle ne devait pas être belle à voir, car Zuo et Ko-Bu-Tsu vinrent la prendre dans leurs bras d'un même mouvement. Kaïsha sentit alors une grande fatigue tomber sur elle. Elle se reposa contre ses amis, entourée des lettres d'Espérance, épuisée.

— Nisha, je suis désolée, murmura Zuo en la serrant. Je n'aurais jamais pu imaginer que notre sage pourrait faire quelque chose comme ça.

— Junn et Cyam nous attendent à la maison, si tu es prête à rentrer, indiqua Ko-Bu-Tsu. Junn aimerait aussi s'entretenir avec vous, ajouta-t-elle à l'adresse de Saï.

Ce dernier hocha la tête. Kaïsha approuva également et se leva tant bien que mal, ses muscles ankylosés du fait qu'elle avait passé la journée assise. Aidée par Zuo et Ko-Bu-Tsu, elle ramassa chacune des lettres d'Espérance et les replia soigneusement avant de les remettre dans leur enveloppe originale. Elle les tint contre son cœur alors qu'elle suivait ses amis et son mentor au-dehors. Nix, qui comprenait les émotions de sa maîtresse comme personne, vint se placer devant elle et la précéda comme le bon petit soldat qu'il était. Ils traversèrent le palier Un et descendirent au deuxième pour rejoindre la maison des Steloj. Cyam et Junn les y attendaient, un repas prêt sur la table.

— Kaïsha, ma chérie! s'exclama Junn en les voyant entrer.

En deux enjambées, elle se trouva à la hauteur de Kaïsha et la prit dans ses bras d'une manière si douce et maternelle que Kaïsha dut lutter de toutes ses forces pour ne pas s'abandonner une nouvelle fois aux larmes. Junn lui caressa les cheveux et n'eut rien à dire de plus. Ce geste traduisait à lui seul sa compassion et Kaïsha l'apprécia d'autant plus.

— Je vous remercie d'être venu, Saï, déclara Junn à l'adresse du maître d'épée, sans desserrer son étreinte. Nous devons discuter de la manière dont nous allons procéder.

— C'est normal, répondit sobrement Saï. Il semble que notre cher sage ait outrepassé les limites du pouvoir qui lui est conféré et cela a blessé mon apprentie. Je ne peux pas rester passif face à un tel geste.

Il avait une voix calme et mesurée, mais Kaïsha le connaissait assez pour détecter cette tension, presque imperceptible, qui témoignait de la colère qui l'habitait. D'une étrange façon, le fait d'entendre que sa colère était partagée lui apporta une certaine paix. Elle prit une grande inspiration et s'écarta doucement de

Junn. Elle avait à présent l'esprit clair et regarda tour à tour toutes les personnes présentes.

— Je vais dénoncer Maen, déclara-t-elle simplement. Je veux que tout le monde sache qui est cet homme et comment il traite ceux qu'il croit au-dessous de lui.

Zuo et Ko-Bu-Tsu lui lancèrent un regard complice et Kaïsha le leur rendit. Le temps de pleurer était passé. Maintenant, ils allaient agir.

— La question demeure : comment allons-nous procéder ? réfléchit Cyam à voix haute. Maen a une influence considérable sur le Conseil. Même si nous arrivons avec des accusations, il pourrait les nier. L'idéal serait que la servante qui a amené ces lettres vienne témoigner...

— Oh, pour cela, laissez-moi faire, déclara Junn avec un sourire malicieux. J'ai un certain talent pour convaincre les gens.

À la lueur étincelante de ses yeux, Kaïsha n'eut aucun doute sur les talents cachés de la mère de Zuo. À la fois impressionnée et vaguement inquiète, elle se demanda combien d'autres atouts similaires elle pouvait bien garder en réserve.

— Même avec un témoignage, Maen ne se laissera pas facilement impressionner, admit Saï. La meilleure tactique serait d'approcher le plus de maîtres possible avant la rencontre du Conseil pour leur faire part de notre découverte. Ainsi, le moment venu, ils seront déjà convaincus du bien-fondé de nos accusations.

— Sauf que plusieurs de vos collègues sont fidèles au sage, peu importe ses agissements, souligna Cyam d'un air sombre. Même s'ils n'apprécient pas spécialement Maen, le poste de sage a son propre prestige et peu de maîtres sont prêts à le mettre en doute.

— Alors, que faire ? demanda Kaïsha, qui se désespérait d'entendre un pronostic si sombre.

Elle ne pouvait pas laisser Maen s'en sortir aussi facilement, mais comment faire lorsque les dés étaient pipés ?

— Pour moi, la solution est très simple, intervint alors Zuo.

Tout le monde se tourna vers lui. Zuo les regarda tour à tour avec une surprise polie, comme s'il ne comprenait pas que personne n'en fût venu aux mêmes conclusions que lui. Il se tourna alors vers Kaïsha.

— C'est simple, répéta-t-il. Nous n'avons qu'à nous servir de l'Enfant des cinq mondes. C'est ainsi qu'on t'appelle dans la Commune, maintenant, non ?

Kaïsha fixa Zuo sans comprendre. Il sembla qu'elle n'était pas la seule, car Junn, Cyam et Saï affichaient le même regard d'incompréhension. Seul celui de Ko-Bu-Tsu s'illumina et elle se tourna vers Zuo :

— Bien sûr ! s'exclama-t-elle comme si c'était l'évidence même. Comment n'y avons-nous pas pensé plus tôt ?

Zuo rit :

— Parce que je suis un génie, voilà tout !

— Ça vous dérangerait de nous expliquer ? demanda Kaïsha, perdue.

— Ta réputation, expliqua simplement Zuo. Depuis le début, nous abordons ce problème comme étant celui du sage d'Erwem qui a commis une faute. Mais nous devrions plutôt le voir comme celui de l'Enfant des cinq mondes, celle qui a survécu au tigre et a maîtrisé l'épée, qui a subi un parjure.

— Tu ne vas pas te mettre à utiliser ces surnoms ridicules toi aussi ? s'exclama Kaïsha, exaspérée.

— Moi, non, mais le peuple d'Erwem, oui ! Réfléchis. Depuis que tu es revenue à Erwem, ton nom est prononcé partout, ici et à travers la nation. Les gens sont fascinés par toi, tu es devenue le premier sujet de discussion des Montagnes. Si, maintenant, les gens apprenaient qu'il t'est arrivé malheur, il y a tout à parier qu'ils vont prendre ton parti !

Kaïsha secoua la tête.

— Je suis avant tout une enfant de deux mondes. Que les gens parlent de moi ou non, ils ne prendront pas ma défense face au sage de leur Commune.

Ko-Bu-Tsu poussa un soupir exaspéré.

— Je l'ai déjà dit la première fois que nous nous sommes rencontrées, tu es lente et sourde ! Ou tu n'entends pas les gens parler, ou tu refuses de voir leur fascination pour ce que tu représentes. Tu es l'Enfant des cinq mondes, par les dieux ! La seule personne connue à posséder en elle le sang et la connaissance des cinq grandes nations ! Es-tu donc la seule à ne pas le voir ?

Kaïsha demeura figée sous la surprise. Elle se rappela le vertige qu'elle avait ressenti en se voyant dans le miroir, cette sensation d'absolu qu'elle avait préféré nier. Ko-Bu-Tsu ignora son trouble et continua sur sa lancée.

— Les gens prendront ton côté s'ils voient que tu as souffert. Même si c'est leur propre sage qui en est l'instigateur.

— Nous n'avons pas besoin que le sage soit jugé coupable et condamné, ajouta Zuo. Tout ce dont nous avons besoin, c'est que le peuple d'Erwem le *croie* coupable. Si tout le monde pense qu'il a pu causer du tort à Kaïsha, il perdra leur confiance.

Junn fronça les sourcils.

— C'est vrai… Les élections pour le poste de sage se tiendront à l'automne. C'est encore très loin, mais si Maen perd dès maintenant sa légitimité comme sage… le peuple hésitera peut-être à le remettre en poste une fois le moment venu.

Saï se tourna vers Kaïsha.

— C'est longtemps attendre pour voir justice rendue. Es-tu prête à patienter jusque-là ?

Kaïsha regarda les lettres d'Espérance et pensa à la souffrance que sa mère avait dû ressentir, par sa propre faute et celle de Maen.

— Je veux pouvoir écrire à ma mère sans que ma lettre soit interceptée. Si j'obtiens cela du Conseil et que Maen perd l'emprise qu'il a sur moi, je serai satisfaite.

Ko-Bu-Tsu et Zuo hochèrent la tête avec confiance. Junn et Cyam échangèrent un regard et approuvèrent également. Saï regarda Kaïsha dans les yeux et sourit.

— Prépare ton discours, Enfant des cinq mondes. Tu vas faire tomber un sage des Montagnes.

21

L e Conseil se réunissait chaque semaine pour discuter des affaires de la Commune. C'était également une rencontre permettant d'entendre les demandes et les plaintes des habitants d'Erwem, qui venaient parfois par dizaines, attendant en rang devant les portes de la Coupole qu'on les laissât entrer pour plaider leur cause. Ce matin-là, les quelque cinquante personnes présentes furent stupéfaites de voir l'Enfant des cinq mondes patienter avec eux, première arrivée en file.

Les deux jours précédant la réunion du Conseil, Junn, Cyam et Saï avaient contacté tous les maîtres en qui ils avaient une totale confiance pour les informer de la situation et leur faire promettre de ne rien éventer jusqu'au moment propice. Ko-Bu-Tsu avait également parlé à maître Friya, et celle-ci avait fait le relais auprès de maître Galoen, qui s'était pris d'amitié pour Kaïsha, surtout depuis que celle-ci lui permettait de venir observer Nix aussi souvent qu'il le désirait. En tout, ils étaient maintenant une dizaine de maîtres à connaître le secret de Maen et à appuyer Kaïsha.

Cette dernière s'était levée à l'aurore, au matin de la rencontre, pour être sûre d'être la première à passer devant le Conseil. Son sang bouillait dans ses veines et elle n'attendait qu'une seule chose : que les portes s'ouvrissent et que Maen chutât.

Pendant ce temps, Ko-Bu-Tsu et Zuo attendaient que tous les maîtres fussent dans la Coupole et qu'ils ne pussent plus recevoir de nouvelles de l'extérieur pour commencer à propager la rumeur que le sage avait volé des objets précieux à l'Enfant des cinq mondes.

Zuo comptait rallier à leur cause des amis de sa classe ainsi que Nihiri, tandis que Ko-Bu-Tsu irait quémander l'assistance de ses camarades en médecine, tous étudiants de maître Friya. Si tout se passait comme prévu, ils seraient une vingtaine à parcourir les cinq paliers d'Erwem en propageant la fourberie du sage au même moment où Kaïsha l'annoncerait aux maîtres.

Le reste dépendait maintenant d'elle.

Elle fixait les larges portes de la Coupole, se rappelant l'adrénaline qui avait enflammé ses veines la première fois qu'elle y était entrée pour affronter le Conseil et le convaincre de la laisser vivre parmi eux. Elle avait laissé ses instincts parler pour elle, sans penser aux conséquences autres que sa survie et celle de Zuo et de Ko-Bu-Tsu. À présent, tout était différent. La personne qui était en danger n'était plus elle, mais l'homme qui l'attendait sans le savoir de l'autre côté de ces portes.

Elle n'arrivait toujours pas à accepter l'idée de ce qu'elle pouvait représenter, du pouvoir qu'elle tenait peut-être entre ses mains. Ces croyances, elle les laissait à Ko-Bu-Tsu et à Zuo. Tout ce qui lui importait, c'était qu'elle se savait en sécurité. Elle savait que lorsqu'elle sortirait de cet endroit, ce ne serait pas elle qui aurait la peur au ventre. Au lieu de sentir une pesanteur glacée couler le long de son échine, elle avait l'impression qu'un feu brûlait dans sa poitrine. Son effet était plus lent, mais tout aussi dangereux. Elle sentait cette énergie envahir lentement chacun de ses membres, l'habiter sans la dominer. Chaque fibre de son être était prête à se battre et son épée patientait dans son fourreau. Kaïsha savait toutefois qu'elle n'aurait pas à la sortir. Ses armes, c'étaient les lettres qu'elle tenait actuellement entre ses mains.

Des gens commencèrent à arriver quelque temps après elle. Kaïsha évita de les regarder. Elle savait que plusieurs la fixaient, mais elle résista à la tentation de vérifier. Elle ne voulait pas répondre aux questions qui suivraient inévitablement. Elle se ferait un plaisir de le faire seulement une fois que Maen serait à genoux. Elle attendit longtemps, sentant la foule grandir derrière elle. Plusieurs rumeurs se mirent à circuler et elle entendit son nom être prononcé à quelques reprises. Soudain, le son d'un gong résonna à l'intérieur de la Coupole et les gardes s'avancèrent pour ouvrir les doubles portes. Kaïsha sentit le battement de son cœur accélérer, mais elle n'en montra rien et avança avec détermination lorsqu'elle y fut invitée.

Les maîtres étaient déjà tous installés sur leur siège, formant une estrade autour d'elle. La majorité d'entre eux la virent arriver avec une surprise polie, se demandant sans doute quelle pouvait être sa requête. Certains d'entre eux montraient encore ouvertement du dégoût à son égard, et ceux-là levèrent un sourcil sceptique en la voyant. Répartis un peu partout, les maîtres qui savaient pourquoi elle était là n'affichèrent aucune expression particulière, jouant le jeu comme on le leur avait demandé. Saï, assis au fond comme à son habitude, lui adressa un clin d'œil discret.

Seul Maen, assis sur son large fauteuil au fond de la salle, afficha une aversion manifeste en la voyant pénétrer dans la Coupole. Cette expression changea rapidement pour faire place à l'horreur lorsque ses yeux se posèrent sur ce qu'elle avait dans les mains. Malheureusement pour lui, plusieurs maîtres constatèrent son trouble avant qu'il pût le cacher et froncèrent les sourcils, sceptiques. Le sage, sous le choc, continua de fixer Kaïsha en oubliant d'accueillir la pétitionnaire qui entrait dans la Coupole, comme il avait le devoir de le faire.

Kaïsha ne dit pas un mot. Elle avança vers Maen, mais au lieu de se placer au centre et de faire sa requête, comme c'était la règle, elle bifurqua soudain à droite et commença à longer l'estrade en distribuant aux maîtres chacune des lettres d'Espérance. Il lui coûta de devoir s'en départir, même pour un moment, mais elle savait que le jeu en vaudrait la chandelle.

— Mademoiselle Kaïsha! s'exclama Maen en sortant brusquement de son mutisme tout en essayant de cacher la panique qui le gagnait. Qui vous a permis d'agir de façon aussi libre avec les nobles maîtres? Veuillez récupérer ces choses et procéder comme il se doit. Vous n'êtes pas au-dessus des lois!

Kaïsha s'arrêta et se tourna vers Maen pour le fixer droit dans les yeux.

— Vous non plus. Pourtant, ces lettres prouvent que vous pensez l'être.

Elle reprit sa distribution sans attendre l'approbation du sage et, bientôt, les sept lettres d'Espérance se retrouvèrent entre les mains de sept maîtres intrigués.

— Cela suffit! s'exclama Maen avec froideur. Maîtres, je ne pourrais que vous recommander d'ignorer ce que cette jeune fille vient de vous donner. Elle agit de façon délibérément provocante, sans oublier qu'elle vient d'insulter personnellement un sage d'Erwem!

— Je demande aux maîtres de lire le contenu de ces lettres, déclara alors Kaïsha d'une voix forte, ignorant complètement Maen. Je vous demande de prendre conscience de ce qu'elles contiennent et de ce qu'elles signifient pour moi.

— Comment osez-vous…, commença Maen.

— Je demande la parole, l'interrompit alors maître Friya en se levant.

Un sage, aussi puissant fût-il, ne pouvait refuser le droit de parole à un maître. Maen serra la mâchoire. Il n'avait pas le choix. Il fit signe à maître Friya de parler.

— Peu importe ce que contiennent ces lettres, l'Enfant des cinq mondes nous demande d'en prendre connaissance. Je propose que sa demande soit acceptée et que ces missives soient lues à voix haute, afin que tous les maîtres puissent comprendre de quoi il en retourne. Après tout, cela semble être la raison pour laquelle la demanderesse est venue à nous, et nous avons le devoir de l'entendre.

Kaïsha vit de nombreuses têtes approuver la suggestion, plusieurs étant plus intrigués par ces mystérieuses lettres que concernés par leur devoir de maître. Maen sembla être sur le point de s'y opposer, mais à la place, il changea plutôt d'attitude et prit un air désintéressé, comme si la chose était si banale qu'elle ne pouvait pas avoir la moindre importance.

— Si vous y tenez, Maître Friya, faites donc.

Kaïsha fut aussitôt sur ses gardes. Si Maen agissait ainsi, c'était qu'il devait avoir une idée derrière la tête. Maître Friya sembla penser la même chose, mais elle ne dit rien et s'adressa plutôt à elle :

— Par quelle lettre devrions-nous commencer, Enfant des cinq mondes ?

Kaïsha connaissait maître Friya depuis un moment maintenant et jamais elle ne l'appelait « Enfant des cinq mondes » lorsqu'elles se rencontraient. Si elle le faisait à présent, c'était qu'elle devait suivre l'idée de Zuo : utiliser la réputation de Kaïsha comme un atout.

— Vous pouvez commencer par celle que vous voulez. Ou les lire toutes en même temps. Le même appel se répète sur chacune de ces lettres, malgré les dates qui les séparent.

Les maîtres la fixèrent avec étonnement, et tous ceux qui avaient l'une des missives d'Espérance entre les mains les sortirent de leur enveloppe et commencèrent à les lire sans prendre la peine de partager leur contenu. Ils n'eurent d'ailleurs pas besoin de le faire. L'expression sur leur visage à mesure qu'ils avançaient leur lecture parlait pour eux, et les autres maîtres fixèrent leurs collègues avec consternation. Le premier qui leva les yeux du parchemin était un homme d'âge avancé que Kaïsha ne connaissait que de vue, mais qui avait toujours été poli avec elle. Il la dévisagea avec gravité.

— Est-ce que le contenu de cette lettre est authentique?

— Je reconnaîtrais cette écriture entre toutes, répondit Kaïsha avant que Maen pût dire quoi que ce fût.

— De quoi s'agit-il? demanda alors un autre maître, incapable de contenir plus longtemps sa curiosité.

— Des lettres de ma mère, déclara alors Kaïsha d'une voix forte, provoquant une rumeur de surprise dans la salle. La femme qui m'a élevée, devrais-je sans doute préciser.

Elle balaya alors la salle du regard, s'assurant qu'elle avait l'oreille attentive de tous. Maen, sur son fauteuil, la dévisageait d'un air mauvais à peine dissimulé.

— Juste avant de venir dans les Montagnes, j'ai envoyé une lettre à ma mère adoptive. Durant les deux années où j'ai été l'esclave du général To-Be-Keh, il m'a été impossible de communiquer avec ma famille et il était alors plus que probable qu'ils me croyaient morte. Lorsque j'ai été libérée, je leur ai écrit pour leur dire que j'étais bien en vie et leur conseiller de fuir vers le nord, pour les mêmes raisons que celles dont je vous ai déjà parlé. J'ai laissé, dans ma lettre, l'adresse du comptoir d'ambassade des Montagnes, pour que ma mère puisse me répondre, si par chance elle recevait ma missive.

Kaïsha déglutit. Elle dut chasser cette pesanteur qui s'emparait d'elle chaque fois qu'elle imaginait Espérance envoyer une lettre qui resterait sans réponse.

— Comme vous pouvez le constater, continua Kaïsha en essayant de ne pas laisser transparaître sa faiblesse, ma mère a reçu ma lettre et elle m'a répondu. Pas une fois, mais sept. Une lettre par mois, dans laquelle elle me répète qu'elle m'aime et qu'elle s'inquiète pour moi. Sept lettres auxquelles je n'ai jamais pu répondre parce qu'on me les a volées.

Une rumeur choquée s'éleva sous la Coupole, les maîtres fixant Kaïsha avec surprise et consternation. Elle se tourna alors vers Maen et tous les regards la suivirent pour se fixer sur le sage.

— Niez-vous, sage, avoir intercepté ces lettres qui m'étaient adressées, avoir dénié à une enfant les mots de réconfort de sa mère? apostropha-t-elle Maen avec une rage à peine contenue. Nierez-vous avoir ouvert ces enveloppes et avoir volé ces mots qui n'appartenaient qu'à moi?

Un silence lourd tomba sur la Coupole. Tous les maîtres regardaient Maen avec abasourdissement. Kaïsha garda ses yeux rivés sur ceux du sage, lui projetant toute la haine qu'elle lui vouait. Ce dernier, contre toute attente, ne sembla pas décontenancé par les accusations dont il venait d'être accusé. Au contraire, il esquissa un sourire narquois et Kaïsha sut immédiatement que son appréhension était fondée.

— C'est une histoire bien touchante que vous nous racontez là, Mademoiselle Kaïsha, susurra-t-il avec amusement. Il est presque dommage que ce ne soit qu'un tissu de mensonges.

— Vous niez donc? grinça Kaïsha alors qu'une rumeur parcourait la salle.

Maen eut le culot de rire.

— Bien sûr que je le nie. Comment pourrais-je m'être rendu coupable d'une chose aussi dérisoire?

Il se leva alors et le silence retomba. Kaïsha serra les dents et, sans s'en rendre compte, elle plaça ses pieds en position de combat. Un peu plus et elle aurait empoigné son épée. Dans la salle, Junn regardait le sage avec une inquiétude non dissimulée et Saï serrait les poings. Maen lança un regard à la ronde et leva les mains en signe de paix.

— Maîtres, membres du Conseil. Nous faisons face aujourd'hui à un évènement que nous craignions tous, bien qu'au fond de nous, nous le savions inévitable. L'étrangère que nous avons généreusement accueillie dans notre Commune, dans notre demeure, malgré sa nature honteuse, tente maintenant de semer le chaos en posant de fausses accusations sur l'un des nôtres. Ne vous avais-je pas avertis de sa nature sournoise? Regardez-la maintenant, elle qui s'est infiltrée dans le cœur des enfants des Montagnes tel un serpent, arrivant même à nous faire croire, à moi aussi, je l'admets, qu'elle pouvait être l'une des nôtres! Tu as bien caché ton jeu, enfant de deux mondes, mais nul ici ne croira tes mensonges éhontés.

Maen regarda Kaïsha avec un mélange d'amusement mesquin et de dégoût. Kaïsha le lui rendit bien. Des maîtres se mirent à murmurer entre eux, la plupart perplexes. Certains dévisagèrent Kaïsha avec hésitation. Cette dernière voulut répliquer, mais Maen l'en empêcha et poursuivit :

— Quelle idée ridicule d'ailleurs, de faire croire que j'aie pu voler des lettres t'étant adressées. Comment des missives provenant des Plaines auraient-elles pu traverser nos frontières? Sans oublier...

Il lança à Kaïsha un regard vicieux et ses lèvres formèrent un rictus terriblement réjoui, révélant tout le fiel de son âme.

— Qui voudrait écrire à une enfant de deux mondes ? Qui se soucierait seulement de toi ?

Un murmure traversa la salle. Certains maîtres semblèrent trouver une logique dans les propos de leur sage, mais plusieurs semblaient encore hésitants et quelques-uns dévisageaient Maen avec incompréhension. Kaïsha sentit tout son être trembler de rage et de rancœur. Elle était seule face à cet homme et elle se mit à craindre sa terrible influence.

— Moi, je me soucie d'elle, et je refuse que vous l'insultiez plus encore.

Saï s'était levé, et il était dans une colère noire. Il semblait soudain incroyablement imposant, ses yeux de pierre fixant le sage avec une rage froide, semblable au ciel qui s'assombrit avant la tempête. Sous les regards stupéfaits des autres maîtres, il descendit les gradins, vint se placer à côté de Kaïsha et posa une main sur son épaule.

— Je crois chaque mot qu'elle a prononcé, et je vous accuse d'avoir abusé de vos pouvoirs pour lui refuser un droit que vous lui aviez pourtant promis si elle vivait selon nos lois.

— Maître Saï..., commença Maen d'une voix amusée, mais froide comme la glace. Oui... votre affection pour cette jeune femme n'est plus un secret pour personne. Vous avez même poussé l'insulte à lui donner une arme sacrée de notre nation, au lieu de la confier aux bonnes personnes.

— L'arme était mienne et j'avais le droit d'en faire ce que je voulais. J'aurais pu la détruire, et vous n'auriez pas eu un mot à dire, Maen. J'ai plutôt décidé de la léguer à la seule personne ici digne de la manipuler et, de ce fait, j'ai fait d'elle une véritable enfant des Montagnes.

— C'est très touchant, d'autant plus que nous connaissons tous l'animosité que vous aviez pour l'enfant de deux mondes lorsqu'elle a pénétré dans notre Commune, susurra Maen. N'est-ce pas vous qui étiez le premier à vouloir la chasser ? Et c'est moi, celui vers qui elle dirige ses odieuses accusations, qui a refusé votre requête. Vous pouvez me remercier.

Kaïsha sentit la main de Saï se serrer de colère sur son épaule. Elle savait très bien ce que Maen essayait de faire : les discréditer, elle et tous ceux qui l'appuyaient, pour détourner l'attention du Conseil de lui-même. Elle voulait répliquer, mais elle savait que Maen tournerait tout ce qu'elle dirait contre elle-même. Saï n'était pas dans une meilleure position : il était reconnu pour son mauvais caractère envers les autres et sa tendance à la réclusion. Il avait peu d'alliés ici.

— Puis-je parler ?

Tous se tournèrent vers celle qui venait de se lever. Junn Steloj, l'une des maîtres les plus respectés d'Erwem, arborait une expression que Kaïsha ne lui avait jamais vue. La mère de Zuo était grave, et son regard était noir et impitoyable. Même Kaïsha eut un frisson.

— J'ai accueilli Kaïsha dans ma demeure depuis le premier jour où elle est arrivée parmi nous. À l'exception de maître Saï, je dois être ici la personne qui la connaît le mieux.

Tout en parlant, elle quitta elle aussi son siège et descendit au centre de la Coupole. Les autres maîtres la regardèrent aller avec un mélange de crainte et de respect. La douce Junn que Kaïsha connaissait faisait à présent preuve d'une autorité si impérieuse que personne n'osa respirer, et même Maen fut incapable de répliquer une remarque incisive. Junn arriva à la hauteur de Kaïsha et Saï, et elle s'adressa alors à tous les maîtres.

— Je sais de source sûre que Kaïsha a dit la vérité, que notre sage nous a trompés et a agi de manière vile envers l'une des nôtres.

Un frisson de stupéfaction parcourut l'assemblée et Junn lança à tout le monde un regard perçant.

— Vous le savez aussi bien que moi. Kaïsha est l'une des nôtres. Saï a raison : elle est une enfant des Montagnes de cœur, si ce n'est pas de sang. Et je n'accepterai pas que le sage s'en prenne aussi impunément à une enfant des Montagnes. Gardes !

Les gardes qui se tenaient de part et d'autre de la double porte sursautèrent tous les deux à l'appel de Junn.

— J'aurais préféré que vous avouiez et que vous présentiez vos excuses sans avoir à pousser votre humiliation plus loin, Maen, mais votre attitude ne me laisse pas le choix, déclara Junn avant d'ordonner aux gardes en alerte : faites entrer le témoin !

Les gardes s'exécutèrent aussitôt, soumis comme ils l'étaient tous à l'autorité de Junn. Les portes s'ouvrirent sans que Maen eût le temps de s'y opposer et sous ses yeux horrifiés, Grishen entra à petits pas nerveux, sous les regards stupéfaits des maîtres et ceux, curieux, de la foule à l'extérieur. Lorsqu'elle vit son employeur la fixer avec abasourdissement, la vieille servante eut un hoquet et baissa la tête, l'air coupable. Pourtant, elle avança résolument vers le centre de la Coupole et s'inclina profondément devant le Conseil. Kaïsha fixa la vieille femme avec stupéfaction. Comment Junn avait-elle réussi le miracle de la faire venir ? Elle eut soudain une crainte terrible.

Cette femme semblait dévouée à son maître. Et si elle décidait au dernier moment de lui être fidèle et de mentir en niant avoir donné les lettres d'Espérance à Kaïsha ?

Lorsque Grishen leva les yeux vers elle, Kaïsha sentit tout le poids de son inquiétude s'envoler. La vieille femme avait peur, elle semblait terriblement nerveuse, mais son regard était déterminé.

— Ceci est ridicule ! s'exclama Maen, son masque de confiance commençant à se fissurer devant les yeux de tous. Comment osez-vous invoquer un témoin sans ma permission expresse ? Que cette femme sorte !

— *Vous* êtes la personne en cause, Maen, répliqua aussitôt Junn avec froideur. Votre autorité ne peut s'appliquer en pareil cas.

— Quel est donc votre problème, Maen ? ajouta Saï, un sourire en coin. Puisque vous vous dites innocent de tout soupçon, pourquoi ne pas écouter ce que votre femme de chambre a à dire ? Cela ne peut qu'être à votre avantage, non ?

Maen les dévisagea tous avec une haine ouverte et plus personne, parmi les maîtres, ne fut dupé.

— Laissez le témoin parler, lança une maître.

— Oui, écoutons ce qu'elle a à dire, renchérit un autre.

Maen lança des regards courroucés autour de lui avant de serrer la mâchoire et de se rasseoir sur son fauteuil. Il lança un regard noir à Grishen et la pauvre femme sembla se recroqueviller sur place. Junn le vit et intervint rapidement en s'adressant à elle avec la douceur que Kaïsha lui connaissait.

— Je vous remercie d'avoir accepté de témoigner. Pouvez-vous vous présenter à l'assemblée ?

Grishen tremblait comme une feuille, mais elle s'inclina profondément devant Junn et elle déclara :

— Je me nomme Grishen Onasten et je suis femme de chambre depuis plus de vingt ans à la demeure du sage.

— Pouvez-vous expliquer à l'assemblée la raison de votre présence ici, aujourd'hui ?

— Je… Il y a une semaine, en faisant le ménage des appartements privés du sage, j'ai découvert une pile d'enveloppes ouvertes, toutes destinées à l'Enfant des cinq mondes. Elles se trouvaient dans un coffre normalement fermé à clé, mais le sage avait oublié ce jour-là la clé dans la serrure.

Grishen baissa la tête, honteuse. Une forte rumeur parcourut la salle et plusieurs maîtres dévisagèrent Maen, l'air choqués.

— Continuez, l'invita Junn.

Grishen se mit à se tordre les mains.

— Je ne pouvais pas les laisser là, avoua-t-elle alors. Je ne sais pas pourquoi le sage a caché ces missives, mais il me semblait injuste qu'elles ne reviennent pas à leur propriétaire. Alors, je les ai prises et je les ai données à l'Enfant des cinq mondes. Je suis désolée, monsieur !

Elle éclata alors en sanglots, nerveux et irrépressibles. Junn passa son bras autour de ses épaules et l'apaisa doucement, tandis que les maîtres discutaient vivement entre eux. Maen semblait ne plus savoir où donner de la tête.

— Ce sont des calomnies ! éclata-t-il soudain. Cette femme ment, elle m'a trahi ! Tout ceci est un complot de l'Enfant des cinq mondes pour m'évincer, ne le voyez-vous donc pas ?

— Oh, taisez-vous donc, Maen ! explosa Kaïsha.

Un silence stupéfait tomba brusquement. Même Saï et Junn la fixèrent avec effarement. Kaïsha les ignora. Elle avait le regard rivé sur les yeux fous de rage du sage. Elle avança vers lui, le poids de la colère qu'elle avait jusqu'à présent contenue se ressentant à chacun de ses pas.

— Il n'est pas une insulte que vous ne m'ayez faite, pas une calomnie que vous m'ayez épargnée et pas un mensonge que vous n'ayez retenu envers les membres de ce Conseil.

Nul ne prononça un son. Tous semblaient même retenir leur souffle, attendant la suite. Kaïsha pouvait presque sentir l'aura de sa propre rage émaner autour d'elle et elle savait que tous la ressentaient également. Même Maen, qui avait perdu toute contenance, la fixait maintenant avec appréhension et son regard passait de son visage à son épée. Kaïsha n'avait aucune intention de se servir de son arme, mais elle fut pleinement satisfaite qu'il le craignît.

— Depuis que je suis ici, vous n'avez eu de cesse de me montrer à quel point vous me haïssiez. Je pouvais vivre avec vos remarques incisives, vos insinuations et même votre haine ouverte à mon égard. Mais que vous m'ayez volé les lettres de ma mère, je ne vous le pardonnerai jamais.

Elle avança encore vers lui et le sage s'enfonça dans son fauteuil, effrayé malgré lui.

— Ces mots d'amour étaient pour moi et personne d'autre. Cela a dû vous dégoûter, n'est-ce pas? De constater qu'une enfant de deux mondes pouvait avoir une mère aimante? Vous avez dû détester la seule idée que je puisse avoir une famille. Et tout ce que vous avez trouvé à faire pour vous conforter dans vos préjugés a été de me priver de cet amour.

Kaïsha s'arrêta à quelques mètres de Maen, qui agrippait les accoudoirs de son fauteuil à deux mains crispées. Kaïsha le vit tel qu'il était : un petit être lamentable.

— Vous me pensez si minable que vous n'avez eu aucun remords à agir de la sorte. Et même lorsque j'ai découvert votre fourberie, vous vous êtes cru assez au-dessus de tout pour me faire porter le chapeau de la traîtrise qui devrait vous revenir. Mais c'est fini, Maen. Plus personne ne croira en vos mensonges. Plus personne ne vous fera confiance. Et vous n'aurez plus *jamais* de pouvoir sur moi.

Maen la dévisagea d'un air horrifié, tétanisé sur son fauteuil de sage. Les autres maîtres gardèrent le silence, tous sous le choc, jusqu'à ce que maître Friya décidât de parler :

— L'heure est grave. Je suggère que le Conseil, ayant pris connaissance des dernières preuves, juge si l'accusation portée contre notre sage est fondée et, si tel est le cas, quelles doivent être les mesures appliquées dans cette situation extraordinaire. Je propose qu'en attendant le verdict, les preuves soient conservées par le Conseil et que toutes les parties concernées dans cette affaire sortent.

Elle jeta un regard entendu à Saï et à Junn.

— Ceci implique nos collègues qui se sont ouvertement prononcés comme défenseurs de la plaignante.

— J'appuie cette proposition, déclara alors un maître, un homme très vieux au regard sévère.

Kaïsha comprit la tactique de Friya. En suggérant elle-même d'éloigner Saï et Junn, elle se plaçait comme neutre en apparence, et protégeait du même coup tous les autres maîtres qui appuyaient déjà Kaïsha, sans que les potentiels partisans de Maen puissent y objecter quoi que ce fût. Les autres maîtres acquiescèrent les uns après les autres à sa proposition et les gardes avancèrent pour appliquer la décision et faire sortir Kaïsha, Junn, Saï, une Grishen éprouvée et Maen.

— Par mesure de sécurité…, avança alors un jeune maître qui fixait Maen d'un air consterné, je propose que le sage soit placé sous escorte. Il est, après tout, l'accusé.

— Comment osez-vous ? vociféra Maen, mais personne ne l'écoutait plus.

— J'appuie, approuva un autre maître, bientôt imité par l'ensemble du Conseil.

Les gardes vinrent alors prendre place de chaque côté de Maen, qui se leva brusquement, enragé.

— Vous regretterez d'avoir laissé l'étrangère vous manipuler ainsi ! cracha-t-il. Elle nous mènera tous à notre perte ! Je n'ai fait que nous protéger ! Protéger notre peuple de son infâme présence ! Vous devriez me remercier, au lieu d'agir en lâches et l'écouter !

— Oh, mais qu'il se *taise* ! maugréa Saï, que seule Kaïsha entendit.

Elle dut se retenir pour ne pas pouffer de rire. Accompagnée de son mentor et de la mère de Zuo, elle quitta la Coupole.

Elle se figea sur place lorsqu'elle vit la foule attroupée aux portes de la Coupole. Apparemment, Ko-Bu-Tsu et Zuo avaient fait un travail efficace, car tous ceux présents ne souhaitaient plus plaider une cause devant le Conseil, mais plutôt savoir s'il était vrai que le sage avait commis un crime contre l'Enfant des cinq mondes. Kaïsha fut assaillie par une tempête de questions qu'elle n'entendit même pas, et la frénésie de la foule monta d'un cran lorsque tous virent le sage sortir, accompagné de deux gardes. En voyant cet accueil, Maen perdit le peu de couleurs qui restaient sur son visage et tourna un regard furibond vers Kaïsha. Il ne fut pas dupe un instant sur l'origine de ce rassemblement. Il fallut que d'autres gardes, arrivés en renfort, ouvrissent un chemin à travers la foule pour leur permettre de passer. Maen fonça presque à travers la foule, tête baissée, entouré de son escorte qui, bien qu'ayant l'ordre de le surveiller, se retrouvait plutôt avec la tâche de le protéger de la foule qui se pressait pour le voir.

— Par les anciens ! murmurèrent plusieurs en le voyant passer. C'était donc vrai !

— Qu'est-ce que le sage vous a fait ? demandèrent d'autres à l'adresse de Kaïsha.

Kaïsha passa sans rien dire. Elle se sentit soudainement exténuée et elle n'eut plus qu'une envie : rentrer chez elle et écrire enfin à Espérance. Elle aurait préféré récupérer ses lettres, mais au moins, elle les savait entre de bonnes mains avec Friya. Alors que les gardes menaient Maen à ses appartements, Kaïsha, Saï et Junn traversèrent le palier Deux en direction de la maison des Steloj. Sur leur chemin, de nombreuses têtes se tournèrent et des chuchotements bruissèrent autour d'eux comme le bourdonnement des abeilles.

— Kaïsha ! appela soudain une voix familière non loin d'eux.

Kaïsha avait tout fait pour éviter cette voix dans les dernières semaines, mais par réflexe, elle s'arrêta, aussitôt imitée par Junn et Saï, et tourna la tête vers sa provenance. Odel était avec un groupe d'amis, qui cessèrent aussitôt leur conversation pour plonger dans un silence attentif. Odel semblait très perturbé.

— Est-ce vrai, ce que Nihiri raconte ? demanda-t-il, l'air consterné. Que le sage a volé des lettres venant de chez toi ?

Plusieurs personnes tournèrent aussitôt la tête vers eux, toutes curieuses d'entendre la réponse de Kaïsha. Cette dernière garda les yeux rivés sur Odel. Elle aurait voulu lui sourire. Elle n'y arrivait pas. Seule une voix lente et distante, qu'elle reconnut à peine comme la sienne, sortit d'entre ses lèvres lorsqu'elle répondit :

— Oui.

Odel la regarda avec tristesse. Elle le savait sincère, elle savait qu'il était habité de bonnes et généreuses intentions. Pourtant, elle ne pouvait pas se résoudre à affronter ses propres sentiments, qui l'habitaient encore et la rendaient confuse. Pas en public, du moins. Elle dut laisser transparaître son trouble l'espace d'un instant, car Odel lui lança un regard interrogateur, comme s'il voulait l'inviter à exprimer sa pensée. Kaïsha prit peur et se détourna de lui pour se remettre en route. Junn et Saï la suivirent sans poser de questions, et Kaïsha l'apprécia grandement.

Ils furent accueillis à la maison par un Nix agité, manifestement frustré d'avoir été laissé seul en arrière. Il tourna nerveusement autour de Kaïsha et cette dernière l'envoya courir après son jouet préféré pour le distraire. Ce fut seulement lorsqu'ils fermèrent enfin la porte d'entrée qu'ils se permirent de pousser un soupir de soulagement et de laisser sortir leur tension.

— Cela s'est passé encore mieux que je l'espérais, souffla Junn en esquissant un sourire à Kaïsha.

— Nous en devons une bonne partie à Maen, ajouta Saï. Il a creusé sa propre tombe.

— C'est vrai, concéda Junn. S'il avait simplement admis avoir gardé les lettres pour des raisons de... disons... prudence, tiens! et admis qu'il s'était montré trop vigilant, le Conseil lui aurait pardonné.

— Sauf qu'il me déteste trop pour cela, fit remarquer Kaïsha. Il ne pourra jamais s'abaisser à me donner raison.

Saï approuva silencieusement. Kaïsha repensa au visage haineux de Maen lorsqu'il la regardait, lui qui se pensait si haut alors qu'elle était si bas.

— Que va-t-il arriver maintenant? demanda Kaïsha à la ronde.

— Je ne pense pas que le Conseil le condamnera sévèrement. Les élections ont lieu cet automne et aucun maître qui désire prétendre au titre ne voudra être connu comme celui qui a fait emprisonner son prédécesseur. J'imagine qu'ils exigeront de Maen des excuses publiques à ton endroit et qu'il obtempérera comme un bon repenti. Maen tient plus à être réélu qu'à préserver son orgueil.

— Alors, c'est tout? s'étonna Kaïsha, dépitée. Il présentera des excuses factices et il retournera sur son trône pour accroître sa domination sur moi?

— Oh non! rit Saï avec un accent de satisfaction narquoise. Il ne retournera sur son «trône» qu'en apparence, mais ce que nous avons fait aujourd'hui portera ses fruits, tu peux me croire. Plus personne, dans le Conseil ou dans la rue, n'aura confiance en l'homme qui a voulu du mal à l'Enfant des cinq mondes. Maintenant, tous savent quel genre d'homme il est et sa réputation ne s'en remettra pas. Sauf que nous vivons dans un monde de faux-semblants, et le peuple des Montagnes n'osera jamais risquer le déshonneur en destituant un sage avant l'heure. Mon pari? Maen fera absolument tout, dans les prochains mois, pour se rapprocher de toi, gagner ta faveur et, à travers elle, celle du peuple. Il sait que sans cela, il ne sera jamais réélu.

Tout en réfléchissant, Kaïsha se leva et alla caresser Nix, qui s'amusait encore maladroitement à chasser son jouet. Entendre ces paroles la rassurait. Si Maen se retrouvait dans une situation aussi délicate qu'il serait obligé de se montrer courtois envers elle, cela voulait dire qu'il avait vraiment perdu tout pouvoir sur sa vie.

— Je pourrai écrire à ma famille sans que mes lettres soient interceptées ?

— Je veillerai à ce que le Conseil lui-même garantisse la livraison de ta correspondance, lui promit Junn.

Kaïsha sourit.

— Dans ce cas, si vous me le permettez, ma mère attend une lettre de ma part depuis très longtemps.

Sans attendre leur approbation bienveillante, Kaïsha grimpa à sa chambre. Un parchemin, une plume et une bouteille d'encre l'attendaient sur le lit. Elle reconnut bien là la perspicacité de Ko-Bu-Tsu, qui avait dû les déposer ici le matin même. Kaïsha sourit et s'empara du parchemin.

22

Kaïsha, Zuo et Ko-Bu-Tsu regardèrent la buse postière s'envoler vers le sud au petit matin, une semaine après que Kaïsha avait écrit (et réécrit) sa lettre à Espérance. En regardant l'oiseau devenir un simple point s'éloignant à l'horizon, elle pensa que sa mère ne recevrait sa lettre que dans plusieurs semaines, mais au moins, elle était sûre qu'elle se rendrait entre les bonnes mains. Accompagnant la lettre de Kaïsha, il y avait une missive officielle du Conseil d'Erwem, qui ordonnait à l'ambassadeur des Montagnes dans les Plaines de transmettre la lettre de l'Enfant des cinq mondes dans les plus brefs délais et l'obligeant à prendre la responsabilité de sa bonne délivrance.

Après que Maen eut été arrêté, le Conseil découvrit la façon dont il s'y était pris pour s'approprier la correspondance de Kaïsha : il avait ordonné à l'ambassadeur dans les Plaines de conserver chaque missive lui étant adressée et de les remettre plutôt au sage, sous le couvert de livraisons confidentielles. Kaïsha se souvenait de l'ambassadeur des Montagnes et du profond malaise qu'il avait manifesté à son égard lorsqu'ils s'étaient rencontrés. Elle ne s'étonna pas du rôle qu'il avait joué dans cette histoire. Les nouvelles directives du Conseil n'allaient pas manquer de le surprendre et de le remettre à sa place.

Tel que Junn l'avait prédit, le Conseil déclara Maen coupable de «vigilance inappropriée» à l'égard de Kaïsha et lui ordonna de présenter des excuses publiques à son endroit. Il le fit deux jours plus tard, sur la Grande place du sud, devant Kaïsha et une foule assemblée pour l'évènement rarissime. Kaïsha s'y rendit à contre-cœur, poussée par Ko-Bu-Tsu et Zuo, qui lui répétèrent qu'elle devait se prêter au jeu alors qu'elle aurait cent fois préféré le laisser s'humilier seul devant le peuple d'Erwem. Elle monta sur l'estrade des hérauts sous des applaudissements encourageants de la foule et elle se retrouva à nouveau face à Maen, alors qu'elle aurait espéré ne plus avoir affaire avec lui pour un bon moment. Lui-même faisait preuve d'efforts considérables pour afficher une apparence de culpabilité humble. Seule Kaïsha pouvait voir le froid et la haine dans ses yeux pâles. Devant les habitants rassemblés, il déclara avoir fait une erreur impardonnable en méprenant l'Enfant des cinq mondes pour une menace envers le peuple d'Erwem. Il assura avoir compris longtemps auparavant que Kaïsha était maintenant l'une des leurs et qu'il avait été négligent de ne pas lui remettre ses possessions légitimes plus tôt. À l'entendre, on aurait dit que c'était lui qui avait envoyé Grishen donner ses lettres à Kaïsha. Le peuple, rapide à pardonner à son sage, l'applaudit avec enthousiasme lorsqu'il plia le genou et demanda pardon à Kaïsha.

Cette dernière lança un regard rapide à Ko-Bu-Tsu et Zuo, qui la prévinrent d'un signe de tête que c'était maintenant à son tour de jouer, et elle inclina la tête en annonçant qu'elle acceptait les excuses du sage de bonne grâce.

Pour les gens d'Erwem, ce fut la fin de cet incident malheureux où leur sage s'était fourvoyé.

Pour Kaïsha, cela ouvrit la porte à une nouvelle étape de sa vie dans la Commune.

Le premier changement notable se produisit lorsque Ko-Bu-Tsu et elle reçurent, le jour même où ils avaient laissé partir la lettre pour Espérance, un parchemin officiel de la Commune les reconnaissant comme citoyennes d'Erwem. Jusqu'à présent, elles étaient légalement sous la responsabilité des Steloj comme des invitées, un titre créé pour elles. À présent, elles étaient totalement autonomes et, si elles le désiraient, elles pouvaient même quitter la maison de Zuo pour chercher leur propre logis. Bien entendu, aucune des deux n'eut envie de le faire, et Junn et Cyam leur réitérèrent qu'elles étaient chez elles sous leur toit et que pour eux, elles faisaient partie de la famille.

Autre changement notable : elles obtinrent le droit de posséder leur propre compte bancaire. À Erwem, il existait un système permettant aux citoyens de faire mettre leurs dépenses à leur nom sans débourser directement les sommes aux marchands. Ceux-ci apportaient les factures à la banque d'Erwem et c'étaient les banquiers qui se chargeaient de les payer à partir des comptes des habitants. Jusqu'alors, Kaïsha et Ko-Bu-Tsu avaient toujours mis leurs maigres dépenses sur le compte des Steloj, mais dorénavant, elles pourraient utiliser leur propre argent, ce qui impliquait du même coup qu'elles avaient aussi l'autorisation d'occuper un emploi dans la Commune. Kaïsha fut enthousiaste à l'idée de pouvoir vivre et travailler parmi les habitants d'Erwem, mais à son grand dam, aucune échoppe, aucun étal, ni aucun artisan ne put se résoudre à l'embaucher. Tous étaient trop intimidés pour accepter d'avoir l'Enfant des cinq mondes comme simple employée. Saï éclata de rire lorsqu'elle le lui raconta lors de leur entraînement.

— Pourquoi tiens-tu tant à trouver un travail ? lui demanda-t-il alors qu'elle esquivait facilement un coup direct. Attention à ta jambe gauche, ta défense est un peu faible.

Kaïsha ajusta sa position et enchaîna aussitôt avec une feinte que Saï coupa.

— J'aimerais faire comme tout le monde, expliqua-t-elle maladroitement, consciente du ridicule de son souhait. Nihiri a un emploi, maître Friya emploie déjà Ko-Bu-Tsu comme aide-soignante et Zuo travaillerait aussi s'il avait le temps entre ses cours et ses séances de tir.

— Il n'a toujours pas parlé à ses parents de ses ambitions de métier? demanda Saï avec un regard complice.

— Il n'ose pas. Cyam l'autorise à suivre un cours uniquement parce qu'il pense que ça le convaincra de devenir explorateur. S'il connaissait ses véritables intentions, je ne pense pas qu'il serait très approbateur...

Saï enchaîna une série d'attaques rapides que Kaïsha para avec expertise.

— Je vis ici depuis quelque temps déjà, et j'ai encore l'impression d'être une invitée, expliqua Kaïsha. J'aimerais être indépendante, participer à la vie de la Commune!

— Si tu cherches vraiment du travail, il y a des pièces de ma demeure qui n'ont pas vu un balai depuis des années..., suggéra Saï d'un air malicieux en lui assenant un coup au genou qu'elle esquiva. Il y a peut-être même des animaux qui y vivent.

Kaïsha rit. Elle tourna sur elle-même et répliqua au coup de Saï par un coup d'estoc qu'il ne vit qu'au dernier moment. Cette ultime seconde permit à l'apprentie de toucher le maître avec la pointe de son épée d'entraînement.

— Je ne serai pas ta bonne, si c'est ce que tu proposes, rétorqua-t-elle avec un sourire entendu.

— Quel dommage! fit Saï d'un air faussement déçu avant de retrouver son sérieux : Excellente attaque. Et pour tes projets, je crains malheureusement que trouver un travail ne puisse pas être dans tes plans à court terme. Certaines choses plus sérieuses approchent.

— Comme la finale des courses de luge? rit Kaïsha. Nihiri me harcèle depuis trois jours pour que j'y assiste avec elle.

— Non, quelque chose d'autre.

Au regard de Saï, Kaïsha comprit que l'heure n'était plus aux blagues. Elle abaissa son épée et lui montra qu'elle était tout ouïe.

— Junn et moi avons discuté. Nous pensons que le moment est venu de t'obtenir une audience avec les guides.

Kaïsha hocha la tête. Elle n'était pas particulièrement surprise. Au contraire, elle s'attendait depuis quelque temps à ce que ce sujet fût abordé. Avec la tombée en disgrâce de Maen, le plus gros obstacle entre elle et les guides était tombé.

Elle n'avait entendu parler des guides que par les récits que les habitants en faisaient. Elle savait qu'il s'agissait d'un homme et d'une femme, élus à vie comme dirigeants suprêmes et spirituels des Montagnes. Ils vivaient en nomades, habitant une Commune pour une année avant de déménager dans la suivante. Leur lieu de résidence annuel attirait toujours les foules, qui venaient leur demander conseil et soutien. Chaque Commune comptait à son plus haut palier une vaste résidence leur étant dédiée et entretenue durant leur absence. Erwem ayant été leur demeure trois ans auparavant, il faudrait en attendre encore quatre avant qu'ils y revinssent. Il semblait émaner des dirigeants suprêmes des Montagnes une telle aura de sagesse que, même si elle ne les avait jamais vus, Kaïsha se sentait aussi attirée qu'intimidée par eux. La seule idée de se trouver en leur présence la rendit soudain bien nerveuse.

— Comment suis-je censée procéder ? demanda-t-elle à Saï.

— Junn et moi travaillons déjà à convaincre le Conseil d'envoyer une requête d'audience en ton nom à Niverr. Les guides y résident jusqu'à l'été. Nous pensons qu'il sera plus facile pour toi de les rencontrer sous le couvert d'une audience officielle et approuvée par le Conseil d'Erwem. De plus, cela te donnera une certaine notoriété aux yeux du Conseil de Niverr, qui ne connaît encore de toi que ton nom et ta réputation. Mak s'y rend en ce moment même et il attend notre signal pour se présenter à eux comme ambassadeur d'Erwem. Il leur parlera en ton nom. Si tout se passe comme nous l'espérons, ta requête sera approuvée et nous nous rendrons à Niverr pour que tu puisses rencontrer nos suprêmes dirigeants.

Kaïsha sentit l'excitation monter en elle. Rien n'était fait, mais la simple idée de fouler le portail d'une nouvelle Commune la rendit aussi enthousiaste qu'impatiente. Toutefois, la perspective d'être à nouveau confrontée aux regards suspicieux, méfiants et haineux calma son excitation. Maintenant qu'elle était habituée à marcher librement dans les rues sans craindre le danger, Niverr prit soudain une allure bien moins réjouissante. Elle savait malgré tout que Saï, Junn, Cyam et Mak avaient raison de vouloir l'y envoyer. Elle était la seule personne à avoir été témoin des plans funestes de l'empereur du Désert. Elle était la mieux placée pour en parler et faire comprendre aux guides le danger que cette nation ambitieuse représentait pour le reste du monde. Si elle avait de la chance, l'Enfant des cinq mondes l'aiderait à faire passer son message.

Le Conseil, libéré de l'influence de Maen (bien qu'il en demeurait le dirigeant en apparence), accéda à la demande combinée des maîtres Junn et Saï d'envoyer une requête d'audience officielle aux guides afin que Kaïsha pût leur être présentée. Saï et Junn se gardèrent bien de leur préciser les motifs réels de cette rencontre, pour éviter que Maen s'y opposât ouvertement. Ce dernier se démenait déjà pour garder le peu de crédibilité qu'il lui restait comme sage ; il ne pouvait se permettre de refuser une demande de l'Enfant des cinq mondes sans une excellente raison. Il n'eut d'autre choix que d'applaudir l'idée avec un rictus qui se voulait un sourire. Pour les autres maîtres, il s'agissait de la suite logique de l'introduction de Kaïsha comme citoyenne à part entière des Montagnes, en plus d'une occasion en or de se vanter auprès des autres Communes que c'était à Erwem que l'Enfant des cinq mondes résidait. Pour donner le change, Junn et Saï proposèrent que Ko-Bu-Tsu accompagnât Kaïsha et fût également présentée aux guides.

Assise près de la porte vitrée du salon, Kaïsha écoutait tranquillement Junn lui résumer tout cela alors que Ko-Bu-Tsu et Zuo semblaient très excités.

— Est-ce que je pourrai les accompagner à Niverr? demanda immédiatement Zuo lorsque Junn eut terminé.

— Oh oui, acquiesça Junn en souriant. Nous irons tous, en fait. Il faudra à Kaïsha une escorte si elle veut faire bonne impression, et plusieurs explorateurs se sont déjà portés volontaires. Saï sera aussi de la partie, bien entendu.

Kaïsha soupira, presque amusée. Elle laissa son regard dériver vers la fenêtre et pensa à ce qu'elle pourrait raconter à Espérance. Sa mère pourrait-elle croire que sa petite fille, une enfant de deux mondes qu'elle avait essayé de protéger de la cruauté du monde, avait maintenant (apparemment) besoin d'une escorte pour se déplacer? Kaïsha sourit en imaginant la tête qu'Espérance et Furtif feraient s'ils la voyaient maintenant. Elle était si différente de la fillette qui avait grandi dans le village des Lavandes... pourraient-ils seulement la reconnaître?

Le soir venu, après que Cyam et Junn se furent retirés pour la nuit, Kaïsha, Zuo et Ko-Bu-Tsu se réunirent dans la chambre des filles pour discuter jusqu'aux petites heures, comme à leur habitude.

— Je suis très curieuse de voir à quoi ressemble la Commune de Niverr, s'enthousiasma Ko-Bu-Tsu.

— C'est assez similaire à ici, lui indiqua Zuo. Toutes les Communes des Montagnes sont bâties selon le même principe. Les seules qui se démarquent sont Azaneï et Sanneyf, qui ont sept paliers, et Gamon, qui n'en a que trois.

— Quand même, ce sera intéressant de sortir d'Erwem. J'aimerais beaucoup découvrir les autres Communes. Le monde est tellement vaste et il y a si peu d'endroits où je peux aller en sécurité. Au moins, il y aura une nation que je pourrai explorer à loisir.

Ko-Bu-Tsu avait prononcé ces paroles avec légèreté. Depuis que les habitants d'Erwem la traitaient comme l'une des leurs, elle semblait s'être réconciliée avec son apparence unique. Elle ne cherchait plus à cacher ses longs cheveux blancs sous un capuchon ou en les remontant en chignon, mais au contraire, elle les laissait cascader librement sur son dos, rivière argentée qui accentuait sa beauté opalescente et qui attirait tous les regards sans qu'elle s'en aperçût. Elle marchait la tête haute, et cette confiance la transformait, contraste frappant avec la jeune femme triste et méfiante qu'elle avait été seulement quelques mois plus tôt.

Pourtant, malgré son attitude positive, Zuo sembla à la fois peiné et frustré de l'entendre parler ainsi.

— Si tu veux voir le monde, je deviendrai un explorateur et je t'emmènerai partout ! s'exclama-t-il soudain avec fougue. Je ne laisserai personne s'en prendre à toi !

Les joues de Ko-Bu-Tsu prirent une teinte rosée alors qu'elle fixait Zuo avec étonnement. Lui-même sembla surpris de sa propre véhémence et baissa la tête, intimidé. Kaïsha passa son regard de l'un à l'autre et eut soudain la sensation qu'elle aurait dû se trouver ailleurs.

— Ce que je veux dire…, précisa Zuo plus calmement, c'est que tu n'as pas à rester enfermée juste à cause de la couleur de tes yeux ou de tes cheveux… Tu as le droit de faire ce que tu veux, comme n'importe qui.

Ko-Bu-Tsu regarda Zuo encore quelques secondes, déconcertée, avant de sourire doucement.

— Merci, souffla-t-elle. Je ne m'étais pas rendu compte à quel point j'avais envie d'entendre ça.

Kaïsha observa ses deux amis avec l'impression grandissante qu'elle était de trop. Elle feignit avoir besoin de passer aux latrines pour sortir de la chambre et descendre au salon. Elle sortit sur le balcon malgré l'air glacial de la nuit et s'appuya sur le bord de la balustrade.

Ces derniers mois, elle avait tellement concentré son attention sur ses entraînements avec Saï et les manigances de Maen qu'elle avait perdu de vue ce qui se passait juste sous ses yeux. Alors qu'elle était souvent absente, les deux personnes qui lui étaient les plus chères au monde s'étaient rapprochées, naturellement. Mais voyaient-elles elles-mêmes jusqu'à quel point ? Kaïsha ne savait pas quelles conclusions elle était censée tirer, mais elle savait que ce n'était pas sa place de le faire. Elle ne put s'empêcher de ressentir un petit pincement au cœur à l'idée que Ko-Bu-Tsu et Zuo pussent s'éloigner d'elle, même si elle savait très bien que c'était égoïste de sa part de penser ainsi.

Elle laissa son regard errer vers l'immense toile du ciel, noire comme l'encre et parsemée d'étoiles étincelantes tels des diamants dans la nuit sans nuages. La lumière bleutée de la lune se découpait sur les pics enneigés et plongeait le paysage dans une brume mystique.

Kaïsha pensa alors à l'avenir. Bientôt, elle rencontrerait les guides. Elle pourrait enfin les avertir du danger que représentait le

Désert et essayer de les convaincre (que la Mère nourricière lui vînt en aide) de s'allier avec les Plaines pour se protéger mutuellement. D'y parvenir représenterait un exploit, et une première dans l'histoire. Jamais deux nations ne s'étaient alliées, aussi loin que la mémoire d'homme remontait. Qu'est-ce qui pouvait lui faire croire qu'elle, une enfant de deux mondes de quinze ans, pourrait y arriver? En même temps, si elle se fiait à l'histoire telle qu'elle la connaissait, une personne comme elle n'aurait jamais dû pouvoir exister, alors peut-être que les miracles étaient possibles.

Et si elle réussissait, quelle serait la suite? Resterait-elle à Erwem? Repartirait-elle dans les Plaines? Est-ce que Zuo et Ko-Bu-Tsu la suivraient? Jusqu'à présent, et ce, depuis les trois dernières années, Kaïsha avait presque exclusivement vécu dans le présent. D'abord par impératif de survie, puis parce que son avenir était trop incertain. Elle n'avait jamais pu se projeter plus loin que quelques semaines, voire quelques jours, dans son propre avenir. À présent qu'elle vivait une vie presque normale, elle commençait à entrevoir les différents chemins possibles qui s'étalaient devant elle et elle était incapable de choisir lequel suivre. Cette pensée la terrorisait.

Lorsqu'elle remonta à sa chambre, elle trouva Ko-Bu-Tsu et Zuo qui jouaient tranquillement à un jeu de cartes. Au regard qu'ils lui lancèrent, Kaïsha comprit immédiatement qu'ils savaient qu'elle était partie s'isoler quelque part, mais tous les deux respectèrent son besoin d'être seule et ils ne lui posèrent aucune question. Zuo l'invita joyeusement à se joindre à eux pour une dernière partie avant d'aller au lit et Kaïsha chassa ses angoisses pour accepter avec enthousiasme. L'avenir était encore un brouillard incertain dans lequel elle avait peur de s'enfoncer, mais à ce moment précis, elle avait un foyer où elle se sentait chez elle et des gens sur qui elle pouvait se reposer.

C'était la seule chose qui importait.

Il fallut patienter plusieurs semaines avant de recevoir une réponse de Niverr. Entre-temps, Kaïsha reçut nombre de lettres en provenance d'autres Communes, toutes des demandes d'explorateurs qui désiraient la rencontrer en personne. Ne sachant pas comment agir, elle demanda conseil à Saï, qui lui conseilla de les accepter même si l'idée de se retrouver encore une fois au centre de l'attention ne lui plaisait pas particulièrement.

— Plus ton nom circulera, mieux ce sera, lui rappela Saï alors qu'ils se rendaient vers la porte est.

Nix les précédait, excité comme une puce. Maintenant trop gros pour que Kaïsha pût le prendre, il avait de plus en plus besoin de se dégourdir les pattes et il y avait peu d'endroits à Erwem où il pouvait le faire en toute liberté. Ainsi, Kaïsha sortait souvent avec lui, pour lui permettre de courir à son aise sur la terrasse et dans la neige fondante. Saï l'accompagnait fréquemment : cela leur permettait de prendre des pauses dans leurs entraînements et le maître d'armes, bien qu'il refusait de l'admettre, s'était pris d'affection pour le tigre.

— Mais je n'ai pas envie que mon nom circule, grogna Kaïsha en donnant un coup de pied à un caillou au passage, sur lequel Nix se jeta immédiatement.

Saï lui lança un regard sévère.

— Que tu le veuilles ou non, ton nom circule déjà dans toute la nation, et peut-être même au-delà, si j'en crois les dires de certains explorateurs. Tu n'as plus de pouvoir là-dessus depuis longtemps. Par contre, tu peux avoir un peu de pouvoir sur ce que les gens diront à propos de toi. Profites-en pendant que tu en as l'occasion.

Ils atteignirent la porte est et sortirent sur la grande terrasse extérieure. Des écuyers y étaient déjà occupés à promener ou à entraîner des aigles domestiques. Lorsque Nix vit les volatiles, ses oreilles se dressèrent avec intérêt, sa queue se mit à fouetter l'air avec enthousiasme et il se pencha légèrement vers l'avant, prêt à bondir pour aller jouer. Kaïsha l'aperçut aussitôt.

— Nix, l'avertit-elle avec autorité. Non.

Au simple ton de sa voix, Nix tourna la tête vers elle et il la fixa comme s'il lui demandait la permission d'aller courir après les grands oiseaux. Elle répéta son ordre et le tigre baissa les oreilles, déçu. Kaïsha fouilla dans sa besace et sortit un long os de bœuf qui lui servait de jouet et elle le lança loin, à l'opposé des pauvres aigles qui fixaient maintenant Nix avec nervosité. Le tigre les ignora pour s'élancer à la suite de l'os. Même s'il n'était encore qu'un bébé, il avait déjà acquis la vélocité des adultes et il courait avec puissance et élégance. Kaïsha craignait parfois qu'il devînt plus sauvage avec le temps, et que ce qu'il voyait maintenant comme un jeu se transformât en quelque chose de beaucoup plus sérieux. Pourtant, si ses inquiétudes étaient guidées par la raison, son instinct pur lui chuchotait que jamais rien n'arriverait tant qu'elle était près de lui. Elle espérait seulement qu'elle ne se trompait pas.

❀ ❀ ❀

Kaïsha assista à la finale des compétitions de luge avec Ko-Bu-Tsu, Zuo et Nihiri, un matin qui sonnait le retour du printemps par un soleil éclatant et une température plutôt clémente. Nihiri était surexcitée, puisque les Mauves s'étaient classés pour la finale, affrontant les Blancs qui avaient vaincu de justesse les Verts au classement de la dernière course, au grand dam de Cyam.

Puisqu'il s'agissait de la finale, les résultats ne seraient pas connus avant au moins une journée, car les deux équipes descendaient cette fois la montagne au complet et des juges les attendaient en aval pour déterminer l'équipe championne. Ainsi, les habitants d'Erwem ne pouvaient qu'assister au départ des deux équipes et leur crier leur soutien jusqu'à ce qu'ils disparussent de leur champ de vision. Malgré tout, l'atmosphère dans la Commune, ce matin-là, était électrisante. Tout le monde s'était rallié à l'une des équipes finalistes et les Grandes places prirent l'allure d'une mer mauve et blanche. Cyam, déconfit par la défaite des Verts, se rallia par dépit aux couleurs des Mauves.

Kaïsha se sentit soulevée par la frénésie générale et elle acheta même une écharpe mauve à l'un des kiosques de la Grande place, imitée par Zuo et Ko-Bu-Tsu. Kaïsha fut peut-être la seule à remarquer les joues rouges de Zuo lorsque Ko-Bu-Tsu lui offrit un sourire éclatant en le remerciant de lui avoir offert un bonnet à l'effigie des Mauves. Tous les trois se joignirent ensuite à Nihiri dans ses encouragements enthousiastes à l'endroit de son équipe. Lorsque les équipes prirent place sur leurs luges, deux véritables vaisseaux de bois, la foule massée sur les terrasses explosa en cris et acclamations, et Kaïsha se mêla à eux, tout aussi excitée. Elle apprécia chaque moment, coincée au milieu de la marée de gens. À cet instant précis, elle n'était personne, ni une enfant de deux mondes, ni l'Enfant des cinq mondes, ni l'apprentie de maître Saï. Elle était simplement une partisane parmi tant d'autres, criant et riant, sans que personne se préoccupât d'elle. Zuo et Ko-Bu-Tsu semblaient avoir autant de plaisir.

Finalement, le coup d'envoi fut lancé et les lugeurs s'élancèrent sur la piste à une vitesse vertigineuse. Kaïsha hurla, imitée par ses amis, tous transportés par l'emballement général. Ils encouragèrent fiévreusement leur équipe jusqu'à ce que celle-ci devînt un simple point disparaissant au loin, puis restèrent encore un moment avant de finalement accepter de rentrer et d'attendre impatiemment les résultats qui arriveraient sans doute le soir.

Alors qu'ils venaient de se trouver un banc pour s'asseoir et déguster une coupe de vin chaud, un garde en livrée se faufila dans la foule et vint s'incliner devant Kaïsha. Cette dernière, toujours sur le qui-vive, se leva et s'attendit à une mauvaise nouvelle. Pourtant, le garde déclara :

— Enfant des cinq mondes, Mademoiselle Ko-Bu-Tsu, vous êtes demandées par le sage à la Coupole. Votre requête pour rencontrer nos guides sacrés a été reçue et acceptée.

Plusieurs passants, ayant entendu le garde, laissèrent échapper des murmures de surprise et s'inclinèrent aussitôt devant Kaïsha et Ko-Bu-Tsu. Visiblement, voir sa demande d'audience acceptée par les guides eux-mêmes avait un poids significatif pour les habitants des Montagnes. Même Zuo et Nihiri semblèrent à la fois ravis et respectueux par rapport à cette annonce. Kaïsha et Ko-Bu-Tsu échangèrent un regard. Cette dernière semblait confiante. Kaïsha, quant à elle, sentit son estomac se contracter. Sans exclamation de joie ni de surprise, elle répondit simplement :

— Merci, nous vous suivons immédiatement.

Seuls Ko-Bu-Tsu et Zuo virent sa nervosité. Sans un mot, ils se levèrent, saluèrent Nihiri, qui les fixait encore avec surprise, et s'éloignèrent avec elle en direction de la Coupole.

Maen se trouvait seul dans la salle. On avait installé un bureau devant son fauteuil et il y était assis, le visage penché sur des parchemins qu'il lisait avec concentration. Il avait l'air fatigué et semblait soudain beaucoup plus vieux. Lorsqu'il vit Kaïsha, Ko-Bu-Tsu et Zuo entrer, il afficha un air de dédain et d'ennui, comme s'ils le dérangeaient, mais il déposa toutefois son travail et releva la tête pour les accueillir.

— J'ai fait mander le Conseil, déclara-t-il pour toute salutation. Vous devez savoir maintenant que nos guides ont accepté de vous rencontrer en personne. Je suppose que vous savourez votre victoire, Enfant des cinq mondes.

Kaïsha considéra Maen et eut un étrange sentiment. Autant elle pouvait détester cet homme, autant elle avait pitié de lui à cet instant. Il l'avait tellement considérée comme une ennemie qu'il avait fini par causer lui-même sa propre perte en cherchant à l'évincer et maintenant, ne pouvant accepter d'assumer sa responsabilité, il ne pouvait que lui en vouloir, à elle.

— Je suis honorée d'être présentée à vos dirigeants, annonça-t-elle avec calme. Erwem est devenue ma demeure et j'espère lui faire honneur lorsque je les rencontrerai. Mais je ne considère pas avoir acquis une victoire sur vous, Maen.

Le sage leva un sourcil perplexe, mais ne dit rien. Il se contenta de la fixer d'un regard sombre et Kaïsha continua :

— Depuis le début, j'ai voulu avertir les Montagnes du danger que représente le Désert et j'espérais pouvoir vous convaincre d'unir vos forces avec ma nation pour les arrêter. Je l'espère encore. C'est la seule raison pour laquelle je veux rencontrer les guides. Il n'y en a jamais eu d'autres.

Maen refusa de croiser son regard et d'accuser le coup. Il se contenta de balayer ses paroles d'un geste de la main ennuyé, alors que les premiers maîtres à avoir reçu le message commençaient à entrer dans la Coupole. Tous félicitèrent Kaïsha et Ko-Bu-Tsu, la plupart avec chaleur et certains avec une froide politesse. Ceux-là étaient les derniers, comme Maen, à être rebutés par la présence maintenant établie des étrangères dans leur Commune. Kaïsha et Ko-Bu-Tsu leur répondirent avec la même civilité neutre. Junn entra bientôt, suivie de maître Friya, qui félicita son apprentie avec une certaine fierté. Saï arriva parmi les derniers et lança un discret clin d'œil à Kaïsha. Cette dernière lui rendit son salut avec un sourire. La présence de son mentor la rassura. Elle sentit soudain le poids de son épée sur son épaule avec une acuité fine, comme un rappel de son appartenance aux Montagnes.

Lorsque tous les maîtres furent assis, Maen se leva lentement de son siège, comme fatigué par le poids d'une tâche ingrate. Il annonça officiellement la nouvelle d'une voix sans timbre et proposa que l'Enfant des cinq mondes et sa compagne partissent pour Niverr avec une escorte «qui siérait à leurs besoins». Sa formulation laissa entendre que Kaïsha et Ko-Bu-Tsu auraient pu y aller autant seules qu'accompagnées et il laissa au Conseil le soin de préciser les détails. Lui-même se contenta de fixer Kaïsha d'un air sombre, comme s'il avait un goût amer dans la bouche. Kaïsha écouta distraitement les maîtres discuter, songeant à ce qui l'attendrait à Niverr.

Il fut finalement décidé que Ko-Bu-Tsu et elle partiraient avec une escorte de quinze personnes, incluant Zuo, ses parents, Saï, ainsi que certains explorateurs et cinq gardes d'Erwem. Kaïsha fut stupéfaite par le nombre, mais préféra ne pas s'y opposer. Elle sentait que n'importe quel refus de sa part pourrait être repris plus tard par Maen, et elle n'allait certainement pas lui laisser cette chance maintenant qu'elle était si près de son but.

Ils quittèrent donc Erwem quelques jours plus tard. Kaïsha dut se résoudre à laisser Nix en arrière. Maître Gaolen lui fit le serment de prendre soin de lui et de ne rien laisser lui arriver, mais Kaïsha se sentit tout de même déchirée à l'idée de se séparer de son compagnon félin. Elle passa son dernier après-midi avant le départ avec lui, dans la salle d'entraînement, à le caresser et à jouer avec lui. Le tigre comprit que quelque chose n'allait pas, car lorsqu'elle partit, il tenta de sortir avec elle et elle dut l'enfermer dans la salle, le cœur lourd. Elle l'entendit l'appeler en gémissant alors qu'elle s'éloignait dans le corridor étroit.

Le lendemain matin, Kaïsha fut abasourdie lorsqu'elle vit une foule assemblée dans la Grande place de l'est, venue lui souhaiter bon départ. Parmi toutes ces têtes joyeuses, elle vit le visage d'Odel, qui lui sourit lorsque leurs regards se croisèrent. Kaïsha sentit son cœur se serrer douloureusement, mais pour la première fois, elle réussit à lui sourire en retour. Sa rencontre prochaine avec les guides l'intimidait tant qu'elle se sentit rassurée en voyant ce visage familier. Nihiri était là également et elle lui envoya la main avec enthousiasme, imitée par son père et sa petite sœur. Kaïsha faillit sursauter en voyant que même leur mère était présente, bien qu'elle ne fît aucun signe et qu'elle semblât être là à contrecœur.

En tournant la tête vers Ko-Bu-Tsu, Kaïsha vit que cette dernière semblait soudain aussi nerveuse qu'elle. Le regard fixé droit devant elle, elle semblait appréhender le moment où ils devraient sortir de la Commune. Son visage ne se détendit que lorsque Zuo, enthousiaste comme à son habitude, glissa sa main dans la sienne. Ko-Bu-Tsu réussit alors à sourire et regarda ses deux amis.

— Sommes-nous prêts pour une nouvelle aventure ?

Kaïsha et Zuo rirent.

— Ce n'est pas la première fois ! s'exclama Zuo.

— Ni la dernière, renchérit Kaïsha.

Les trois échangèrent un regard, tirant chacun leur courage et leur confiance les uns des autres, et suivirent leur escorte au-dehors. Des aigles voyageurs s'y trouvaient déjà, prêts à les emmener à Niverr, où les guides les attendaient.

23

Il fallut un peu plus de deux semaines de vol pour atteindre la Commune de Niverr. Pour dormir, les voyageurs descendaient en altitude pour atteindre des cottages spécifiquement conçus à cette fin, souvent tenus par des gardiens y vivant avec leur famille pour quelque temps, comme Saï l'avait auparavant fait à la frontière. Chaque soir où ils devaient faire escale, Kaïsha sentit son excitation et sa nervosité grandir. Elle savait que chaque jour l'approchait un peu plus des guides et elle avait le pressentiment que sa rencontre avec les dirigeants suprêmes des Montagnes déterminerait son propre destin. Ko-Bu-Tsu semblait nerveuse elle aussi, mais pour d'autres raisons. À l'opposé de Kaïsha, son nom n'avait pas beaucoup voyagé dans les Communes et elle demeurait, pour la plupart des gens, l'autre étrangère à être venue dans les Montagnes avec l'Enfant des cinq mondes. Ainsi, elle craignait la réaction des gens lorsqu'ils la verraient. Zuo, bien qu'il essayait de n'en rien montrer, avait la même inquiétude et lançait souvent à Ko-Bu-Tsu des regards en biais. Junn, quant à elle, ne cessa de les rassurer que tout irait bien, avec son optimisme habituel, tandis que Cyam demeurait sur ses gardes, prêt à protéger sa famille si le besoin s'en ressentait.

Au dernier soir d'escale, ils envoyèrent un faucon porter une lettre au Conseil de Niverr, l'avertissant de leur arrivée imminente.

Une deuxième missive suivit à l'attention de Mak, pour qu'il pût préparer le terrain de son côté.

Le lendemain matin, alors qu'ils se préparaient tous à décoller, Saï s'approcha de Kaïsha. Il s'était montré plutôt taciturne depuis leur départ d'Erwem, mais il affichait à présent un air grave et Kaïsha sut qu'il avait quelque chose d'important à lui dire.

— Nous serons à Niverr dans quelques heures, lui déclara-t-il. Les gens là-bas ne connaissent de toi que ton nom et les rumeurs qui circulent à ton propos.

— Je sais, dit Kaïsha, résolue.

Saï hocha la tête.

— Lorsque nous arriverons, je veux que tu agisses en Enfant des cinq mondes.

Kaïsha le regarda, interloquée.

— Et comment une Enfant des cinq mondes est-elle censée agir ? Il n'y en a pas d'autres que moi, du moins que je connaisse...

— Justement, détermine l'exemple. Ils s'attendent à voir quelqu'un d'unique au monde : montre-leur que tu l'es. Reste droite et fière, ne te laisse en aucun cas intimider. Rappelle-toi pourquoi tu es ici. Si tu leur montres que tu n'es pas qu'une jeune fille, mais que tu représentes beaucoup plus, ils t'écouteront.

Kaïsha leva la tête vers son mentor. Elle trouvait que c'était un poids très lourd à porter pour ses épaules, mais elle savait aussi qu'il avait raison. Qu'elle le voulût ou non, elle représentait maintenant quelque chose qui dépassait l'imagination des hommes, qui avaient toujours vécu reclus dans leur nation respective. Elle pensa à Espérance, à sa famille, qui vivait si proche de la frontière du Désert, et elle sut que, pour garantir leur sécurité, il faudrait qu'elle devînt elle-même plus grande et plus forte. Pour sauver sa famille et sa nation, elle était prête à devenir une géante.

Saï dut voir sa résolution dans ses yeux, car il sourit.

— Je vais y arriver, déclara Kaïsha avec certitude.

— Je n'en doute pas, dit Saï avec de la fierté dans la voix. Avec une telle détermination, qui sait ce que tu pourrais accomplir ?

Ils eurent droit à un temps magnifique durant les dernières heures qui leur restaient à voyager avant d'atteindre Niverr. Le ciel était d'un bleu azur, strié de quelques nuages allongés et vaporeux. Les chaînes de montagnes qui s'étalaient à perte de vue montraient que le printemps était bien de retour, car si leur pic demeurait enneigé, la verdure avait repris ses droits dans les nombreuses vallées en aval.

Malgré le vertige qui lui tordait l'estomac, Kaïsha apprécia le vent qui faisait danser ses cheveux en apportant les parfums d'herbe, de bois et de terre qui exaltaient, maintenant qu'ils n'étaient plus prisonniers de l'hiver. C'était des odeurs familières, autant que celles des champs du palier Cinq, qui lui rappelaient sa maison et renforçaient sa détermination. Lorsque les aigles amorcèrent leur descente, elle se sentait prête à relever le défi qui l'attendait.

Sa surprise et sa stupeur n'en furent pas moins diminuées lorsqu'elle entrevit la terrasse d'arrivée de Niverr, très semblable à celles d'Erwem. L'endroit était plein à craquer. On aurait dit que tous les habitants de Niverr étaient sortis pour les voir arriver. De la foule émanait un bourdonnement qui rappela à Kaïsha celui des abeilles. Ce bourdonnement devint de plus en plus fort à mesure qu'ils approchaient, et Kaïsha se souvint alors de la réaction des habitants d'Erwem lorsque Ko-Bu-Tsu et elle s'étaient présentées à eux pour la première fois, dans la Grande place du sud. Elle se rappela le terrible silence et l'immense malaise qu'elle avait ressenti à être la cible de tous les regards. Elle chercha Ko-Bu-Tsu des yeux parmi ses compagnons de voyage et, lorsque leurs regards se croisèrent, elle comprit que son amie avait la même appréhension. Kaïsha déglutit et s'obligea à garder son calme. Elle tourna son regard vers Saï et se rappela la promesse qu'elle venait de lui faire. Il fallait qu'elle se montrât forte.

En approchant du sol, Kaïsha put voir plus distinctement les habitants de Niverr, qui partageaient, comme tous les enfants des Montagnes, les mêmes cheveux noirs et les mêmes yeux gris clair. Plusieurs personnes l'aperçurent sur son aigle (sans doute l'avaient-ils reconnue à cause de son épée) et poussèrent des exclamations en la pointant du doigt, aussitôt imitées par leurs voisins. D'autres en firent de même en voyant Ko-Bu-Tsu et lorsque les aigles se posèrent sur la seule parcelle à découvert de la terrasse, ils furent assaillis par une marée de voix et de têtes qui s'étiraient pour mieux les voir. Seule une ligne formée par des gardes en livrée séparait les habitants du groupe d'arrivants. Kaïsha aurait donné n'importe quoi pour repartir aussitôt dans les airs, retourner à Erwem et fuir toute cette attention, mais elle n'en montra rien. Elle se laissa glisser de son aigle en lui tenant la bride et, regardant autour d'elle, elle vit que ses compagnons semblaient aussi stupéfaits qu'elle par cet accueil inattendu. Zuo et Ko-Bu-Tsu la rejoignirent, l'air abasourdis.

— Nous savions que ton nom avait traversé les Communes, Nisha, mais je ne pensais pas que c'était à ce point ! s'exclama Zuo, mi-hilare, mi-perplexe.

— Ces gens ne peuvent pas réellement être là juste pour me voir, hésita Kaïsha, incapable de s'avouer cette évidence.

— Oh, je peux bien prendre un peu de mérite, indiqua Ko-Bu-Tsu avec ironie, tout en jetant des regards anxieux à la foule qui les dardait de regards curieux et enthousiastes.

Peut-être était-ce à cause de la nervosité, mais Kaïsha éclata de rire.

— Parfait, divisons-nous l'attention moitié-moitié, ça me va très bien !

Saï les rejoignit et fut sur le point de lui dire quelque chose, mais soudain, les gens cessèrent leur clameur pour faire place à un silence respectueux alors qu'une femme se détachait de la foule pour venir à la rencontre des nouveaux arrivants. Elle était d'âge mûr : sa chevelure noire, remontée en un chignon complexe, était parsemée de fils blancs, et des ridules bordaient ses yeux et son front. Toutefois, son maintien et l'énergie qu'elle dégageait irradiaient d'autorité, à laquelle, de toute évidence, tous se soumettaient. Le regard perçant, elle avança avec confiance et, lorsqu'elle fut à la hauteur de Kaïsha, elle s'inclina devant elle, dans une révérence très digne.

— Soyez les bienvenus à Niverr, déclara la femme à la ronde. Mon nom est Lumeyn, je suis la sage de cette Commune.

Kaïsha s'inclina aussitôt pour répondre au salut de cette femme aussi impressionnante qu'intimidante, imitée par tous ses compagnons. Lumeyn la jaugea un court instant, juste assez pour se forger une opinion d'elle, puis son visage se détendit.

— Votre nom circule depuis longtemps à Niverr, Enfant des cinq mondes, dit-elle à Kaïsha avec amabilité. Nos guides, que les anciens leur soient toujours de bon conseil, ont grande hâte de faire votre connaissance. La vôtre également, mademoiselle, ajouta-t-elle en s'inclinant devant Ko-Bu-Tsu. Nombreux sont les explorateurs qui ont vanté votre beauté et je constate que les mots n'ont pu rendre justice à la réalité.

Ko-Bu-Tsu rosit violemment et s'inclina à nouveau devant la sage.

— Merci, balbutia-t-elle, troublée.

Le regard de Lumeyn passa alors à Zuo, qui sembla hésiter entre lui sourire ou s'incliner à nouveau lui aussi, intimidé par le regard perçant de la sage.

— Vous devez être Zuo Steloj? demanda Lumeyn d'un ton qui assura qu'elle connaissait déjà la réponse.

— Oui, confirma Zuo avec un sourire, décidant finalement d'être naturel.

À la surprise de Kaïsha, la sage sourit alors à son tour.

— Un explorateur d'Erwem a raconté à notre Conseil le courage dont vous avez fait preuve pour fuir votre prison du Désert et amener vos amies. Tout cela alors que vous étiez, et êtes encore, si jeune. Votre bravoure vous honore.

Zuo rougit encore plus que Ko-Bu-Tsu, tandis que Junn et Cyam affichaient un air si fier que Kaïsha put presque voir un rayonnement émaner d'eux. Elle pensa alors que toute cette belle publicité devait venir de Mak et elle se dit qu'elle devrait le remercier à la première occasion.

— En tant que sage, continua Lumeyn en s'adressant aux nouveaux arrivants, c'est avec plaisir que je vous invite à demeurer chez moi pour toute la durée de votre séjour parmi nous.

— Votre offre est très généreuse, et nous l'acceptons avec joie, avança Junn en venant s'incliner à son tour devant la sage. Je suis maître Junn Steloj, et voici maître Saï Majist; nous sommes les représentants du Conseil d'Erwem et accompagnateurs de l'Enfant des cinq mondes. Nous avons fait un long voyage et nous aimerions tous pouvoir nous reposer un peu.

— Bien entendu, acquiesça Lumeyn avec grâce. Je vais vous conduire personnellement chez moi. Si vous voulez bien me suivre.

La sage fit un signe autoritaire aux gardes, qui changèrent de position et, presque aussitôt, un corridor se libéra dans la foule et des écuyers accoururent pour prendre en charge les aigles. Les habitants, voyant que leur sage avait fini de parler et que les nouveaux arrivants s'apprêtaient à s'éloigner, recommencèrent à discuter entre eux. Très vite, la terrasse se trouva à nouveau ensevelie sous le bourdonnement étourdissant de centaines de personnes qui débattaient en même temps sur leur première impression des étrangères.

Lumeyn se dirigea d'un pas calme vers l'entrée de la Commune, suivie par Kaïsha, Ko-Bu-Tsu et leurs compagnons. Kaïsha lança un coup d'œil à Saï, et lorsque celui-ci lui répondit d'un signe de tête confiant, elle avança la tête haute et l'air calme, essayant de ne pas prêter attention aux gens qui la dévisageaient sur son passage, pointaient du doigt l'épée ancestrale qu'elle portait sur son dos et murmuraient avec enthousiasme. Kaïsha ne montra rien de l'agitation qui l'habitait, concentrant son esprit sur Espérance, sa famille, son village et la raison pour laquelle elle avait fait tout ce chemin. Alors qu'ils passaient sous l'immense portail et pénétraient dans la Commune, elle sentit une main se poser sur son épaule. Levant les yeux, elle croisa le regard de Saï. Ce dernier lui sourit. Il n'eut pas besoin de dire un mot, ses yeux parlèrent à sa place. Il était fier d'elle. Kaïsha sentit une douce chaleur envahir sa poitrine et elle laissa échapper un soupir de soulagement.

La Commune de Niverr était à la fois très semblable à celle d'Erwem, tout en ayant une multitude de petites différences. Kaïsha eut l'impression de se trouver dans une sorte d'étrange copie de sa Commune, lui donnant la sensation déroutante d'être à la fois familière et étrangère. Les rues de pierre étaient presque toutes désertes, sans doute parce que la moitié de la population se trouvait encore sur la terrasse et que l'autre devait travailler. Lumeyn les mena dans un dédale de corridors différents de ceux d'Erwem, ce qui accentua l'étrange impression de Kaïsha.

— Nous tiendrons une assemblée du Conseil demain matin, mais les guides ont demandé à ce que l'Enfant des cinq mondes et l'enfant du Désert leur soient amenées dès leur arrivée, expliqua Lumeyn sur le chemin. Bien sûr, vous pouvez prendre le temps qu'il vous faut pour vous préparer, mais il serait préférable que cela soit fait avant la montée de la lune.

— Où sont les guides ? s'enquit Kaïsha, oubliant un instant son rôle pour laisser parler sa curiosité naturelle.

Loin de s'offusquer, Lumeyn lui lança un regard amusé du coin de l'œil. De toute évidence, Kaïsha posait une question à laquelle on aurait sans doute déjà dû lui donner la réponse. Au regard gêné qu'échangèrent Junn et Cyam, elle comprit qu'elle avait vu juste.

— Les guides ne sortent jamais de leur demeure, lui expliqua Lumeyn sans ralentir le rythme de sa marche. Il s'agit d'un endroit sacré, qui possède une aura de spiritualité qui aide les guides dans leur quête du Savoir ultime. Ils ne sauraient laisser les vicissitudes du monde vicier leur esprit, alors qu'eux cherchent la pureté absolue. C'est nous, gens sots, qui nous rendons à eux dans l'espoir d'être touchés par leur sagesse, et jamais l'inverse.

— Je les plains, murmura Ko-Bu-Tsu, d'être ainsi enfermés pour le reste de leur vie.

Zuo et Kaïsha lui lancèrent un regard compréhensif. À leur grande surprise, Lumeyn eut également un sourire triste.

— Une prison n'en est une que si l'on s'y sent prisonnier, enfant du Désert, offrit-elle avec bonté. Les guides ont choisi cette vie, ils l'acceptent comme partie intégrante de leur voyage spirituel, celui que tous les guides ont suivi depuis que le premier homme des Montagnes a bâti la première Commune. La liberté des guides ne tient pas au lieu physique qu'ils habitent, mais à l'immensité sans frontières de leurs esprits joints.

Ko-Bu-Tsu sembla peu convaincue, mais ne put répliquer devant une telle vision. Kaïsha se demanda fugitivement comment un homme comme Maen avait pu devenir sage d'Erwem, alors que Niverr avait à sa tête une personne aussi sensée que Lumeyn.

Ils arrivèrent finalement devant une double porte gardée par des hommes en livrée, qui s'inclinèrent profondément devant leur sage avant de leur ouvrir les portes.

— Bienvenue chez moi, annonça modestement Lumeyn.

Alors qu'ils pénétraient dans l'immense hall, une dizaine de serviteurs s'approchèrent avec fébrilité et se placèrent en rang parfait avant de s'incliner d'un même mouvement devant les nouveaux arrivants.

— Mes hommes et femmes de chambre vont vous reconduire à vos appartements. Maîtres Steloj et Majist, si vous pouviez rester un moment, j'aimerais m'entretenir avec vous.

Elle se tourna alors vers Kaïsha, Ko-Bu-Tsu et Zuo.

— Je vous souhaite un bon séjour parmi nous. Prenez vos aises, le personnel est là pour répondre à tous vos besoins. Je viendrai vous mander à l'heure de la rencontre.

Kaïsha échangea un regard avec Saï, le questionnant silencieusement sur les raisons qui motivaient Lumeyn à s'entretenir avec Junn et lui en privé. Ce dernier lui fit un discret signe de tête, lui signifiant qu'il n'y avait pas de menace dans cette demande et qu'elle pouvait suivre le serviteur qui venait d'apparaître devant elle pour la guider.

Elle les laissa donc et suivit le serviteur, accompagnée de Ko-Bu-Tsu et de Zuo, tandis que les autres membres de leur escorte étaient guidés vers leurs propres appartements. L'homme de chambre les fit arpenter une série de larges couloirs avant de s'arrêter devant une porte de bois simple et élégante.

— Voici vos appartements, indiqua l'homme à l'adresse de Ko-Bu-Tsu en lui ouvrant la porte, découvrant une chambre si vaste qu'elle aurait pu contenir à elle seule la maison de Zuo.

— Nous... nous ne sommes pas ensemble? demanda Ko-Bu-Tsu d'une voix hésitante, échangeant un regard avec Kaïsha et Zuo.

— Non, répondit le domestique après un instant d'hésitation, surpris par sa demande. L'Enfant des cinq mondes et monsieur Steloj ont leur propre logement, ajouta-t-il comme s'il voulait signifier que la sage avait les moyens d'offrir une chambre par personne.

Zuo et Kaïsha échangèrent un bref regard et n'eurent pas besoin de se parler pour se mettre d'accord.

— Ce ne sera pas nécessaire de préparer les autres chambres, avança Kaïsha. Nous résiderons tous les trois ici.

Le domestique la regarda fixement, apparemment incapable de comprendre une telle décision.

— Il n'y a qu'un lit..., fut tout ce qu'il parvint à émettre comme contestation.

— Oh, ce n'est pas grave! le rassura Zuo en riant. Kaïsha et Ko-Bu-Tsu dormiront ensemble, et je trouverai bien un fauteuil ou un coussin sur lequel poser ma tête.

Ko-Bu-Tsu, visiblement soulagée de ne pas se retrouver seule dans cet endroit inconnu, lança un regard de gratitude à Kaïsha et à Zuo. Kaïsha rit intérieurement en repensant que moins d'un an auparavant, son amie l'avait grondée de se montrer si intime avec Zuo, alors qu'aujourd'hui, elle était soulagée de le voir partager sa chambre. Le domestique, malgré un visible malaise, n'osa pas contester leur choix plus avant et il s'inclina profondément, promettant de faire venir deux autres lits pour les invités de la sage. Il s'enquit s'ils désiraient autre chose et lorsqu'ils répondirent tous les trois par la négative, il s'inclina à nouveau et les laissa seuls pour découvrir leur logis temporaire.

Kaïsha fut ébahie par le luxe qui régnait dans cette seule pièce. Avec un petit rire, elle pensa à ce qu'elle pourrait écrire à Espérance et s'amusa à imaginer le visage de sa mère lorsqu'elle apprendrait dans quel palace sa fille se trouvait. Les hauts murs étaient couverts de tapisseries en velours, les planchers de pierre blanche étaient cachés sous d'épais tapis tissés de complexes motifs, véritables œuvres d'art sur lesquels Kaïsha osait à peine marcher. La pièce était sectionnée par une série de paravents en toile, peints de jolis décors hivernaux, séparant l'endroit où se trouvait le lit d'un petit salon.

— Suis-je la seule à me sentir minuscule ? demanda soudain Ko-Bu-Tsu en étouffant un gloussement nerveux.

— Je pensais que tu avais été élevée dans le luxe, la taquina Zuo avec un sourire malicieux.

Ko-Bu-Tsu rit.

— Je l'ai oublié, tellement tout ceci ne me manque pas.

— Tu es comme ma mère, rit Zuo. À elle aussi, ils ont offert richesses et privilèges, et elle a tout balayé pour rester dans notre maison et continuer à voyager.

Kaïsha rit et se laissa tomber dans l'un des nombreux fauteuils capitonnés, les membres raides après le voyage à dos d'aigle et l'énervement de leur arrivée à Niverr. Elle pensa rêveusement au cottage de son enfance. Avec une douce nostalgie, elle murmura :

— Enfant, j'étais bien loin de tout ceci. Posséder une simple chèvre et un potager était pour nous signe de prospérité.

Zuo et Ko-Bu-Tsu lui lancèrent un regard incertain, comme s'ils ne savaient pas si elle disait cela avec tristesse ou non.

— Allons, tu es l'Enfant des cinq mondes, maintenant. Je suis sûre que tu pourrais demander n'importe quoi ici, on te le donnera.

Kaïsha grimaça à l'idée de tirer du profit à être la bête de foire des Montagnes.

— Sans façon, maugréa-t-elle.

Épuisés par leur voyage, Kaïsha, Ko-Bu-Tsu et Zuo se trouvèrent bientôt à somnoler sur les fauteuils, soulagés d'être enfin seuls, loin des regards et des chuchotements curieux. Le temps fila sans qu'ils s'en aperçussent et, bientôt, on frappa à la porte et une domestique apparut, poussant devant elle un petit chariot doré.

— Pour vous restaurer, mesdames, monsieur, dit-elle pour toute explication en s'inclinant respectueusement.

Elle fit rouler le chariot jusqu'à la table du salon et en retira une série d'assiettes, toutes protégées d'une cloche métallique qu'elle enleva lorsqu'elles furent disposées sur la table. L'odeur des viandes et des légumes chauds, ajoutée à celle des sauces, fit saliver Kaïsha, Ko-Bu-Tsu et Zuo, qui remercièrent tour à tour la domestique. Cette dernière, surprise par leur enthousiasme, rougit jusqu'à la racine des cheveux et exécuta une série de révérences confuses avant de disparaître dehors, les laissant tranquilles pour avaler ce festin. Malgré la nervosité qui enserrait sa poitrine, Kaïsha réussit à manger à sa faim, résolue à ne pas se laisser dominer par ses inquiétudes.

Après leur repas, les trois amis décidèrent d'explorer l'immense pièce dans laquelle ils se trouvaient. Ils découvrirent qu'ils avaient accès non seulement à une spacieuse salle de bain de pierre polie, mais également à une garde-robe plus grande que la cuisine des Steloj, débordant de vêtements suspendus à ses crochets ou pliés dans de larges coffres. Il devait y avoir une cinquantaine de robes de toutes les couleurs et styles, bien qu'elles respectaient toutes la mode des Montagnes.

— Ah, le désavantage d'avoir choisi la chambre d'une fille : je n'aurai pas le choix de mettre une robe, remarqua Zuo, pince-sans-rire, alors que Kaïsha et Ko-Bu-Tsu éclataient de rire.

— Il y en a beaucoup trop, déclara Ko-Bu-Tsu. Je ne me sentirais pas à l'aise de porter aucune d'entre elles.

Elle se tourna alors vers Kaïsha :

— Sans compter que je serais la seule à changer d'habits, n'est-ce pas ?

Kaïsha eut un sourire. Elle n'avait effectivement aucune intention de se départir de ses vêtements habituels, qu'elle portait à présent depuis si longtemps qu'ils étaient comme une seconde peau.

— Exact, confirma-t-elle. Je pensais seulement changer pour un de mes habits propres, s'ils se décident à nous apporter nos sacs. Sinon, je garderai ce que j'ai actuellement sur le dos.

Ko-Bu-Tsu soupira avec un sourire.

— J'en ferai de même, alors.

Et elle referma la porte sur ce luxe dont aucun d'entre eux ne voulait.

❋ ❋ ❋

Ils passèrent le reste de leur après-midi à discuter et à jouer avec un paquet de cartes qu'ils demandèrent au domestique qui se tenait près de leur porte, à l'affût du moindre de leurs désirs. Finalement, quelqu'un frappa à la porte.

— C'est ouvert, cria Zuo avec insouciance.

Junn passa sa tête dans l'embrasure de la porte et leur offrit à tous les trois un sourire maternel avant d'entrer, suivie par Cyam,

Saï… et Mak. Kaïsha, Ko-Bu-Tsu et Zuo se levèrent aussitôt pour l'accueillir, tous heureux de le revoir.

Mak éclata de son rire tonnant.

— Vous ne pouviez même pas vous séparer pour quelques heures? s'exclama-t-il avec hilarité.

— Jamais! répondit Ko-Bu-Tsu dans un éclat de rire. Nous sommes les inséparables, tu te souviens?

Mak lui offrit un sourire bienveillant, l'œil brillant.

— Je ne t'ai pas beaucoup vue, ces dernières semaines, dit-il presque comme une excuse. Maître Friya m'écrit que tu es son élève la plus douée.

— La plus dévouée, en tout cas, constata Cyam avec un sourire tranquille. Elle ne quitte le centre de soins que pour dormir.

Ko-Bu-Tsu rosit sous le compliment. Elle leva des yeux heureux vers Mak.

— Je suis contente de te revoir, lui dit-elle avec chaleur. Je crois que c'est à toi que nous devons l'accueil que nous avons reçu tout à l'heure.

Mak les regarda tous avec un air de conspirateur.

— Je n'ai pas agi seul. Cyam et moi avons plusieurs amis à Niverr qui se sont fait un plaisir de parler de vous à qui voulait l'entendre, dans les dernières semaines. Je n'ai fait que… donner une petite poussée de plus.

— Dans tous les cas, merci, insista Kaïsha.

Mak lui envoya un clin d'œil complice.

— Il faut dire que tu nous as facilité la tâche, « la dresseuse de tigres ».

Kaïsha le regarda avec incompréhension.

— Tu parles de Nix?

Mak éclata de rire face à sa surprise.

— Extraordinaire, s'esclaffa-t-il en regardant Cyam, Junn et Saï d'un air entendu. Elle est la première personne à domestiquer un tigre des glaces depuis un siècle et elle arrive quand même à penser que ce n'est pas grand-chose!

Kaïsha demeura interdite. Elle n'était pas au courant de ce fait, quoiqu'elle n'eût jamais posé la question non plus. Pour elle, Nix était un être unique, sa petite boule de neige, son compagnon; pas un animal dont elle était la maîtresse.

— Est-ce ainsi que les gens m'appellent? demanda-t-elle à Mak.

— Certains, affirma-t-il. Ce qui est sûr, c'est que ça renforce l'idée que tu es véritablement une enfant des Montagnes, même si notre sang ne coule pas dans tes veines.

Junn vit l'ombre passer sur le visage de Kaïsha et elle s'avança :

— Je sais que ce n'est pas les titres que tu recherches, mais tu dois les accueillir quand même, lui indiqua-t-elle d'une voix douce. C'est la façon la plus sûre pour toi d'être acceptée telle que tu es.

Kaïsha leva le visage et les regarda, ces personnes qui l'avaient acceptée et aimée sans la juger, sans se soucier de ce qu'elle était. À ce moment précis devaient se tenir autour d'elle les seules personnes au monde, hormis Espérance, à n'accorder aucune importance au fait qu'elle était une enfant de deux mondes ou de cinq.

— Dans tous les cas, ça a fonctionné, conclut Mak. Les habitants de Niverr sont avides de te voir et aucun ne semble se rappeler que tu es une enfant de deux mondes. Le récit de tes aventures a pris le pas sur tes origines et les gens parlent de toi avec enthousiasme.

Kaïsha pensa fugitivement qu'être esclave et côtoyer la mort n'était pas ce qu'elle aurait appelé des «aventures», mais elle se garda de le mentionner.

On cogna à nouveau à la porte et, cette fois, ce fut un domestique qui se tint sur le seuil.

— La sage vous fait mander, annonça-t-il avec déférence. Les guides sont prêts à vous recevoir.

Kaïsha sentit ses organes se serrer douloureusement, mais n'en montra rien. Elle échangea un regard avec Zuo et Ko-Bu-Tsu.

— Allons-y, alors, dit-elle simplement.

Ils sortirent dans le couloir et suivirent le domestique jusqu'au hall, où les attendaient déjà les autres membres de leur escorte et Lumeyn. Cette dernière les accueillit d'un salut de la tête courtois lorsqu'elle les vit arriver. Ses propres gardes ouvrirent les portes et ils avancèrent en procession, dans une atmosphère de cérémonie qui rendit Kaïsha mal à l'aise, comme si elle était soudain trop consciente de son propre corps. Ils traversèrent la Commune de Niverr, attirant murmures et regards curieux sur leur passage, puis ils montèrent au palier Un. Ce dernier était aussi luxuriant que celui d'Erwem, et des gens portant de riches habits s'inclinèrent profondément à leur passage. Kaïsha fit de son mieux pour ignorer les regards dirigés vers elle et les voix qui chuchotaient son nom. Elle gardait son esprit concentré sur Espérance, les Plaines, le Désert, et ceux à qui elle allait en parler d'un moment à l'autre.

Ils atteignirent bientôt un large escalier menant à une double porte de bois finement sculpté. Deux gardes se tenaient à l'entrée, bloquant l'accès. Kaïsha eut soudain un sentiment de déjà vu, et le souvenir d'un escalier similaire à Erwem, dont la porte était masquée d'un rideau blanc, lui revint en mémoire. Lumeyn s'inclina respectueusement devant les gardes et énonça avec clarté :

— Kaïsha, l'Enfant des cinq mondes, et Ko-Bu-Tsu, l'enfant du Désert, viennent présenter leurs respects aux guides.

Les gardes hochèrent la tête d'un même mouvement et, avec cérémonie, ouvrirent la double porte qui laissa entrevoir une immense salle plongée dans une faible lumière bleutée. Kaïsha retint son souffle. Le moment était venu.

Ne sachant que faire, elle lança un appel silencieux à Saï. Ce dernier hocha la tête, un imperceptible sourire aux lèvres, et recula pour lui ouvrir le chemin, imité par tous les membres de leur escorte. Elle comprit alors qu'ils seraient seuls à entrer dans le sanctuaire des guides.

Lentement, sentant à peine ses propres jambes bouger, elle avança vers l'escalier, accompagnée de Zuo et de Ko-Bu-Tsu. Lumeyn tendit une main alors que Zuo montait sur la première marche.

— Seules ces jeunes femmes sont invitées par les guides. Vous devrez attendre.

Zuo lui lança un regard flamboyant. Kaïsha avait rarement vu autant de détermination dans ses yeux.

— Je vais avec elles, que ça vous plaise ou non, déclara-t-il avec calme, mais d'un ton qui ne laissa place à aucune discussion.

Sans laisser l'occasion à la sage de répliquer, il avança et vint se placer à la gauche de Kaïsha, tandis que Ko-Bu-Tsu était déjà à sa droite. Les trois amis gravirent les marches de pierre et passèrent ensemble la double porte, prêts à rencontrer les dirigeants suprêmes de la nation des Montagnes.

24

L a pièce dans laquelle ils pénétrèrent était presque aussi vaste que la Coupole d'Erwem et presque aussi haute que la Grande place. Elle était baignée dans une lumière bleutée et Kaïsha remarqua qu'il s'agissait des rayons de la lune, qu'un système de miroirs renvoyait tels des phares. Contrairement à l'architecture conventionnelle des Communes, cette salle semblait être issue d'un autre temps. Les murs étaient couverts de gravures qui devaient avoir traversé les âges et des plantes, vignes et mousses s'y entortillaient, grimpant jusqu'au sommet de cet étrange dôme. L'endroit était embaumé d'un parfum minéral et végétal, frais et légèrement humide, qui rappela à Kaïsha l'odeur de l'herbe au petit matin.

Il lui fallut un certain temps pour s'habituer à l'obscurité et elle fouilla la pièce des yeux à la recherche d'une présence, autre que celle de Ko-Bu-Tsu et de Zuo, qui semblaient aussi envoûtés qu'elle par l'aura sacrée de la salle.

— N'ayez aucune peur, les rassura soudain une voix douce, faisant sursauter les trois amis.

— Approchez dans la lumière, ajouta une seconde voix, grave et sereine.

Les voix venaient du fond de la salle, masquées dans l'obscurité. Kaïsha, Ko-Bu-Tsu et Zuo avancèrent d'un même mouvement vers le centre de la pièce et, lorsqu'ils se retrouvèrent sous la lumière crue de la lune, Kaïsha put entrevoir les personnes qui s'étaient adressées à eux.

Il s'agissait d'un homme et d'une femme, tous deux assis sur des trônes de pierre finement sculptés et perchés au haut d'un long escalier. Ils étaient tous deux d'un âge avancé. La femme avait un visage plissé de rides profondes et ses cheveux, fins fils blancs, étaient coiffés en un simple chignon sur sa tête. L'homme, dont le front était largement dégarni, semblait légèrement plus jeune que sa consœur et portait ses cheveux blancs en catogan. Les deux arboraient la même expression sereine, un discret sourire aux lèvres, comme s'ils connaissaient les nouveaux arrivants depuis toujours et étaient simplement heureux de les revoir.

Kaïsha fut si fascinée par eux qu'elle oublia que cet homme et cette femme étaient les guides des Montagnes, chefs suprêmes de la nation. Elle ne s'en souvint que lorsqu'elle vit Ko-Bu-Tsu plonger dans une révérence à ses côtés, aussitôt imitée par Zuo. Kaïsha se ressaisit alors et en fit de même, garda la tête baissée et espéra, le cœur battant, ne pas avoir fait une mauvaise première impression.

— Relevez-vous, les intima la femme de sa voix feutrée. Laissez-nous voir vos visages.

Les trois amis levèrent la tête et gardèrent le silence tandis que les guides, du haut de leur trône, les observaient avec intérêt.

— Mon nom est Ilohim, se présenta soudain la femme. Voici Erenas. Nous sommes les guides de la nation des Montagnes.

— Cela fait un moment que vos noms circulent dans nos Communes, déclara Erenas. Nous avions grande hâte de faire votre connaissance.

— Notre nation s'est toujours enorgueillie d'être impossible d'accès pour qui n'est pas né enfant des Montagnes, ajouta Ilohim. Nous étions curieux de rencontrer celles qui ont réussi à redéfinir cette règle.

Kaïsha, qui avait attendu cet entretien depuis tous ces mois, ne put se retenir de parler :

— Pourquoi ne nous avez-vous pas convoqués avant, alors ? demanda-t-elle, les mots sortant de sa bouche avant qu'elle pût les retenir.

Les guides la regardèrent tous deux avec le même sourire et la même bonté, comme des parents l'auraient fait pour leur enfant ignorant.

— Si nous avons ce pouvoir, nous avons aussi fait le choix de ne pas l'utiliser, expliqua Erenas. Vous venez d'une nation où le pouvoir provient d'instances supérieures et est dirigé vers le peuple. Dans les Montagnes, il en est autrement. Le pouvoir vient du peuple, des Communes, et monte à nous pour unir la nation. Les décisions qui ont été prises lors de votre arrivée sur nos terres étaient celles d'Erwem et le sont toujours. Nous n'avions pas à commander à Erwem de vous mener à nous. Nous avons attendu que la Commune prenne cette initiative d'elle-même.

— Nous sommes des guides, ajouta Ilohim avec douceur. Nous conseillons, mais jamais n'ordonnons.

Kaïsha ne répondit rien. Elle préféra ne pas leur dire que le sage qui dirigeait Erwem n'aurait jamais permis cette rencontre s'il n'avait pas perdu la confiance du Conseil et du peuple à cause de ses propres fautes. Elle tut aussi le fait que Maen voulait la cacher à eux pour son bénéfice personnel, et non parce qu'il n'était « pas prêt » à prendre l'initiative. Elle s'inclina à nouveau en signe de compréhension et garda le silence.

— L'histoire de votre rencontre et de votre arrivée à Erwem a fait le tour de la nation, continua Ilohim. Elle nous a fort impressionnés. Une amitié aussi peu conventionnelle, entre trois jeunes gens provenant d'horizons si différents, semble inenvisageable et pourtant, la vôtre est née dans l'un des endroits les plus désolants de cette Terre.

— Le seul, sans doute, où des gens de différentes nations auraient pu tisser des liens, ajouta Erenas.

— À présent, nous comprenons que vous désirez demeurer dans les Montagnes en tant que citoyennes légitimes, comme si vous étiez nées en ces terres. La Commune d'Erwem vous a octroyé ce droit.

— Mais demande que nous, les guides, donnions notre bénédiction à cet acte sacré et sans précédent.

Ils cessèrent alors de parler, tous deux affichant la même expression sereine et confiante en dévisageant Kaïsha, Ko-Bu-Tsu et Zuo comme s'ils pouvaient lire jusqu'au plus profond de leur âme. Après un long moment, Erenas reprit finalement la parole.

— Avant votre arrivée, une telle demande aurait été inenvisageable. Aussi improbable qu'une enfant de deux mondes puisse être acceptée comme l'égale d'un enfant des Montagnes. Pourtant, elles ont toutes deux eu lieu.

— Le monde change, poursuivit Ilohim. Nous assistons aujourd'hui à ces évènements qui, encore hier, n'auraient pu être imaginés.

— Puisque la décision a déjà été prise par le Conseil d'Erwem, reprit Erenas, nous ne voyons aucune raison de nous y opposer. Nous écrivons aujourd'hui une page de notre histoire en acceptant de faire de vous, Ko-Bu-Tsu et Kaïsha, des enfants des Montagnes de nom, à défaut de l'être par le sang.

À côté de Kaïsha, Ko-Bu-Tsu poussa un discret soupir de soulagement et la tension qui figeait ses épaules se relâcha. Kaïsha sourit. Elle savait à quel point Ko-Bu-Tsu en était venue à considérer Erwem comme sa demeure et combien elle souhaitait y rester, maintenant qu'elle y avait trouvé sa place.

Mais Kaïsha ne désirait pas un tel destin pour elle-même.

— Nous vous remercions tous les trois pour votre générosité, dit-elle avec humilité. Mais obtenir votre bénédiction n'est pas la raison pour laquelle nous sommes venus à vous.

Ko-Bu-Tsu et Zuo se tournèrent vers elle. D'un même mouvement, ils reculèrent lentement pour lui laisser la place. Kaïsha se retrouva seule devant les guides. Lorsqu'elle releva la tête, elle vit pour la première fois sur leurs visages une autre émotion que leur paisible sérénité. Ils affichaient de la surprise.

— Expliquez-vous, l'encouragea poliment Ilohim.

Kaïsha inspira profondément. Le moment était là et elle n'aurait pas de seconde chance. Elle pensa à Espérance, debout sur le seuil de leur cottage, et cette image nostalgique prit soudain des allures terrifiantes, des flammes montant des maisons du village, le drapeau du Désert flottant au vent et le visage du général To-Be-Keh, triomphal dans ce carnage, chargeant sa monture directement sur sa famille. Kaïsha ouvrit les yeux brusquement. Elle se servit maintenant de ce cauchemar qu'elle traînait comme un fardeau depuis deux ans comme source d'énergie, qui lui donna la détermination et les mots qu'il fallait pour parler.

— La raison pour laquelle je suis venue dans les Montagnes, il y a presque un an de cela, n'était pas pour fuir une prison ou pour trouver un foyer, mais pour vous porter un avertissement. J'ai délivré mon message au Conseil d'Erwem le jour de notre arrivée, les maîtres pourront vous le confirmer. Mais j'ai rapidement compris que parler à une seule Commune serait insuffisant si je désirais atteindre mon but. Pour joindre l'ensemble de la nation des Montagnes, il fallait que je vous parle à vous.

Cette fois, les guides furent réellement surpris. Ils échangèrent un regard et Erenas fronça les sourcils.

— Si ce message dont vous parlez est aussi important qu'il le semble, pourquoi ne pas avoir demandé une audience plus tôt ?

Kaïsha décida de laisser tomber les masques et dit la vérité franche :

— Parce que Maen, le sage d'Erwem, l'a empêché. Depuis le premier jour, il a tout mis en œuvre pour nous garder sous son emprise. Il refusait de me voir vous transmettre l'information que j'ai avant d'en avoir personnellement vérifié la véracité, ce qui aurait pu lui prendre des années. Et lorsqu'il l'aurait fait, il nous aurait fait chasser, Ko-Bu-Tsu, Zuo et moi, pour venir lui-même vous délivrer mon message et en prendre le mérite.

— Ce qu'elle dit est vrai, avança Zuo avec calme. Vous pourrez confirmer ses paroles avec mes parents, maître Saï et l'explorateur Mak. Ils ont tous œuvré pour contrecarrer l'influence de Maen et permettre à Kaïsha de vous rencontrer.

Les guides regardèrent tour à tour Kaïsha et Zuo avec gravité. Ils possédaient tous deux beaucoup trop de maîtrise d'eux-mêmes pour montrer leur étonnement, mais Kaïsha ne douta pas un instant que ce qu'ils venaient de leur dire les perturbait.

— Si cela est bien vrai…, commença lentement Ilohim, comment se fait-il que le Conseil d'Erwem ait finalement envoyé une requête en votre nom ?

— Parce que le Conseil n'est plus sous l'autorité de Maen, expliqua Kaïsha. Le sage a été reconnu coupable d'un crime contre moi pour lequel il a été pardonné légalement, mais pas moralement. Il lutte actuellement pour garder sa place comme sage et il n'a plus le pouvoir de me refuser quoi que ce soit.

Erenas et Ilohim regardèrent soudain Kaïsha comme s'ils la voyaient pour la première fois. Ils la détaillèrent tous les deux silencieusement, d'un regard perçant. Kaïsha ne baissa ni les yeux ni la tête, et attendit, le cœur battant.

— Le crime dont Maen s'est rendu coupable doit être grave, pour qu'un sage des Montagnes perde la confiance de son Conseil, admit lentement Ilohim.

— Il l'était, répondit simplement Kaïsha.

Les guides échangèrent un long regard. Ils semblaient réfléchir et se consultaient silencieusement, comme Kaïsha le faisait souvent avec Zuo et Ko-Bu-Tsu. À les voir ainsi, on comprenait tout de suite qu'ils partageaient bien plus qu'un titre. Ils semblaient réfléchir de concert, se parlant sans ouvrir la bouche, décidant ensemble de la confiance qu'ils mettaient dans les paroles de cette étrangère qu'ils ne connaissaient qu'à travers les rumeurs qui circulaient dans les Communes. Erenas tourna alors un visage grave vers Kaïsha.

— Quel est cet avertissement que vous désiriez nous transmettre et que le sage d'Erwem tenait à nous cacher ?

Kaïsha sentit ses jambes s'engourdir et son cœur battre contre ses tempes. Une sensation de vide coula en elle. Le temps semblait s'être arrêté dans cet endroit sacré. Les mots qu'elle avait tant attendu de dire coulèrent entre ses lèvres, glacées et brûlantes :

— En vérité, dit-elle avec lenteur, il s'agit d'un avertissement et d'une demande. Je suis venue dans les Montagnes pour vous prévenir que l'empereur du Désert, Tiam-Tuh, a pour ambition d'entrer en guerre contre les nations et de les exterminer, dans le but qu'un seul empire, le sien, règne sur cette Terre.

Un silence de mort accueillit ses paroles. Zuo et Ko-Bu-Tsu retinrent leur souffle. Ils étaient évidemment au courant depuis longtemps, mais entendre Kaïsha le dire, énoncer ce cauchemar à voix haute alors qu'ils l'avaient chassé de leurs vies depuis des mois, les frappa d'horreur avec presque autant de force que la première fois qu'ils l'avaient entendu. Leurs visages, drainés de leurs couleurs, étaient graves. Seule au centre de la salle, Kaïsha gardait son regard vrillé sur celui des guides.

Ilohim et Erenas ne montrèrent aucune surprise, aucune émotion. Le sujet était trop grave pour qu'ils laissassent entrevoir la moindre expression qui put dénoncer leurs pensées. Ils se contentèrent de fixer Kaïsha avec le même visage de marbre, deux statues qui, dans leur silence, dégagèrent une aura de puissance plus extraordinaire que tout ce qu'ils avaient laissé entrevoir auparavant. Après un moment qui sembla durer une éternité, ce fut finalement Ilohim qui parla.

— Êtes-vous certaine de ce que vous avancez? demanda-t-elle avec calme, sans montrer ni scepticisme, ni peur, ni méfiance, ni quelque émotion que ce fût.

— Oui, répondit Kaïsha. J'ai entendu l'empereur en personne en discuter avec ses seigneurs.

Elle leur raconta brièvement comment elle s'était retrouvée à être l'unique témoin à pouvoir attester les plans de l'empereur et du général. Elle ne s'attarda pas aux détails, sachant que les guides n'auraient pas besoin de les entendre pour comprendre tout le sérieux de sa déclaration. Ils l'écoutèrent parler, tous deux affichant un air grave que l'inquiétude vint peu à peu teinter de son ombre. Lorsque Kaïsha eut fini, elle posa un genou par terre.

— Je vous jure sur ma vie et tout ce qui m'est cher que je vous dis la vérité, déclara-t-elle. Le Désert attaquera dans les prochaines années et il faudra nous y préparer, car le nier fera de nous des proies faciles.

Les guides échangèrent un long regard consterné. Lorsqu'ils se tournèrent à nouveau vers Kaïsha, le visage d'Ilohim s'adoucit.

— Vous avez fait tout ce chemin uniquement pour nous faire part de cet avertissement? demanda-t-elle avec une gentillesse inattendue. Sachant que vous pourriez être exécutée pour avoir franchi les frontières d'une nation étrangère, sachant que vous étiez vous-même une enfant de deux mondes et qu'en aucun cas vous ne seriez la bienvenue ?

Kaïsha se sentit rougir. Ce n'était pas la première fois qu'elle entendait ces paroles. La dernière fois, c'était l'étudiant de maître Anyel qui lui avait fait constater ce fait avec mépris, comme pour lui faire prendre conscience de sa sottise et de sa naïveté. Mais aujourd'hui, Ilohim répétait ces mots d'une voix empreinte d'admiration.

La guide se tut l'espace d'une seconde, puis, lentement, elle inclina sa tête vers l'avant et dit :

— Merci.

Kaïsha sentit ses yeux lui piquer. L'une des personnes les plus puissantes de la nation, les plus puissantes du monde entier, s'inclinait devant elle et lui disait qu'elle n'avait pas fait tout ce chemin en vain. Ce qu'elle savait, cette information si vitale qu'elle conservait depuis deux ans et qu'elle s'était juré de transmettre au monde entier, avait atteint l'oreille des dirigeants de l'une des cinq nations et ils la croyaient. Elle, petite esclave de rien, enfant de deux mondes vouée au mépris et au malheur, avait réussi à convaincre une nation entière de l'écouter.

Elle se releva et s'inclina profondément devant les guides. Un silence lourd de réflexion s'installa. Il s'agissait à présent de déterminer quelle serait la marche à suivre face à une menace qui était nouvelle dans l'histoire. Nul ne pouvait y être préparé et tout était à inventer. Les dirigeants des Montagnes semblaient calmes, mais consternés. Sans nul doute que les Communes seraient convoquées pour une rencontre au sommet après que Kaïsha, Ko-Bu-Tsu et Zuo seraient partis.

— Vous avez dit être venue avec un avertissement et une demande, dit soudain Erenas d'une voix grave et lente. Vous avez délivré l'avertissement. Quelle est votre demande ?

Kaïsha releva la tête. Elle avait espéré qu'ils lui posassent la question, car elle-même se demandait encore comment aborder ce deuxième sujet, le plus délicat et pourtant le plus important pour elle.

— Je vous supplie de vous unir aux Plaines pour lutter contre le Désert. Les Plaines seront leur première cible et je crains qu'ils se fassent détruire. J'ai envoyé une missive au Sénat pour les avertir, mais je ne sais pas s'il l'a prise au sérieux. Je sais par contre que les nations entretiennent des contacts, même si vous préférez que nous ne le sachions pas. Envoyez une missive aux représentants. Expliquez-leur ce que vous savez maintenant. Vous avez la puissance et l'influence de la nation au nom de laquelle vous parlez. Ils vous écouteront. Ensuite, entraidez-vous. Formez une armée, protégez leurs citoyens en les accueillant dans le nord. Peut-être que si le Désert voit que les nations peuvent s'allier, ils abandonneront leur terrible projet.

Kaïsha avait dit tout cela sans être certaine d'aucune de ses affirmations. Elle laissait parler son instinct, mais les guides la considérèrent avec sérieux. Après un moment de silence qui parut durer une éternité, Ilohim parla enfin :

— Ce que vous demandez n'est pas quelque chose de facilement envisageable. Notre priorité doit être de protéger nos propres citoyens.

— Nous pouvons envoyer une missive officielle aux Plaines pour les avertir, mais nous ne pourrions décemment considérer de nous allier avec une nation étrangère, continua Erenas d'un ton qui se voulait sensé.

Kaïsha entrevit dans leurs paroles le fossé d'ignorance et de mépris qui gardait les nations éloignées les unes des autres, qui avait fait des enfants de deux mondes des êtres nés pour être méprisés, et qui permettait actuellement à l'empereur et au général de planifier un massacre pour leur seul bénéfice. L'effroyable image de son village en proie aux flammes surgit alors dans l'esprit de Kaïsha.

— Je vous en prie ! s'exclama-t-elle d'une voix tremblante, terrifiée par le futur qu'elle entrevoyait. Ma famille est dans les Plaines ! Ils mourront si vous ne nous aidez pas ! Les Plaines n'ont pas les ressources pour confronter une armée comme celle du Désert ! Nous n'avons rien, pas d'armes, pas de défenses !

Elle regarda alors de front les guides, qui la fixaient avec un étonnement qu'ils n'arrivaient plus à dissimuler.

— Si vous ne faites rien, si vous vous contentez de vous cacher dans vos Communes en laissant le reste du monde brûler, vous ne ferez que retarder l'inévitable ! les prévint-elle avec fougue, presque comme une menace.

Elle fit un pas vers l'avant, sa détermination sauvage si forte qu'elle la sentit parcourir ses veines, ses muscles irradiant son corps et sa tête.

— Vous ne serez pas en sécurité, prédit-elle en serrant les dents. Ils viendront pour votre peuple comme ils viendront pour ma famille et aucune montagne ne sera assez haute pour les arrêter.

Elle se tut brusquement, se rendant compte que la colère était en train de prendre le dessus sur elle. Elle essaya de s'imposer le calme, de ralentir le rythme saccadé de son souffle et des battements de son cœur. Ce n'était pas le moment de laisser libre cours à ses émotions. Elle ne gagnerait rien ainsi. Elle attendit un moment que la tension qui l'habitait descendît et reprit plus doucement :

— Nous avons un cadeau inestimable : du temps. Personne, dans le Désert, ne sait que je suis au courant des plans de l'empereur. Eux prévoient encore quelques années avant de lancer leur premier assaut. Si nous faisons vite, nous avons encore le pouvoir d'unir nos forces et de lutter ensemble contre ce qui viendra.

Les guides semblaient hésiter et Kaïsha ne savait pas ce qu'elle pouvait rajouter pour les convaincre, lorsque Ko-Bu-Tsu sortit soudain de l'ombre.

— Le temps de la séparation est à son terme, déclara-t-elle avec gravité. Nous avons atteint le point dans notre histoire où les nations s'uniront ou périront par la main de celle qui se sera montrée plus ambitieuse que les autres. Ce n'est pas tout le monde qui est prêt à accepter ce fait, mais les gens peuvent changer et ne plus voir la différence comme une menace, mais comme un atout. Votre propre peuple l'a montré. Après tout, ce sont eux qui ont baptisé Kaïsha l'Enfant des cinq mondes.

— Kaïsha vous a offert un cadeau qui n'a pas de prix en vous révélant ce qu'elle savait, ajouta alors Zuo en avançant à son tour. Elle a pris des risques énormes pour y parvenir et, lorsque la guerre arrivera, parce qu'elle arrivera inévitablement, notre peuple lui devra sa survie. Nous avons une dette envers elle. Je vous en supplie, accédez à sa requête.

Les trois amis firent face ensemble aux guides qui semblaient, pour la première fois, hésitants.

— Vous êtes un enfant des Montagnes, dit lentement Erenas en regardant Zuo. Vous appuyez pourtant cette idée au profit de la sécurité de votre propre nation ?

— J'appuie l'idée de sauver le monde, répliqua Zuo avec détermination. Cela implique aussi ma nation.

— Nul ne peut garantir que les Plaines accepteront une offre de notre part, avança Ilohim, incertaine.

— Il faut quand même essayer, insista Kaïsha. Mon peuple est le plus ouvert des cinq, cela est reconnu. Je suis sûre qu'il acceptera lorsqu'il comprendra la gravité de la situation.

— Toutefois, même si nous parvenons à une alliance avec les Plaines, cela ne veut pas dire que les autres nations s'y joindront, fit remarquer Erenas. Il y a tout à parier que la Forêt et la Mer ne voudront pas se mêler d'une guerre prenant place sur le continent est.

— C'est une chose dont nous pourrons nous occuper en temps et lieu, affirma Kaïsha, déterminée à ne pas laisser les guides s'éloigner maintenant qu'ils semblaient ouverts à l'idée. Qui sait, peut-être changeront-ils d'avis lorsqu'ils verront que deux nations peuvent faire front commun ensemble ? Peut-être que la guerre n'aura tout simplement pas lieu si l'empereur découvre que les Plaines et vous êtes alliés.

Les guides semblaient profondément perturbés et Kaïsha pouvait les comprendre. En moins de deux heures, elle avait bouleversé leur vision du monde, leur avait annoncé l'arrivée d'un évènement qu'on pensait jusqu'alors n'appartenir qu'aux légendes et leur avait demandé de faire fi de toutes leurs valeurs pour tendre la main à une nation étrangère. Et tout cela leur venait de la bouche d'une enfant de deux mondes.

Kaïsha fut soudain frappée par une idée. Elle repensa à Saï, qui lui avait ordonné d'agir en Enfant des cinq mondes, de montrer au peuple de Niverr qu'elle était un être unique. Elle repensa ensuite à ce vertige qu'elle avait éprouvé lorsqu'elle s'était regardée dans la glace et qu'elle y avait entrevu le symbole qu'elle pouvait devenir. Elle avança alors vers les guides.

— Vous avez un autre atout dans votre manche : moi.

Les guides la regardèrent tous deux du même regard interrogateur.

— Je suis l'Enfant des cinq mondes, déclara-t-elle avec plus de confiance qu'elle en ressentait réellement. Je suis, par mon cœur et mon sang, le lien entre toutes les nations. Dites-le dans vos missives. Annoncez-le au monde entier. Avertissez les cinq nations de ce que l'empereur prépare et dites-leur que s'ils ne veulent pas s'allier à une nation étrangère, ils peuvent s'allier à *moi*. On me dit que mon nom circule partout dans les Montagnes; faites en sorte qu'il circule dans toutes les nations. Envoyez vos explorateurs répandre la nouvelle qu'une Enfant des cinq mondes appelle les nations à s'unir pour lutter contre un ennemi commun. Ce sera peut-être assez fort pour les rallier sous une même cause.

Un silence stupéfait suivit ses paroles. Ko-Bu-Tsu et Zuo la fixaient avec des yeux ronds, elle qui embrassait maintenant un rôle qu'elle refusait d'accepter depuis des mois. Les guides échangèrent un regard incertain.

— Qu'est-ce qui vous fait croire que les nations se rallieront à votre nom? demanda alors Erenas avec un intérêt mêlé de scepticisme.

— Rien, admit Kaïsha. Mais si cela a une chance de fonctionner et que ça peut me permettre de sauver ceux que j'aime, je suis prête à porter ce fardeau.

Ilohim et Erenas se consultèrent encore un long moment, ignorant Kaïsha, Ko-Bu-Tsu et Zuo, qui se tenaient devant eux et attendaient nerveusement leur verdict. Finalement, les guides hochèrent légèrement la tête d'un même mouvement et refirent face aux trois amis.

— Fort bien, déclara finalement Ilohim d'un ton solennel. Faites entrer le scribe, je vous prie. Et des témoins également, pour que ce qui sera dit aujourd'hui puisse être répété.

Zuo comprit plus vite que Kaïsha et Ko-Bu-Tsu ce que cela voulait dire et fonça jusqu'à la porte, à laquelle il frappa. Les gardes qui se tenaient de l'autre côté ouvrirent les battants et Zuo disparut un instant dans la lumière, pour revenir aussitôt avec un homme portant une large tablette, un encrier et une plume. Lumeyn, Junn,

Cyam, Saï et Mak les suivaient. Tous regardèrent Kaïsha, Zuo et Ko-Bu-Tsu avec le même air, leur demandant silencieusement s'ils avaient réussi ce pour quoi ils étaient venus. Seul le scribe ne porta attention à personne et vint s'incliner devant les guides avant de s'asseoir sur un petit banc de pierre au pied de leur trône, prêt à reporter leurs paroles à l'écrit. Les guides attendirent que les portes fussent refermées et que les témoins eussent fait leur révérence, puis Erenas prit la parole :

— Aujourd'hui, onzième jour du printemps dans l'année de Niverr, les guides ont tenu séance avec Zuo Steloj, enfant des Montagnes ; Ko-Bu-Tsu de Tek-Mar, enfant du Désert et naturalisée enfant des Montagnes ; et Kaïsha, Enfant des cinq mondes.

Tandis qu'Erenas parlait, le scribe écrivait à une vitesse folle sur un parchemin fixé à sa tablette. Seul le frottement de sa plume contre le papier accompagnait les paroles du guide.

— Lors de cette rencontre, l'Enfant des cinq mondes a informé la nation, en sa qualité de témoin privilégié, que la nation du Désert entretient des sentiments haineux envers les autres nations et compte prendre acte à ce propos dans un délai rapproché. Selon toute vraisemblance, l'empereur actuellement au pouvoir lancera une attaque sur les nations et ne s'arrêtera que lorsque toutes seront sous son autorité.

Erenas marqua une pause. Il semblait très fatigué, comme si le poids de toutes ces révélations pesait lourdement sur ses épaules. Ilohim posa alors doucement sa main sur le bras de son confrère et lui fit un léger signe de tête. Elle prit le relais :

— La véracité du témoignage de l'Enfant des cinq mondes ne saurait être mise en doute, car les guides considèrent qu'elle est venue à eux avec un cœur sincère et des intentions libres de malice. Ainsi, les guides des Montagnes ordonnent par la présente déclaration que chaque Commune mette sur pied les ressources et l'expertise nécessaires afin que les enfants des Montagnes puissent être préparés dans l'éventualité où ils seraient appelés... à se battre.

Ces derniers mots lui furent difficiles à dire, sans doute parce que cette femme, qui dirigeait la nation avec son partenaire depuis si longtemps, ne pouvait se résoudre à voir son peuple lutter pour sa survie, alors qu'il avait vécu en sécurité sous les monts depuis tant de siècles. À son annonce, Saï, Junn, Cyam et Mak hochèrent la tête, affichant un air grave. Seule Lumeyn sembla abasourdie par ce qu'elle venait d'entendre. Ilohim reprit sur elle, garda la tête haute et digne, et continua sa proclamation :

— Aussi, qu'il soit écrit et considéré comme indiscutable la prochaine déclaration : En la remerciant de l'aide qu'elle aura apportée à la nation des Montagnes, les guides s'engagent envers l'Enfant des cinq mondes à tout faire pour former une alliance avec les nations de la Mer, de la Forêt et des Plaines, afin de lutter ensemble contre cette menace à la paix. Les guides s'engagent également à apporter leur aide inconditionnelle à la nation des Plaines, dans l'éventualité où elle pourrait être la première cible de cette guerre. Chaque citoyen et citoyenne des Plaines pourra trouver refuge dans notre territoire et bénéficier de notre protection. En ces temps sombres qui nous menacent, puisse l'unité nous rendre forts et nous faire triompher contre l'ambition de notre ennemi.

Kaïsha ne se rendit compte qu'elle pleurait que lorsqu'elle sentit le goût salé de ses larmes sur ses lèvres. Entendre ces mots, cette promesse, sortir de la bouche des dirigeants suprêmes des Montagnes vint lever le poids de la promesse qu'elle avait gardée au plus profond de son cœur depuis deux longues années. Elle était enfin libérée de la mission qui avait obnubilé sa vie et qui avait fini par devenir des chaînes. Alors qu'elle avait craint tout ce temps ce qui lui arriverait une fois ces chaînes retirées, elle se sentit incroyablement légère. Elle était libre.

Elle se rendit alors compte que les guides la regardaient, arborant tous les deux un visage grave, mais dont les yeux s'étaient adoucis. En voyant ses larmes, Erenas lui offrit même un léger sourire, teinté de bienveillance.

— Merci, murmura Kaïsha en un souffle, sans savoir si quelqu'un l'avait entendue.

Lumeyn, pâle, semblait encore lutter pour absorber ce qu'elle venait d'entendre. Elle demeurait droite et digne, mais son regard ressemblait à celui d'une enfant perdue. Kaïsha eut de la sympathie pour cette femme dont l'univers devait être en train de basculer et elle la trouva d'autant plus forte de garder la tête haute et un visage de marbre malgré tout.

Ilohim ordonna alors au scribe de terminer cette déclaration et de sortir un nouveau parchemin. L'homme s'exécuta sans poser de questions. Tous fixaient les guides dans l'attente nerveuse de leur prochaine déclaration. La guide ferma les yeux un moment, comme si elle réfléchissait pour choisir avec soin les prochaines paroles qu'elle prononcerait. Kaïsha aperçut soudain avec une clarté aveuglante le poids de la vieillesse qui pesait sur les épaules de cette femme vénérable. Elle semblait soudain lasse et fragile, enveloppée dans sa robe de cérémonie comme une couverture dans laquelle elle aurait pu s'endormir. Mais lorsqu'elle rouvrit les yeux, son regard était déterminé et vif.

— Nous avons un autre ordre à donner, déclara-t-elle avec autorité. Ce message devra être transmis à tous les explorateurs de la nation. Quel que soit le travail qui leur est confié au moment présent, nous leur commandons d'y mettre un terme dans les plus brefs délais pour ne s'atteler qu'à la mission que les guides leur confient aujourd'hui.

Ilohim marqua une courte pause, le temps d'une simple inspiration, mais son regard passa sur Kaïsha et cette dernière se sentit transpercée, analysée, fouillée jusqu'au plus profond de son âme. Elle soutint son regard et la guide eut un imperceptible hochement de tête avant de reprendre, d'une voix claire :

— Que tous les explorateurs aptes à le faire quittent la nation et parcourent les routes, les villes et les villages étrangers, tous les endroits où il leur est sécuritaire de se rendre, pour transmettre ce message à quiconque ils croiseront : il existe en ce monde une Enfant des cinq mondes, qui appartient aux grandes nations par son cœur et son sang. Que les explorateurs proclament qu'elle est l'unique lien entre nos peuples et qu'elle est actuellement hébergée dans la nation des Montagnes, sous la protection des dirigeants eux-mêmes. Que les explorateurs fassent résonner le nom de l'Enfant des cinq mondes partout où ils iront et que tout un chacun sache que si un jour le moment vient de se rallier sous une seule bannière, ce sera la sienne.

25

— Nix! s'écria Kaïsha en ouvrant la porte de la salle d'entraînement.

Le tigre, alors couché sur une paillasse au fond de la pièce, bondit sur ses pattes et courut jusqu'à Kaïsha, qui l'accueillit en ouvrant les bras, où il vint se lover.

— Par les anciens! s'exclama Zuo en arrivant derrière elle. Nous sommes partis un mois et il a triplé de volume!

— Il doit être aussi grand que moi s'il se lève sur ses pattes arrière, constata Ko-Bu-Tsu. Il doit manger des tonnes de viande!

— En fait, je pense qu'il serait sage qu'il apprenne à chasser de lui-même, fit remarquer maître Gaolen, qui s'était occupé de Nix durant leur séjour à Niverr. Je voulais attendre le retour de mademoiselle Kaïsha pour lui en parler.

Kaïsha écoutait à peine ce qui se disait derrière elle. Elle était trop heureuse de retrouver sa boule de neige, qui n'en était en fait plus une. Nix était devenu un jeune tigre dont le corps tenait maintenant bien plus de l'adulte que du bébé. Pourtant, il déposait encore sa tête contre elle en toute confiance, ronronnant avec force alors qu'elle lui caressait les oreilles, le cou et les flancs. Il avait beau grandir à une vitesse folle, il demeurait pour elle son petit tigreau.

Ils venaient tout juste de rentrer de Niverr. Sur la demande expresse de la sage, ils avaient accepté de demeurer dans la

Commune un peu plus d'une semaine, où ils avaient été les invités d'honneur de banquets, de spectacles, de courses et de bals. Kaïsha avait dû se résoudre une nouvelle fois à porter une encombrante robe, mais avait systématiquement refusé de danser avec quiconque n'étant pas Zuo, Cyam ou Mak. Elle avait plutôt envoyé Ko-Bu-Tsu à sa place, qui se déplaçait avec une élégance et une aisance telle que nul ne pouvait détacher son regard d'elle. Zuo avait proposé en riant que ce fût elle qui fût désignée comme Enfant des cinq mondes, car les gens seraient sans doute plus attirés par elle que par une petite femme maladroite qui ne savait même pas danser. Cette blague lui avait valu un coup bien mérité dans le ventre de la part de Kaïsha, qui lui avait coupé le souffle en même temps qu'il lui avait tiré des excuses.

Dès le lendemain de leur rencontre avec les guides, Lumeyn avait convoqué le Conseil de Niverr. Ce qui ne devait être qu'une simple formalité d'accueil se transforma en assemblée spéciale à laquelle Kaïsha, Zuo et Ko-Bu-Tsu avaient été convoqués afin d'expliquer plus en détail la situation. Soutenue par Junn et Saï, également présents, Kaïsha avait réexpliqué à ces hommes et ces femmes stupéfaits tout ce qu'elle savait sur les plans de l'empereur. Cette fois, pourtant, nul n'avait remis sa parole en doute. Ils avaient tous reçu la déclaration des guides et nul ne voulait mettre en question ce que leurs propres dirigeants avaient déclaré vrai. Ils l'avaient donc tous écoutée dans un silence abasourdi, terrassés par ce qu'ils entendaient et, lorsqu'elle avait eu terminé, seul un silence lourd lui avait répondu.

— Une guerre…, avait fini par murmurer un maître, sous le choc. Nous n'avons pas connu de guerre depuis…

— Depuis des siècles, je le sais, avait confirmé Kaïsha. Mais les chances sont qu'elle aura lieu et nous devrons nous y préparer.

Lumeyn avait été la première à reprendre sur elle-même et elle avait publiquement salué l'initiative de Kaïsha. Elle avait donné les ordres pour que des écoles de combat fussent fondées dans les plus brefs délais et que les ingénieurs commençassent à créer de nouvelles armes et de nouvelles machines qui pourraient les aider à l'offensive comme à la défensive. Kaïsha avait à nouveau été stupéfaite par la force de cette femme, qui parvenait à garder une tête froide dans des circonstances désarmantes, qui acceptait le fait terrifiant que le monde était en train de changer et qui, au lieu de laisser place à la peur et au désespoir, décidait d'agir au mieux. Kaïsha n'avait pu qu'être admirative devant un tel sang-froid.

Pour préserver l'opinion populaire, il n'avait pas tout de suite été dit au peuple de Niverr la vérité sur les révélations de Kaïsha. Lumeyn avait décidé qu'il serait plus sage d'attendre qu'elle partît, de lentement faire circuler la nouvelle et seulement lorsque le peuple aurait accepté la situation, leur révéler qui en était la source.

— Ainsi, leur opinion de vous ne sera pas tachée, avait expliqué Lumeyn à Kaïsha alors qu'ils dînaient chez elle. Si nous leur disions maintenant, ils risqueraient fortement de vous voir comme un oiseau de malheur. Ils ne pourraient comprendre que vous n'êtes qu'une messagère, et si nous voulons éviter qu'ils vous haïssent pour avoir bouleversé leur monde, il faudra que nous nous arrangions pour qu'ils vous adorent. Lorsqu'ils auront accepté la situation et comprendront ce que vous avez fait pour nous tous, ils vous verront comme une sauveuse. Mais cela leur prendra du temps.

Kaïsha avait lentement hoché la tête, perdue dans ses propres pensées, et avait croisé le regard de Saï. Être détestée ou adulée, elle en revenait toujours à ces deux extrêmes.

— C'est une bonne idée, avait alors affirmé Saï avec conviction. Cela confortera également le plan des guides de faire de Kaïsha un symbole d'unité.

Kaïsha s'était mordu les lèvres pour ne pas sourire. Faire d'elle l'Enfant des cinq mondes était l'idée de Saï, au départ, lorsqu'il lui avait offert son épée. Mais elle comprenait pourquoi il en accordait le mérite aux guides. Il donnait ainsi à cette idée une bien plus grande valeur et son plan avait fonctionné, car Lumeyn avait hoché la tête avec plus de confiance. Elle avait alors levé les yeux vers Kaïsha et l'avait dévisagée un court moment, puis avait eu un sourire amusé. Elle s'était tournée vers Saï.

— Celui qui m'aurait dit qu'une enfant de deux mondes serait notre salut, je ne l'aurais pas cru.

Saï avait regardé Kaïsha et souri à son tour.

— Moi non plus. Le destin est une bien étrange chose, n'est-ce pas ?

※ ※ ※

À présent qu'ils étaient de retour à Erwem, les choses commencèrent à changer. Le premier grand évènement fut une rencontre extraordinaire organisée entre tous les sages des Montagnes, qui eut lieu quelques semaines après que Kaïsha, Zuo, Ko-Bu-Tsu et les autres furent rentrés à Erwem. Cela suivait la réception par toutes les Communes de la déclaration des guides, et il fallait maintenant qu'ils discutassent ensemble de la démarche à suivre. Kaïsha, conformément au désir de Lumeyn (approuvé par les guides eux-mêmes), fut tenue loin de cette rencontre, afin que son nom n'y fût pas lié, du moins pas officiellement. Les sages n'étaient pas sots. Presque tout le monde savait que les étrangères avaient rencontré les guides et leur déclaration avait suivi trop peu de temps après pour qu'il s'agît d'une coïncidence. Mais si plusieurs d'entre eux firent sans doute le lien, ils se gardèrent d'en parler, leur dit Junn, qui faisait partie de la délégation d'Erwem au rassemblement qui avait eu lieu à Niverr.

— Ils font tous confiance aux guides et ils savent qu'ils doivent avoir leurs raisons. Ils préféreront se taire plutôt que de mettre leur jugement en doute, expliqua-t-elle lorsqu'elle revint à Erwem en compagnie de la délégation.

Selon elle, l'annonce avait été un dur choc pour tous les sages, mais ils avaient tous accepté de suivre les instructions des guides et de se préparer au pire, dans l'espoir que ce « pire » n'arriverait pas. Junn leur raconta également comment Maen avait reçu un accueil plutôt froid de la part des guides, ce qui fit glousser Kaïsha malgré elle. Cyam, qui était assis au salon, se tourna vers elle et sourit.

— Se pourrait-il que l'Enfant des cinq mondes ait parlé en mal d'un sage aux guides ? demanda-t-il avec un dédain feint. Quelle honte, quelle honte !

Kaïsha rit.

— Il l'a bien cherché, intervint Zuo. Et puis, Kaïsha n'a même pas dit exactement ce qu'il avait fait. Elle les a juste informés que le sage nous a empêchés de les rencontrer à cause de ses ambitions personnelles, ce qui est tout à fait vrai.

— Et elle ne l'a dit que parce que les guides lui ont demandé pourquoi elle avait tardé à venir les voir, ajouta Ko-Bu-Tsu en levant la tête du parchemin sur lequel elle gribouillait des recettes d'onguents et de potions pour son prochain examen.

— Dans tous les cas, conclut Junn, il se trouve en très mauvaise posture. Le peuple d'Erwem lui a pardonné ses bévues, mais pas le Conseil. Il devra se battre bec et ongles s'il veut emporter les élections en automne.

— Donc un été, murmura Kaïsha. Un été pour essayer de tout effacer.

— Il pourrait y arriver, avertit Cyam. Mais nous le tiendrons à l'œil. Il ne pourra plus jamais avoir la même influence qu'autrefois, lorsque nulle personne à Erwem ne doutait de lui.

Avec le retour du sage et de sa suite, le signal fut donné, comme dans toutes les Communes, d'informer la population de ce que le

Conseil d'Erwem savait depuis bien longtemps maintenant : que la paix entre les cinq nations pourrait bientôt être brisée par l'ambition d'une, et que les citoyens devraient se préparer à de potentiels affrontements. Ils firent l'annonce sur toutes les Grandes places et sur tous les paliers, en plus d'afficher partout dans la Commune des avis annonçant l'ouverture prochaine de classes de combat et de maniement d'armes.

La nouvelle fut reçue de façon mitigée par la population. La plupart des gens semblèrent sceptiques et crurent d'abord à une blague, mais se rétractèrent lorsqu'ils apprirent que l'information provenait de leurs guides. Beaucoup prirent alors peur et le Conseil fut enseveli sous les demandes paniquées de leur population, qui demandait à ce que les frontières fussent fermées et que les Communes fussent scellées, sans réfléchir plus loin que ce que leur crainte leur dictait.

Kaïsha assista à ce vent de panique qui souffla sur Erwem et qui devait se retrouver dans chaque Commune. Le Conseil fit un travail admirable, envoyant héraut après héraut crier sur les places publiques que le danger n'était pas à leur porte, qu'il ne s'agissait que de prévention pour leur sécurité à tous. Il se garda toutefois bien de partager de la résolution des Montagnes de s'allier aux autres nations, car autrement, il aurait fait face à une opposition bien pire que des citoyens anxieux. Ce secret-là demeura celui des guides et des sages, mais Kaïsha apprit par Saï que des émissaires avaient été envoyés dans le sud avec une missive adressée au Sénat des Plaines. Kaïsha fut si heureuse d'entendre cette nouvelle qu'elle passa le reste de la journée dehors, à dévaler le flanc de la montagne en compagnie de Nix, qui jouait et chassait à son bon plaisir, content de se dégourdir les pattes. Maintenant que le printemps s'était enfin installé et que la température était devenue douce, les portails des Grandes places avaient été ouverts et le demeureraient jusqu'au retour de l'automne. Des kiosques, des bancs et des tables avaient été installés sur les terrasses et le vent soufflait dans la Commune des parfums de terre, de mousse et de pin.

Lorsque Kaïsha rentra avec Nix, bien plus tard dans la journée, un visiteur-surprise les attendait devant la porte de la salle d'entraînement.

— Odel! s'exclama Kaïsha, sursautant lorsqu'elle le vit au détour du couloir.

Odel leva la tête et lui sourit, mais son visage était grave. Kaïsha ne savait que faire. Elle l'évitait depuis des mois et n'avait aucune idée de ce qu'il faisait là, ni du comportement qu'elle devait adopter. Odel lui sauva le besoin de réfléchir plus longtemps, car il prit la parole.

— Ça fait longtemps…, avança-t-il d'une voix hésitante.

— Oui.

Elle ne savait pas quoi dire d'autre. Elle attendit.

— Ton tigre est magnifique, remarqua Odel en indiquant Nix du menton.

Ce dernier, sentant la tension dans l'air, se mit à tourner nerveusement autour de Kaïsha, ce qui s'avéra difficile, car il occupait presque tout le corridor de sa longueur.

— Merci, répondit Kaïsha en caressant la tête de Nix pour le calmer.

Un nouveau silence tendu s'installa. Kaïsha dévisagea Odel. Il semblait fatigué, ou peut-être était-ce le sérieux de ses traits qui lui donnait cet air peu habituel?

— Que fais-tu ici, Odel? lui demanda-t-elle alors, incapable de se retenir plus longtemps.

Ce dernier ne répondit pas immédiatement. Il sembla hésiter avant de finalement exprimer sa pensée :

— Ce que les hérauts ont dit, que le Désert veut attaquer les nations... Est-ce que c'est vrai ?

Kaïsha se figea. Elle était censée garder secret son rôle dans ces révélations. Elle se mordit les lèvres et répondit, d'un air qu'elle espérait innocent :

— Sans doute, pourquoi me le demandes-tu ?

Le regard qu'il lui lança lui indiqua qu'il n'était pas dupe et elle comprit qu'il ne lui servirait à rien de jouer la comédie. Elle abandonna toute tentative de mentir et répondit simplement :

— Oui. C'est vrai.

Odel hocha la tête lentement.

— C'est ce que je pensais, mais j'avais besoin d'une confirmation. C'est pour cela que tu es venue dans les Montagnes, avec Ko-Bu-Tsu et Zuo ? Pour nous avertir ?

— Et pour que les Montagnes viennent en aide aux Plaines, compléta Kaïsha, décidant de se montrer honnête jusqu'au bout avec lui. Ils seront les premiers attaqués et je crains pour ma famille.

Odel leva les yeux vers elle et plongea son regard dans le sien. Il semblait désolé.

— Pourquoi ne pas me l'avoir dit ? demanda-t-il alors avec une douceur empreinte de tristesse. Pourquoi l'avoir caché tout ce temps ?

— Le Conseil d'Erwem le savait, expliqua Kaïsha. Et si je l'avais dit moi-même, personne ne m'aurait crue.

— Je t'aurais crue.

Kaïsha sourit tristement.

— Ce n'est pas un fardeau que tu avais à porter. Je voulais vous épargner cette nouvelle aussi longtemps que possible. Je n'ai rien dit non plus à Nihiri.

Elle laissa échapper un petit rire.

— Et puis, continua-t-elle avec un entrain forcé, il était bien plus plaisant de pouvoir prétendre vivre une vie normale avec vous, même si ce ne pouvait être que temporaire. Ça m'a procuré beaucoup de bonheur.

Kaïsha pensa alors à la fête du solstice d'hiver, cette soirée qui avait été pour elle la plus belle et la plus triste depuis son arrivée à Erwem. Elle croisa le regard d'Odel et elle sut qu'il pensait lui aussi à cette soirée. Il ouvrit la bouche et elle eut soudain peur de ce qu'il dirait.

— Kaïsha, murmura-t-il. Je suis déso…

— Non, l'interrompit aussitôt Kaïsha. Ne t'excuse pas. Tu n'as commis aucune faute. C'est moi qui devrais m'excuser pour t'avoir fui tout ce temps. Je n'arrivais tout simplement pas à te regarder en face. J'avais honte et j'ai été lâche.

Odel avança alors vers elle, gardant une distance respectueuse entre eux deux, une distance qui serait toujours là à présent, même s'ils pouvaient tenter de la réduire ou de l'ignorer.

— Tu n'avais pas à avoir honte, la rassura-t-il avec douceur, la douceur du Odel qu'elle connaissait. Je suis heureux de pouvoir te parler à nouveau. Tu m'as manqué, Kaïsha.

Kaïsha arriva enfin à lui répondre par un véritable sourire.

— Tu m'as manqué aussi.

❄ ❄ ❄

Odel revint la voir quelques jours plus tard, accompagné cette fois de Nihiri. Ils entrèrent dans la salle d'entraînement alors que Saï et Kaïsha s'affrontaient épée contre bouclier, tandis que Nix dormait à poings fermés sur sa paillasse. Kaïsha, qui occupait pour le moment le rôle défensif en tenant un lourd bouclier d'une main, n'avait pas vu le frère et la sœur arriver et se plaignait à Saï :

— Je déteste tenir un bouclier. Il gêne mes mouvements et me rend plus lente.

— Il te faut néanmoins apprendre à t'en servir de façon satis-faisante, répliqua Saï sans relâcher sa pression en lui assenant un coup après l'autre. Si tu te retrouves en situation où tu perds ton arme, tu dois être capable de te protéger le plus rapidement pos-sible. N'oublie pas que bien des objets peuvent te servir de bouclier. Lorsque tu regardes autour de toi, prends l'habitude de repérer tout ce qui pourrait être utilisé comme une arme ou comme une défense.

Il fit alors une feinte pour l'attaquer sur la droite et, au moment où Kaïsha déplaça son bouclier, il décrivit un arc dans les airs et fonça, vif comme l'éclair, sur son flanc gauche, qui était à présent exposé. Poussée par ses réflexes, Kaïsha lâcha aussitôt le bouclier pour prendre son épée à deux mains et bloqua le coup, qu'elle repoussa pour le déstabiliser et transformer sa parade en attaque. Elle réussit aisément à ouvrir une brèche dans la défense de son mentor et sa lame glissa jusqu'au cou du maître d'armes, s'arrêtant à un cheveu de sa peau. Saï laissa tomber son arme en signe de reddition et Kaïsha retira aussitôt son épée pour la ranger d'un mouvement souple derrière son dos.

— Excellent mouvement, mais tu as laissé tomber ton bou-clier, la gronda Saï. Si tu t'étais retrouvée encerclée par plusieurs adversaires, tu n'aurais peut-être pas eu le luxe de pouvoir aban-donner ta défense pour te concentrer sur un seul coup. Nous en reparlerons plus tard, tu as de la visite.

Kaïsha fit volte-face, s'attendant à voir Ko-Bu-Tsu ou Zuo, et fut surprise de voir plutôt Odel et Nihiri, attendant tous les deux timidement près de la porte.

— Que faites-vous là ? s'étonna-t-elle.

— En fait..., hésita Nihiri, visiblement gênée, nous venions t'adresser une requête.

— Une requête ? s'enquit Kaïsha, interloquée. Quoi donc ?

Nihiri et Odel posèrent alors chacun un genou sur le sol et s'inclinèrent profondément devant elle. Kaïsha sursauta en les voyant faire et passa son regard d'un à l'autre, déconcertée.

— Accepterais-tu de nous apprendre à utiliser une épée ? demanda alors Odel d'un ton solennel.

Kaïsha resta bouche bée devant cette demande et se tourna vers Saï, lui demandant du regard ce qu'elle était censée répondre à cette demande. Saï eut un léger sourire en coin et s'avança vers le frère et la sœur. Les deux, intimidés par la présence imposante du maître d'épée, gardèrent la tête penchée et les yeux rivés sur le sol.

— Vous voulez apprendre à vous battre ? leur demanda-t-il sans cérémonie.

— Oui, Maître Saï, répondit Odel avec humilité.

— Ce désir soudain vient-il de la récente réforme des Communes concernant la prévention d'une guerre ?

— Oui..., murmura Nihiri, terrorisée par le ton sévère de Saï.

— Et vous avez pensé qu'une apprentie épéiste serait en mesure de vous donner une formation digne de ce nom ? les interrogea-t-il alors avec dureté.

Odel et Nihiri ne surent que répondre. Kaïsha regarda Saï et leva un sourcil sceptique. Elle savait comme lui qu'elle n'était plus une simple apprentie depuis longtemps, mais Saï lui offrit un demi-sourire malicieux et Kaïsha comprit alors qu'il testait Odel et Nihiri.

— Eh bien ? aboya-t-il d'un ton brusque. Ou bien peut-être pensiez-vous qu'elle serait une meilleure professeure que moi ?

Est-ce cela ? Vous pensiez que ce vieux fou de Saï serait bien incapable de vous enseigner quoi que ce soit ?

Odel et Nihiri semblèrent morts de honte, et Kaïsha dut enfoncer son poing dans sa bouche pour s'empêcher de rire. Saï lui lança un clin d'œil avant de donner une petite tape amicale sur les épaules de Nihiri et d'Odel, qui semblaient incapables de parler. Ils levèrent la tête vers lui, incertains de ce que le maître d'armes allait faire. Saï eut un sourire en coin.

— Kaïsha ne vous enseignera pas à manier l'épée. C'est moi qui le ferai, leur déclara-t-il, le ton plus amical. Votre amie est encore mon élève et même s'il lui reste peu de choses à apprendre, je veux qu'elle se concentre uniquement sur sa propre formation et non sur celle des autres. Je vous prendrai à ma charge, si vous êtes prêts à m'avoir comme professeur.

Odel et Nihiri fixèrent Saï, tous les deux stupéfaits, avant de passer leur regard sur Kaïsha, qui leur sourit avec chaleur. Aussitôt, le frère et la sœur baissèrent la tête et jurèrent à Saï qu'ils seraient des élèves obéissants. Kaïsha s'approcha de son mentor et lui sourit.

— Je n'aurai plus l'exclusivité de ton enseignement, remarqua-t-elle avec une déception feinte. Je pensais que je serais toujours ta seule élève.

— Les temps changent, déclara Saï avec calme. Beaucoup de gens chercheront à s'instruire et il reste bien peu de maîtres d'armes dans les Montagnes.

Il regarda alors Kaïsha dans les yeux et lui sourit.

— Je t'ai poussée à devenir la plus forte possible, pour que tu puisses embrasser le chemin qui est le tien et être capable de porter sur tes épaules le poids de ce destin. Quelle sorte de mentor serais-je si je n'en faisais pas de même ?

❈ ❈ ❈

Quelques jours plus tard, alors que Kaïsha rentrait chez elle après une journée passée à arpenter le flanc de la montagne avec Nix, une surprise de taille l'attendait dans le salon.

— Joyeux anniversaire! s'exclamèrent d'une même voix Ko-Bu-Tsu, Zuo, Junn, Cyam, Mak et Saï, qui se tenaient tous dans le salon.

— Que... quoi? balbutia Kaïsha, prise de court.

— Puisque tu nous as dit être née au début de l'été, mais que tu ne connaissais pas la date, nous avons décidé que ce serait aujourd'hui! déclara Zuo avec un large sourire.

— Ce qui te fait maintenant seize ans, ajouta Ko-Bu-Tsu en la prenant dans ses bras. Joyeux anniversaire!

Kaïsha les regarda tour à tour, les membres de sa famille des Montagnes qui la regardaient tous avec le même sourire bienveillant, et sentit une agréable chaleur grandir dans sa poitrine. Son anniversaire n'était qu'un moment flou dans le temps qui marquait le passage des années depuis si longtemps qu'elle avait oublié la signification que pouvait avoir un tel évènement. Elle fut émue que ses amis le lui rappelassent.

— Seize ans, murmura-t-elle, prenant soudain conscience de son âge. Cela fait donc trois ans que j'ai quitté le village.

Zuo et Ko-Bu-Tsu échangèrent un regard complice avant de se tourner vers elle.

— C'est vrai, mais puisque tu ne peux pas être chez toi pour fêter, nous avons décidé d'apporter un peu de chez toi ici!

Ils lui montrèrent alors la cuisine et Kaïsha vit que la table débordait de plats en tout genre. Lorsqu'elle s'approcha un peu plus, elle se rendit compte avec ébahissement qu'il s'agissait entièrement de mets typiques des Plaines. Elle reconnut les ragoûts, les galettes et la viande fumée, ces parfums qu'elle n'avait pas sentis depuis des années et qui la ramenaient soudain dans le cottage de son enfance.

— Co... comment ? murmura-t-elle, trop émue pour formuler une phrase décente.

— Nous avons consulté tous les livres des archives sur la cuisine des Plaines, expliqua Zuo avec fierté. Il y avait une section entière sur la cuisine typique du sud et nous savions que ton village y est situé, alors nous avons pris en note les recettes et nous avons acheté tous les ingrédients disponibles.

— Nous avons même réussi à faire une tisane aux pommes, s'enorgueillit Ko-Bu-Tsu en brandissant une théière fumante. Nous n'avons pas réussi à trouver de lavande, par contre...

Elle n'eut pas besoin de s'expliquer plus longuement, car Kaïsha les agrippa, elle et Zuo, et les serra si fort dans ses bras que leurs os durent craquer.

— Merci, murmura-t-elle à leur oreille, tandis que de chaudes larmes roulaient sur ses joues. C'est le plus beau cadeau que l'on m'ait jamais fait.

Ils passèrent tous une très belle soirée, tout le monde découvrant les mets des Plaines que Ko-Bu-Tsu et Zuo avaient préparés. Kaïsha mangea un peu de tout, trop heureuse de retrouver les saveurs de son enfance en compagnie de personnes qui lui étaient chères. Après le repas, lorsqu'ils furent tous installés au salon en dégustant la tisane aux pommes, une autre surprise attendait Kaïsha. Saï et Junn se consultèrent du regard et le maître d'armes sortit de sa poche une enveloppe cachetée, adressée à Kaïsha.

— Elle est arrivée au Conseil il y a deux jours, lui expliquat-il. Nous avons pensé te la donner immédiatement, mais puisque nous avions déjà envisagé de te fêter, nous nous sommes dit que ce serait la meilleure occasion pour te la remettre.

Kaïsha contempla l'enveloppe, interdite, puis la prit lentement des mains de Saï. L'écriture d'Espérance était reconnaissable entre toutes.

— Ça veut dire qu'elle a reçu ma lettre ? demanda-t-elle, soudain anxieuse.

— Vois-le par toi-même, lui répondit Saï avec un sourire en coin. Tu n'es pas obligée de la lire devant nous, bien sûr. Nous voulions seulement te la remettre ce soir. Joyeux anniversaire, Kaïsha.

— Merci, répondit cette dernière d'une voix qui trembla un peu. Je la lirai plus tard. Pour l'heure, je vais profiter de cette incroyable soirée que vous m'avez offerte !

Bien plus tard, après qu'ils eurent joué aux cartes, dansé sur la musique de Junn et Cyam et que, vers la moitié de la nuit, Saï fut retourné chez lui et que tous furent montés se coucher, Kaïsha se retrouva seule dans la chambre qu'elle partageait avec Ko-Bu-Tsu. Cette dernière, pour lui laisser l'intimité dont elle avait besoin, avait décidé de dormir dans le salon. Zuo avait alors insisté pour lui laisser son lit et, après une courte argumentation, ce fut finalement lui qui dormit dans le salon tandis que Ko-Bu-Tsu se retrouva dans sa chambre.

À la lumière des lampes à huile, Kaïsha sortit de sa commode un petit écrin de bois laqué, qui tenait dans sa paume et qu'elle avait acheté un jour au marché, des mois auparavant. À l'intérieur reposait le collier qu'Espérance lui avait offert, il y avait bien longtemps maintenant. Le temps avait fait son œuvre et la cordelette de cuir avait fini par céder sous l'usure. La petite pochette était encore intacte, bien que salie et usée. Kaïsha l'ouvrit délicatement et regarda pendant un moment la poussière grise qui avait autrefois été des branchettes de lavande. Il y avait bien longtemps que leur parfum s'était évaporé, mais Kaïsha ne s'était toujours pas résolue à jeter leurs restants. Comme une amulette, elle conservait précieusement cette partie d'elle-même qu'elle ne pouvait plus porter sans risquer de la détruire. Elle porta ses doigts aux boucles d'oreilles en forme de têtes de loup qui brillaient toujours à ses lobes et pensa ironiquement que son héritage du sang demeurait parfaitement intact et collé sur elle, tandis qu'elle devait prendre toutes les précautions nécessaires pour conserver son héritage culturel fragile. Elle soupira à cette triste pensée et ferma l'écrin.

Elle vint plutôt s'asseoir sur son lit et prit la lettre d'Espérance. Maintenant qu'elle en avait une entre les mains qui n'avait pas été précédemment ouverte par Maen, elle hésitait presque à déchirer elle-même le papier de l'enveloppe. Elle l'ouvrit avec précaution, comme elle l'aurait fait avec un objet fragile. Elle déplia lentement le papier, marqué de l'écriture d'Espérance.

Dans la lettre que Kaïsha lui avait envoyée, plus de deux mois auparavant, elle lui avait expliqué la raison pour laquelle elle n'avait pu répondre plus vite à ses précédentes missives. Elle lui avait raconté comment, après avoir rencontré Ko-Bu-Tsu et Zuo, elle en était arrivée à vivre dans la nation des Montagnes et comment, peu à peu, les gens l'avaient acceptée telle qu'elle était. Toutefois, Kaïsha s'était gardée de raconter à sa mère les circonstances dans lesquelles elle avait fait la connaissance de ses plus proches amis, ni le surnom de l'Enfant des cinq mondes qui lui était maintenant attribué. Elle ne voulait pas qu'Espérance sût que sa fille s'était retrouvée réduite à l'esclavage. Elle espérait lui éviter à jamais d'apprendre cette horreur. Prétextant tenir l'information du peuple des Montagnes, elle l'avait avertie de ce qu'elle savait des menaces du Désert, et avait réitéré sa demande urgente qu'elle et les enfants s'en allassent vers le nord, le plus loin possible de la frontière.

Kaïsha avait terminé sa lettre en avouant qu'elle ne savait pas plus qu'Espérance ce qu'il était advenu de Furtif, mais qu'elle était persuadée qu'il se portait bien et suivait son propre chemin.

À présent, elle avait entre les mains la preuve qu'Espérance avait reçu sa lettre comme elle l'avait tant espéré et Kaïsha lut avec émotion la missive de sa mère.

C'était une lettre débordante d'amour et de fierté. Espérance peinait à croire que sa propre fille avait réussi l'impossible exploit de traverser une frontière et d'être acceptée par une autre nation. À le lire ainsi du point de vue d'Espérance, Kaïsha dut elle-même admettre que cela semblait effectivement inconcevable et rit d'imaginer ce que des gens qui ne connaissaient rien d'elle pourraient penser si elle leur racontait sa vie. Espérance lui écrivait sur la vie du village, qui ne changeait pas, sur les enfants qui grandissaient, sur Chant-d'Oiseau, qui avait eu son deuxième enfant, et sur Rouquine, qui pensait bientôt rejoindre Marin à Turigna et y trouver un emploi comme sage-femme. Espérance avait meublé sa missive de pensées heureuses avant d'entrer dans le sujet sombre, mais inévitable, de l'avertissement de Kaïsha. Elle lui écrivit que, bien qu'elle doutait fortement qu'une nation considérait réellement s'en prendre à une autre, eux qui vivaient tous en paix depuis si longtemps, elle prenait l'avertissement de Kaïsha au sérieux. Elle avait transmis le message à Marin, qui vivait avec sa femme et leur nouveau-né à Turigna, et elle avait commencé à discuter avec Chant-d'Oiseau des options qui s'offraient à eux si la nation se trouvait réellement menacée.

« Nous ne pouvons pas quitter le village, lui écrivait-elle dans la lettre. Nous n'aurions nul endroit où aller et à peine les moyens de voyager jusqu'à Mosca. Mais nous sommes à présent alertes et nous allons commencer à faire des économies. Si des nouvelles nous parviennent de la frontière, nous serons prêts à partir dans l'heure et nous nous débrouillerons au mieux. »

Espérance terminait sa missive en implorant Kaïsha de demeurer prudente, maintenant qu'elle résidait dans une nation étrangère. Elle espérait que sa fille se portait bien et qu'elle était heureuse, et l'implorait de lui écrire bientôt.

Lorsque Kaïsha termina sa lecture, elle sourit. Cette fois, nulle larme ne vint entacher sa lecture, car il n'y avait rien à pleurer. Son cœur ne portait plus de blessures que les mots d'Espérance causaient comme ils guérissaient. À présent, elle était simplement heureuse, infiniment heureuse, de lire l'écriture de sa mère et de savoir que sa famille allait bien. Elle serra la lettre contre son cœur, avant de la relire, puis de la remettre délicatement dans son enveloppe. Elle la rangea ensuite dans son coffre à vêtements, bien à l'abri au fond, avec les autres.

Lorsqu'elle se coucha cette nuit-là, Kaïsha sourit dans le noir. Dans les derniers mois, elle avait réussi à convaincre les guides de la menace du Désert et à obtenir leur promesse de soutenir les Plaines, elle avait fait la paix avec Odel et ses propres sentiments, et elle avait reçu de sa mère des paroles d'amour et de confiance. Pour une rare fois, elle s'endormit en pensant que l'avenir se révélerait peut-être moins sombre que ce que ses cauchemars appréhendaient.

Au fil des semaines, la température devint de plus en plus chaude. Avec l'arrivée de l'été, l'atmosphère de peur qui régnait sur Erwem se dissipa tranquillement, comme si le retour de la saison chaude rappelait à tout le monde que la Terre n'avait pas cessé de tourner, et que le lendemain n'était pas synonyme de danger. De plus en plus, les gens semblèrent accepter le fait inconcevable, mais pourtant vrai, que le mot «guerre» pourrait cesser d'être une simple notion théorique et pourrait devenir une réalité. Leur panique initiale se transforma peu à peu en une résolution déterminée de se préparer pour y faire face. Des écoles de combat et de maniement d'armes ouvrirent leurs portes, la plupart dans les salles de sport du palier Trois. Kaïsha apprit par des étudiants que des cours allaient se donner au Collège sur la fabrication des outils de guerre que les ingénieurs commençaient à créer en ce moment même. Peu à peu, ces nouvelles institutions s'imbriquèrent dans la routine des habitants et le calme revint dans la Commune. Un soir qu'ils mangeaient avec Mak, tout juste revenu d'un voyage sur le continent ouest, il leur annonça que des réactions similaires étaient observées dans toutes les Communes.

— Les enfants des Montagnes ont toujours été poussés par la quête du savoir et l'avancée des connaissances, constata-t-il avec un haussement d'épaules. Je suppose alors que c'est normal de les voir se démener pour maîtriser ce nouvel aspect de nos vies avec le même enthousiasme que pour tous les autres domaines.

— Sauf que la théorie ne ressemble en rien à la pratique, remarqua Kaïsha.

Elle se remémora douloureusement les trop nombreuses fois où elle avait dû combattre pour sa vie. Elle n'avait guère alors pu compter sur une quelconque connaissance du combat et seuls ses instincts l'avaient sauvée.

— Lorsqu'ils se retrouveront devant un véritable danger, je doute qu'ils l'affrontent avec le même enthousiasme, continua-t-elle.

— Aucun de nous ne recherche consciemment le danger, remarqua Cyam. Sauf peut-être Mak, mais lui est fou.

Mak éclata de rire à cette remarque, imité par tout le monde à la table.

— Il nous faudra nous ajuster en temps et lieu, continua Cyam, mais je préfère voir les enfants des Montagnes affronter le danger forts d'un entraînement et de connaissances pratiques, même si la peur les habite, plutôt que se terrer dans les Communes jusqu'à ce que le danger vienne cogner à leur porte et les extermine comme des lapins dans leur terrier.

Kaïsha hocha la tête avec approbation. Cyam avait évidemment raison. Elle-même ne se sentait-elle pas infiniment plus en confiance depuis qu'elle portait à son dos une épée qu'elle connaissait et maîtrisait comme une extension d'elle-même ?

— Parlant de se préparer au pire, intervint soudain Zuo, l'air nerveux mais déterminé, j'ai quelque chose à vous dire...

Kaïsha et Ko-Bu-Tsu échangèrent un regard. Elles savaient que Zuo songeait depuis un moment à avouer à ses parents que ses entraînements de tir étaient tout sauf récréatifs. À présent que l'apprentissage du combat n'était plus dénigré, il espérait pouvoir leur confier son ambition de devenir archer sans qu'ils s'y opposassent. Il semblait qu'il avait choisi ce moment pour faire sa déclaration.

Cyam et Junn regardèrent leur fils avec surprise et attendirent, patients, que Zuo formulât sa pensée. Ce dernier prit une grande inspiration pour se donner du courage avant d'avouer :

— Depuis que j'ai repris mes leçons de tir, je me suis entraîné presque tous les matins dans la salle d'entraînement du Trois, déclara-t-il à une vitesse vertigineuse, les mots déboulant les uns sur les autres dans sa bouche. Maître Hatthen le sait, elle a remarqué que je me suis trop amélioré pour que ce soit juste grâce à ses leçons, mais je lui ai demandé de ne rien vous dire. Elle pense que je pourrais faire un très bon archer, et je le pense aussi.

Il s'arrêta, essoufflé, et reprit son souffle tandis que ses parents, silencieux, attendaient qu'il eût fini.

— Je veux devenir un archer, admit-il enfin en prenant son courage à deux mains pour regarder ses parents dans les yeux. Je sais que ce n'est pas ce que vous vouliez pour moi, mais c'est ce que moi, je veux. Nous savons depuis longtemps que nous aurons éventuellement à affronter l'armée du Désert. Kaïsha va se battre et je veux être avec elle. J'aimerais suivre de véritables cours avec maître Hatthen pour devenir encore meilleur et j'aimerais vraiment avoir votre bénédiction.

Zuo tomba alors silencieux, vidé de sa confidence qui lui avait pris tellement de temps et de courage à admettre. Il échangea un regard incertain avec Kaïsha et Ko-Bu-Tsu, leur demandant silencieusement s'il avait commis un impair. Junn et Cyam, toujours silencieux, finirent par échanger un regard entendu et par sourire tous les deux.

— Nous le savions, avoua doucement Junn.

Zuo, Kaïsha et Ko-Bu-Tsu sursautèrent tous les trois en entendant cet aveu, ce qui fit rire Cyam, Junn et Mak.

— Tu ne pensais tout de même pas que nous n'avions pas remarqué tes disparitions matinales ? s'enquit Cyam à son fils abasourdi. Nous avons compris il y a longtemps que tu t'entraînais au tir, j'en ai même parlé à Hatthen un mois après le début de tes leçons. Elle nous a dit à quel point tu étais un élève doué et persévérant.

Zuo regarda tour à tour ses parents, incrédule.

— Pourquoi n'avez-vous rien dit ? finit-il par balbutier.

Sa mère le regarda avec tendresse.

— Parce que nous voulions que cela vienne de toi, mon cœur. Nous attendions que tu sois prêt à te lever pour ta passion. Cela dit, cela t'a pris plus de temps que nous pensions.

— Mais je pensais…, balbutia Zuo, toujours sous le choc, je pensais que vous vouliez que je devienne un explorateur comme vous.

Cyam soupira.

— Cela est de ma faute, Zuo, concéda-t-il en secouant la tête. Ce que nous voulons en premier lieu, c'est que tu sois heureux.

J'admets t'avoir mis cette pression sur les épaules parce que je pensais, naïvement, qu'un bon métier te mènerait au bonheur. Je n'ai pas considéré que tu étais bien assez mature pour décider de ton propre parcours.

— Nous savons depuis le moment où tu es revenu avec Kaïsha et Ko-Bu-Tsu que vos destins seraient liés, ajouta Junn avec un mélange de tristesse et de résignation. Vous suivrez le même chemin et ce chemin... je le pressens avec crainte, vous mènera devant plusieurs dangers.

Elle regarda alors son fils et un éclat de fierté vint briller dans ses yeux.

— Mais je pense aussi que ce chemin t'était destiné et que tu as tous les atouts pour le traverser sans crainte.

Zuo soutint le regard de sa mère, l'air profondément troublé par ses paroles. À cet instant, il semblait beaucoup plus vieux que ses quatorze ans.

— Tu peux continuer tes cours avec notre bénédiction, déclara alors Cyam. Nous ne pourrons pas t'éloigner des dangers de ce monde, alors nous t'encouragerons et nous t'aiderons du mieux que nous le pourrons à t'outiller pour y faire face.

Zuo, submergé par la joie et le soulagement, courut serrer ses parents dans ses bras et Kaïsha sourit, heureuse pour son meilleur ami. Ko-Bu-Tsu rit et soupira :

— Devinez qui devra soigner toutes les blessures que vous allez vous faire, tous les deux?

— Quelle chance nous avons! rit Kaïsha.

Ko-Bu-Tsu lui lança alors un regard mystérieux et murmura :

— Je pourrai peut-être faire plus que simplement vous soigner, indiqua-t-elle avec complicité.

— Que veux-tu dire? lui demanda Kaïsha.

— Rien n'est fait encore, les prévint-elle aussitôt, mais j'ai entendu il y a quelques jours maître Friya discuter avec un maître des herbes. Il lui expliquait que certaines poudres de plantes, une fois mélangées selon une certaine recette, pouvaient devenir des objets explosifs s'ils étaient mis en contact avec le feu. Je pense demander à ce maître de m'enseigner ces recettes.

Kaïsha n'avait jamais entendu parler de tels objets, mais fut étonnée par l'intérêt soudain que Ko-Bu-Tsu y portait.

— Ce pourrait être rudement pratique, admit Kaïsha avec réserve. Mais pourquoi veux-tu apprendre à en faire ?

Ko-Bu-Tsu lui lança un regard agacé, comme si la réponse était évidente :

— Junn vient de le dire. Le futur qui s'ouvre devant nous n'a rien de rassurant. J'aurai besoin de plus qu'une dague à ma ceinture pour pouvoir me défendre et j'ai déjà toutes les connaissances dont j'ai besoin sur les plantes médicinales. Apprendre à faire ces objets explosifs me sera plus aisé que m'initier à l'épée !

Kaïsha fut surprise par sa réflexion, même si elle était pleine de bon sens.

— Je te protégerai toujours, tu le sais bien, lui dit-elle.

Ko-Bu-Tsu eut un sourire triste.

— Bien sûr que je le sais, mais je dois aussi envisager la possibilité que tu ne seras pas toujours à côté de moi pour être mon bouclier. Je n'ai aucune envie d'être un fardeau, Kaïsha, et si je peux apprendre quelque chose qui nous sera utile, je le ferai.

Kaïsha voulut lui assurer qu'elle n'était en rien un fardeau, mais elle comprit alors que le besoin de son amie était de se dépasser elle-même, et elle n'ajouta rien. Elle se contenta de hocher la tête et sourit.

— Je ne croirai en ces objets explosifs que lorsque je verrai un mur s'écrouler devant moi ! affirma-t-elle à la blague.

Ko-Bu-Tsu eut un sourire malicieux.

— Ce serait si dommage que Maen perde sa porte d'entrée…

❊ ❊ ❊

Avec les belles journées d'été, Kaïsha prit l'habitude de sortir avec Nix, qui ne cessait de grandir et dont le besoin de se dégourdir les pattes ne pouvait plus être comblé par les allées étroites de la Commune. Kaïsha l'amenait sur la terrasse, où les passants les regardaient avec des yeux ronds, et descendait avec lui sur la terre ferme. Elle n'avait alors qu'un mot à dire, et Nix s'élançait avec puissance et dévalait la montagne à une vitesse vertigineuse, disparaissant souvent, parfois pour plusieurs heures. Kaïsha ne s'inquiétait jamais. Il était la créature la plus dangereuse des environs et il revenait toujours, parfois avec le produit de sa chasse encore dans la gueule.

Les gens étaient fascinés que cet animal, pur prédateur, pût chasser et se montrer sans pitié pour les animaux qui couraient la montagne, mais se montrer doux comme un agneau avec Kaïsha et les autres humains. Kaïsha elle-même pouvait difficilement s'expliquer ce phénomène, mais curieusement, elle n'y percevait pas d'incohérence. Nix n'était pas un animal comme les autres. Il était son compagnon, son ami et elle savait que jamais il ne lui ferait de mal. Lorsqu'elle le voyait courir avec le vent sur l'herbe, elle essayait d'imaginer ce qu'elle pourrait ressentir si elle était Nix, à être grisée par la vitesse, propulsée par des pattes puissantes et sentir le vent fouetter son visage.

Elle repensa alors à ce que Cyam lui avait dit, sur les tribus de la Forêt qui utilisaient des animaux comme moyen de transport, comment eux-mêmes chevauchaient les aigles, et une idée vint germer dans son esprit. D'abord toute petite, elle prit de plus en plus de place et Kaïsha finit par devenir obsédée par ce projet insensé : chevaucher Nix.

Elle fit part de son idée à maître Gaolen, qui se monta d'abord stupéfait et contre, avant de céder à la curiosité de tout ce que pourrait impliquer une telle entreprise.

— Si cela peut se faire, et je dis bien *si*, il te faudrait une selle, et il faudra attendre que le tigre ait atteint sa forme adulte avant de tenter l'expérience. Il a beau être déjà très grand, je doute qu'il ait déjà la force de porter un humain sur son dos. Cela pourrait le blesser.

— Mais lorsqu'il sera assez grand, ce pourrait être possible ? insista Kaïsha.

— Eh bien…, hésita maître Gaolen, ceux de la Forêt le font depuis des siècles avec des panthères, et les tigres des glaces sont aussi grands et bien plus forts qu'elles, alors en théorie, oui, cela se pourrait. Mais cela n'a jamais été tenté, alors comment savoir ?

Kaïsha pensa à Nix, qui avait une telle confiance en elle qu'il pouvait s'endormir profondément en ronronnant, sa lourde tête sur ses cuisses, et elle sourit.

— Je n'ai aucun doute que ça pourrait fonctionner.

26

Zuo et Ko-Bu-Tsu eurent congé de leurs classes pour l'été et les trois amis prirent l'habitude de partir en expédition, dévalant le flanc de la montagne en compagnie de Nix jusqu'aux premières vallées, où ils pique-niquaient sous le chaud soleil de midi. Nix, excité par la compagnie des humains, courait partout, sautait d'une pierre à l'autre et fonçait avec enthousiasme sur les bâtons et cailloux que Kaïsha, Ko-Bu-Tsu ou Zuo lançaient au loin.

Avec la chaleur et les beaux jours, les habitants d'Erwem sortaient de plus en plus de la Commune et les terrasses extérieures se retrouvaient continuellement noires de monde. De nombreux aigles voyageurs volaient dans le ciel tous les jours, dans un ballet de plumes et de coups d'aile. Plusieurs personnes profitaient des conditions estivales pour rendre visite à des amis ou de la famille vivant dans une autre Commune et, ainsi, il n'était par rare de voir un groupe d'aigles s'éloigner vers l'horizon ou en arriver, transportant sur leur dos les voyageurs et leurs bagages. D'autres chevauchaient les aigles pour se rendre en aval de la montagne, là où la fonte des glaces avait libéré des rivières et des lacs dans lesquels ils prenaient plaisir à se baigner. Pour leur part, de nombreux jeunes s'amusaient à lancer des compétitions de vol à dos d'aigle où ils se mesuraient sur leur habileté à voltiger et à exécuter les plus folles acrobaties aériennes avec leur monture. Il n'était pas rare que Kaïsha se promenait avec Nix sur le flanc rocailleux et que des jeunes passaient tout près d'elle, rasant le sol dans un tourbillon qui levait la poussière et obligeait Kaïsha à se couvrir les yeux. Les jeunes riaient alors et criaient :

— Enfant des cinq mondes ! Choisissez qui de nous est le meilleur chevaucheur !

Kaïsha riait alors et les déclarait tous passés maîtres dans cet art. Lorsqu'ils insistaient pour qu'elle les départageât, elle leur lançait un défi, souvent une course entre eux ou contre Nix, qui était plus qu'heureux de pouvoir s'élancer de toute sa puissance en se faisant talonner par les volatiles. Kaïsha déterminait le champion selon leur rapidité, et le chevaucheur le plus rapide affichait un air de fierté un peu arrogant qu'il imposait à ses amis pour le reste de la journée.

Même si elle continuait à s'entraîner avec son mentor, Saï avait moins de temps à accorder à Kaïsha maintenant qu'il avait ouvert ses portes à de potentiels apprentis. Les gens, surtout des jeunes, affluèrent par dizaines, puis par centaines, pour demander au seul maître d'épée d'Erwem de les prendre sous son aile. Bien qu'il fît l'énorme effort de recommencer à enseigner, Saï ne changea pas assez pour admettre un grand nombre d'élèves sous sa tutelle. Il triait les candidats au volet et n'acceptait d'instruire que ceux dont il sentait que l'intérêt, la détermination et les capacités étaient à la hauteur de ses attentes, ce qui se traduisit par une vingtaine de jeunes homme et femmes, incluant Odel et Nihiri. Le Conseil tenta de faire pression pour qu'il se montrât plus ouvert, mais Saï rétorqua qu'il s'était engagé à former des combattants compétents et aguerris et que, pour tenir cette parole, il ne prendrait que ceux qu'il trouvait dignes de son enseignement.

Kaïsha était heureuse que son mentor eût trouvé de nouveaux élèves. Elle pouvait voir l'étincelle dans ses yeux lorsqu'il leur expliquait les bases fondamentales du combat, tandis qu'elle se tenait à côté de lui, volontaire pour servir d'adversaire d'entraînement pour les nouvelles recrues. Bien qu'il le niât lorsqu'elle le lui fit remarquer, elle savait que Saï était heureux de pouvoir à nouveau transmettre son art, d'autant plus à des apprentis attentifs et motivés qui se révélèrent tous compétents et vifs. Kaïsha demeura toutefois la seule à pouvoir entrer chez le maître d'épée, à s'asseoir dans le fauteuil qui lui était réservé et à discuter jusqu'aux petites heures avec son mentor. Elle était la seule qui avait cet accès privilégié à la tête et au cœur de Saï, et la seule à qui il acceptait de parler de sa famille.

Ils avaient abordé ce sujet d'innombrables fois. Pour tous les deux, leur famille représentait un domaine presque tabou, et pourtant plus important que tout à leurs yeux. Saï avait décrit sa femme et sa fille tant de fois et avec tant de détails que Kaïsha avait maintenant l'impression de les avoir toujours connues. Elle n'aurait pas été surprise de voir la femme de Saï franchir le seuil de la cuisine et lui offrir un bol de son ragoût maison comme à un membre de la famille. Saï, quant à lui, s'était déjà amusé à imaginer comment avaient grandi les nombreux frères et sœurs de Kaïsha et à quoi ils pouvaient maintenant ressembler.

Toutefois, jamais ils ne reparlèrent d'Elessy autrement qu'à l'image de la fillette de cinq ans qu'elle était avant son décès. Ni Saï ni Kaïsha n'étaient désireux de faire à nouveau ce rapprochement entre la fille du maître d'épée et sa protégée, et la facilité avec laquelle le rôle de mentor et celui de père pourraient se confondre. Ils n'en avaient jamais reparlé depuis l'accident de la crevasse, mais ils n'avaient pas eu besoin de mots pour s'entendre sur ce point crucial : Kaïsha était l'élève de Saï, son apprentie, peut-être même l'héritière de son art. Mais elle ne serait jamais sa fille.

❄ ❄ ❄

À présent que Kaïsha avait plus de temps libre, elle en profitait pour passer plusieurs moments avec Zuo et Ko-Bu-Tsu. Mis à part leurs pique-niques, Zuo insista pour qu'ils s'initiassent à l'acrobatie aérienne à dos d'aigles, ce que Kaïsha refusa systématiquement d'essayer. Elle se rappelait de façon vivide l'angoisse que le vertige provoquait chez elle lorsqu'elle se retrouvait sur le dos de ces bestioles et elle préférait de loin ne pas l'expérimenter la tête en bas ou en piquant vers le sol à une vitesse folle. Ko-Bu-Tsu accepta cependant le défi et se révéla plutôt compétente pour une débutante, mais elle ne parvint pas à la cheville de Zuo, qui s'amusait comme un petit fou à virevolter dans les cieux à des vitesses étourdissantes, sous les applaudissements nourris de Kaïsha, qui les regardait faire, bien en sécurité au sol.

Depuis que Junn et Cyam lui avaient dit qu'ils avaient confiance en lui et dans le chemin qu'il avait choisi, Zuo s'épanouissait. Il laissait de plus en plus sortir son énergie débordante, qu'il contenait jusqu'alors en lui pour se conformer au rôle de sage étudiant des Montagnes qu'il pensait devoir maintenir. À présent, il passait le plus clair de son temps à relever de nouveaux défis avec l'arc que maître Hatthen lui avait prêté. Kaïsha, Ko-Bu-Tsu et lui descendirent plus d'une fois à dos d'aigle jusqu'aux vallées couvertes de forêts pour que Zuo pût s'exercer à tirer sur des cibles en mouvement, comme des oiseaux ou les leurres que Kaïsha et Ko-Bu-Tsu lançaient. Kaïsha constata une fois de plus à quel point son ami ne faisait qu'un avec son arme, maniant l'arc et la flèche comme une seconde nature, avec autant de confiance et de dextérité que s'il était né avec un arc dans les mains. Elle-même considérant son épée comme l'extension naturelle de son bras et se sentant dénudée si elle ne la portait pas, elle comprenait enfin la passion qui habitait Zuo et le lien qu'il avait avec son arme.

Maître Hatthen invita un jour Zuo à participer à une démonstration publique de ses talents sur la terrasse extérieure du palier Trois, dans l'espoir d'attirer de nouveaux apprentis. Zuo accepta avec joie et ce fut devant une petite foule enthousiaste qu'il tira une après l'autre les flèches de son carquois pour les envoyer en plein centre des cibles placées à bonne distance devant lui. Pour la première fois, Junn et Cyam purent assister aux progrès de leur fils et demeurèrent bouche bée devant son habileté. Lorsqu'elle vit leur expression, Kaïsha éclata de rire.

— Nous ne vous avions pas menti lorsque nous vous avons dit qu'il a percé les yeux d'un scorpion des sables, déclara-t-elle avec un sourire.

— En pleine nuit et avec un arc trop grand pour lui, ajouta Ko-Bu-Tsu sans quitter des yeux Zuo, qui impressionnait la foule avec ses tirs parfaits.

Alors qu'elle contemplait son fils, un large sourire illumina le visage de Junn.

— Je le savais passionné et doué, mais je n'avais pas imaginé… Mon petit garçon est en train de devenir un homme.

— Un homme dont nous pouvons être fiers, ajouta Cyam en souriant à son tour.

Vers la fin de l'été, Kaïsha, Ko-Bu-Tsu et Zuo revenaient à dos d'aigle à la Commune, après une journée passée au bord d'un lac en aval de la montagne, lorsqu'ils découvrirent Mak posté à l'entrée de l'écurie. Alors que des écuyers se chargeaient de reprendre la bride des aigles, il s'avança vers eux avec un large sourire :

— Bien le bonjour, les inséparables! lança-t-il à la ronde.

— Bonjour, Mak, lui renvoya Ko-Bu-Tsu avec un sourire. Que fais-tu ici?

— Je vous attendais, à vrai dire, admit-il en arrivant à leur hauteur. Junn m'a indiqué que vous étiez partis en aigle. J'ai reçu ce matin une nouvelle qui, je pense, risque de vous intéresser.

Intriguée par son ton mystérieux, Kaïsha attendit qu'il continuât, mais il leur fit plutôt signe de le suivre et les quatre se mirent en route en direction de sa demeure. Mak résidait dans le quartier est du palier Deux, aussi y furent-ils rendus en peu de temps, discutant sur le chemin de leurs activités estivales et des grands changements survenus dans la Commune au cours des derniers mois.

— Alors? Quelle est donc cette nouvelle? demanda Kaïsha lorsqu'ils furent arrivés chez Mak et que celui-ci eut refermé la porte.

— Quelle impatience! rit Mak. Prenez donc un siège, je vais vous faire une tisane.

«Prendre un siège» était plus facile à dire qu'à faire, car la demeure de Mak était dans un désordre encore plus grand que la chambre de Zuo. Il y régnait un immense fourbi, et là où Junn et Cyam avaient accumulé, au cours de leurs nombreux voyages, quelques souvenirs des autres nations, Mak semblait avoir rapporté des objets de chaque ville qu'il avait visitée. Habituée aux lieux, Ko-Bu-Tsu se fraya aisément un chemin parmi les empilages de parchemins, statues, assiettes, coupes, tables, écritoires et livres, et s'installa sur l'accoudoir d'un vieux fauteuil élimé. Kaïsha et Zuo en firent de même et Mak revint bientôt, tendant à chacun une tasse fumante qu'ils ne pouvaient déposer nulle part dans tout ce bric-à-brac.

— Alors, voilà, déclara Mak en s'asseyant à son aise sur une pile de parchemins qui s'avéra couvrir un sofa. Vous entendrez sûrement la nouvelle bientôt de façon officielle de la part du

Conseil, mais j'ai pensé que vous aimeriez l'entendre le plus vite possible, surtout toi, Kaïsha : la missive envoyée par les guides au Sénat des Plaines a été reçue, et une réponse vient d'arriver à Niverr.

— Quoi ? s'exclamèrent les trois amis d'une même voix.

Mak éclata de rire face à leur réaction stupéfaite, avant de hocher la tête.

— Un vieil ami à moi est garde à Niverr et il était présent lorsque les guides ont pris connaissance de la lettre. Il est très admiratif de l'Enfant des cinq mondes et il a voulu lui partager la nouvelle, alors il m'a écrit. Je ne doute pas que le Conseil de Niverr ait déjà envoyé un faucon au Conseil d'Erwem. Tu seras sans aucun doute convoquée dans les prochains jours, peut-être même demain, Kaïsha.

— Que dit la lettre ? demanda cette dernière, avide de savoir.

— Je t'épargnerai les détails que le Conseil ne manquera pas de te donner, mais dans l'ensemble, les Plaines se montrent consternées par l'avertissement des Montagnes, car ce n'est pas le premier qu'ils reçoivent concernant le Désert.

Kaïsha fut si surprise qu'elle faillit en tomber de son siège bancal. Elle se tourna vers Zuo et Ko-Bu-Tsu, et les trois amis échangèrent la même question silencieuse. Se pouvait-il...

— Est-ce que ce pourrait être la lettre que j'ai écrite il y a un an ? murmura Kaïsha, interdite.

Mak lui envoya un sourire complice.

— C'est plus que probable. Dans tous les cas, les représentants des Plaines se disent ouverts à l'idée d'organiser une rencontre extraordinaire avec les délégués des Montagnes pour discuter de la situation plus en profondeur.

Kaïsha se sentit submergée par une vague d'excitation.

— Je savais que les représentants des Plaines se montreraient ouverts d'esprit! déclara-t-elle.

— En effet, approuva Mak avec un sourire chaleureux. Si une nation se place au-dessus des autres sur ce point, c'est bien celle des Plaines. Bien sûr, rien n'est encore fait, l'avertit-il. Le chemin sera long entre ce premier contact et une rencontre officielle, sans doute plusieurs mois.

— C'est sans importance, tant qu'ils acceptent de se parler, affirma Kaïsha, refusant de se départir de son optimisme.

— Les dirigeants de deux nations qui se rencontrent..., réfléchit Ko-Bu-Tsu à voix haute. Ce sera une première dans l'histoire des nations.

— Espérons qu'elle ne sera pas la dernière, renchérit Zuo.

Tel que Mak l'avait prédit, Kaïsha fut convoquée par le Conseil deux jours plus tard et elle se fit annoncer la même nouvelle par un Maen qui, sous toutes les apparences d'un ravissement poli pour cette heureuse nouvelle, avait le regard froid comme la glace. Il n'avait toujours pas pardonné à Kaïsha de lui avoir fait perdre son emprise sur le Conseil, et à présent que les élections approchaient à grands pas et que les maîtres pourraient bientôt poser leur candidature pour le détrôner de son siège, il devait redoubler d'efforts pour regagner la faveur du peuple et être réélu. Ainsi forcé d'adopter le plus chaleureux des comportements envers Kaïsha dans l'espoir de faire oublier sa fourberie passée, il s'adressa à elle avec un sourire qui aurait pu passer pour sincère si ses yeux ne trahissaient pas sa haine.

— Les représentants des Plaines expriment dans leur missive avoir été fortement surpris d'apprendre l'existence d'une Enfant des cinq mondes, lui expliquait-il de sa voix doucereuse devant les membres du Conseil, tandis que Kaïsha se tenait debout au centre de la Coupole. Toutefois, ils concèdent que si une rencontre devait avoir lieu entre nos deux nations, elle devrait être désignée comme intermédiaire. Nos guides vous demandent donc d'accepter ce rôle dans cette éventualité.

— Ce sera mon plaisir et un honneur, répondit Kaïsha d'un ton posé.

En vérité, elle craignait que les représentants des Plaines considérassent avec scepticisme qu'une jeune femme de seize ans pût être l'unique médiatrice entre deux nations, mais elle réussit à cacher ce trouble à Maen et aux membres du Conseil. Le fait que Mak l'eût informée à l'avance de tout ceci l'avait aidée à se préparer, et elle se promit de l'en remercier à nouveau.

— Fort bien, concéda Maen avec le même faux sourire. Nous enverrons donc votre réponse aux guides. Maintenant qu'une voie de communication est ouverte entre nos deux nations, ils travailleront à organiser une rencontre officielle, et nous les appuierons en tout. Nous pourrons alors compter sur vous pour... remplir votre fonction d'Enfant des cinq mondes.

Seule Kaïsha perçut la moquerie de sa déclaration et le peu de valeur qu'il accordait à son surnom. Elle n'en avait cure. Elle jeta un coup d'œil en direction de Junn et de Saï, comme elle en avait pris l'habitude lorsqu'elle se retrouvait confrontée à Maen. Tous deux lui accordèrent un imperceptible hochement de tête, lui confirmant qu'il n'y avait pas de piège à craindre dans les paroles du sage. Elle s'inclina alors devant lui avec un respect qu'elle pouvait feindre aussi bien qu'il jouait la bonté, et Maen mit fin à l'entretien.

La fin de l'été s'écoula doucement. Kaïsha passa le plus clair de son temps dehors, en compagnie de Zuo, de Ko-Bu-Tsu et de Nix.

Ayant eu tout l'hiver pour explorer la cité souterraine, elle était maintenant heureuse de pouvoir en découvrir l'extérieur et connut bientôt le relief du mont comme le fond de sa poche. Nix partait souvent au-devant d'elle, bondissant dans le ciel et atterrissant une dizaine de mètres plus loin, disparaissant au détour d'un vallon pour bientôt revenir, une proie entre ses crocs ou désirant une caresse de Kaïsha.

Le tigre avait presque atteint sa taille adulte et, lorsqu'il se tenait debout sur ses quatre pattes, sa tête et celle de Kaïsha étaient à la même hauteur. Son dos, magnifique fresque blanche zébrée de noir, était juste assez bas pour que Kaïsha pût encore passer son bras par-dessus. La petite boule de neige qu'elle avait recueillie était devenue un magnifique félin, un prédateur gigantesque et majestueux. Il serait capable, s'il le voulait, de lui trancher la gorge d'un seul coup de griffe, mais au lieu de cela, il poussait sa tête contre ses hanches avec affection. Il arrivait parfois, lorsque Kaïsha partait en randonnée seule avec lui, de s'asseoir face à lui et de lui parler. Elle lui confiait un peu de tout, des pensées qui lui traversaient l'esprit, des peurs qui lui tordaient parfois douloureusement le ventre, des réflexions qu'elle se faisait sur son avenir et sur le monde. Nix, bien que couché, gardait toujours la tête relevée, les oreilles alertes, et la fixait de ses grands yeux bleus. Kaïsha savait qu'il l'écoutait et, même s'il ne pouvait sans doute pas comprendre le sens de ses mots, elle savait qu'il la comprenait néanmoins.

— Parfois, j'ai tellement peur de ce qui nous attend que j'ai envie de m'enfuir, lui confia-t-elle un jour, alors qu'ils paressaient tous les deux sur un petit plateau rocheux, le soleil se couchant lentement à l'horizon.

Kaïsha leva une main, la passa dans la fourrure de Nix et ce dernier déposa sa lourde tête sur ses cuisses.

— M'emmènerais-tu par-delà l'horizon ? lui demanda-t-elle rêveusement, regardant le soleil disparaître entre deux pics enneigés. Nous irions si vite, on ne verrait de nous que le vent dans notre sillage. Je pourrais voir le monde à travers tes yeux.

Nix leva alors sa tête vers elle, et Kaïsha prit son visage entre ses mains. Il s'approcha encore et Kaïsha appuya son front contre le sien. En ouvrant les yeux, elle pouvait voir ceux de Nix la fixer en retour, bleu glacé contre bleu azur.

Kaïsha eut alors une sensation étourdissante et extraordinaire. Elle avait l'impression qu'elle pouvait *lire* Nix, qu'elle pouvait voir son âme à travers ses yeux, et elle savait, sans être capable de se l'expliquer, qu'il en était de même pour lui. Elle était une humaine, il était un tigre des glaces. Deux êtres comme eux n'étaient pas même censés pouvoir cohabiter, encore moins posséder ce lien. Pourtant, ils étaient là.

Kaïsha se leva et Nix l'imita. Sans réfléchir, elle plaça ses mains sur le dos du tigre.

— Juste un essai, d'accord ? lui demanda-t-elle avec témérité.

Nix pencha la tête sur le côté, comme s'il n'était pas sûr de ce qu'elle allait faire. Kaïsha hocha la tête pour eux deux et prenant une grande inspiration, sauta et se hissa sur le dos de Nix. Elle échut sur le ventre avec un manque patent de grâce et d'expérience, et Nix leva les oreilles avec surprise lorsqu'il sentit son amie lui atterrir ainsi dessus. Toutefois, il ne bougea pas et laissa à Kaïsha le temps nécessaire pour hisser ses jambes et se placer en position assise.

Nix était réellement énorme, et Kaïsha se sentit soudain très grande, ainsi juchée sur lui. La sensation était incroyable. Elle sentait la chaleur du tigre et la texture de sa fourrure à travers ses vêtements. Elle pouvait même sentir ses muscles, qui se mouvaient dans un constant et subtil mouvement pour lui permettre de garder son équilibre. Elle sentit même le battement de son cœur, qui cognait à un rythme régulier contre sa cage thoracique et faisait vibrer les jambes de Kaïsha. Elle glissa ses doigts dans sa fourrure et Nix ronronna sous la caresse. Sa surprise passée, il regardait maintenant Kaïsha avec curiosité, se demandant sans doute ce que son humaine allait faire, maintenant qu'elle avait grimpé sur lui. Kaïsha lui sourit. Elle sentit l'adrénaline courir dans ses veines et l'envie d'essayer cette folie la grisa. Elle se pencha sur Nix jusqu'à être presque couchée sur son dos, et agrippa des touffes de fourrure avec ses doigts.

— Nix, murmura-t-elle près de l'oreille du tigre. Emporte-moi !

Comme s'il avait parfaitement compris le désir bouillonnant qui habitait Kaïsha, Nix se pencha, la tête collée au sol, puis bondit vers l'avant dans une poussée fulgurante. Kaïsha passa à un cheveu de tomber à la renverse, désarçonnée par la puissance du saut. Elle s'accrocha de toutes ses forces à Nix et dut lui arracher plusieurs touffes de poils sur le passage, mais le tigre ne sembla pas s'en rendre compte et courut avec enthousiasme. Couchée sur lui, la tête dans sa fourrure et espérant seulement ne pas tomber, Kaïsha était bouleversée. Elle allait à une vitesse inimaginable, le paysage n'était plus qu'une série de lignes colorées et floues sur lesquelles elle était incapable de concentrer son regard. Tous ses sens saturés, elle découvrait le monde sous un jour nouveau, mais malheureusement, à cet instant précis, elle était incapable de l'apprécier à sa juste valeur, son esprit et son corps trop occupés à tout mettre en œuvre pour l'empêcher de lâcher prise.

Après une courte course (qui sembla durer des heures), Nix ralentit soudain avant de s'arrêter et Kaïsha, désarçonnée, tomba à la renverse sur le sol. Elle s'était tellement crispée pour s'agripper à Nix qu'à présent, elle avait mal absolument partout. Aucun de ses muscles n'avait été épargné. Malgré tout, une bouffée d'excitation monta en elle. Elle avait réussi ! Elle avait chevauché Nix et il l'avait acceptée comme cavalière !

Couchée sur le dos, Kaïsha leva la tête vers Nix et ce dernier baissa le museau pour lui lécher le visage. Kaïsha rit. Lui aussi semblait avoir aimé l'expérience.

Maintenant qu'elle y avait goûté, Kaïsha n'avait plus qu'une envie : recommencer. Dès le lendemain, elle descendit au palier Trois à la recherche d'un sellier. L'homme lui avait été recommandé par maître Gaolen, mais il se montra tout de même incrédule devant la demande de Kaïsha : fabriquer une selle adaptée pour un tigre.

Trop rapidement au goût de Kaïsha, l'été arriva à son terme. Ils célébrèrent le seizième anniversaire de Ko-Bu-Tsu moins d'une semaine avant le lancement officiel des élections pour le poste de sage. Un mois durant, les maîtres pourraient poser leur candidature pour le prestigieux poste et le peuple voterait, comme le voulait la tradition, le jour de l'équinoxe d'automne. Maintenant qu'elles étaient des citoyennes à part entière des Montagnes et qu'elles avaient toutes deux plus de seize ans, Kaïsha et Ko-Bu-Tsu pourraient voter également. Lorsqu'elles reçurent l'élégant parchemin de confirmation à leur nom, qu'il leur faudrait remettre comme preuve au moment de voter, Kaïsha sourit. Elle se souvenait de cette toute petite pierre blanche qu'Espérance avait tenue au creux de sa main et qui représentait, comme elle le lui avait expliqué à l'époque, sa liberté et son pouvoir de décision sur leur avenir et leur nation. Kaïsha avait rêvé de posséder ce pouvoir un jour et, à présent, elle le détenait dans une autre nation que la sienne. Elle se demanda si elle devait y voir là un tour (ou une ironie) du destin.

Zuo rit lorsqu'il leur fit constater que Ko-Bu-Tsu et elle, qui n'habitaient les Montagnes que depuis un an et n'étaient citoyennes officielles que depuis quelques mois, avaient le droit de voter alors que lui, enfant des Montagnes de sang, n'y avait pas droit à cause de son âge.

— Le jour où nous irons dans les Plaines, tu es mieux de m'obtenir le droit de vote là-bas ! menaça-t-il Kaïsha avec un clin d'œil taquin.

Ko-Bu-Tsu était très emballée par les élections et jetait souvent un coup d'œil aux affiches qui annonçaient un peu partout dans la Commune les noms des candidats. Maen y était bien sûr en tête, mais plusieurs maîtres ajoutaient leur nom à la liste chaque semaine. Lorsque Kaïsha demanda à Ko-Bu-Tsu pourquoi elle se montrait si intéressée, elle lui répondit avec un large sourire :

— Parce que maître Friya pense poser sa candidature. Elle m'a interdit d'aborder le sujet avec elle depuis qu'elle me l'a fait savoir, parce qu'elle veut prendre le temps d'y réfléchir seule. Alors, je regarde la liste chaque fois qu'ils la mettent à jour ; j'espère y voir son nom apparaître !

Kaïsha fut surprise et enchantée par cette perspective. Maître Friya était une femme bonne et intelligente, elle serait sans aucun doute une excellente sage.

— Maintenant que j'y pense… Junn ne veut pas poser sa candidature ? se demanda Kaïsha.

— Cela m'étonnerait, répondit Ko-Bu-Tsu. À moins qu'elle n'ait confiance en aucun des candidats en lice, elle ne voudra pas du poste pour elle-même. Elle n'a jamais voulu du prestige qui vient avec le titre, et elle essaye déjà de convaincre les autres maîtres de la laisser repartir en expédition, alors devenir sage…

Kaïsha acquiesça. Ko-Bu-Tsu avait raison. À moins qu'elle n'y vît l'unique moyen de détrôner Maen de son siège, Junn ne voudrait pas du poids que le poste de sage lui apporterait.

— … et Saï ne l'envisagerait même pas, compléta Kaïsha.

— Ni n'aurait le soutien nécessaire, de toute façon, ajouta Ko-Bu-Tsu avec perspicacité. Les gens le respectent pour son talent, surtout depuis que l'art du combat est devenu quelque chose de recherché, et ils éprouvent de la sympathie pour la perte de sa famille, mais ils ne l'aiment pas. Pour la plupart des gens, il demeure un ermite grincheux qui se cache chez lui et pour qui tu es la seule envers qui il se montre gentil. Même ses élèves, qui ont pourtant la plus grande estime pour leur maître, n'arrivent pas à le trouver amical. Peu de gens l'appuieraient pour le poste.

Kaïsha ne put s'empêcher de rire. Elle devait être la seule personne dans tout Erwem à savoir à quel point Saï était un homme bon, mais elle devait admettre qu'il ne rendait pas la tâche facile pour quiconque.

Les lois interdisaient aux candidats pour le poste de sage d'entrer en compétition ouverte ou de faire de la promotion. La réglementation n'empêcha pas Maen de faire un nombre impressionnant d'apparitions publiques. Il se montrait charmant et avenant, tout cela dans le but d'obtenir la faveur du public sans avoir l'air de rien faire d'autre qu'une innocente promenade dans les rues d'Erwem. Kaïsha le regardait faire, de loin, les lèvres serrées. Elle ne pouvait supporter l'idée que cet homme vil et ambitieux pût reprendre sa place sur un trône qu'il ne méritait pas. Junn et Saï lui avaient tous deux formellement interdit de parler publiquement contre lui, car toute publicité pour un candidat (positive ou négative) était interdite. Kaïsha devait se conformer aux règles, surtout étant donné son statut spécial dans la Commune.

Elle n'eut cependant pas à ruminer longtemps sa frustration, car Maen lui-même lui donna l'occasion de montrer à tous ce qu'elle pensait de sa candidature.

Les évènements se déroulèrent deux semaines avant le jour du vote. Kaïsha rentrait chez les Steloj, après une journée d'entraînement avec Saï. En traversant la Grande place du sud, elle aperçut Maen qui était en grande discussion avec un groupe de personnes. Kaïsha reconnut parmi eux certains maîtres, mais plusieurs semblaient être des professeurs du Collège, si elle se fiait à leurs habits. Ils riaient à ce qui semblait être une blague de Maen et celui-ci, alors qu'il tournait la tête avec une fausse modestie, croisa son regard. Kaïsha détourna aussitôt les yeux pour continuer son chemin, mais Maen, sans doute ragaillardi par son petit effet de popularité, s'exclama :

— L'Enfant des cinq mondes ! Joignez-vous donc à nous, ma chère !

Plusieurs passants tournèrent la tête avec curiosité lorsqu'ils entendirent le sage appeler Kaïsha, et cette dernière hésita sur ce qu'elle devait faire. Son premier instinct lui dictait d'ignorer Maen et de continuer sa route, mais elle savait que d'agir ainsi paraîtrait plus mal pour elle que pour lui et elle se mordit les lèvres. Elle fit volte-face et s'avança vers le groupe, qui l'accueillit avec des sourires et des révérences. Elle-même s'inclina poliment face à eux, mais ne s'imposa aucune joie sur le visage.

— Vous désirez quelque chose, Maen ? demanda-t-elle au sage d'une voix polie et neutre, ne trahissant aucun sentiment.

Maen, un large sourire aux lèvres, se repaissait de tous les regards qui s'étaient tournés vers eux. Dans sa vanité, il était incapable d'imaginer que l'intérêt des gens pût être dirigé vers Kaïsha et non lui, aussi dut-il penser que c'était le son de sa voix, et non la personne à qui il s'était adressé, qui avait attiré tous ces regards curieux. Pourtant, quelque chose clochait chez lui. Il semblait trop heureux, son sourire avait quelque chose de forcé. Son visage était figé, comme un horrible masque de théâtre. À bien y regarder, Kaïsha vit les traces de fatigue qui creusaient ses yeux et son regard semblait vide, ce qui donnait à son expression joviale un aspect encore plus artificiel et inquiétant.

— Ma chère Kaïsha! commença-t-il d'une voix mielleuse.

J'invitais justement mes amis à venir à une petite soirée que j'organise chez moi à la fin de la semaine, dit-il en désignant son groupe d'interlocuteurs de la main. Rien de compliqué, un simple dîner entre personnes respectables. Ce serait un grand plaisir pour tous que vous vous joigniez à nous, qu'en dites-vous?

Kaïsha regarda Maen avec calme, sans montrer aucune émotion. À l'intérieur, elle se demandait sérieusement s'il avait perdu la raison. Pensait-il réellement qu'elle céderait à une quelconque pression sociale pour accepter de participer à sa campagne de promotion à peine dissimulée? D'autant plus qu'elle était loin d'être dupe. Elle voyait l'étincelle calculatrice et glaciale de son regard, elle savait qu'il l'invitait comme on engagerait un troubadour pour amuser la foule durant le repas.

Kaïsha parcourut le groupe du regard, ces hommes et ces femmes de l'élite qui la regardaient avec un intérêt poli, attendant visiblement qu'elle acceptât humblement l'invitation du sage. Kaïsha ne put retenir le léger sourire qui s'étendit sur ses lèvres. D'une voix claire et assez forte pour que tous pussent l'entendre, elle répondit:

— Merci, mais cela ne saurait causer plus de joie que j'en ai à refuser votre offre, car pour rien au monde je ne pourrais désirer la compagnie d'un homme comme vous.

Elle s'abîma dans une dernière révérence avant de faire volte-face sans prendre la peine de regarder Maen. Elle n'en eut pas besoin, car les visages des gens autour d'elle lui indiquèrent parfaitement la réaction qu'elle avait causée. Kaïsha prit alors conscience de l'influence qu'elle avait dorénavant sur le peuple d'Erwem, car les chuchotements et les regards surpris se dirigèrent non pas vers elle, mais vers Maen. À présent, les passants se demandaient pourquoi le sage s'était attiré l'animosité de l'Enfant des cinq mondes et certains d'entre eux se souvinrent de l'incident qui avait impliqué le vol dont il s'était rendu coupable. Alors que Kaïsha quittait la Grande place pour s'engager dans la rue menant chez elle, elle savait que les chuchotements derrière elle porteraient à travers la Commune la rumeur que le sage n'était plus digne de confiance et elle sourit à cette pensée.

La première personne à lui reparler de l'évènement fut monsieur Fey, le sellier qui avait accepté (après beaucoup d'hésitation) de fabriquer une selle sur mesure pour Nix. L'homme était venu voir le tigre dans la salle d'entraînement pour prendre ses mesures, puisque Nix était maintenant bien trop grand pour se mouvoir facilement dans les rues achalandées de la Commune. Avec une infinie prudence, il déroulait son ruban à mesurer autour de Nix tandis que Kaïsha lui caressait le cou, lorsqu'il dit :

— J'ai entendu dire que le sage vous avait invitée en public à dîner chez lui et que vous avez refusé ; est-ce que c'est vrai ?

Kaïsha s'empêcha de rire.

— Oui, c'est vrai, répondit-elle avec toutes les apparences du calme.

Monsieur Fey leva haut les sourcils et siffla entre ses dents, ce qui fit bouger les oreilles en alerte de Nix et fit sursauter le pauvre homme.

— Je ne savais même pas qu'une invitation du sage pouvait se refuser, remarqua le sellier en se remettant prudemment au travail, jetant des coups d'œil incertains à Nix de temps à autre.

— Moi non plus, vous me l'apprenez, répondit Kaïsha.

Monsieur Fey continua son travail en silence durant quelques minutes, mais son regard passait sans cesse de ses mesures à Kaïsha, si bien que celle-ci finît par l'encourager d'un sourire.

— Pardonnez-moi, s'excusa-t-il alors, mais j'aimerais vous poser une autre question.

— Je vous en prie.

— Pourquoi avez-vous refusé ? La rumeur dit que c'est à cause de ce qu'il a fait il y a plusieurs mois, lorsqu'il a intercepté votre courrier par prudence.

— Ce n'était pas par prudence ! vociféra Kaïsha avant de s'arrêter brusquement, de peur de dire des choses qu'elle pourrait regretter.

Monsieur Fey la regarda avec surprise, stupéfait par sa soudaine montée de colère. Il ne répondit rien pour un moment, terminant de noter les dernières mesures nécessaires à la confection de sa selle. Alors qu'il pliait le parchemin, il se tourna vers Kaïsha.

— Vous ne lui faites pas confiance, alors ?

Kaïsha leva les yeux vers le vieil homme.

— Non, répondit-elle avec sincérité.

— Et pour servir le peuple d'Erwem…, s'avança le sellier.

— Il ne servira que sa propre ambition, termina Kaïsha.

Monsieur Fey dévisagea Kaïsha un court instant, considérant ce qu'elle venait de lui dire. Il s'inclina alors profondément.

— Je vous remercie de vos conseils. J'ai terminé mon travail ici. Votre commande sera prête d'ici cinq semaines, six tout au plus.

— C'est moi qui vous remercie, insista Kaïsha avec douceur. Je ne vous ai pas commandé un travail aisé, c'est très généreux à vous de l'avoir accepté. Cela représente beaucoup pour moi.

Monsieur Fey s'inclina à nouveau.

— C'est un honneur que de travailler pour l'Enfant des cinq mondes. Je suis à votre entière disposition.

Le sellier s'en alla et Kaïsha s'adossa contre Nix, qui s'enroula autour d'elle pour dormir. Paresseusement, elle regarda le puits de lumière au-dessus d'elle tout en grattant les oreilles de son ami.

— Cinq semaines, pensa-t-elle à voix haute en rêvant de vitesse, de paysage qui défilait et de l'extraordinaire sentiment d'infini qu'elle avait ressenti alors que Nix et elle s'étaient élancés ensemble vers le ciel.

❄ ❄ ❄

Alors que le jour du vote approchait à grands pas, il sembla de plus en plus évident que l'incident entre le sage et Kaïsha avait eu un effet considérable sur la population d'Erwem. Comme Junn leur expliqua un soir alors qu'ils dînaient, Maen ne possédait déjà plus l'influence qu'il avait autrefois sur le Conseil et une bonne partie de la population remettait en doute son habileté à la diriger. Toutefois, il avait réussi à faire oublier ses agissements passés et il semblait avoir retrouvé de nombreux appuis dans les dernières semaines. C'était sans doute cet apparent retour en faveur qui lui avait donné l'illusion qu'il avait retrouvé son autorité d'autrefois et qu'il avait cru qu'il pourrait contraindre Kaïsha à agir à sa guise s'il le faisait devant un public. Cependant, le refus catégorique de Kaïsha avait fait rejaillir le scandale dont Maen s'était rendu coupable et il perdit presque tous les appuis qu'il avait réussi à obtenir. Il semblait à présent clair qu'il serait défait aux élections et la question était maintenant de savoir qui allait le remplacer. Maître Friya s'était finalement présentée comme candidate et possédait plusieurs appuis, mais la population semblait plus partagée entre maître Anyel (la professeure d'Odel qui avait fait venir Kaïsha dans sa classe, un an auparavant) et un autre maître du nom de Jobein, que Kaïsha connaissait peu, mais qui était connu comme l'ingénieur qui avait révolutionné les systèmes de transport de marchandises, ce qui faisait de lui une célébrité dans les paliers Trois et Quatre.

La veille du jour du vote, Kaïsha se rendait vers la maison de Saï lorsqu'elle croisa Maen dans l'escalier qui menait au palier Un. Sitôt qu'elle le vit, le sang de Kaïsha fit un tour. Ce n'était pas un hasard qu'elle le croisât à cet endroit. Cet étroit escalier n'était presque jamais utilisé par la population, qui préférait prendre ceux de marbre blanc situés dans les Grandes places. C'était justement la raison pour laquelle Kaïsha aimait emprunter celui-ci, qui était discret, presque secret, et la menait tout près de la maison de Saï. Si Maen s'y trouvait, c'était parce qu'il savait que Kaïsha risquait d'y passer et qu'il avait anticipé son arrivée.

Toutefois, même si l'idée que le sage eût encore les moyens de continuer à espionner ses faits et gestes lui donnait froid dans le dos, ce n'était pas cela qui poussait Kaïsha à vouloir sortir son épée de son fourreau. C'était le fait que Maen était seul. Le sage était toujours accompagné de sa garde personnelle et Kaïsha eut beau regarder par-dessus son épaule, aucun homme en livrée ne le suivait, et ce fait l'inquiéta plus que toute autre chose. S'imposant le calme, elle ne s'arrêta pas et continua de monter alors que Maen descendait, apparemment lui aussi absorbé par ses pensées. Toutefois, au moment où ils se croisèrent, Maen agrippa brusquement le bras de Kaïsha. Sans réfléchir, cette dernière agrippa le manche de son épée de l'autre main, prête à la dégainer.

Maen et elle se dévisagèrent un long moment, chacun jaugeant le danger que l'autre représentait. Kaïsha pouvait voir d'un seul coup d'œil que le sage n'était pas armé et même s'il était beaucoup plus grand qu'elle, elle savait qu'elle avait l'avantage sur lui en cas de combat. Maen sembla penser la même chose alors que son regard passait sur la lame affilée que Kaïsha avait commencé à dégainer. Il reporta son regard sur Kaïsha, glacial et mauvais, mais cette dernière y vit quelque chose d'autre, quelque chose qui lui glaça le sang parce qu'elle le reconnaissait trop bien : il avait le regard de quelqu'un qui n'a plus rien à perdre.

— Si je perds demain, ce sera de ta faute, lâcha-t-il soudain d'une voix venimeuse.

Malgré la peur qui la tenaillait, Kaïsha ne trembla pas.

— Vous êtes le seul responsable de ce qui vous attend. Vous n'avez que vous-même à blâmer.

— Tu as répandu des rumeurs sur moi! cracha Maen en lui serrant le bras.

— Les gens d'Erwem n'ont pas la mémoire courte et c'est votre propre vanité qui leur a rappelé quel genre d'homme vous êtes, répliqua Kaïsha en se dégageant brusquement.

Sans attendre une nouvelle réplique du sage, elle monta rapidement les marches, désirant plus que tout s'éloigner de cet homme dangereux. Derrière elle, elle l'entendit crier :

— Je viendrai demander des comptes, étrangère! Si tu m'enlèves ce que j'ai de plus précieux, je te rendrai la pareille!

27

Le lendemain, jour du vote, Kaïsha se leva très tôt. Accompagnées de Zuo (qui se scandalisa à nouveau que ses amies eussent le droit de voter avant lui), Ko-Bu-Tsu et elle se rendirent sur la Grande place du sud, au kiosque qui leur avait été assigné en fonction de leur adresse de résidence, afin d'appliquer leur pouvoir décisionnel. À l'abri des regards indiscrets derrière un paravent, Kaïsha n'hésita qu'une seconde avant d'inscrire le nom de maître Friya sur le parchemin officiel qui lui avait été remis, puis le glissa dans la fente du coffre qui accueillerait aujourd'hui la voix de centaines d'habitants d'Erwem.

— J'espère que tu as encouragé ma mentore! s'exclama Ko-Bu-Tsu à la blague lorsque Kaïsha émergea du paravent.

Cette dernière lui lança un clin d'œil complice et Ko-Bu-Tsu sourit avant de prendre à son tour son parchemin et de disparaître derrière le paravent.

La journée s'écoula lentement. Les gens avaient jusqu'au coucher du soleil pour aller voter, et les résultats ne seraient sans doute pas connus avant tard dans la soirée. Une atmosphère de frénésie régnait sur la Commune, comme pour un jour de fête. Il était vrai que l'élection d'un sage n'avait lieu qu'une fois tous les deux ans et qu'il s'agissait d'un évènement d'une grande importance pour l'avenir de la Commune. Sans qu'aucune festivité eût été officiellement annoncée, les rues se remplirent de gens qui, au lieu de travailler, s'installèrent sur les terrasses d'auberges et prirent un verre tout en discutant des possibles résultats des élections. Bien que ses cours eussent repris depuis quelques semaines, Zuo décida de jouer au rebelle et passa plutôt la journée avec Kaïsha et Ko-Bu-Tsu. Ils choisirent de profiter de l'une des dernières journées chaudes avant que l'automne s'installât pour de bon et passèrent la matinée dehors, accompagnés de Nix, qui les quitta bientôt pour aller chasser seul dans la montagne. Kaïsha regarda le tigre s'éloigner avec un léger pincement au cœur. Il partait chasser seul de plus en plus longtemps, parfois même pour quelques jours avant de retrouver son chemin vers la Commune et vers elle. Pendant combien de temps partirait-il cette fois ?

Kaïsha chassa ces pensées futiles et parla plutôt à Ko-Bu-Tsu et à Zuo des avancements dans la fabrication de la selle de Nix. Elle leur avait déjà confié sa première tentative pour chevaucher le tigre et ses deux amis l'avaient qualifiée de complètement dingue, mais s'étaient tout de même montrés impressionnés par sa réussite.

Quelque part en début d'après-midi, Nix revint les trouver en se fiant à son spectaculaire odorat et ils rentrèrent tous dans la Commune. Kaïsha laissa Nix dans la salle s'entraînement et suivit Ko-Bu-Tsu et Zuo jusqu'au palier Trois pour trouver de quoi manger. Ils se décidèrent finalement pour une galette frite achetée dans un kiosque, qu'ils mangèrent à une table sur la place du marché. Alors qu'ils finissaient et que Zuo se proposait pour aller leur chercher un granité, ils virent Nihiri et Odel apparaître au coin de la rue, venant sans aucun doute du palier Deux.

— Kaïsha, Ko-Bu-Tsu, Zuo ! s'exclama Nihiri en les apercevant.

Les trois amis répondirent à son salut et Nihiri vint les rejoindre, suivie par Odel, qui leur adressa à tous un sourire et un salut de la tête.

— Nous revenons de notre leçon avec maître Saï, raconta Nihiri à l'adresse de Kaïsha. Il nous a appris plusieurs positions de défense!

— Vraiment? s'intéressa Kaïsha avec un sourire, riant intérieurement d'entendre Saï se faire appeler «maître». Vous a-t-il montré comment placer vos jambes pour avoir le meilleur équilibre?

— Oh, ça, nous le savons depuis longtemps! déclara Nihiri avec fierté. Maître Saï a dit que si je montrais autant de détermination dans mes prochaines leçons, il m'apprendrait bientôt mes premiers mouvements offensifs.

Kaïsha sourit en écoutant Nihiri lui relater chaque détail de ses cours. Elle trouva la jeune fille bien changée. Elle était beaucoup moins timide, plus sûre d'elle et expressive, comme si elle avait fait craquer la coquille dans laquelle elle s'était jusqu'alors cachée, pour mettre à jour sa véritable personnalité. Elle semblait plus épanouie, et cela faisait plaisir à voir.

Kaïsha se tourna alors vers Odel :

— Saï vous mène-t-il la vie dure?

— Il est un maître exigeant et strict, répondit Odel avec un petit sourire. Mais il est un excellent professeur.

— Mais c'est vrai qu'il est dur, convint Nihiri avec une petite moue. Il nous oblige à faire et refaire les mêmes mouvements jusqu'à ce que nous ne puissions plus sentir nos bras, et il n'est jamais satisfait!

Kaïsha rit et lança un regard espiègle à Nihiri.

— Crois-moi, cela n'a rien de dur. T'a-t-il frappée jusqu'à ce que, de désespoir, tu te retournes contre lui, prête à le tuer pour sauver ta vie?

Nihiri ouvrit des yeux ronds et fixa Kaïsha avec effarement, imitée par Odel. Ko-Bu-Tsu et Zuo, qui connaissaient bien cette histoire, rirent en silence de leur réaction.

— Il t'a fait ça ? demanda Odel, choqué.

Kaïsha hocha la tête et sourit, comme s'il s'agissait d'un bon vieux souvenir.

— Oh oui. Il voulait me tester, savoir si j'avais réellement ce qu'il fallait pour devenir ce que lui considère être un véritable guerrier. Je pense avoir passé le test.

Elle leur lança un regard malicieux, mais Odel et Nihiri semblaient encore trop abasourdis par les procédures peu orthodoxes du maître d'épée pour s'en amuser.

— Je n'aurais jamais pensé qu'il aurait pu te faire du mal..., commença Odel.

Kaïsha l'arrêta immédiatement.

— Il m'a aidée à trouver mes faiblesses, et il m'a montré comment les surmonter. Saï est le meilleur professeur dont j'aurais pu rêver, et il est mon mentor. Il m'a combattue, il m'a poussée dans mes derniers recoins, mais il ne m'a jamais fait de mal. Il y a une grande différence.

Odel et Nihiri ne semblèrent pas complètement comprendre cette différence, mais ils n'insistèrent pas et acquiescèrent. Le sujet changea rapidement sur les prestations publiques de tir que Zuo donnait pour maître Hatthen, puis sur les recettes explosives que Ko-Bu-Tsu avait testées dans une salle de classe et qui avaient résulté dans la destruction d'un bureau et d'une chaise. L'aprèsmidi s'écoula ainsi doucement, si bien que lorsque le soleil se coucha et que l'annonce fut faite que les kiosques de vote étaient à présent fermés, aucun d'eux n'avait vu le temps passer.

— Je suppose qu'il faudra attendre encore quelques heures avant que les résultats ne soient connus, soupira Kaïsha.

— Où en feront-ils l'annonce ? demanda Ko-Bu-Tsu.

— Habituellement des hérauts le disent dans chaque Grande place et sur chaque place publique à tous les paliers, expliqua Zuo. Nous pourrions aussi bien rester ici et dîner.

— Non, montons à la Grande place, suggéra Ko-Bu-Tsu. Maître Friya doit sans doute s'y trouver et j'aimerais être là si elle gagne.

Tous acquiescèrent et le groupe se déplaça jusqu'à la Grande place du sud, bondée de gens, comme à l'habitude. L'immense fontaine en son centre était le seul îlot dans une mer de têtes aux cheveux noirs ou gris. Ko-Bu-Tsu monta un escalier qui longeait le mur de la Grande place pour avoir une meilleure vue, puis finit par voir sa professeure, au milieu d'un petit cercle d'amis et de partisans. Même si la loi interdisait la promotion des candidats, nul ne pouvait empêcher les gens de venir encourager leur favori, et maître Friya répondait à tout le monde avec un hochement de tête poli et un sourire aimable.

Ko-Bu-Tsu entraîna ses amis à travers la foule pour aller la saluer. Se faufilant entre les gens, Kaïsha glissa des regards à droite et à gauche. Elle vit deux autres candidats, entourés eux aussi d'un groupe d'admirateurs, mais aucune trace de Maen. Kaïsha ne savait pas si elle se sentait rassurée ou, au contraire, plus inquiète de ne voir aucun signe du sage sortant. Le connaissant, il aurait dû être au centre de la place, désireux d'attirer l'attention sur lui comme du miel pouvait attirer les mouches. Jusqu'au dernier instant, il aurait essayé de gagner la sympathie du peuple d'Erwem, et quel endroit était le meilleur pour ce faire, sinon la plus grande place de la Commune?

Kaïsha secoua la tête. Maen devait sans doute se trouver dans un autre lieu public. Peut-être essayait-il de courtiser les habitants du Corps. Ou peut-être que, dans sa grande vanité, il s'imaginait déjà gagnant et fêtait l'évènement en avance dans sa luxueuse demeure, entouré d'amis triés sur le volet. Dans tous les cas, il n'était pas le souci de Kaïsha pour le moment. Il le redeviendrait seulement si, par malheur, il remportait les élections.

Ils rejoignirent bientôt maître Friya, et Ko-Bu-Tsu lui offrit à nouveau ses encouragements et son soutien, imitée par Kaïsha, Zuo, Odel et Nihiri. Maître Friya leur rendit à tous un sourire chaleureux et les remercia.

— Ce doit être angoissant d'attendre que les résultats sortent, remarqua Odel.

Maître Friya rit.

— Pour être honnête, que je devienne sage ou non, j'ai simplement hâte que la soirée se termine pour pouvoir aller dormir !

Mak les rejoignit plus tard dans la soirée et salua à son tour la maître, avant de se tourner vers ses «inséparables» en s'exclamant d'une voix tonnante qu'il espérait qu'ils avaient voté pour sa candidate, avant de remarquer dans un nouvel éclat de rire que Zuo n'avait même pas pu voter alors que ses amies le pouvaient. Zuo fit mine de bouder en marmonnant des menaces de tout ce qu'il pourrait faire pour se venger une fois qu'il serait majeur.

Ils devaient approcher de la moitié de la nuit lorsqu'une trentaine de hérauts entrèrent dans la Grande place, déclenchant une salve d'applaudissements et de murmures excités. Les hérauts se dirigèrent en silence vers les nombreuses sorties menant aux différents paliers et lieux publics de la Commune et un seul demeura sur la Grande place, montant sur l'estrade permanente aménagée pour les annonces publiques. Il portait dans les mains un parchemin officiel et tous surent qu'il contenait le nom du prochain ou de la prochaine sage d'Erwem. La Grande place tomba soudain dans un silence attentif, chacun attendant impatiemment l'annonce des résultats. Kaïsha glissa un coup d'œil à maître Friya. Si elle était nerveuse, elle le cachait merveilleusement bien, son visage n'exprimant rien d'autre qu'un intérêt posé. Les yeux dirigés vers le héraut, elle attendait patiemment que son sort fût décidé. Kaïsha admira son sang-froid. Elle-même peinait à contenir son impatience. Elle voulait entendre le héraut parler, qu'il annonçât n'importe quel nom, sauf celui de Maen. N'importe quel maître serait un meilleur sage que cet homme vil et imbu de lui-même. Lorsque le héraut déroula lentement son parchemin et ouvrit la bouche, il sembla que le temps s'arrêta.

Le héraut annonça le nom. Maître Jobein. Le favori des paliers Trois et Quatre avait remporté par plus de trois cents voix les élections, talonné par maître Anyel. Alors que la salle retentit sous les applaudissements et les vivats, l'information rejoignit lentement le cerveau de Kaïsha.

Maen avait perdu, il était défait! Il n'avait même pas passé près d'être réélu! Il avait réellement perdu l'appui du peuple d'Erwem!

Kaïsha sentit la chaleur de l'excitation la gagner, et un large sourire illumina ses traits, qu'elle dissimula aussitôt lorsqu'elle se rendit compte que maître Friya n'avait pas gagné non plus.

— Je suis désolée, maître, dit Ko-Bu-Tsu avec déception, comme si c'était sa faute si sa professeure avait perdu.

Cette dernière la regarda avec surprise, puis un sourire chaleureux s'étira sur son visage et elle posa une main rassurante sur l'épaule de son élève.

— Il n'y a pas de quoi être désolée, la rassura-t-elle d'une voix douce. Jobein est un homme compétent et intelligent. Il sera un excellent sage pour Erwem. Quant à moi, je ne suis pas aussi déçue que tu pourrais le croire. C'est une grande responsabilité que d'être sage, et je suis déjà heureuse dans ma position de professeure et de guérisseuse. Je n'ai pas le sentiment d'avoir perdu quoi que ce soit.

Elle se tourna alors vers Kaïsha.

— Je suis également rassurée pour vous. Jobein s'est toujours montré en faveur de votre présence ici, et ce, depuis le jour de votre arrivée à Erwem. Il ne vous causera pas les torts que notre ancien sage s'est permis de vous imposer.

Kaïsha hocha la tête.

— C'est en effet rassurant.

Peu après l'annonce du nom du nouveau sage, ils décidèrent de rentrer. Zuo avait entendu quelqu'un dire que le nouveau sage allait faire un discours sur la place du marché au palier Trois, mais ils étaient tous trop fatigués pour vouloir y assister. Kaïsha, Ko-Bu-Tsu et Zuo souhaitèrent la bonne nuit à Odel et à Nihiri devant l'escalier qui les menait chez eux, puis les trois amis rentrèrent chez les Steloj, où ils discutèrent de leurs impressions du nouveau sage avec Junn et Cyam avant de monter se coucher.

Alors que Kaïsha retirait la ganse de son fourreau pour le déposer sur sa commode et que Ko-Bu-Tsu se glissait sous les draps, cette dernière soupira :

— Je suis quand même déçue pour maître Friya. Elle aurait été une sage extraordinaire.

— Je n'en doute pas, acquiesça Kaïsha en la rejoignant. C'est une femme brillante et réfléchie. Mais elle a elle-même dit ne pas être désolée de sa défaite.

— Je sais… J'espère que ce Jobein se montrera à la hauteur, car s'il l'a remporté sur maître Friya, j'ai des attentes très élevées !

Kaïsha rit.

— Nous allons sûrement le constater bientôt par nous-mêmes.

Kaïsha commença à retirer sa tunique pour mettre sa robe de nuit, lorsque Ko-Bu-Tsu remarqua, à moitié endormie :

— Maen doit être fou de rage.

Kaïsha se figea. Un pressentiment terrible et une angoisse terrifiante s'emparèrent soudain d'elle. Ko-Bu-Tsu le remarqua tout de suite et se leva sur un coude.

— Kaïsha ? Qu'est-ce qui se passe ?

L'esprit de Kaïsha fonctionnait à toute vitesse. Sa rencontre avec Maen dans les escaliers lui revint en tête comme un rêve vivide, lorsqu'il l'avait rendue responsable de sa chute en disgrâce et l'avait menacée de représailles s'il venait à perdre. Kaïsha avait chassé cette pensée, en partie parce qu'elle ne croyait pas réellement Maen capable de commettre une réelle atrocité, et en partie parce que considérer qu'il en était capable la terrifiait trop. À présent, elle se rappelait son regard mort, son sourire figé, monstrueux, son absence dans la soirée, et la peur l'envahit. Elle tourna la tête vers Ko-Bu-Tsu, comme si elle voulait s'assurer que son amie était bien là et en sécurité.

— Qu'est-ce que tu as ? répéta Ko-Bu-Tsu, alertée. Kaïsha, parle-moi !

— Maen m'a menacée, murmura Kaïsha, comme dans un rêve, sentant à peine ses lèvres bouger. Il m'a dit que s'il perdait son poste, il viendrait me demander des comptes.

— Il t'a menacée ? s'exclama Ko-Bu-Tsu, sous le choc.

Kaïsha hocha la tête, réfléchissant à toute vitesse.

— Je l'ai ignoré, mais mon instinct me répète depuis hier que sa menace était sérieuse… et si Zuo et toi êtes en sécurité ici… ça veut dire que…

Kaïsha se redressa d'un bond, repassa sa tunique et sortit en coup de vent, agrippant son épée au passage.

— Kaïsha ! cria Ko-Bu-Tsu en la suivant.

— Il est en danger ! hurla Kaïsha en se précipitant vers la porte, sans prendre le temps de s'expliquer à Cyam et à Junn, qui la regardèrent passer en courant dans le salon sans comprendre.

Kaïsha fila à toute allure, aussi vite que ses jambes étaient capables de la pousser. Elle ne s'était pas écoutée, quelle idiote ! Ces angoisses qu'elle avait senties, c'était des avertissements que son instinct lui lançait, mais trop sûre d'elle-même, trop convaincue de sa propre sécurité, elle les avait ignorées ! Elle, l'Enfant des cinq mondes, s'était crue invulnérable juste parce qu'elle était capable de défendre son propre corps. Comment avait-elle pu oublier qu'il existait des façons bien plus cruelles de la blesser ?

Elle passa en trombe dans la Grande place, ignorant les passants qui s'écartèrent brusquement sur son passage, ne remarquant même pas que le nouveau sage était présent et semblait vouloir fêter sa nouvelle élection avec la moitié de la Commune encore éveillée. Elle s'engagea dans le premier escalier qu'elle vit qui la mena au palier Un, son énergie doublée, ses sens entièrement concentrés sur sa cible.

Bien sûr, Maen voulait lui faire payer ! Puisqu'il considérait qu'elle lui avait enlevé ce qu'il avait de plus précieux, il en ferait de même pour elle ! Et puisqu'il ne pouvait pas atteindre Zuo et Ko-Bu-Tsu…

Kaïsha tourna brusquement dans l'étroite avenue qui menait à la salle d'entraînement. Lorsqu'elle vit que la porte était grande ouverte, elle hurla à pleins poumons :

— NIX !

Elle bondit dans la salle comme une furie, juste à temps pour voir Maen, le visage déformé par la haine, l'alcool et la folie, se tourner vers elle alors que Nix le fixait en grognant, ses crocs à découvert. L'ancien sage tenait une longue et lourde épée à la main, que Kaïsha n'avait jamais vue et que lui-même ne semblait pas réellement maîtriser. Lorsqu'il la vit, ses lèvres se retroussèrent en un abominable rictus.

— Tu m'as enlevé ce que j'avais de plus précieux, enfant de deux mondes, lui murmura-t-il avec une douceur effroyable. Ce n'est que justice que je te rende la pareille !

D'un geste brusque et maladroit, il brandit alors son épée pour l'abattre sur Nix, et Kaïsha poussa un hurlement.

Les regards de Kaïsha et de Nix se croisèrent le temps d'un battement de cœur, et leurs deux esprits ne firent qu'un. Nix bondit immédiatement sur le côté, ce qui n'empêcha pas la lame de Maen de déchirer la chair de sa cuisse. Le tigre poussa un rugissement de douleur qui fit trembler les murs de la salle d'entraînement. Maen se figea de surprise une seconde et Kaïsha en profita pour foncer sur lui. Pourtant, loin de vouloir se défendre contre elle, il fondit à nouveau sur le tigre, levant encore une fois la lourde épée dans les airs.

Mais cette fois, lorsqu'il abattit sa lame, cette dernière rencontra celle de Kaïsha. Maen poussa un hurlement de rage. Fou, il se mit à frapper Kaïsha de toutes parts avec l'énergie du désespoir. Elle para chacun de ses coups, mais malgré l'absence totale de technique de Maen, la force de l'épée qu'il tenait était bien plus grande que celle de Kaïsha. Nix, toujours derrière elle, se mit à fouetter furieusement l'air de sa queue et se pencha vers l'avant, prêt à bondir sur l'ancien sage à tout moment. Ce dernier ne le remarqua même pas, le peu de lucidité qu'il lui restait lui servant uniquement à assener des coups à Kaïsha dans l'espoir de la toucher.

Kaïsha était en plein cauchemar. L'homme qui se trouvait devant elle n'était plus Maen. La haine l'avait entièrement corrompu et il la fixait avec des yeux meurtriers. Elle se rendit compte à quel point tout ce qu'il avait fait pour lui nuire par le passé avait été inoffensif, alors qu'à cet instant, il l'attaquait dans le but de la tuer.

Chaque percussion de l'épée de Maen sur la sienne était comme un coup de masse. Son épée résistait parfaitement au choc, mais elle ne pouvait pas en dire autant de ses bras. Il fallait qu'elle trouvât une façon de s'échapper, mais les attaques de Maen pleuvaient sur elle dans un tel chaos qu'elle n'était capable que de garder sa position et de résister aussi longtemps que possible.

— Nix, sauve-toi! cria-t-elle alors.

Mais son fidèle compagnon, sentant que son humaine était en danger, ne fit que se rapprocher d'elle et tenta d'arrêter la lame de Maen d'un coup de patte. Il y arriva, seulement pour que Maen glissât la lame et lui lacérât la chair d'un même mouvement. Nix poussa un nouveau rugissement de douleur et recula en boitant, laissant une trace ensanglantée au sol.

— Pas lui, espèce de monstre! s'écria Kaïsha.

La haine lui coula dans les veines comme un poison, qu'elle accueillit avec joie. Brandissant son épée, elle profita de ce seul instant où Maen ne l'attaquait pas pour sauter sur lui. Affilée comme un rasoir, sa lame fila comme le vent, avec le torse de l'ancien sage comme cible. Il la vit au dernier moment et il réussit à parer son coup, en même temps qu'il lui assena un violent coup de pied dans le ventre. Sous le choc, Kaïsha tomba à genoux, le souffle coupé.

Maen poussa alors un cri triomphal et lui donna un nouveau coup de pied qui la fit rouler sur le sol. La vision de Kaïsha devint floue, elle n'arrivait plus à respirer et la panique commença à s'emparer d'elle. Elle tenait encore son épée, mais était incapable de se lever, ni de voir où se trouvait Maen. Nix, malgré sa propre douleur, vint aussitôt se pencher vers elle avec inquiétude. Kaïsha sentit son souffle chaud contre sa joue, puis elle sentit son ombre passer au-dessus d'elle : il la protégeait de son propre corps contre Maen, qui riait encore de sa victoire patente.

— Moi, un monstre? s'exclama-t-il avec un rire dément. *Moi?* Non, non, c'est *toi*, le monstre, enfant de deux mondes! C'est toi, l'abomination! Toi et cette chose!

Son rire se transforma alors en beuglement et il prit son élan pour assener un coup fatal à la nuque de Nix offerte, tandis que le tigre était toujours penché sur Kaïsha pour la protéger. Le sang glacé de Kaïsha devint soudain brûlant comme la lave et sans avoir besoin de réfléchir, malgré la douleur qui l'aveuglait, elle roula sur elle-même et brandit son épée devant elle. Les lames se rencontrèrent à nouveau, mais celle de Maen glissa sur celle de Kaïsha et s'enfonça profondément dans son épaule. Kaïsha poussa un hurlement de douleur et lâcha son épée, incapable d'en soutenir le poids.

Maen poussa un cri de joie inhumain tandis que Kaïsha portait sa main contre sa blessure. Une tache cramoisie commença à s'étendre sur sa tunique et elle sentit le liquide chaud et poisseux couler sur sa peau. Nix baissa son museau et lorsque l'odeur du sang lui parvint, ses pupilles se rétrécirent et il tourna son visage vers Maen.

Kaïsha ne l'avait jamais vu ainsi. Les crocs à découvert, il poussa un rugissement terrible, qui rappela à Kaïsha celui qui avait précédé l'attaque de sa mère. Le visage de Nix était déformé par une fureur animale et Kaïsha vit pour la première fois le véritable prédateur en lui. Maen le vit également et son visage prit une couleur livide. Son regard fou passa de Kaïsha à Nix et il sembla se rendre compte seulement à cet instant qu'il se trouvait devant la plus grande menace des Montagnes, et qu'il avait blessé la seule personne qui pouvait la dominer.

— Ah... ah! Recule, créature! hurla-t-il, comme s'il avait l'autorité de se faire obéir.

Nix fit un pas dans sa direction et Maen poussa un cri de terreur. Tenant son épée à deux mains devant lui, il recula jusqu'à la porte, encore grande ouverte, et disparut dans l'embrasure. Kaïsha l'entendit courir et le bruit de ses pas paniqués devint de plus en plus distant.

Trop bouleversée pour pouvoir réfléchir, Kaïsha se leva et poussa un gémissement de douleur. Ses jambes tremblaient, et elle dut s'appuyer sur Nix pour ne pas tomber. D'une main tremblante, elle remit son épée dans son fourreau, s'arrachant un nouvel éclair de douleur dans l'épaule. Un flot de pensées et d'émotions se battaient dans son esprit, mais une seule s'imposa et l'habita entièrement.

Maen n'allait pas s'en tirer. Pas cette fois.

Elle reprit sur elle-même et laissa l'adrénaline envahir chaque parcelle de son corps. Mue par sa colère, sans avoir besoin de réfléchir, elle se tourna vers Nix. Le tigre la regarda, ses yeux bleu glacé brillant de la même fureur. Il n'attendait qu'une parole.

— Rattrapons-le, dit simplement Kaïsha.

Nix n'eut pas besoin de plus. Il se baissa et Kaïsha sauta sur son dos. À peine se fut-elle penchée sur lui que le tigre s'élança. Malgré ses deux pattes blessées, ils traversèrent la ruelle en un éclair et furent sur la grande avenue du palier Un. Non loin d'eux, Maen courait comme un dément. Lorsqu'il regarda par-dessus son épaule, il poussa un hurlement de terreur à la vue de Kaïsha, chevauchant le tigre des glaces, et tous deux ayant le même regard assassin. Désespéré, il trébucha et courut vers l'escalier principal qui menait directement dans la Grande place du sud. Kaïsha se sentit soudain étourdie. Elle regarda son épaule et vit son propre sang imbiber sa tunique jusqu'à la taille. Elle tint sa main serrée contre la plaie. Si ça continuait ainsi, elle allait perdre connaissance.

— Cours, murmura-t-elle à Nix.

Aussitôt celui-ci repartit d'un bond prodigieux et galopa vers l'escalier. Maen poussa un nouveau hurlement et trébucha encore, dégringolant les dernières marches qui le séparaient du plancher de la Grande place.

La musique et les rires qui y résonnaient se turent au moment où l'ancien sage apparut, visiblement éméché et une épée couverte de sang à la main, devant plus d'une centaine de personnes venues fêter l'ascension de maître Jobein au poste de sage. Ce dernier, stupéfait, tenait encore son verre dans les airs pour porter un toast à ses partisans, et regarda son ancien dirigeant avec des yeux ronds.

La stupéfaction de tous fut encore plus grande lorsqu'ils virent l'Enfant des cinq mondes apparaître avec son tigre, tous deux blessés.

Les gens, abasourdis, furent incapables de produire un son. Ce fut finalement maître Jobein qui brisa le terrible silence en s'exclamant :

— Mais... mais, qu'est-ce qui se passe ?

Maen sembla émerger de son cauchemar éveillé en entendant la voix de son collègue, car il se redressa et hurla à la foule :

— L'enfant de deux mondes m'a attaqué ! Elle a lancé son tigre contre moi et elle veut me tuer ! Arrêtez-la, arrêtez-la !

Joignant les gestes à la parole, il brandit sa lourde épée pour pointer Kaïsha, mais sa confusion et le poids de l'arme transforma son mouvement en un geste confus et dangereux. Les personnes les plus près de lui reculèrent aussitôt, effrayées à l'idée de recevoir un coup d'épée accidentel.

Kaïsha le regarda faire, mais sa vision devint de plus en plus imprécise. Son épaule lui arracha une grimace de douleur et c'était sans compter les élancements qu'elle avait au ventre et au dos, là où Maen l'avait frappée.

— C'est faux..., fut tout ce qu'elle réussit à dire.

Elle ne savait même pas si quelqu'un l'avait entendue. Elle se sentait tellement étourdie, elle n'arrivait à se tenir droite qu'en s'appuyant sur un coude, tandis qu'elle pressait son autre main contre son épaule.

Un silence de mort régnait sur la Grande place. Le sage Jobein, toujours figé de stupeur, croisa alors le regard de Kaïsha. Il vit, comme toutes les personnes présentes, le sang qui couvrait ses vêtements et la trace écarlate sur le flanc de Nix. L'étonnement dans son regard fit alors place à l'horreur, et il regarda alors son ancien sage avec incompréhension.

— Maen… que s'est-il passé? répéta-t-il d'une voix interdite, ne croyant visiblement pas que la jeune fille à moitié évanouie eût réellement mis en danger la vie de l'ancien sage.

Au même moment, des gardes se frayèrent un chemin à travers la foule interdite, avançant avec prudence vers Maen, qui semblait avoir perdu tous ses moyens. En les voyant s'approcher de lui ainsi, il dut les percevoir comme une menace, car il leva brusquement son épée vers eux en poussant un cri de rage.

— TRAÎTRES! Vous êtes tous des traîtres! rugit-il à l'adresse de tout un chacun. Vous êtes aveugles!

Il se tourna alors vers Jobein :

— Et toi! Tu prends le parti de l'étrangère au lieu du mien? JE SUIS LE SAGE! Tu ne mérites pas ma place! Je suis le seul qui peut protéger cette Commune de la gangrène qui l'infiltre!

Jobein contempla son prédécesseur avec consternation. Il leva alors une main autoritaire et ordonna simplement :

— Gardes, arrêtez-le.

Les gardes encerclèrent alors Maen, lances pointées dans sa direction. Ce dernier les regarda avancer avec surprise, comme s'il ne pouvait imaginer que ces gardes étaient là pour *lui*. Il passa alors son regard dément sur la foule et bégaya :

— Vous… vous ne pouvez pas m'arrêter! Je suis votre sage!

Personne ne voulut croiser son regard. Tous le fixaient comme s'ils le voyaient pour la première fois. Et cette vision les plongeait tous dans l'horreur et la consternation. Il se tourna alors vers les gardes :

— Je vous ordonne de baisser vos armes !

Nul ne lui obéit. Maen lança encore quelques regards désespérés à la recherche d'un soutien qui ne vint pas, puis son visage se tordit d'une rage meurtrière et il hurla :

— Je n'ai fait que vous protéger de l'étrangère et de son monstre, et c'est ainsi que vous me remerciez ?

Il tourna alors un visage tordu par la haine vers Kaïsha et cracha :

— C'est de ta faute !

Il se précipita vers elle, trop vite pour que les gardes pussent l'intercepter. Kaïsha voulut dégainer son épée, mais la fulgurante douleur dans son épaule empêcha son geste. Nix sortit griffes et crocs, prêt à les enfoncer dans la chair de Maen, lorsque...

Tac !

Un éclair passa devant les yeux de Kaïsha, et Maen poussa un hurlement de douleur tandis que son épée tombait sur le sol dans un tintement métallique. Interloquée, Kaïsha baissa les yeux sur Maen et vit sa main, ensanglantée, dans laquelle s'était fichée une flèche.

Elle tourna aussitôt la tête vers l'entrée familière de la Grande place pour y trouver Ko-Bu-Tsu, Zuo, Cyam et Junn. Zuo tenait encore son arc devant lui, un bras tendu et l'autre plié à l'endroit où il avait décoché. Lorsque son regard croisa celui de Kaïsha, il lui fit un clin d'œil.

— La prochaine fois que tu sors en coup de vent pour aller te faire tuer, aie la gentillesse de nous dire où, que nous puissions te suivre ! s'exclama alors Ko-Bu-Tsu, sourcils froncés et affichant un air réprobateur.

28

Maen fut arrêté, jugé et déclaré coupable des chefs d'accusation de tentative de meurtre sur la personne de Kaïsha, l'Enfant des cinq mondes. Diagnostiqué comme instable mentalement par les guérisseurs du centre de soins, il fut interné dans une aile spécialisée pour les personnes atteintes de troubles mentaux, où il y vivrait comme détenu autant que comme patient pour le reste de ses jours.

Le sage Jobein confia à Kaïsha, quelques semaines après les évènements, que cette première décision qu'il avait dû prendre en tant que sage demeurerait sans doute, jusqu'à la fin de son mandat, celle qui l'aurait le plus ébranlé.

— Premier jour comme sage, et je fais enfermer mon prédécesseur, réfléchit-il à voix haute en marchant avec Kaïsha. Ce n'est pas ce que j'appelle un signe de bon augure.

Le sage et l'Enfant des cinq mondes avaient pris l'habitude de faire de longues promenades dans la Commune. C'était Jobein qui avait invité Kaïsha à faire cette activité avec lui, la première fois remontant à quelques jours seulement après son élection.

— J'ai besoin de marcher pour réfléchir, lui avait-il expliqué alors. Je suis un ingénieur, j'ai toujours préféré être sur le terrain pour tester mes idées. Maintenant que je suis sage, mon travail consiste à m'occuper de toute la Commune, alors je vais avoir beaucoup de terrain à couvrir. Accepteriez-vous de faire un bout de chemin avec moi ?

Jobein avait utilisé cette première promenade comme prétexte pour discuter sérieusement avec Kaïsha des motifs qui avaient mené Maen à commettre son geste. Le nouveau sage était encore sous le choc, comme l'ensemble de la Commune, et il cherchait à comprendre. Après que Kaïsha lui eut expliqué la complexe relation d'aversion qui la liait à Maen et les raisons qui l'avaient poussé à la haïr dès les premiers instants, Jobein commença à s'intéresser plus sérieusement à son histoire, à son expérience des autres nations, puis à sa vision du monde. Le sage était un inventeur et, comme il aimait le répéter, cela l'obligeait à garder l'esprit ouvert. Ainsi, il était intéressé par tout ce que Kaïsha pouvait lui raconter sur les Plaines et le Désert. Bien qu'elle n'avait rien pu lui dire qu'il n'aurait pu trouver dans un livre de leur Grande bibliothèque, Jobein était plus passionné par la façon dont Kaïsha percevait le monde. Ils discutèrent de nombreuses fois ensemble des relations houleuses entre les nations et se mirent à envisager ce que l'avenir pouvait leur réserver, maintenant qu'il était un fait connu que le Désert avait l'ambition de briser la paix.

Leurs conversations devinrent un rendez-vous hebdomadaire et cela fut bientôt une chose normale, pour les habitants d'Erwem, de voir leur sage et l'Enfant des cinq mondes déambuler dans les rues, parfois en discutant calmement, parfois en débattant avec énergie.

❊ ❊ ❊

Après ce qui leur était arrivé, Nix changea. Le tigre comprit que l'homme pouvait être dangereux et il se montra plus méfiant avec les étrangers. Lorsqu'il était avec Kaïsha, Ko-Bu-Tsu ou Zuo, il était encore le même gros chat joueur, qui venait leur réclamer des caresses et s'endormait en totale confiance, la tête sur leur cuisse. En revanche, lorsque Kaïsha l'emmenait à l'extérieur pour lui permettre de descendre chasser dans la montagne, il la suivait de près et ses oreilles étaient constamment à l'affût, cherchant d'où la menace pourrait venir. Bien que sa blessure au flanc avait guéri aussi bien que celle à l'épaule de Kaïsha, gracieuseté des talents de maître Gaolen et de Ko-Bu-Tsu, Nix avait compris qu'il n'était pas en totale sécurité avec les humains.

Un peu plus d'un mois après l'incident avec Maen, monsieur Fey vint cogner à la porte des Steloj et invita Kaïsha à se rendre à son atelier avec Nix. Ko-Bu-Tsu et Zuo les accompagnèrent et, sur place, il leur dévoila le fruit de son labeur : une selle unique, adaptée entièrement à Nix, comportant une encolure à poignées qui permettrait à Kaïsha de se tenir fermement sans avoir à agripper la fourrure du tigre. Le sellier fut fier de lui présenter quelques caractéristiques de son cru qu'il avait jugé bon d'incorporer à l'ensemble, dont des pochettes de cuir donnant au cavalier un espace de rangement sans déranger les mouvements du tigre, et un siège allongé permettant à un deuxième passager de s'installer. Zuo remporta l'honneur d'être le premier passager de Kaïsha, après l'avoir réclamé une seconde avant Ko-Bu-Tsu.

Nix sembla réticent lorsque Kaïsha l'approcha de l'immense structure de cuir, mais il finit par accepter de se coucher et laissa les humains poser le plus doucement possible la selle sur son dos. Monsieur Fey avait fait un travail de maître : la selle moulait presque à la perfection le dos et les flancs de Nix, épousant ses formes comme une deuxième peau. Le sellier expliqua à Kaïsha comment attacher les nombreuses sangles autour des pattes avant et du torse de Nix, ce qui était étonnamment simple, puis l'invita à le faire elle-même. Kaïsha se pencha vers Nix et lui caressa affectueusement le museau.

— Est-ce que je peux ? lui demanda-t-elle avec douceur.

Nix tourna ses yeux bleus vers elle, puis les ferma et baissa la tête. Kaïsha comprit qu'il lui donnait son accord et entreprit d'attacher toutes les sangles, une à une, jusqu'à ce que la selle fût solidement fixée sur son corps, comme si elle avait toujours fait partie de lui. Lorsqu'il se releva, Kaïsha trouva qu'il avait fière allure.

— De toute ma vie, je n'aurais jamais pensé voir un tigre des glaces porter une selle comme les aigles, souffla Zuo, impressionné.

Ko-Bu-Tsu éclata de rire.

— Tu réussis encore à t'étonner de voir des phénomènes uniques ? Il me semble que nous ne faisons que cela de notre vie !

Zuo rit à son tour.

— C'est vrai que quand il s'agit de nous trois, le mot « normal » perd son sens.

Kaïsha sourit et plongea son regard dans celui de Nix. Son fidèle ami était aussi impressionnant qu'intimidant. Il pouvait se montrer aussi doux que dangereux. Kaïsha songea alors que si elle pouvait devenir comme lui, elle aurait vraiment accompli quelque chose.

— Viens ! lui dit-elle avec un sourire. Allons la tester !

Elle remercia encore une fois monsieur Fey et, accompagnée de Ko-Bu-Tsu et de Zuo, elle sortit de l'atelier avec Nix. Ils traversèrent le palier Trois en direction de la Grande place de l'est. Les gens, lorsqu'ils les virent passer devant eux, tournèrent la tête et pointèrent du doigt la selle de Nix. La confrontation de Kaïsha avec Maen avait fait le tour de la Commune et tout le monde avait entendu dire qu'elle pouvait maintenant chevaucher l'animal le plus dangereux des Montagnes. À présent qu'ils voyaient le félin vêtu de sa selle, les passants comprirent qu'il ne s'agissait pas d'une simple rumeur.

Au moment où ils passèrent devant la maison d'Odel et de Nihiri, Edelar sortit de son échoppe pour les saluer et demeura coi devant l'immense tigre.

— Par les anciens! s'exclama-t-il d'une voix forte lorsqu'il fut remis de sa surprise. Partez-vous faire une promenade avec votre ami poilu?

Kaïsha lui offrit un regard espiègle.

— En quelque sorte, répondit-elle en indiquant discrètement la selle de la tête.

Le regard d'Edelar suivit son geste, et ses yeux s'agrandirent comme des billes.

— Ça alors! s'exclama-t-il avec ébahissement. Je ne peux pas passer à côté d'une occasion pareille! Il faut que je voie ça; attends-moi ici!

Il disparut alors dans son magasin, puis revint un instant plus tard, accompagné de ses trois enfants et de sa femme. Cette dernière demeura figée de stupeur devant le tigre, mais Odel et Nihiri vinrent saluer Kaïsha, Ko-Bu-Tsu et Zuo, tandis que Miluna s'approchait timidement de Nix.

— Est-ce que je peux le toucher? demanda-t-elle à Kaïsha d'une petite voix.

— Tends-lui ta main, il te le dira lui-même, répondit Kaïsha avec douceur.

Miluna avança alors une main hésitante vers Nix, qui baissa la tête pour renifler le bout de ses doigts. Après un instant d'hésitation, il avança son front contre la main de Miluna, et cette dernière poussa une exclamation de joie, enfonçant ses doigts dans son épaisse fourrure.

— C'est vrai que tu peux le monter comme un aigle? demanda-t-elle, fascinée.

— Oui, répondit Kaïsha en souriant.

— Est-ce que je pourrai monter, moi aussi?

— Peut-être, si tu es sage, rit Kaïsha.

— Alors, vous nous faites cette démonstration? s'exclama Edelar avec un grand rire, le regard étincelant.

Kaïsha n'avait pas exactement envisagé d'avoir un public pour son premier essai de la selle, mais elle songea que c'était prévisible et hocha la tête. Au moins, les Silko étaient des amis et leur présence ne la gênait pas.

Ce qu'elle oublia, c'était qu'Edelar connaissait tout le monde sur le palier Trois et que tout le monde le connaissait. Aussi, ils ne purent pas marcher dix mètres sans qu'il croisât une connaissance et lui criât :

— Regarde ça ! L'Enfant des cinq mondes, une amie de la famille, va nous faire une démonstration de ce que c'est que de chevaucher un tigre ! Je te le jure ! Regarde donc cette selle, à quoi crois-tu qu'elle serve ?

Et ainsi, avant qu'ils n'eussent rejoint le palier Deux, une petite foule les suivait, tout le monde fasciné par ce tigre domestique et la jeune fille qui pouvait le monter. Kaïsha soupira de désespoir, tandis que Zuo et Ko-Bu-Tsu se moquaient gentiment d'elle, puis une main vint se poser sur son épaule. Lorsqu'elle se retourna, Odel lui souriait.

— Désolé pour mon père…, s'excusa-t-il avec gêne.

— Ce n'est pas grave, répondit Kaïsha en essayant de cacher sa nervosité. J'aurais quand même préféré garder cette expérience discrète.

— Tu es l'Enfant des cinq mondes et tu te promènes avec un tigre dans la Commune ! rit Odel. Que pourrais-tu faire qui n'attire pas tous les regards ?

La foule ne fit que grossir alors qu'ils traversaient le palier Deux, si bien que lorsqu'ils sortirent sur la terrasse de la Grande place de l'est, une centaine de personnes les suivaient, sans compter tous ceux qui profitaient des dernières journées fraîches d'automne.

Plusieurs écuyers étaient sortis pour laisser des aigles se dégourdir les ailes et, soudain, Zuo s'exclama :

— J'ai une idée !

Puis, il courut vers l'un des écuyers. Kaïsha et Ko-Bu-Tsu échangèrent un regard interrogateur. Zuo discuta quelques secondes avec l'écuyer, puis revint vers elles, les rênes d'un aigle dans la main, l'immense oiseau le suivant calmement.

— Cette expérience est la tienne, dit-il à Kaïsha en indiquant Nix du menton, mais n'imagine pas un instant que nous allons te laisser la vivre seule !

Kaïsha éclata de rire et Ko-Bu-Tsu se rangea à côté de Zuo, l'air aussi déterminée.

— Je suis d'accord ! Et il n'est pas question que je te laisse te perdre dans les montagnes une nouvelle fois. J'en ai marre de devoir te recoudre sans arrêt.

Kaïsha baissa les yeux sur les trois longues traces blanchâtres qui s'étiraient sur son bras gauche, vestiges de la dernière tentative de la mère de Nix pour protéger son enfant. Avec elles et sa marque d'esclave, une nouvelle petite bosse s'était ajoutée là où l'épée de Maen avait transpercé sa peau, bien que Ko-Bu-Tsu lui avait assuré que cette trace-là disparaîtrait bientôt, et Kaïsha en était ravie.

— Bon, fit-elle en jetant un coup d'œil à la foule entassée derrière eux. Je suppose qu'il est l'heure, alors.

Nix, dont les oreilles en alerte étaient orientées vers le groupe d'étrangers, fut heureux que Kaïsha lui fît signe de la suivre loin d'eux, à la limite où la terrasse de pierre blanche devenait un sol de terre sèche, prête à recevoir la neige qui ne tarderait pas à tomber. Les gens, respectueux, gardèrent leurs distances, mais Kaïsha savait que des centaines d'yeux fixaient son dos. Étonnamment, il lui fut facile de les ignorer. Devant elle s'étendait l'infini. À ses pieds, la montagne descendait vers des vallons qui étaient minuscules vus d'ici. Très loin, à l'horizon, les autres monts se dressaient tels des murs géants, mystérieux, laissant à peine entrevoir le paysage au-delà et ses secrets. Seul le soleil, déclinant, pouvait traverser leur chaîne majestueuse. Après un an passé dans cette nation, Kaïsha en était venue à connaître ce paysage par cœur et elle s'y sentait chez elle. À présent, elle voulait voir plus loin, elle rêvait de l'horizon.

Elle se pencha vers Nix et, à cet instant, lui et elle étaient complètement seuls. Elle caressa l'encolure de son ami et ce dernier plongea son regard dans le sien.

— Nous essayons ? lui demanda-t-elle.

Comprenant immédiatement, Nix fléchit les pattes et Kaïsha grimpa sur la selle. Le siège était étonnamment confortable, et Kaïsha y trouva immédiatement ses repères. Elle plaça ses mains sur les poignées, placées près de l'encolure de Nix, qui l'obligèrent à se pencher sur le dos du tigre. Elle en comprit immédiatement l'intérêt et trouva que monsieur Fey était un génie : ainsi couchée, elle serait bien protégée du vent par la tête de Nix et, lorsqu'il se mettrait à courir, elle offrirait beaucoup moins de résistance. Elle était dans une position très similaire à celle qu'elle avait instinctivement adoptée la première fois qu'elle l'avait monté.

Elle marqua alors une pause. Mue par son instinct, elle regarda derrière elle. Des centaines de personnes retenaient leur souffle en attendant de voir le légendaire prédateur s'élancer, mais elle les ignora. Elle regarda Odel, qui lui offrit le sourire chaleureux et doux qui lui pinçait encore le cœur. Elle vit ensuite Zuo et Ko-Bu-Tsu, tous deux installés sur leur aigle et attendant qu'elle ouvrît la valse pour la suivre. Ses yeux tombèrent alors sur un visage familier.

Saï était là. Kaïsha ne savait pas comment il avait su qu'elle se trouvait là. Peut-être avait-il entendu des gens en parler sur la Grande place ? Peu importait. Il s'était faufilé à coups de coudes jusqu'au premier rang et il la fixait avec confiance. Lorsque leurs regards se croisèrent, il lui lança un sourire qui devait se traduire par : « Alors ? Qu'attends-tu ? »

Kaïsha lui sourit et se pencha sur l'oreille de Nix.

— Vas-y, Nix, emmène-moi jusqu'à l'horizon !

Nix poussa un rugissement de joie, qui fit vibrer sa cage thora-cique jusqu'au cœur même de Kaïsha, puis ils s'élancèrent tous les deux dans le ciel.

C'était comme la première fois, mais en tellement mieux ! À présent, Kaïsha n'avait plus peur de tomber, ni n'était étourdie par la vitesse. Au contraire, elle l'absorba en elle et ne fit plus qu'un avec Nix. Ils dévalèrent la montagne, sautant des distances incroyables, le vent sifflant dans leurs oreilles. Nix les propulsa d'un rocher à l'autre, sautant des crevasses comme s'il s'agissait de ruisseaux.

Rapidement, un aigle vint les rejoindre, et Kaïsha vit Ko-Bu-Tsu et Zuo lui adresser des signes de la main enthousiastes, tous deux ayant un sourire ébahi aux lèvres.

— C'est incroyable ! cria Ko-Bu-Tsu.

Kaïsha lui répondit d'un éclat de rire. Elle donna un léger coup de talon à Nix et celui-ci, comme s'il avait lu dans son esprit, doubla de vitesse et ils perdirent rapidement l'aigle derrière eux.

Kaïsha releva la tête et s'enivra du paysage autour d'elle. Elle voyait l'infini, la nature qui s'offrait à elle et l'invitait à la décou-vrir. Submergée par un torrent d'émotions, elle poussa un cri triomphal au ciel.

Elle était libre, elle était maître d'elle-même, et le monde n'at-tendait qu'elle !

La vie suivit son cours dans la Commune. L'hiver s'installa pour de bon et lorsque la fête du solstice d'hiver arriva, Kaïsha passa une très belle soirée avec Zuo, Ko-Bu-Tsu, Odel et Nihiri. Tard dans la soirée, Odel l'invita à danser et Kaïsha sut, alors qu'ils riaient ensemble tout en dansant sans aucune gêne, qu'elle avait réussi à faire la paix avec son propre cœur. Elle ne fut pas sûre, toutefois, que c'était le cas de Zuo, qui, depuis quelque temps, regardait Ko-Bu-Tsu avec d'autres yeux que ceux d'un ami. Kaïsha décida de ne pas aborder le sujet tout de suite avec lui. Il avait encore son propre chemin à faire.

Les saisons se succédèrent et Kaïsha partagea son temps entre ses entraînements, Nix et les promenades qu'elle faisait avec le sage Jobein. Des explorateurs provenant de toutes les Communes continuèrent de lui envoyer des requêtes pour la rencontrer, et elle les accepta toutes. Depuis que les guides avaient officiellement accepté Ko-Bu-Tsu et elle comme des citoyennes des Montagnes, elles reçurent également la visite d'envoyés officiels des autres Communes, qui vinrent tous leur présenter leurs respects. Il arriva même que des visiteurs, venus voir des membres de la famille ou des amis vivant à Erwem, les arrêtassent dans la rue pour s'incliner devant elles et repartir en s'exclamant qu'ils raconteraient cette rencontre lorsqu'ils retourneraient chez eux.

Un soir, près d'un an après cette soirée d'élections qui avait mené Maen aux cachots, Kaïsha dînait en compagnie de Ko-Bu-Tsu, Zuo, Cyam et Junn, lorsque l'on frappa à la porte. Sur le seuil, le sage Jobein se tenait, pâle comme la mort.

— Que se passe-t-il? demandèrent presque d'une même voix Kaïsha et Junn; Kaïsha alertée par la pâleur du sage et Junn pensant sans doute qu'il s'agissait d'une urgence du Conseil.

— Excusez-moi de vous déranger à cette heure, dit Jobein d'une voix terriblement calme, signe qu'il faisait tout pour garder son sang-froid, mais j'ai une information capitale à transmettre à Kaïsha.

— De quoi s'agit-il? demanda cette dernière, de plus en plus inquiète.

Jobein avança dans la pièce, visiblement ébranlé. Dans ses mains, il tenait une lettre portant le sceau de Niverr.

— Je viens de recevoir ce message de nos guides. Les Plaines les ont contactés.

Kaïsha sentit son sang se figer et une sensation terrible de vide l'envahit. Jobein la regarda, l'air d'un homme sur le point d'annoncer une mort.

— Le Désert a fermé ses frontières il y a moins d'un mois. Ils ont rappelé leurs bateaux et leurs ambassadeurs. Ils refusent tout contact et ont cessé leur commerce du métal avec toutes les nations.

Kaïsha entendit les mots, mais ces derniers prirent un temps infini à rejoindre son cerveau. Lorsqu'ils y arrivèrent enfin, lorsqu'ils se formèrent et que Kaïsha en comprit le sens, son cœur s'arrêta, elle cessa de respirer. Son corps tout entier devint néant et seule une brûlure, vive, cuisante, irradiante, émana de son omoplate droite, là où le sceau du général To-Be-Keh était inscrit dans sa chair.

Elle se tourna vers Ko-Bu-Tsu et Zuo. Les trois amis échangèrent le même regard, pensèrent la même chose et furent envahis par la même peur. Kaïsha les regarda tous les deux et, d'une voix qu'elle ne reconnut pas comme la sienne, elle murmura :

— Ça commence.

Ne manquez pas

le tome 3

• L'ENFANT DES CINQ MONDES •

Remerciements

J e tiens à remercier chaleureusement plusieurs personnes qui, grâce à leur soutien et leur aide, ont contribué à la rédaction de ce roman.

Merci à Philippe, mon amour et partenaire de crime. Tu es mon premier lecteur, mon premier critique et mon soutien constant. Tes conseils ont guidé la direction de cette histoire et ta vision a donné forme aux Montagnes.

Merci à Alexandra Beaulieu, Mélina Messier et Mélanie Londot d'avoir répondu à l'appel ! Les Sherlock Holmes en vous ont trouvé tous ces petits détails qui demandaient à être peaufinés à travers les pages, et l'histoire ne serait pas la même sans vous.

Merci à mes trois parents, Caroline, Hubert et Catherine, de continuer de croire en moi et en mes projets fous.

J'aimerais aussi envoyer un gros merci à Mylène Archambault, Matthieu Fortin, Daniel Kordek, Olivier Camirand, Jade Langevin, Anika Fréchette-Léveillée, Marie Sanche, Antoine Camirand, Loïc Sanscartier et Annie-Claude Babineau. Vous me rappelez un peu tous les jours pourquoi j'aime écrire.

Bien sûr, merci à vous, chers lecteurs, de donner vie à Kaïsha, Zuo et Ko-Bu-Tsu. (Désolée de vous laisser sur votre faim ; nous nous reverrons au tome 3 !)

À propos de l'auteure

Élisabeth Camirand est née en 1992 et complète un baccalauréat en psychologie, parcours Honneur, à l'Université du Québec à Montréal. Passionnée de lecture, elle désire à son tour faire voyager et rêver le lecteur à travers les mots. Avec la série Kaïsha, elle lui offre d'entrer dans un monde nouveau et suivre une jeune fille dans une aventure sans pareille.

De la même auteure

éditions

www.ada-inc.com
info@ada-inc.com

www.facebook.com/EditionsAdA

www.twitter.com/EditionsAdA